STEPHI

Alors qu'il vivait en France depuis dix ans, le journaliste britannique Stephen Clarke décida de rédiger un petit « guide de survie » à l'usage de ses compatriotes exilés au pays des *froggies*. Imprimé initialement à 200 exemplaires, *A year in the Merde* – titre original –, est mis en vente sur le site Internet de l'auteur qui se charge de le livrer lui-même chez quelques libraires. Le bouche à oreille s'en mêle et l'ouvrage se vend à plusieurs milliers d'exemplaires à Paris avant qu'un éditeur anglais n'en récupère les droits.

Devenu un best-seller au Royaume-Uni, *God save la France* a paru dans plus de vingt langues (en France chez NiL éditions, 2005). *God save les Françaises* (2007), *Français, je vous haime* (2009) et *1 000 ans de mésentente cordiale* (2012) ont paru chez le même éditeur.

Retrouvez l'auteur sur son site :
http://www.stephenclarkewriter.com

1 000 ANS
DE MÉSENTENTE CORDIALE

STEPHEN CLARKE

1 000 ANS DE MÉSENTENTE CORDIALE

L'histoire anglo-française revue par un rosbif

Traduit de l'anglais
par Thierry Cruvellier

NIL ÉDITIONS

Titre original :
1,000 YEARS OF ANNOYING THE FRENCH

MIXTE
Papier issu de
sources responsables
FSC® C003309

Pocket, une marque d'Univers Poche,
est un éditeur qui s'engage pour la préservation
de son environnement et qui utilise du papier fabriqué
à partir de bois provenant de forêts gérées
de manière responsable.

© Stephen Clarke, 2010
Droits internationaux : Susanna Lea Associates
ISBN : 978-2-266-24131-1

Sommaire

« Les Angloys veulent touzjours guerreer leurs voisins sans cause, par quoy ilz meurent tous mauvaisement. »

Extrait du *Journal d'un bourgeois de Paris, 1405-1449*, écrit pendant la guerre de Cent Ans

« Nous sommes détestés par les Français depuis toujours, et j'espère que cela durera pour toujours. »

Le duc de Wellington

« Il est dans le caractère français d'exagérer, de se plaindre et de tout défigurer dès qu'on est mécontent. »

Napoléon Bonaparte, empereur de France

« L'Histoire est une suite de mensonges sur lesquels on est d'accord. »

Napoléon (le même)

À l'équipage du Crimée pour sa patience millénaire, et à N. en particulier, qui m'a soutenu dans toutes les batailles.

Merci à mon éditrice Selina Walker pour son sens de l'histoire et du temps au moment de me rappeler mes échéances.

Et à tous ceux qui travaillent à l'agence de Susanna Lea pour avoir rendu cette histoire possible.

Avertissement :
ceci n'est pas un livre antifrançais

Aux Houses of Parliament, à Londres, dans le grand hall où se réunissent les visites guidées, une Anglaise d'une soixantaine d'années se présente au groupe dont je fais partie et demande si tout le monde comprend son anglais (qui est clair et net comme la cloche de Big Ben, mais un peu moins bruyant quand même). Il se trouve que mon groupe est très mélangé – des British, des Australiens, des Américains, des Allemands.

« Y a-t-il des Français parmi vous ? demande la guide. Quand il y a des Français, je dois faire attention à ce que je dis.

— Pourquoi ? demandé-je (tout en précisant que je suis anglais, moi).

— Vous verrez... »

Et effectivement, quand nous arrivons dans la Royal Gallery, une longue salle utilisée pour des dîners officiels, sorte d'antichambre que la reine traverse chaque fois qu'elle se rend ici pour l'ouverture du Parlement, je vois.

La galerie tire son nom des portraits et statues de monarques (britanniques, bien sûr) qui la décorent. Mais les deux murs les plus longs sont dominés par tout autre chose : d'immenses fresques représentant les batailles de Trafalgar et Waterloo, nos plus célèbres victoires sur les Français, en 1805 et 1815.

Je me tourne vers la guide.

« Pourquoi, au cœur de notre Parlement, dans une galerie qui est censée être consacrée à nos rois et reines, montrer des défaites de Napoléon ?

— *It's our history* », répond-elle.

Comme si rien d'autre n'existait, comme si notre histoire entière consistait à se battre contre la France.

Et je me suis rendu compte que la guide avait un peu raison. En me replongeant dans l'histoire britannique depuis Guillaume (ou plutôt Willelm, comme on l'appelait à l'époque) le Conquérant, j'ai constaté que nous avons passé la majeure partie de ces quelque mille dernières années à embêter nos voisins les Français. Dès qu'il devient roi des Anglais, Willelm lui-même ne trouve rien de mieux que de revenir attaquer Paris, se faisant mortellement blesser pendant qu'il incendie Mantes-la-Jolie.

Depuis, ça n'a pas cessé. C'est vrai que nous nous sommes fâchés de temps en temps avec les Écossais, les Irlandais, les Espagnols, les Hollandais et autres Allemands. Mais la seule nation qui a mérité notre attention belliqueuse à travers toute l'histoire est la France.

Pourquoi cet acharnement ? me suis-je demandé. (Une question qui est ici purement rhétorique, car les pages qui suivent apportent une réponse bien plus détaillée que celle que cette introduction peut offrir.)

Plus choquant encore, cette guerre anglo-française

n'est pas finie. Quand Nicolas Sarkozy est venu à Londres, en 2008, pour nous présenter sa nouvelle épouse, il a été accueilli par la reine accompagnée de la garde à cheval – un grand honneur, sauf que deux des chevaux s'appelaient Azincourt et Zut Alors… Coïncidence ou blague du prince Philippe ? Allez savoir.

À Paris, ce n'est pas mieux. Si vous avez la chance d'être un jour invité à l'ambassade de Grande-Bretagne (un palais acheté à vil prix par les Anglais à Pauline, la sœur de Napoléon, en 1814, pour fêter l'amitié anglo-française), vous admirerez, dans l'entrée, un grand portrait du duc de Wellington, chef des armées anglaises à Waterloo, dont l'une des plus célèbres reparties est : « Nous sommes détestés par les Français depuis toujours, et j'espère que cela durera pour toujours. »

Cela venant d'un homme qui était alors ambassadeur britannique à Paris. Bonjour la diplomatie.

Pourtant, ce portrait aux relents francophobes, à deux pas du palais de l'Élysée, n'est pas une provocation ou l'expression de mauvaises relations anglo-françaises. Comme disait ma guide aux Houses of Parliament : « *It's our history.* »

Le romancier américain William Faulkner a écrit que « le passé n'est pas mort. Il n'est même pas passé ». Il parlait des rapports entre le sud et le nord des États-Unis, mais on pourrait dire la même chose à propos de la France et de la Grande-Bretagne. Quel que soit le présent, l'histoire vient nous donner une gifle pour nous rappeler son existence.

Tout cela explique nos rapports compliqués. Ce n'est pas une relation amour-haine. Entre nous, il n'y a plus de haine à la Wellington. Il y a juste un reste de méfiance et d'incompréhension, causées par notre longue histoire commune.

Raconter cette histoire, comme je le fais dans ce livre, peut parfois sembler provocateur, mais telle n'est pas mon intention. Au contraire, dans certains cas, comme pour la prétendue « guerre » de Cent Ans (plus d'un siècle de pillage anglais pur et simple), il s'agirait plutôt de présenter des excuses.

En racontant cette histoire turbulente, je cherche aussi à expliquer pourquoi cela nous amuse de vous combattre depuis si longtemps. Et pourquoi, même aujourd'hui, aux Houses of Parliament, quand une guide dit devoir faire attention à ce qu'elle dit en présence de visiteurs français, elle le fait avec un sourire si malin...

Historiquement vôtre,
Stephen Clarke
Paris, 2012 (597 ans après Azincourt,
197 après Waterloo...)

La France et les hauts lieux de son histoire, fameux
ou non, évoqués dans ce livre.

1

Quand un Français n'est-il pas français ?

Les Français sont très fiers d'avoir été les derniers à envahir les îles Britanniques. Napoléon n'est jamais parvenu à faire débarquer plus que quelques soldats trempés sur le sol anglais ; l'Armada espagnole de 1588 a été emportée en mer du Nord ; Hitler a tout juste réussi à conquérir les îles Anglo-Normandes presque désertes. Guillaume le Conquérant, en revanche, n'a pas seulement envahi l'Angleterre mais s'est emparé de tout le pays pour en faire une colonie française.

Pourtant, comme tant d'autres choses dans l'histoire selon les Français, cela n'est pas tout à fait exact. C'est même parfaitement faux, ou presque.

Tout d'abord, Guillaume d'Orange, un Hollandais, a bien réussi à envahir la Grande-Bretagne en 1688 mais, dans la mesure où cette prise de contrôle s'est accomplie sans verser de sang, on peut considérer qu'il s'agit moins d'une invasion que d'une réponse à l'appel pressant des Britanniques de venir les sauver d'eux-mêmes.

Surtout, si l'on regarde de plus près la conquête des Normands en 1066, il apparaît clairement que la prétention de la France, qui se targue d'avoir été la dernière à avoir envahi la Grande-Bretagne, est totalement infondée. Il peut sembler sévère de commencer ce livre en sapant l'une des croyances les plus ancrées dans la psyché collective des Français. Il faut pourtant le faire.

Mon royaume pour un Scandinave

Avant 1066, la question qui occupe les esprits des habitants de l'actuelle Grande-Bretagne n'est pas : « Aurai-je droit à une retraite décente ? » ou « Pourrai-je rembourser mon crédit immobilier ? », mais plutôt : « Quand donc va débarquer la horde de bandits armés de haches, venus pour violer nos femmes et voler notre bétail (ou inversement pour certaines tribus vikings) ? »

À condition de ne pas mourir de faim ou de ne pas être victime de pillages, à condition d'avoir le temps d'engranger les récoltes et de les consommer, la vie était belle. Pour avoir une chance raisonnable de goûter à ces plaisirs, ce dont les gens avaient le plus besoin, c'était d'un roi fort – quelqu'un qui les saignât à blanc tout en les gardant en vie pour payer leurs impôts. Un peu comme le font les gouvernements de nos jours, en somme.

Au IXe siècle, la Grande-Bretagne avait un tel monarque : Alfred. En maintenant en alerte permanente une flotte et une armée très entraînées, Alfred parvint à protéger l'Angleterre, ou du moins la partie qu'il gouvernait, jusqu'aux Midlands, des pillards vikings.

Résultat : les Vikings, frustrés de la perte d'une part notable de leurs revenus, décidèrent de poursuivre leur route vers le sud et de piller la France, où des gains beaucoup plus faciles s'offraient à eux. Tellement faciles, d'ailleurs, que les Vikings installèrent des bases sur la côte française à partir desquelles ils organisaient leurs raids vers l'intérieur des terres. Des sortes de villages de vacances pour pilleurs en goguette. Rapidement, la région devint si instable que le roi de France fut contraint d'apaiser les envahisseurs en leur concédant une bonne tranche de territoire. En l'an 911, cette région devint officiellement le pays des gens du Nord, la Normandie.

Bref, la Normandie doit son existence à un Anglais ayant détourné les envahisseurs de la Grande-Bretagne vers la France. Un précédent plein d'avenir.

À cette époque-là, le domaine sur lequel régnait le roi de France ne comprenait guère plus que quelques duchés faciles à défendre dans le nord-est de la France actuelle. Le souverain était un pantin qui peinait à tenir ses terres et pouvait encore moins prétendre envahir celles de quiconque. De fait, ces rois ne revendiquaient même pas un territoire jusqu'à ce que, plus d'un siècle après Guillaume le Conquérant, Philippe Auguste prenne, en 1181, le titre de *Rex Franciae*, roi de France, et non *Rex Francorum*, roi des Francs.

Lorsque l'un de ces rois des Francs essaya de placer sous sa coupe ces Normands incommodants, le résultat fut désastreux. En 942, le duc de Normandie au nom fracassant de Guillaume Longue-Épée fut assassiné. Un certain Richard, âgé d'à peine dix ans, lui succéda. Le devinant vulnérable, le roi des Francs, Louis IV, décida d'attaquer le sud de la Normandie et de s'emparer de Rouen, port fluvial de première importance entre Paris et la côte. Mais le jeune Richard était soutenu par de puissants chefs de clan tels que Bernard le Danois, Harald le Viking et Sigtrygg, le Roi de la Mer. La tentative d'invasion tourna au drame pour les Francs. Louis, capturé, ne fut relâché qu'en échange d'otages : l'un des fils de Louis et un évêque. En un mot, les Normands avertissaient clairement qu'ils n'éprouvaient pas le moindre sentiment de fraternité à l'égard des Francs, des Bourguignons, des Lorrains et de tout autre individu qui ferait plus tard partie de la France. Ils voulaient seulement qu'on leur fiche la paix.

La conclusion de tout cela s'impose d'elle-même : en dépit de ce qu'un Français d'aujourd'hui pourrait vous dire, les Normands n'étaient pas du tout français. Appeler un Normand du Xe ou du XIe siècle un Français reviendrait à dire à un Écossais qu'il est anglais, une erreur qui peut encore vous valoir un œil au beurre noir à Glasgow.

En réalité, les Normands considéraient les Francs comme une bande de mollassons se comportant comme s'ils possédaient le continent, des Parisiens prétentieux qui devaient être refoulés à coups de pied s'ils tentaient de s'aventurer un peu trop loin de leur petite ville snobinarde (une prétention qui, soit dit en passant, prévaut encore aujourd'hui).

Le sentiment était d'ailleurs bien partagé : les Francs voyaient les ducs normands comme de dangereux barbares nordiques ne vivant que pour la guerre et la chasse et pratiquant une polygamie de païens, avec des hordes de maîtresses et d'enfants naturels.

Les Francs avaient parfaitement raison. Et c'est dans ce contexte que naquit Guillaume.

Guillaume, ce bâtard

Le futur Conquérant avait des origines sociales on ne peut plus roturières. Il ne fut, bien entendu, pas connu tout de suite comme le Conquérant. Il fut, en revanche, très vite affublé d'un autre sobriquet : Guillaume le Bâtard. Ses parents, non unis par les liens du mariage, étaient Robert, le plus jeune frère du duc de Normandie en exercice, et une jolie fille de la petite ville normande de Falaise, dont le prénom diffère d'un livre d'histoire à l'autre. Selon les sources françaises, elle s'appelait Herleva, Harlotta, Herlette, Arlot, Allaieve, ou encore Bellon[1].

Le récit de la rencontre entre la jeune vierge et Robert fluctue selon les versions. En 1026 ou 1027, elle était en train de laver des peaux d'animaux dans la rivière, ou de danser, ou peut-être les deux, quand Robert traversa Falaise à cheval, en route vers son château. Il aperçut la ravissante demoiselle (appelons-la Herleva) et songea immédiatement à organiser ce que ses contemporains appelaient un « mariage danois » ou, en termes d'aujourd'hui, une partie de jambes en l'air.

Selon des légendes anglo-saxonnes postérieures, probablement inventées pour agacer les Normands, Robert kidnappa Herleva. Mais soyons objectifs. En réalité, il alla trouver le père de la fille, un tanneur local, pour l'informer de ses intentions. Le père insista pour marier sa fille, ce que Robert refusa notamment au prétexte qu'Herleva n'était pas assez bien née. Les tanneurs fai-

---

1. Les Français ne se souviennent pas toujours du prénom d'une fille, seulement si elle était belle ou pas.

saient partie des classes sociales les plus basses. On tannait, en effet, le cuir avec un mélange d'urine, de graisse animale, de cervelle et d'excréments d'animaux (la crotte de chien, apparemment, était très prisée), aussi ceux qui travaillaient le cuir étaient-ils encore plus malodorants que les nettoyeurs de fosses d'aisance.

Les nobles normands n'ayant pas besoin de prendre en mariage leurs conquêtes, Herleva fut nettoyée de son odeur de vieux cuir avant d'être posée sur le lit de Robert, dans son château blanc crème, et elle devint sa *frilla*, sa maîtresse locale.

Peu de temps après, le frère aîné de Robert, le duc Richard de Normandie, attaqua Falaise et s'empara du château (le genre de choses que les belliqueux Normands faisaient souvent à leurs frères). Content de lui, Richard repartit vers son siège, à Rouen, où il mourut dans des circonstances mystérieuses, autre fait courant chez les Normands de l'époque, en particulier s'ils énervaient de jeunes ambitieux comme Robert.

Avec une modestie typique des siens, Robert se fit baptiser duc Robert le Magnifique et reprit possession de son château de Falaise. C'est là que, fin 1027 ou début 1028, Herleva lui donna un fils. Les Français connaissent l'enfant sous le nom de Guillaume, mais les historiens français eux-mêmes admettent que le nom du nouveau-né devait plus probablement être William, et la tapisserie de Bayeux lui donne un nom clairement venu du nord, Willelm.

Dès son plus jeune âge, les aléas se conjuguèrent pour préparer le petit bâtard à son futur rôle de conquérant de l'Angleterre. En 1035, Robert, qui ne devait jamais se marier, désigna Guillaume comme successeur, choix qui ne choquait ou déconcertait aucunement les Normands. Comme l'écrit l'historien français Paul Zumthor dans sa biographie de Guillaume : « Nulle part ailleurs dans l'Europe chrétienne un bâtard aurait pu accéder au trône. »

Le jeune Guillaume partit vivre chez un cousin où il apprit à devenir un duc de combat. Il acquit rapidement la réputation d'un jeune homme très sérieux, dont les seuls vrais plaisirs étaient la chasse et, à l'occasion, un spectacle de jongleurs. Consommant trois verres de vin par jour au plus (une preuve de plus qu'il n'était pas français), on ne le vit jamais ivre à table et il ne possédait aucun sens de l'humour, ou presque. En revanche, il était très doué pour agresser les autres et réservait ses colères les plus assassines à quiconque ferait une blague sur ses origines.

À vingt-quatre ans, Guillaume décida de consolider ses assises politiques en trouvant un bon parti. Ne se contentant pas du démodé « mariage danois », il choisit de convoler avec Mathilde (comme les Français l'appellent, Maheut, comme elle se nommait plus certainement), fille du comte de Flandre et petite-fille du roi des Francs.

Mathilde, cependant, n'était pas emballée et fit savoir publiquement qu'elle ne souhaitait pas être mariée à un bâtard. Mais Guillaume n'était pas homme à laisser qui que ce soit insulter sa mère. Il sauta sur son cheval et rallia Lille au galop, une équipée d'environ 400 kilomètres, traversant le bassin de la Seine, pataugeant dans les marécages de la Somme et s'enfonçant profondément dans les terres potentiellement dangereuses du roi des Francs. Après plusieurs journées de selle, sans pause pour se rafraîchir ou acheter des fleurs, Guillaume assaillit le château du comte de Flandre, jeta Mathilde au sol et, selon la légende, « déchira sa robe avec ses éperons », ce qui n'est probablement *pas* une métaphore pour « lui demander avec la plus grande gentillesse de l'épouser ». Il semble alors que cette jeune dame hautaine « reconnut qu'elle avait rencontré son maître » et accepta le mariage.

Son père dut sans doute aussi avoir sa part dans ce brusque changement d'opinion. Lorsqu'un Normand pénètre à cheval sur votre territoire et obtient ce qu'il veut de votre fille, c'est un avertissement que la même chose peut arriver à votre domaine. Or, Guillaume était l'incarnation de cette capacité à peser sur les événements. Musclé, 1,78 mètre, ce qui en fait un géant pour l'époque, combattant chevronné après plusieurs campagnes militaires menées, il était à l'évidence un homme ayant de l'avenir. Pas un mauvais choix pour un gendre.

Seul obstacle à cette liaison : Guillaume avait oublié, ou feint d'ignorer, que lui et sa nouvelle fiancée étaient cousins et que l'Église s'opposait à leur union. Mais Guillaume n'était pas du genre à laisser un quelconque pape l'interdire et, fin 1053, le couple était uni par les liens du mariage.

La relation fut tumultueuse. Comme nous l'avons vu, Guillaume était célèbre pour ses accès de colère et il avait, semble-t-il, trouvé en Mathilde son égal, quand bien même de nombreuses sources prétendent qu'elle ne mesurait pas plus de 1,32 mètre. Leurs disputes étaient violentes et fréquentes et, au cours de l'une d'entre elles, on dit que Guillaume traîna Mathilde par les cheveux à travers les rues de Caen afin de montrer à tout un chacun qui était le patron. Mais hormis ces accès de violence conjugale sporadiques, leur mariage peut être considéré comme une réussite.

Guillaume fut bien le seul dirigeant de son temps à demeurer fidèle à son épouse[1] et à ne pas engendrer de bâtard. Le couple eut dix enfants nés de leur union de trente ans, six filles et quatre garçons.

L'ardeur de Guillaume à fonder une dynastie, doublée de son obsession à n'en faire qu'à sa tête, ne présageait rien de bon pour les chefs qui se la coulaient douce en Angleterre.

Une tapisserie brodée d'illusions

Si l'on en sait autant sur les raisons qui poussèrent Guillaume à envahir l'Angleterre et à détrôner le roi Harold, c'est que la tapisserie de Bayeux en dépeint le déroulement historique avec force détails. Cette broderie de 70 mètres de long, avec ses tableaux saisissants relatant les événements jusqu'à la Conquête et s'achevant avec la mort d'Harold à Hastings, est une œuvre d'art d'une beauté éblouissante. Toute personne dotée d'un tant soit peu d'intérêt pour l'histoire, la culture, la couture ou tout simplement l'ingénierie humaine se doit d'aller la contempler à Bayeux, petite ville du nord de la Normandie. Le fait que la Tapisserie ait survécu est un miracle. En 1792, pendant la Révolution française, elle a failli être coupée en morceaux pour servir de bâches à des wagons de munitions. Lors de la Seconde Guerre mondiale, Goebbels a tout fait pour la voler. Il s'agit de la seule broderie de ce genre à être parvenue jusqu'à nous.

Son seul défaut est de ne pas du tout être un récit de faits historiques véritables.

---

1. Il n'était donc pas français, c'est certain.

« Ici, ils firent ripaille » – Les hommes de Guillaume le Conquérant débarquent sur le sol anglais, et la première chose qu'ils organisent en arrivant, c'est un barbecue. Mais ils n'étaient pas français. Le goût de la bonne chère n'était qu'une des habitudes apprises par ces Scandinaves à l'occasion de leur séjour sur le continent.

Son pendant contemporain pourrait être un film sur l'Irak commandité par l'ancien président Bush. « Assurez-vous, dirait-il, de démarrer avec des images d'armes de destruction massive. Comment ? Ces armes n'existent pas ? Créez-les par effets spéciaux ! Ensuite, plein de chars et d'explosions. J'adore les explosions. Des prisonniers torturés ? Non, on n'a pas besoin de ces trucs déprimants. Oh ! et à la fin, c'est moi qui attrape Saddam, d'accord ? »

Voici, en tout cas, ce que la tapisserie de Bayeux était censée être – de la propagande pure. Le plus fascinant est qu'il n'en alla pas du tout ainsi. Tout d'abord, la mise en images de la Conquête fut confiée à des couturières anglo-saxonnes, célèbres à travers l'Europe pour la qualité de leurs broderies et qui en profitèrent pour y insérer de nombreuses plaisanteries. Pour ne rien arranger, l'histoire elle-même semble leur avoir été contée par une personne résolue à rabaisser tout ce que Guillaume avait accompli.

La meilleure façon de tirer tout cela au clair est d'essayer de défaire les mailles serrées de la Tapisserie et de comparer la version franco-normande qui nous est parvenue avec un autre récit des événements, peut-être plus crédible. Prenons les choses étape par étape…

Étape 1 : le duc qui allait devenir roi

Vers les années 1050, Guillaume, désormais duc de Normandie, repoussa les envahisseurs francs et bretons et écrasa les rebelles normands. Inspiré peut-être par l'erreur commise par Richard, son oncle défunt qui avait conquis le château de Falaise avant de laisser son frère l'assassiner, Guillaume développa une stratégie simple et efficace face à ses ennemis. Au lieu de défoncer la herse de leurs forts, de les déclarer siens et de rentrer chez lui pour se faire empoisonner ou occire, Guillaume poursuivit de sa vindicte ses agresseurs et toute personne qu'il désirait attaquer jusqu'à les avoir tués, s'être emparé de leurs richesses ou les avoir rendus impotents. Rapidement, on sut qu'il n'était pas conseillé de titiller Guillaume à moins d'être certain de l'éliminer – chose peu probable étant donné qu'il disposait d'une garde de chevaliers aguerris et qu'il était lui-même un combattant redoutable.

Guillaume était aussi pétri d'ambition. Cela faisait longtemps qu'il lorgnait l'Angleterre. Sous les Anglo-Saxons, celle-ci était devenue un pays riche et stable. Mais les choses avaient changé depuis l'époque d'Alfred le Grand : les Scandinaves menaient de nouveau des razzias et le roi d'Angleterre, Édouard le Confesseur, était faible et sous la coupe de comtes querelleurs. L'heure était propice à la prise du pouvoir par un homme fort.

Guillaume savait aussi qu'il n'aurait peut-être pas besoin de trop batailler. Le roi Édouard était marié à une fille de l'un des comtes belliqueux, mais il avait fait vœu de chasteté et il ne comptait aucun héritier. C'était un cousin du père de Guillaume, de sorte que ce dernier, en théorie, pouvait prétendre au trône. Enfin, Édouard avait une forme de dette envers la Normandie depuis qu'il y avait trouvé refuge pendant le règne des Danois. Et tout comme les rosbifs ayant vécu en France retournent chez eux avec en bouche le goût du steak presque bleu et du fromage non pasteurisé, Édouard aimait tout ce qui était normand et s'était donc entouré de courtisans normands. L'ambitieux Guillaume ne pouvait se permettre d'ignorer pareil contexte.

Il rendit visite à son royal cousin Édouard et, selon les chroniqueurs normands, ce voyage confirma ses sentiments à l'égard de l'Angleterre. « Lorsqu'il vit à quel point cette terre était verte et plaisante, il pensa qu'il aimerait vraiment en être le roi. » Une terre verte, plaisante et surtout pleine de trésors, de riches sols arables et de contribuables, ajouteront les cyniques.

C'est au cours de cette visite d'État qu'Édouard est censé avoir nommé le jeune Normand comme son successeur au trône d'Angleterre. Et si vous vous rendez à l'ancien grand séminaire de Bayeux, qui abrite de nos jours la Tapisserie, on vous affirmera qu'il en fut ainsi : Guillaume était le seul prétendant légitime à la Couronne car Édouard lui-même en avait décidé ainsi.

Une telle version a été pour la première fois avancée dans les années 1070 par le chroniqueur Guillaume de Poitiers, ami du Conquérant, dont le récit de la Conquête est à peu près aussi fiable qu'une biographie de Jeanne d'Arc publiée par les Éditions de la Perfide Albion. C'est pourtant, encore aujourd'hui, la version que les Normands de Bayeux voudraient que nous croyions. Or, ses prémices sont erronées : selon la loi anglo-saxonne du XIe siècle, le successeur au trône d'Angleterre devait être approuvé par un « conseil des sages » composé d'évêques et de comtes et connu sous le nom de Witangemot. Édouard n'avait pas le droit de transférer la Couronne. Sa promesse, si tant est qu'elle eût existé, faisait sans doute partie d'un accord : il voulait indubitablement s'assurer le soutien de Guillaume au cas où il aurait eu à partir en guerre pour défendre sa Couronne. Édouard, normand par sa mère, était en effet impopulaire auprès de ses sujets anglo-saxons. En sus de ses courtisans normands, il avait fait venir des shérifs de Normandie pour diriger certains comtés d'Angleterre, des nobles étrangers ne parlant pas l'anglo-saxon et n'ayant aucune espèce d'idée des coutumes locales. Aussi les comtes anglo-saxons, qui contrôlaient de vastes domaines dans la campagne anglaise, étaient-ils dans un état d'insurrection permanente contre la présence de ces administrateurs étrangers et jouaient des coudes pour accéder au trône.

Le plus puissant de ces comtes anglo-saxons, Godwin de Wessex, convoitait le pouvoir. Il avait marié sa fille Édith à Édouard et, de manière bien compréhensible, s'irritait que cette union ne produisît aucun prince. La rumeur disait même qu'Édouard avait fait vœu de chasteté dans le seul but de frustrer Godwin. Celui-ci était violemment antinormand. En 1051, un groupe de Normands furent pris dans une bagarre à Douvres et, ayant beaucoup moins l'expérience de ces rixes de sortie de pub dans le centre-ville que les Anglais, en ressortirent dans un sale état. Plusieurs d'entre eux furent tués et le roi Édouard ordonna à Godwin de punir ces sujets si inhospitaliers envers leurs amis étrangers. Or, non seulement Godwin refusa mais encore il pensa que rosser les Normands de cette manière était amusant et il déclara la guerre aux copains continentaux d'Édouard. Il lança une armée sur Londres, où il fut accueilli en héros par le peuple. Il était devenu soudain beaucoup moins à la mode d'être normand en Angleterre.

Godwin exigea que les courtisans venus de l'étranger y retournent et Édouard fut contraint d'obtempérer. On peut imaginer le pauvre roi dans son palais, triste et délaissé, privé de ses camarades de jeu normands, implorant ses ménestrels de chanter : « Non, rien de rien, je ne regrette rien. » Pas surprenant qu'il ait alors été tenté de promettre le trône à Guillaume.

Édouard trouva cependant matière à se consoler. Godwin avait un fils à la fort belle allure – le beau et blond Harold Godwinson – et Édouard aimait les jeunes et beaux garçons (nonobstant sa piété, il existe d'autres théories expliquant les raisons pour lesquelles il n'avait pas eu d'enfant). Aussi, au début des années 1060, oubliant apparemment sa promesse à Guillaume, Édouard fit d'Harold son nouveau favori. Le courageux et jeune guerrier anglo-saxon, populaire auprès du roi mais également du Witangemot, commença à apparaître comme un candidat très probable au trône d'Angleterre.

Las, de l'autre côté de la Manche, un certain Normand ne l'entendait pas de cette oreille...

Étape 2 : un otage est juste un invité
qui ne peut pas rentrer chez lui

Pour un homme dont la famille avait passé des années à tenir des propos peu amènes sur les Normands, Harold Godwinson commit alors une imprudence étonnante. En 1064, accompagné de ses chiens de chasse et de quelques compagnons, il se rendit en Normandie. Un peu comme si Martin Luther King s'était présenté à un barbecue du Ku Klux Klan. Comment un homme issu d'une famille aussi clairvoyante et marquée politiquement a-t-il pu commettre un acte aussi insensé ?

Au musée de la tapisserie de Bayeux, on vous propose une réponse. Pour tous ceux qui ne peuvent lire les inscriptions latines et qui ne sont pas experts en iconographie du début du Moyen Âge, l'audioguide, sorte de téléphone sans fil géant sorti des années 1980, est une aide précieuse pour interpréter la Tapisserie. L'histoire de la Conquête y est contée par un Anglais dont la voix a le timbre suranné d'une émission de la BBC. On ne peut s'empêcher de le croire sur parole lorsqu'il vous affirme qu'Harold est venu en Normandie avec une missive du vieillissant roi Édouard le Confesseur confirmant qu'il désirait bien que Guillaume soit son successeur au trône.

Mais si vous ôtez un instant le casque de vos oreilles et coupez le son de cette voix hypnotique, vous pouvez légitimement commencer à vous demander pourquoi Harold aurait agi de la sorte alors qu'il était lui-même un candidat possible à la Couronne d'Angleterre.

Ce voyage avait peut-être un autre dessein. D'aucuns ont suggéré qu'Harold aurait traversé la Manche dans le cadre d'une mission visant à délivrer deux membres de sa famille enlevés par les Normands en 1051 et gardés en otage depuis lors. Évidemment, cela est nettement plus plausible. Si Harold devenait roi d'Angleterre et défiait ainsi un Guillaume qui convoitait le trône, les deux Godwin malchanceux languissant dans un donjon normand auraient probablement vu leurs rations coupées, voire d'autres choses encore.

Ainsi, le premier tableau de la Tapisserie pourrait fort bien représenter Harold demandant la permission au roi Édouard d'aller récupérer les prisonniers, et non pas Édouard lui ordonnant d'apporter une lettre humiliante et hostile aux Godwin confirmant que Guillaume hériterait du trône d'Angleterre.

Quelle que soit la vérité, le destin voulut que le navire d'Harold dérive et accoste à Ponthieu (dans le duché de Normandie), dans une région contrôlée par un preneur d'otages notoire, le comte Wido. Le débarquement inattendu d'Harold fit le bonheur de ce dernier, qui s'empara immédiatement du riche Anglo-Saxon.

Malheureusement pour Wido, son seigneur, Guillaume, eut vent de l'aubaine et décréta sien cet otage. Ce n'était pas illégitime : en tant que duc de Normandie, les droits de Guillaume comprenaient la propriété de tout ce qui s'échouait sur ses plages, y compris nombre de carcasses de baleines qui étaient une source précieuse en huile et en ivoire[1].

Prisonnier de son rival normand, Harold aurait pu craindre pour sa vie. Mais, en réalité, il ne risquait sans doute pas de recevoir un coup d'épée comme cadeau de bienvenue. Guillaume ne tuait généralement pas ses otages de noble extraction à moins qu'ils ne lui soient plus utiles ou qu'ils aient osé une plaisanterie sur l'industrie du cuir. Il préférait leur faire jurer allégeance, autrement dit les obliger, sous peine de mort et/ou de rôtir éternellement dans les flammes de l'enfer, à lui concéder un pourcentage sur leurs revenus et à l'aider à défendre son territoire en cas de besoin.

Il y avait davantage à obtenir d'Harold : une allégeance qui écarterait la famille Godwin de la Couronne d'Angleterre en la faisant se désister en faveur de son nouveau seigneur, Guillaume. Selon des sources anglo-saxonnes, Harold ignorait qu'au moment où il prêtait allégeance de saintes reliques se trouvaient sous la table, transformant cette promesse en vœu sacré.

---

1. Lorsque Guillaume entreprit, plus tard, de conquérir l'Angleterre, il inventa un métier encore plus pouacre que le tannage du cuir : assurer la garde des baleines échouées en attendant son retour.

Mais pour Guillaume et les Normands, le fait qu'Harold l'ignorât importait peu. À cette époque, les gens avaient une vision très pragmatique de la religion. Ne pas respecter un vœu fait sur un os à moelle sanctifié pouvait entraîner une invasion de puces géantes qui se glisseraient sous les cottes de mailles de vos soldats, ou toute autre calamité. Aux yeux des Normands, le serment d'Harold était contraignant, et Dieu en était le témoin.

Guillaume resserra un peu plus la vis en offrant à Harold sa fille Aélis en mariage, en dépit du fait qu'elle était déjà formellement fiancée à un nobliau du coin, démontrant par là que tous les serments normands étaient impératifs mais certains plus que d'autres.

Harold étant désormais inextricablement assujetti à Guillaume, il fut finalement autorisé à reprendre la mer pour rentrer chez lui. La Tapisserie le montre, courbé, en train de faire le récit de son aventure au roi Édouard, qui le pointe d'un doigt accusateur comme s'il disait : « Quoi ? Tu es allé en Normandie et tu ne m'as même pas rapporté un camembert ? »

L'audioguide évoque l'« humiliation » d'Harold, mais si sa mission avait véritablement été d'annoncer à Guillaume son futur couronnement, de quelle humiliation parle-t-on ? Le voyage avait été, certes, un peu long et il avait oublié de rapporter des cadeaux, mais les choses s'étaient néanmoins passées exactement comme prévu.

En revanche, Harold avait toutes les raisons de se sentir humilié pour avoir failli dans sa mission de faire libérer les membres de sa famille. Non seulement il était rentré seul mais aussi il s'était laissé piéger par Guillaume, qui lui avait fait prêter serment alors qu'Édouard le destinait au trône.

Nous ne saurons jamais le fin mot de l'histoire, une chose est sûre cependant : lorsque Édouard le Confesseur mourut le 5 janvier 1066, Harold accepta sa nomination par le Witangemot et devint roi d'Angleterre. De l'autre côté de la Manche, Guillaume était fou de rage : Harold avait juré sur un os à moelle sacré ; il ne pouvait donc prétendre au trône qui devait lui échoir. Les Normands accusèrent immédiatement le nouveau roi de s'être parjuré, le crime féodal par excellence.

Harold n'eut cependant pas besoin de recruter d'avocats hors de prix pour assurer sa défense. Quel otage refuserait, en effet, de prêter serment à un homme le tenant en captivité ? Et de quel droit un Normand pourrait-il revendiquer le titre de roi d'Angleterre ?

Comprenant qu'Harold pourrait bien avoir quelque argument à faire valoir, le duc Guillaume de Normandie alla jusqu'à demander le soutien de la Sainte Église (celle-là même dont il avait ignoré la décision à propos de son mariage avec sa cousine). Pour récompenser sa piété toute neuve, le pape envoya à Guillaume un étendard sacré bien visible sur la Tapisserie, comme les logos sur la combinaison d'un coureur de formule 1 : « Cette invasion est sponsorisée par Dieu », ou un message de ce genre.

Un cerf-volant en forme d'œuf sur le plat géant apparaît également très nettement sur la Tapisserie. Il s'agit de la comète de Halley, apparue à la fin du mois d'avril 1066 et qui fut, bien entendu, interprétée par les Normands comme le signe divin qu'Harold n'était qu'un parjure maléfique et qu'il devait être détrôné par le vertueux et très pieux Guillaume qui, par chance, venait justement de se mettre en route pour accomplir cette mission.

Les mêmes augures préférèrent passer sous silence l'orage qui repoussa la flotte normande vers la France et l'obligea à y trouver refuge pendant deux semaines avant de tenter de retraverser la Manche. Lorsque la flotte débarqua enfin à Hastings, le 28 septembre 1066, un autre mauvais présage apparut : tandis qu'il foulait le sol anglais, Guillaume s'affala de tout son long et dut calmer ses troupes superstitieuses en déclarant : « Je me suis emparé de l'Angleterre des deux mains. »

La Tapisserie s'avère curieusement antinormande dans sa mise en scène du débarquement, dépeignant de poignantes scènes de pillage : des soldats normands volent le bétail, un enfant berger tente de s'opposer à d'immenses chevaliers en train de le dépouiller de ses moutons, une femme demande pitié au beau milieu d'une maison en flammes.

Étape 3 : Sortez les armes de destruction massive !

Le 14 octobre 1066 est peut-être la date la plus importante de l'histoire britannique, voire de l'histoire du monde anglophone. Ce jour-là, Guillaume le Conquérant défia son rival, le roi Harold, à Hastings. Le résultat, comme nous le savons tous, fut la défaite des Anglo-Saxons d'Harold. À première vue, il s'agit d'une victoire qu'il convient d'attribuer à la culture francophone (et elle continue d'ailleurs d'être revendiquée comme telle par les Français) mais, comme nous le verrons, le monde anglophone n'existerait pas si Harold avait remporté la bataille – comme il s'en fallut d'ailleurs de très peu.

Au cours des deux semaines précédant Hastings, Harold avait déplacé son armée de Londres à Yorkshire pour faire pièce à un autre prétendant au trône, le féroce Viking Harald Hardrada.

Harry avait rencontré Harry sur le pont de Stamford, le 25 septembre, le long de la rivière Derwent, près de York. La bataille, dit-on, avait mal débuté pour l'Anglais quand un Viking entêté avait bloqué à lui seul l'accès au pont, tuant une quarantaine de soldats. Finalement, un soldat anglais se glissa dans un fût, pagaya jusque sous le pont et, à l'aide d'une lance, embrocha l'entrejambe du Viking. Pas très fair-play, peut-être, mais le type faisait très clairement obstruction.

L'affrontement qui s'ensuivit fut terriblement meurtrier et coûta la vie à un nombre important des meilleurs soldats d'Harold même si, au final, il écrasa Harald une fois pour toutes. Les chroniqueurs rapportent que les rescapés vikings en déroute ne remplirent que deux dizaines des 300 navires avec lesquels ils étaient venus.

Après tous ces efforts, les troupes d'Harold durent reprendre leur marche vers le sud, un parcours pénible d'une semaine, pour affronter un Guillaume menant, quant à lui, la belle vie, dépouillant d'impuissants paysans du Sussex et organisant des barbecues sur la plage avec le fruit (et la viande) de ses pillages.

Les Normands avaient un autre avantage sur l'armée épuisée d'Harold. La tapisserie de Bayeux consacre environ un tiers de ses 70 mètres à des chevaliers normands en train de faire des virées dans la région d'Hastings. Les soldats d'Harold, eux, se battaient à pied ; les seuls chevaux qu'ils possédaient étaient de petits poneys shetland utilisés comme bêtes de somme et qui n'auraient pu avoir d'autre utilité dans une bataille que de déconcentrer l'ennemi en le faisant rire. Les Normands, eux, étaient formés au combat de cavalerie et avaient acheminé des bateaux remplis de chevaux de bataille qui avaient eu tout le temps de se remettre du mal de mer.

La Tapisserie évoque aussi en détail la pluie de flèches qui s'abattit sur Harold, l'une d'entre elles trouvant finalement sa cible. Une frise couvrant la majeure partie des quatre panneaux montre une longue ligne d'archers soutenant la charge de la cavalerie, tandis que de petits groupes d'Anglo-Saxons courageux, parfois démunis d'armure ou de bouclier, défendent le sommet d'une colline. En général, les Anglo-Saxons n'utilisaient pas d'archers en masse. Ils s'en remettaient au combat d'homme à homme, hache contre hache, au face-à-face de deux guerriers dans un combat à la vie, à la mort[1]. Guillaume, lui, avait recours à d'autres méthodes : il était beaucoup moins fatigant et risqué d'immobiliser les Anglo-Saxons à coups de flèches et de faire piétiner les survivants par sa cavalerie.

En bref, la bataille d'Hastings ressembla au combat entre deux boxeurs en lice pour le titre de champion européen des poids lourds, l'un venant juste d'achever un marathon après un combat de quinze rounds contre le champion du monde sortant tandis que l'autre se prélassait au bord de la piscine. À peine les deux boxeurs montés sur le ring, l'un d'entre eux sortit un lance-grenade et fit exploser son adversaire.

---

1. Sauf, bien sûr, dans les très rares occasions où l'un de leurs hommes se trouvait dans l'obligation de transpercer, à travers les planches d'un pont, un ennemi insouciant.

Contre toute attente, Harold passa toutefois près de la victoire. Ses hommes étaient fatigués mais déterminés à bouter les nouveaux envahisseurs hors de leurs terres. Le chroniqueur normand Wace rapporte que, lorsque le combat débuta, les Normands crièrent : « Que Dieu nous vienne en aide ! » – à quoi les Saxons répondirent : « Dégagez d'ici ! » Enfin... étant anglo-saxons, les termes qu'ils employèrent étaient probablement nettement plus fleuris.

Au début, les choses ne se déroulèrent pas ainsi que Guillaume le souhaitait. Il était en supériorité numérique – environ 8 000 hommes contre 7 500 pour Harold – mais les Anglo-Saxons disposaient d'une position favorable sur le sommet d'une colline. La première vague de flèches normandes se ficha sans dégâts dans un mur de boucliers, et l'attaque de fantassins qui suivit fut repoussée vers le bas de la colline au prix de pertes nombreuses. De même, la première charge de cavalerie échoua, les chevaux normands effrayés devant la meute vociférante d'Anglo-Saxons la hache au poing. La propre monture de Guillaume s'effondra sous lui ; il dut ôter son casque et se montrer à ses hommes pour que ceux-ci recouvrent leurs esprits.

C'est alors, selon la légende pronormande, que Guillaume opéra son coup de maître. Voyant qu'un grand nombre d'Anglo-Saxons avaient mené la charge jusqu'en bas de la colline après le repli de ses cavaliers, le Normand fit mine de battre en retraite, incitant ses ennemis à quitter le sommet de la colline. Lorsque les Anglo-Saxons furent à découvert, la cavalerie se retourna contre eux et les ratiboisa.

Il existe, cependant, une autre version des faits, plus digne de foi. Il est exact qu'un grand nombre des hommes d'Harold dévalèrent la pente, hachant menu les Normands en fuite et causant de gros dommages. Une section de l'armée de Guillaume, composée essentiellement de Bretons, battit alors en retraite au milieu du chaos, contraignant ses camarades normands à la suivre dans sa fuite afin d'éviter que les Anglo-Saxons ne les encerclent. Or, cela semble avoir donné une idée à Guillaume. Vu le nombre d'Anglo-Saxons se précipitant vers la vallée, le rempart de boucliers en haut de la colline s'était étiolé. La garde rapprochée d'Harold, les terribles *housecarls*, regroupée derrière cette ligne de front, se trouvait davantage exposée. Guillaume ordonna donc à ses archers de tirer haut, par-dessus les boucliers et au milieu des *housecarls*. Il ordonna aussi à ses fantassins et à ses chevaliers de repartir à la charge. Cette fois-ci, ils réussirent leur percée. Les fidèles *housecarls* furent exterminés jusqu'au dernier et Harold lui-même s'écroula, aveuglé par une flèche ou passé au fil des épées normandes.

À côté de l'image fameuse du chevalier avec une flèche plantée dans l'œil, la Tapisserie nous informe qu'« *Harold Rex Interfectus Est* » – le roi Harold a été tué.

Il est très douteux que Guillaume ait pu dire ou laisser faire pareille chose. Les chroniqueurs de l'époque étaient notoirement partisans. Un commentaire normand se serait plus probablement traduit par une phrase du genre : « Le traître Harold subit le sort qu'il mérite, le Seigneur enfonçant une flèche dans ses parties les plus tendres en guise de châtiment pour avoir voulu usurper son titre au noble Guillaume. » Cela aurait été un peu long à insérer dans la Tapisserie, évidemment, mais, au minimum, Guillaume, qui s'était toujours considéré comme le roi légitime et avait toujours vu Harold comme un usurpateur, aurait exigé que le mot « *Rex* » soit omis.

Étape 4 : l'appel du butin

Une autre caractéristique de la Tapisserie est d'appeler les envahisseurs non pas des « *Normanni* » mais des « *Franci* ». La confusion n'était pas nouvelle. Bien avant l'invasion de Guillaume, le comte Godwin avait prévenu que les courtisans « français » d'Édouard le Confesseur exerçaient trop d'influence à la cour. Tant sur le plan géographique qu'ethnique, l'épithète était pourtant fautive. Godwin et consorts se montraient sans doute volontiers vagues et dédaigneux à dessein, à l'instar des Français d'aujourd'hui quand ils se plaignent du monde anglophone. Faisant fi des Celtes, des Noirs américains et autres branches de ce monde parlant anglais, les Français vont blâmer les « Anglo-Saxons » pour tout ce qui les agace[1].

L'armée de Guillaume n'était, il est vrai, pas exclusivement composée de fidèles de son clan normand. Guillaume avait fait passer le message que la Conquête s'accompagnait d'un joli butin à se partager. Cette promesse avait attiré une bande hétéroclite de Normands, de Bretons, de Boulonnais, d'Angevins et autres mercenaires « français », tous assoiffés d'argent et de sexe avec les Anglaises – en somme, les mêmes motifs qui ont toujours attiré à Londres les jeunes Français.

---

1. Pour les Français, Barack Obama, à moitié kényan et d'ascendance irlandaise, est ainsi devenu « anglo-saxon » dès l'instant où il a été élu président des États-Unis.

Cela ne signifie pas, cependant, qu'il s'agissait d'une invasion « française ». Tout d'abord, ni les Normands ni les Bretons n'étaient des Francs. C'étaient des Vikings et des Celtes. La réputation de Guillaume comme pourvoyeur de rapines (et de copines) était si solide que les combattants accouraient d'aussi loin que la colonie normande d'Italie. Mais surtout, d'un point de vue politique, ce n'est pas le roi des Francs (alors Philippe Ier) qui lança la conquête normande. Le duc de Normandie était, sur le plan strictement féodal, le vassal de Philippe Ier. Cela signifie que Guillaume lui devait allégeance. Or, Guillaume était dans une large mesure son propre chef et, politiquement, l'attaque de l'Angleterre était une entreprise purement normande, visant à étendre outre-Manche le pouvoir personnel de Guillaume et à s'emparer de nouvelles terres pour son profit et celui de sa famille. De proches associés lui fournirent navires et soldats en échange de promesses foncières. Une partie du financement provint d'abbés et d'évêques qui comprirent que, si Guillaume réussissait, il pourrait bien y avoir quelque cathédrale ou abbaye flambant neuve pour eux à gagner. À Hastings, chaque coup d'épée gagnant a dû retentir, pour les soutiens de Guillaume, comme un « bingo ! » sonnant et trébuchant.

À l'issue de l'affrontement, tandis que les pillards s'affairaient sur le champ de bataille, coupant membres et têtes pour dépouiller les morts (et ceux qui ne l'étaient pas tout à fait avant qu'on leur tranche le chef) de leur précieuse cotte de mailles, les Normands et ceux qui ne l'étaient pas savaient que la fête ne faisait que commencer. Devant eux, attendant d'être servi sur un plateau d'argent, s'étendait le « pays vert et plaisant » que Guillaume lorgnait depuis des années.

Le victorieux Guillaume s'enfonça à l'intérieur du pays, vers Winchester (la vieille capitale du roi Alfred), pour piller le trésor royal avant de mettre toute la région à sac et plonger le sud de l'Angleterre dans un chaos oublié depuis l'ère ayant précédé Alfred le Grand. Il s'agissait en partie d'une vengeance à l'encontre de la région d'origine d'Harold, le Wessex, mais aussi d'une démonstration de force auprès des comtes anglo-saxons, à Londres, qui se demandaient comment réagir. Devaient-ils tenter de lever une armée et résister, ou devaient-ils se soumettre à Guillaume et s'accrocher à une partie au moins de leurs biens ?

Lorsque Guillaume atteignit les faubourgs de Londres, les autochtones montrèrent l'exemple aux comtes. Les hommes de Southwark attaquèrent les envahisseurs, agaçant tellement Guillaume qu'il mit le feu à la ville et entreprit de saccager la campagne environnante, détruisant les récoltes, tuant les paysans et privant les Londoniens de leur principale source d'approvisionnement en nourriture.

La démonstration de force sembla convaincre les comtes anglo-saxons. Ils acceptèrent que Guillaume accède au trône d'Angleterre.

Le nouveau roi d'Angleterre fut couronné le jour de Noël 1066, dans l'abbaye de Westminster. Le choix du lieu était politique : l'église avait été construite par Édouard le Confesseur et c'est ici aussi que l'usurpateur Harold avait été couronné quelques mois plus tôt.

La cérémonie dut ressembler à celle d'un mariage forcé, le pistolet sur la tempe, Guillaume entouré de ses soldats tandis que de sombres Anglo-Saxons, témoins résignés, étaient réduits à contempler le spectacle de la transmission solennelle du pouvoir. Une fois la couronne placée sur la tête de Guillaume, il était inévitable que la violence éclate. Au moment où le nouveau roi était acclamé sous les vivats de ses partisans, les gardes normands postés à l'extérieur de l'abbaye entendirent des voix s'élever et soupçonnèrent le début d'une émeute. Ils menèrent donc une attaque préventive contre la foule réunie sur le parvis de l'abbaye. Quand ils se rendirent compte de leur erreur, de nombreux Londoniens gisaient déjà sur le pavé et plusieurs bâtiments étaient en cendres. Ce n'était là qu'un avant-goût de ce qui attendait l'Angleterre.

Conscient de l'instabilité qui régnait dans son nouveau royaume, Guillaume construisit la Tour de Londres – une simple palissade de bois qui préluderait, avec l'arrivée de la fameuse pierre blanche de Caen, au château que nous pouvons encore visiter aujourd'hui. Tout en fortifiant son bastion, Guillaume envoya son armée parcourir l'Angleterre, non pour qu'elle se familiarise avec les danses traditionnelles du coin mais pour faire savoir aux Anglo-Saxons qu'ils avaient de nouveaux maîtres. Les Normands édifièrent ainsi des châteaux dans pratiquement chaque ville importante du pays, détruisant souvent des quartiers entiers qui firent place à des forteresses à l'intérieur de remparts. À Lincoln, par exemple, 170 maisons furent détruites ; 27 à Cambridge ; 16 à Gloucester, etc.

Pas question non plus de demander un permis de construire. Décrétant avoir besoin d'espace pour sa distraction personnelle, Guillaume expulsa 2 000 personnes de la New Forest, près de Southampton, de façon que la forêt domaniale soit transformée en un gigantesque terrain de chasse de 30 000 hectares. Des opérations comparables furent menées dans de nombreuses forêts à travers l'Angleterre et de terribles châtiments imposés aux Anglo-Saxons prétendant se dédommager des cultures détruites ou volées par la consommation de cerfs, lièvres et hérissons royaux. La castration ou l'amputation des mains ou des pieds était le prix à payer pour le braconnage de tout animal.

Entre-temps, alors que ses hommes s'affairaient à la démolition des maisons et au nettoyage des forêts, Guillaume s'occupait de la paperasse, ayant entrepris la tâche épuisante de confisquer quelque 1 422 manoirs qui appartenaient à Édouard le Confesseur et à la famille Godwin, ainsi que toutes les terres anglaises que ses hommes avaient entièrement ravagées, au motif que leurs propriétaires les avaient laissées se dégrader.

Il amassait également stocks d'or, bijoux, étoffes et autres trésors, de sorte que lorsqu'il fila de nouveau vers la Normandie, en 1067, pour retrouver son épouse et compter ses baleines échouées, même les Parisiens snobinards furent, à la vue de Guillaume et de son entourage, « éblouis par la beauté de leurs habits brodés d'or ».

Guillaume ne manqua pas de s'acquitter de ses dettes auprès de ses créanciers – Dieu, en particulier. Sur les lieux de la bataille d'Hastings, il construisit une abbaye en remerciement pour sa victoire, la surnommant impudemment *Battle* (« Bataille ») afin que les Saxons n'oublient jamais pourquoi elle se dressait là. La subtilité n'était pas son fort. Et si vous circulez en Normandie de nos jours, vous ne pourrez manquer de remarquer le nombre de petites villes dotées d'immenses abbayes et cathédrales, toutes payées avec de l'argent anglo-saxon.

Odo, frère de Guillaume, était l'évêque de Bayeux. On peut le voir sur la Tapisserie, galopant vers la bataille en brandissant une lourde masse en guise de lance ou d'épée : les hommes d'Église étaient, en effet, autorisés à éclater la cervelle des ennemis, mais pas à les suriner, ce qui eût apparemment été impie. Pour prix de sa détermination à défoncer les crânes au service de son frère et du Seigneur, il amassa une fortune qui a été évaluée à environ 55 milliards de livres sterling d'aujourd'hui. Il en garda une bonne partie pour lui-même, mais une part non négligeable alla à la construction de la cathédrale dernier cri qui s'élève au centre du petit bourg normand de Bayeux, comme un lingot d'or sur une pile de galets.

D'autres membres du clergé normand reçurent une part moins importante, mais substantielle, de la manne. Jésus a peut-être dit un jour que les riches avaient moins de chance d'accéder au paradis qu'un chameau de passer dans le trou d'une aiguille, mais l'Église normande n'avait pas à s'en soucier : elle avait désormais assez d'argent pour fabriquer des aiguilles géantes.

Étape 5 : d'Hastings au Jugement dernier

Le nouveau roi Guillaume avait beaucoup moins de temps que les princes et princesses d'aujourd'hui pour aller en boîte de nuit ou participer à des œuvres caritatives. Il devait parcourir le pays de long en large pour dire aux Anglais de bien se tenir. Au cours de la seule année 1067, des révoltes éclatèrent à Northumbria, Hereford, Exeter et dans le port stratégique de Douvres, qui faillit être repris aux Normands.

Cette dernière rébellion fut menée par un certain Eustache de Boulogne, qui avait combattu au côté de Guillaume à Hastings avant de changer de camp, espérant sans doute obtenir le soutien des Anglo-Saxons dans sa quête du trône d'Angleterre (il était le beau-frère d'Édouard le Confesseur). Guillaume pardonna à Eustache et l'autorisa à revenir dans le giron normand car il avait besoin de tous ses alliés.

En 1069, par exemple, des forces danoises remontèrent le Humber, au nom du prétendant au trône d'Angleterre, Edgar Atheling. Edgar et les Danois prirent York, avec l'aide involontaire des occupants normands qui détruisirent accidentellement une bonne partie de la ville et de leurs propres forces après avoir mis le feu aux maisons entourant le château dans le but de priver les assaillants du bois nécessaire à leur siège.

Les propos de Guillaume lorsqu'il apprit que ses propres hommes avaient brûlé le château qu'il venait de faire construire n'ont pas été enregistrés, mais il suffit de dire qu'il était en colère au point que les pauvres messagers qui lui rapportèrent les événements survenus à York furent, comme dit l'historien français Paul Zumthor, « mutilés » sur-le-champ.

Pour finir, le nouveau roi perdit patience à l'égard de ces Anglo-Saxons qui se rebellaient ouvertement ou juraient allégeance avant de rompre leur serment, comme Harold. Il donna l'ordre de commettre un crime de guerre qui, de nos jours, serait passible de plusieurs années d'emprisonnement dans une prison modèle de La Haye. Guillaume ordonna à son armée de tuer et détruire toute personne ou chose sur une zone s'étendant de Lancaster à York et de la mer du Nord à la mer d'Irlande, soit 180 kilomètres sur 70 kilomètres.

Le nombre de victimes et de personnes déplacées est difficile à estimer, mais les chroniqueurs évoquent des villages entiers préférant se cacher dans la forêt et mourir de faim plutôt que de subir le sabre des brutaux cavaliers du Conquérant. La destruction fut si massive et totale que le nord de l'Angleterre demeura un désert pendant cinquante ans[1].

Avec autant de gens qui lui juraient fidélité avant de le trahir, l'appropriation des terres par Guillaume devenait affreusement compliquée. Les querelles sur qui possédait quoi et qui louait quelles terres à qui devinrent si fréquentes que, en 1085, Guillaume convoqua ses meilleurs juristes et comptables à Gloucester pour une conférence sur le conseil en investissement. Bien que pratiquement tout le monde en Angleterre dût lui reverser un pourcentage de ses revenus, il tenait vraiment à savoir qui ils étaient et combien ils gagnaient exactement, afin de ne pas se faire escroquer.

La solution que trouvèrent ses conseillers fut de dresser une liste des plus détaillées de leurs biens, y compris les esclaves humains – les serfs. Le *Domesday Book* (*Livre du Jugement dernier*) qui en résulta était aussi ennuyeux à lire et pointilleux qu'un calendrier des chemins de fer.

Début 1086, des enquêteurs furent envoyés sur le terrain et, une fois la collecte d'informations achevée, leurs données furent vérifiées par d'autres enquêteurs. Registre des propriétés foncières et autres biens et richesses de chaque sujet, le *Domesday Book* recense

---

1. Et, selon les snobs du Sud, pendant plusieurs siècles encore sur le plan culturel.

également, sur la base de la hiérarchie féodale, les dettes fiscales de chaque propriétaire terrien.

Le titre du livre, attribué au XIIᵉ siècle, donne la mesure de l'échelle et de l'importance de l'entreprise. Il s'y trouvait tellement d'informations que certains le comparèrent au Livre de la Vie, le catalogue d'actions que Dieu consulterait pour décider du sort de chaque individu le jour du Jugement dernier.

Et tout cela au bénéfice de quelqu'un qui ne savait sans doute même pas lire. Cela explique d'ailleurs peut-être que les hommes de Guillaume ne lui aient pas tout dit : il y a en particulier de grosses lacunes dans les données concernant les propriétés à Londres et dans l'extrême Nord, zones indociles où les enquêteurs n'aimaient pas poser trop de questions.

Une autre omission est encore plus révélatrice. Le vin était la boisson préférée des Normands et, plus encore, de leurs camarades francs. Quarante-six vignobles sont répertoriés dans l'enquête. Pourtant, selon le *Domesday Book*, un seul d'entre eux (au château de Rayleigh, dans l'Essex) fournit une récolte. Les réserves de jus de la treille sont clairement ignorées par les enquêteurs, qui semblent avoir accepté des pots-de-vin en liquide en échange de leur silence.

Quoi qu'il en soit, Guillaume n'eut pas énormément de temps pour apprécier son livre de chevet puisqu'il mourut en septembre 1087, peu de temps après que l'enquête fut terminée. Et il trépassa d'une manière seyant parfaitement à un roi d'Angleterre : en énervant les Français.

Le roi des Francs, Philippe Iᵉʳ, avait attaqué le Vexin normand, au nord-ouest de Paris. Quand Guillaume envoya des messagers pour lui conseiller de se retirer,

Philippe, sachant le Conquérant désormais vieux et plutôt empâté, rétorqua : « Quand est-ce que le gros va donner naissance à son bébé ? »

En dépit de ses vingt et un ans passés sur le trône d'Angleterre, Guillaume n'avait toujours pas acquis le sens de l'humour, surtout quand il était lui-même l'objet de la blague. Il décida donc de brûler quelque chose de français. Ses troupes déboulèrent dans la ville de Mantes, aux abords de Paris ; Guillaume allait au petit trot à travers les rues calcinées quand, selon la légende, son cheval trébucha sur une poutre. Guillaume chuta et se blessa gravement.

Il endura six semaines de terribles souffrances avant de succomber. Le fait que ses médecins français lui aient inséré à qui mieux mieux des plantes par le postérieur n'a sans doute pas contribué à atténuer ses douleurs (le suppositoire aérodynamique et facile à enfiler n'avait pas encore été inventé).

La *Chronique anglo-saxonne*, annales historiques tenues par les scribes anglo-saxons, s'en donna à cœur joie dans la notice nécrologique de Guillaume. Un long et injurieux poème y énumère les souffrances infligées à l'Angleterre par le Conquérant :

> « Il a son peuple saigné
> Et cela sans aucune nécessité
> De la cupidité il s'est mis sous le joug
> Et la convoitise a aimé par-dessus tout. »

Le moine préposé à la *Chronique* en appelait même à la colère divine, en précisant que Guillaume était mort après avoir détruit Mantes « et toutes les églises sacrées de la ville ». Le chroniqueur déplorait que « deux saints hommes qui avaient servi Dieu [eussent été] brûlés vifs ». Puis il décrivait avec une certaine délectation la façon dont Guillaume avait été pris de convulsions terribles avant de mourir. Ainsi, « lui qui avait été un puissant roi et le seigneur de vastes domaines n'occupait désormais que deux mètres de terre ». On entend là le ton inimitable d'une ultime moquerie anglaise.

Et les Anglais ne furent sans doute pas les seuls à ricaner.

Guillaume, victime d'un coup monté des plus sophistiqués

Les Français appellent souvent la tapisserie de Bayeux « la tapisserie de la reine Mathilde », laissant entendre par là que l'ouvrage aurait été réalisé sous la supervision de l'épouse de Guillaume. Il est cependant presque certain que cela est faux, et cette appellation découle probablement d'un a priori sexiste en vertu duquel la broderie aurait impérativement dû être l'œuvre d'une femme plutôt que d'un vrai mec. Certains prétendent qu'elle avait été commandée par Odo, le frère de Guillaume, vu que lui et ses proches partisans y étaient représentés et que la Tapisserie fut découverte dans l'abbaye d'Odo, à Bayeux, ce qui revient, en quelque sorte, à dire que le sarcophage d'un pharaon a été fabriqué en Angleterre puisqu'il se trouve au British Museum.

Comme nous l'avons vu, la Tapisserie offre une interprétation moins pro-Guillaume que celle donnée de nos jours par les Normands de Bayeux. Ainsi en est-il de la référence à Harold comme « *Rex* », ou des déchirantes scènes de pillage par les Normands lors de leur débarquement en Angleterre. De même, la Tapisserie montre Harold en homme courageux, alors qu'il était l'otage de Guillaume, portant secours à des Normands en train de se noyer près du Mont-Saint-Michel, et représente son couronnement par un archevêque, lui conférant une dimension divine.

Il a été suggéré que ces sentiments pro-Harold ont été instillés par des couturières anglo-saxonnes, mais de solides éléments témoignent que cette propagande antinormande avait des racines beaucoup plus profondes.

L'un des nombreux livres sur les origines de cette mystérieuse œuvre d'art, *1066 : l'histoire secrète de la tapisserie de Bayeux* d'Andrew Bridgeford, défend la thèse selon laquelle cette broderie cachait une attaque subtile contre Guillaume et les Normands. Bridgeford suggère que la Tapisserie avait, en fait, été commandée par un Français mécontent, Eustache de Boulogne, que nous avons vu précédemment à la tête de la rébellion anti-Guillaume à Douvres. Il coulait bien davantage de sang royal dans les veines d'Eustache que dans celles de l'ancien Viking Guillaume. Eustache était un descendant de Charlemagne, le roi légendaire des Francs qui régna sur une grande partie de la France, de l'Allemagne et de l'Italie. Il était aussi marié à Godgifu, sœur du roi Édouard le Confesseur. Théoriquement, Eustache était donc un candidat de choix au trône d'Angleterre, sans nul doute en rogne que Guillaume ait mis le grappin dessus.

Cela expliquerait, selon Andrew Bridgeford, que la Tapisserie désigne les envahisseurs sous le nom de « *Franci* ». Non seulement Eustache souhaitait souligner que Guillaume disposait de troupes non normandes, mais il pointait aussi du doigt son ascendance franque. La Tapisserie dépeint d'ailleurs également Eustache au cœur de l'action lors de la bataille d'Hastings en train de pointer du doigt Guillaume, au moment où le Conquérant brandit son casque pour signifier qu'il est toujours en vie. Bridgeford suggère que cette œuvre séditieuse a été imaginée par des moines du Kent (près de Douvres, où Eustache fomenta sa rébellion), et présentée à Odo comme un hommage, à lui et à son royal de frère, alors qu'elle visait, en réalité, à saper leur prétention à devenir les seigneurs légitimes de l'Angleterre.

Si telle est la vérité – et nous ne le saurons jamais vraiment –, la Tapisserie résonne comme un rire français au goût amer dont l'écho aurait traversé les siècles. Un seul fait est indiscutable : Guillaume lui-même n'a jamais compris la blague, faute de quoi Eustache, les moines et les couturières auraient été contraints de manger la Tapisserie avant d'être brûlés vifs. Guillaume était ce genre de type.

Do you speak anglais ?

En 1066, le patois d'origine française des envahisseurs devint la langue officielle de l'Angleterre conquise. Il sera parlé par les rois d'Angleterre et par l'ensemble des classes dirigeantes au cours des trois siècles suivants. Mais les paysans anglo-saxons étaient trop nombreux et incultes pour se voir imposer une nouvelle langue. L'Anglo-Saxon moyen n'usa donc jamais du vocabulaire franco-normand autrement que pour vendre ses marchandises à un noble ou supplier un soldat de ne pas le castrer après avoir tué un hérisson.

De leur côté, les conquérants refusèrent ou ne réussirent pas à apprendre la langue des perdants. Guillaume essaya puis renonça. Entre eux, les envahisseurs développèrent un créole franco-normand, pot-pourri de divers dialectes régionaux, forgeant un nouveau patois dépouillé de nombre de complexités grammaticales difficiles à manier que le français « pur », la langue des Francs, allait conserver pendant des siècles.

Petit à petit, comme nous le verrons dans les chapitres suivants, le contact entre Anglo-Saxons et Franco-Normands se resserrera et les techniques de survie linguistique développées par chacun conduiront à l'émergence d'une langue souple, adaptable, permettant l'invention où l'emprunt de mots était permis sans qu'il fût besoin de se soucier de savoir si les participes passés s'accordaient ou non. C'est ainsi que naquit la première forme de ce qui allait devenir l'anglais.

Cela tend à démontrer que la conquête normande fut aussi importante sur le plan linguistique que le moment où les premiers amphibiens préhistoriques rampèrent hors des marécages vers la terre ferme. Quiconque a jamais été empêtré dans le bourbier de la grammaire française contemporaine peut mesurer combien l'anglais est une libération. Jaloux de notre liberté, les grammairiens français vous diront que l'anglais est une langue bâtarde et impure. Ils ont raison, mais le plus drôle est que l'anglais doive son existence à Guillaume, un bâtard normand né sur ce qui, aujourd'hui, fait partie du sol français.

Ainsi, loin d'être le triomphe de la France sur l'Angleterre, la conquête normande fut un vrai désastre pour les Français. L'invasion de Guillaume fracassa l'ordre ancien anglo-saxon mais il fonda une nation nouvelle qui allait transcender son statut initial de colonie normande et devenir une force farouchement indépendante au sein de l'Europe. Plus tard, sa langue se répandrait à travers le globe, donnant même naissance, dans les lointaines colonies britanniques, à cette culture que les Français méconnaissent (et souvent méprisent) – cette culture « anglo-saxonne » que la France accuse si fréquemment de vouloir piétiner la littérature, la langue et le cinéma français jusqu'à les faire disparaître.

Tandis qu'il agonisait des blessures consécutives à une guerre antiparisienne, Guillaume aurait sans doute trouvé quelque réconfort à apprendre que, en créant l'Angleterre, il avait semé les graines d'un millénaire de souffrances françaises.

La France au XIIᵉ siècle

Londres

Calais

LA MANCHE

SAINT-
EMPIRE
ROMAIN
GERMANIQUE

Rouen

Reims

NORMANDIE

SEINE

Paris

BRETAGNE

Orléans

POSSESSIONS
DU ROI
DE FRANCE

ANJOU

Fontevraud

Chinon

LOIRE

POSSESSIONS
DU ROI HENRI II
EN FRANCE

Châlus

AQUITAINE

Bordeaux

GASCOGNE

Toulouse

MÉDITERRANÉE

Le roi Henri II d'Angleterre possédait déjà, par ses
parents franco-anglais, l'Anjou et la Normandie.
Après avoir séduit l'épouse du roi de France, Aliénor
d'Aquitaine, détentrice de vastes domaines, il régnait
officiellement sur plus de la moitié de la France.

2

Débiner les Français, les débuts

Au cours des deux cent cinquante années séparant la mort de Guillaume le Conquérant de la guerre de Cent Ans, un certain nombre d'événements historiques advinrent. Après tout, deux siècles et demi représentent à peu près le temps qui sépare l'invention de la bicyclette de celle de la bombe atomique (prouvant ainsi que ce n'est pas parce que nous avançons dans le temps que nous progressons).

Il y eut par exemple, en 1215, la signature de la *Magna Carta*, une des premières chartes des droits de l'homme, puis le meurtre de Thomas Becket (un archevêque bénéficiant de protections françaises) et les exploits de héros légendaires comme Richard Cœur de Lion et Robin des Bois (ce dernier n'étant, bien entendu, que cela : une légende).

Deux cent cinquante ans, c'est surtout le temps qu'il fallut à l'Angleterre – qui, en 1087, n'était qu'une colonie normande – pour développer un sentiment nationaliste suffisamment puissant afin d'inverser les rôles et d'attaquer non seulement ses anciens maîtres mais toute la France.

La transformation fut assez lente car, pendant très longtemps, les rois anglo-normands d'Angleterre se voyaient eux-mêmes comme des ducs de Normandie possédant une résidence secondaire à Londres. Presque tous considéraient l'Angleterre et ses paysans comme une source de financement pour leurs passe-temps divers et variés, des plus habituels, comme la chasse et la course aux jupons, aux plus exotiques tels que les croisades en Méditerranée (Richard Cœur de Lion), les folies architecturales (Henri III) ou les toits de chaume (Édouard II).

Chacun à leur façon, tous ces rois[1] contribuèrent néanmoins, entre 1087 et 1327, à la préparation de la guerre de Cent Ans contre la France. Même si, parfois, cela releva du plus pur des hasards...

Se battre pour le droit de faire la fête

Les débuts furent laborieux tant le successeur de Guillaume Ier était nul.

À la mort du Conquérant, Robert, son fils aîné, hérita de la patrie normande. L'Angleterre était, quant à elle, léguée au puîné, Guillaume II. Eh oui, à la loterie familiale, l'Angleterre n'était que le second prix.

Guillaume II, autrement appelé le Roux à cause de son teint, souffrait d'un syndrome chronique d'enfant pourri gâté. C'était une sorte de Paris Hilton médiéval,

---

1. Les reines ont été illégales en Angleterre jusqu'à Marie Tudor, en 1553.

partageant un même goût, dit-on, pour le maquillage, les robes et les petits chiens qui ne cessent de japper. Il passa le plus clair de son règne (1087-1100) à faire la fête dans divers châteaux d'Angleterre tout en écrasant son peuple de taxes qui lui permettaient de mener grand train. Il était tellement impopulaire que lorsqu'il fut « accidentellement » transpercé par une flèche et laissé pour mort, personne ne se soucia même d'ouvrir une enquête. Et ce fut sans doute justice que Guillaume le Roux meure alors qu'il chassait dans la New Forest, région où son père avait procédé au nettoyage ethnique des Anglo-Saxons.

On dit que la flèche qui tua Guillaume le Roux fut tirée sur l'ordre de son frère cadet Henri, réduit à la portion congrue dans le testament de Guillaume le Conquérant. Henri était de la partie de chasse fatale à Guillaume le Roux et il s'éclipsa soudainement, sans raison apparente, juste avant que « l'accident » ne survienne.

Le trône d'Angleterre vacant et le grand frère Robert parti pour la croisade, Henri devint Henri Ier. C'était un chef d'une autre espèce. À l'instar de Guillaume le Roux, il aimait festoyer et on estime qu'il eut une vingtaine de bâtards. Mais sur le plan politique, c'était un esprit modéré – comme l'indique son surnom de « Beauclerc », ou « Bon Savant ». Il comprit l'importance d'unifier les deux principaux peuples d'Angleterre, épousa une Anglo-Saxonne, Eadgyth (Édith, en version moderne), descendante d'Alfred le Grand. Notons que leur mariage eut lieu le 11 novembre 1100, une date choisie à coup sûr pour donner à leur union, en ces temps superstitieux, une résonnance particulière.

Lorsque la noblesse normande d'Angleterre se plaignit du nom imprononçable[1] d'Eadgyth, Henri Ier se contenta de le remplacer par le nom anglo-normand de sa mère, Mathilde.

Henri promit de réparer tous les torts commis sous le règne de son frère et jeta en prison le principal ministre de Guillaume le Roux, un riche évêque du nom de Ranulf Flambard qui était chargé de collecter les taxes, une tâche dont il s'était brillamment acquitté. Flambard devint cependant le premier prisonnier à s'évader de la nouvelle Tour de Londres. Il se réfugia en Normandie auprès du duc Robert, de retour de croisade et qui se demandait comment ravir le trône d'Angleterre à son bêcheur de petit frère.

Robert, surnommé *Curthose* (« Pantacourt ») à cause de ses jambes courtaudes, avait passé l'essentiel de sa vie adulte à guerroyer contre son père, Guillaume le Conquérant. Les deux s'étaient même retrouvés face à face au cours d'une bataille, le fils mettant à terre son père vieillissant mais lui épargnant la vie au dernier moment. Poussé par Flambard, Robert entreprit une nouvelle invasion normande de l'Angleterre en 1101, faisant accoster une petite armée à Portsmouth. Mais les barons anglais qui avaient promis de l'aider ne furent pas au rendez-vous. Henri Ier était en train de devenir un roi populaire, l'une de ses réformes les plus appréciées étant la garantie donnée qu'il ne surtaxerait pas ses barons. Finalement, les deux frères trouvèrent un terrain d'entente. Robert accepta de renoncer au

---

1. Les nobles se moquaient comme d'une guigne que ce soit impossible à *épeler* car pratiquement aucun d'entre eux ne savait écrire.

trône en échange d'un revenu régulier et d'une partie des terres normandes d'Henri.

Henri ne faisait cependant pas une confiance aveugle à son grand frère pour respecter l'accord. Prouvant que l'Angleterre se sentait désormais assez forte pour affronter n'importe qui, il décida d'envahir la Normandie. L'affaire fut étonnamment aisée. Henri s'empara de Bayeux et de Caen en 1105, retourna brièvement en Angleterre pour dénouer le conflit qui l'opposait au pape au sujet de la nomination des évêques anglais par le pouvoir temporel ou spirituel, puis il reprit sa campagne militaire l'année suivante, se retrouvant enfin face à Robert lors d'une bataille près du château de Tinchebray, aux abords de Caen, le 28 septembre 1106. Henri signa la défaite des Normands en une heure et fit de Robert son prisonnier.

L'Angleterre venait de conquérir la Normandie, quarante ans jour pour jour après que Guillaume le Conquérant eut mis le pied sur le sol anglais.

Henri Ier était désormais aussi puissant que son père l'avait été et, pour être sûr de le rester, il mit son frère aîné hors d'état de nuire. Ironiquement, Robert fut jeté en prison dans le château normand de Cardiff. Puis, après une tentative d'évasion ratée, Henri fit brûler les yeux de Robert et le maintint en captivité jusqu'à la fin de ses jours. L'affection à l'égard de parents proches ne semblait pas faire partie des gènes anglo-normands.

Manigances douteuses en Normandie

En 1135, le roi Henri Ier était devenu un vieux sexagénaire en quête d'un successeur. À l'automne de cette année-là, il se rendit en Normandie chez sa fille Mathilde, qui avait conclu une excellente alliance matrimoniale avec un Français, Geoffroy, comte d'Anjou, seigneur des terres voisines de celles d'Henri. Malgré la naissance récente de deux petits-enfants, les relations entre le père, la fille et le gendre étaient tendues, peut-être parce que le roi essayait d'expliquer à Mathilde que, bien que seule héritière légitime du trône d'Angleterre, elle ne pouvait prétendre au titre car elle était une hériti*re* et que, à l'époque, les attributs essentiels pour devenir un souverain anglais étaient, précisément, d'en avoir.

Après une longue journée de chasse, Henri rentra chez Geoffroy et Mathilde, au château de Lyons, en Normandie, où il mit les pieds sous la table avant de déguster l'un de ses plats préférés, une assiette de lamproies grillées, créatures hideuses ressemblant à des anguilles avec une gueule en ventouse hérissée de dents pointues qu'elles utilisent pour percer l'estomac de leurs proies et aspirer leurs entrailles. Bien qu'ayant aujourd'hui pratiquement disparu, les lamproies étaient considérées, au Moyen Âge, comme un mets délicat et, à chaque Noël, la cité de Gloucester avait pris l'habitude d'offrir au monarque une assiette de lamproies. En ce mois de décembre 1135, on dit qu'Henri consomma un tel « excès de lamproies » qu'il en mourut d'indigestion.

Curieusement, la version française de cette histoire est qu'il aurait ingurgité « des lamproies avariées ». Les Français ne semblent pas pouvoir accepter qu'on puisse consommer une bonne chose avec excès. Étant donné la violence propre à l'époque, on peut cependant se demander si le repas d'Henri ne contenait pas un petit ingrédient caché.

Son père mort, Mathilde sonda les barons anglais pour savoir si elle pourrait lui succéder au trône, seule ou comme régente de son fils. Certains barons lui firent allégeance mais, au final, son mariage avec un Angevin, vu par beaucoup comme un rival des Normands, la desservit et le trône passa à l'un des neveux d'Henri, un petit-fils français de Guillaume le Conquérant, Étienne, comte de Blois et de Boulogne.

Étienne, appelé Stephen par les anglophones, ne fut pas précisément un bon souverain. Il semble qu'il n'ait pas eu suffisamment du sang du Conquérant en lui. Le père d'Étienne, Étienne-Henri, était d'ailleurs connu pour être un grand lâche. Au cours du siège d'Antioche, en 1098, il avait déserté, rendant son épouse tellement furieuse qu'elle l'avait directement renvoyé au Proche-Orient, où il fut tué en 1102. Pas vraiment un modèle pour un futur souverain.

Or, malheureusement pour Étienne, Mathilde et son mari Geoffroy d'Anjou n'allaient pas abandonner sans se battre. En 1139, Geoffroy commença une guerre d'usure contre la Normandie, tandis que Mathilde, à la tête d'une armée d'Angevins, envahissait l'Angleterre, installant son quartier général à Gloucester – la capitale de la lamproie.

Une lutte à mort s'engagea sur le sol anglais entre la dame d'Anjou et l'homme de Blois. Cette guerre entre Mathilde et Étienne, connue sous le terrible nom d'« Anarchie », donna à la *Chronique anglo-saxonne* à l'agonie l'occasion de lancer l'une de ses dernières diatribes contre l'ennemi étranger. Dans un article de 1139, la *Chronique* se lamente que les deux factions de prétendants français prennent en otage « les paysans et paysannes [anglais], les jettent en prison pour leur or et leur argenterie et les torturent par d'indescriptibles sévices ». Bon, bien qu'indescriptibles, le chroniqueur se débrouille pour les détailler :

« Ils les pendent par les pouces, ou par la tête, et attachent du feu à leurs pieds ; ils nouent des cordes à leur tête et les tordent jusqu'à ce qu'elles atteignent le cerveau. […] Pour certains, ils les mettent dans une petite caisse étroite et peu profonde, y insèrent des pierres bien pointues et appuient dessus jusqu'à briser tous leurs membres. […] Je ne peux ni ne veux décrire toutes les blessures et tortures infligées aux pauvres diables de ce pays. »

Le conflit fut si violent que, au bout du compte, les deux factions furent contraintes de trouver un accord : Étienne continuerait de régner et, à sa mort, la Couronne passerait à Henri, fils de Mathilde (et petit-fils d'Henri Ier). Pour toutes les parties prenantes, cette solution était précaire et insatisfaisante. Comme G. M. Trevelyan le dit dans sa *Brève Histoire de l'Angleterre*, « l'une des grandes bénédictions pour l'Angleterre fut que [Étienne] mourut l'année suivante ».

Ravir la femme d'un roi français, un mauvais coup pour les relations internationales

À sa naissance, le futur Henri II était déjà, par son père Geoffroy, l'héritier de la puissante région d'Anjou ainsi que du duché de Normandie et de la Couronne d'Angleterre. À dix-neuf ans, il agrandit encore ses possessions en épousant Aliénor d'Aquitaine. Il devint ainsi duc des très riches et vastes terres d'Aquitaine et de Gascogne, une aire allant de Bordeaux à la frontière espagnole.

Cette union n'était pas seulement lucrative. Elle constituait aussi un formidable coup politique anti-français. Quelques semaines plus tôt, Aliénor était encore reine de France, épouse de Louis VII. Elle avait obtenu l'annulation de ce mariage au prétexte que Louis n'avait pas pu lui donner d'héritier mâle. Elle se sentait déliée de celui qu'elle définissait subtilement comme étant « davantage un moine qu'un mari ». Aussitôt cette union résiliée, Aliénor, trente ans, demanda en mariage l'adolescent Henri qui, prévoyait-elle avec justesse, était un parti prometteur. Aliénor était apparemment une femme grande, belle et bien éduquée, sachant ce qu'elle voulait et comment l'obtenir. En outre, elle avait déjà testé le pedigree familial d'Henri en couchant avec son père.

Du coup, quand le roi Étienne mourut en 1154 et qu'Henri, alors âgé de vingt et un ans, put ajouter une ligne supplémentaire – roi d'Angleterre – à sa carte de visite déjà bien fournie, il régnait sur des terres « françaises » plus vastes que celles de Louis VII. Si vous regardez une carte de France de l'époque, le domaine dirigé par Henri et Aliénor représente une bande couvrant toute la moitié occidentale du pays, absorbant presque toute la côte au nord et s'étirant vers le centre de la France, à l'exclusion de Paris. En comparaison, le domaine de Louis VII pendouille à travers la carte comme une cuisse de grenouille filiforme, de l'ouest de Calais vers la Méditerranée en passant par Paris. Qui gouvernait la France à cette époque était parfaitement établi. Et ce n'était pas le roi de France.

Henri II fut le premier des rois anglais Plantagenêt, ainsi appelés en référence aux fleurs de genêt que son père Geoffroy d'Anjou portait à son chapeau. De fait, Henri fut le fondateur d'une dynastie qui allait diriger l'Angleterre pendant les trois cent trente années suivantes. Il ne pouvait pas le savoir, bien sûr, n'empêche qu'il régna comme un homme chargé de jeter les fondations d'un haut lignage.

Il soumit les versatiles barons d'Angleterre et ceux des terres françaises en préférant les taxer plutôt que d'exiger d'eux des services armés en recourant à des mercenaires. Il introduisit le système des jurés, de sorte que certains procès au moins furent instruits, au lieu d'ordonner à l'accusé de marcher pieds nus sur des socs de charrue incandescents et de le déclarer coupable s'il s'en tirait avec des ampoules. Se souvenant peut-être de la mésaventure advenue à son grand-père avec les lamproies, Henri acquit également une réputation de générosité, redistribuant systématiquement un dixième de la nourriture livrée à ses châteaux.

Il est donc malheureux que les Français aient remporté l'une de leurs victoires les plus méconnues en ternissant l'honorable nom du roi Henri.

Meurtre à la cathédrale

La grande tache sur le bilan d'Henri II demeure le meurtre à Canterbury de son propre archevêque Thomas Becket. À sa décharge, il convient de préciser qu'il n'en est pas entièrement responsable. Ce que l'on ne souligne pas assez est que la faute en revient, au moins en partie, à la France.

Les circonstances de l'assassinat sont bien connues. En 1170, Henri s'emporta publiquement contre le refus de Becket de respecter l'autorité royale. Quatre courtisans se rendirent aussitôt à Canterbury où ils fendirent le crâne de Thomas et en répandirent la cervelle sur le sol de la cathédrale.

Mais ce que peu de gens savent, c'est que Thomas Becket venait de passer deux années en exil en France après avoir quitté l'Angleterre pour éviter d'avoir à signer un accord qui aurait limité l'influence de l'Église. En France, Thomas avait été l'hôte de Louis VII, ce piètre amant méprisé par Aliénor. On peut fort bien imaginer Louis deviser au coin du feu avec Thomas et lui dire combien il avait raison de se dresser contre l'Anglais impie et voleur de femme. Cela pourrait expliquer pourquoi, lorsque Thomas s'en retourna enfin en Angleterre, il continua de se montrer rétif aux demandes politiques d'Henri.

Thomas était tellement sûr de lui qu'il alla jusqu'à provoquer sa propre exécution. Les chevaliers d'Henri entrèrent cn effet sans armes dans la cathédrale. Ils souhaitaient seulement que l'archevêque les suive afin de s'expliquer en personne avec Henri. Ce n'est qu'après que Thomas les eut envoyés se faire adouber ailleurs qu'ils s'en revinrent armés de leurs épées.

En résumé, si Thomas Becket n'avait pas passé deux ans à apprendre l'art si français de la mauvaise humeur, il serait peut-être mort dans son lit et on se souviendrait d'Henri II comme de l'un des plus grands rois d'Angleterre plutôt que comme d'un assassin de prêtre.

De fait, l'assassinat allait précipiter la chute d'Henri.

Aliénor et lui avaient eu huit enfants, dont cinq fils. Mais leurs relations étaient notoirement tendues et les deux époux jouaient sans cesse des coudes pour consolider leurs positions. Aliénor semble avoir encouragé son Aquitaine natale à demeurer indépendante vis-à-vis de l'autorité du roi Henri, tandis que ce dernier attaquait des villes comme Toulouse qui appartenaient à la famille d'Aliénor. Aliénor fut également froissée par les infidélités d'Henri, qui entretint notamment une liaison avec la fiancée de son propre fils. Bien qu'elle eût l'habitude de fermer les yeux sur le libertinage de son mari, Aliénor les tint ouverts quand apparut Rosamund Clifford, la jeune et belle maîtresse qu'Henri surnommait *rosa mundi* (la « rose du monde ») : dès que Rosamund entra en scène, Aliénor encouragea les propres fils d'Henri à tailler en pièces son empire à coups d'épées princières. Le vieux roi se mit à ressembler à un lion vieillissant à la tête d'une meute de jeunes mâles à l'affût du moindre signe de faiblesse, en permanence aiguillonnés par la lionne en chef, Aliénor.

Le roi d'Angleterre se trouvait soudain attaqué depuis la France – par ses propres fils. Parmi eux, le plus grand fauteur de troubles était son deuxième fils, lui aussi prénommé Henri. Le jeune Henri gardait une vieille rancune contre son père. Il avait passé le plus clair de son enfance sous la tutelle de Thomas Becket et aurait prétendu que Thomas lui aurait davantage témoigné d'affection en une journée que le roi Henri tout au long de sa vie. Le meurtre de Becket l'avait donc profondément affecté.

Quant à son autre fils, Richard, il était doué d'une ambition féroce, exigeant toujours plus de terres à l'issue d'incursions et de raids incessants. Le pauvre roi Henri était ainsi condamné à contempler l'implosion de sa famille.

Le jeune Henri mourut de dysenterie après avoir échoué à s'emparer de Limoges, l'un des domaines de son père. Peu après, son frère Geoffroy, qui avait trouvé refuge en France après une vaine révolte, y fut tué lors d'une joute.

Seul Jean demeura loyal à son père. Maigre consolation puisque ce fut lui qui acheva Henri.

Au cours de l'été 1189, Richard eut vent que son père entendait donner l'Aquitaine à Jean. Furieux à l'idée de perdre pareil morceau de choix qu'il pouvait légitimement revendiquer en tant qu'aîné, Richard lança en Anjou une nouvelle rébellion parricide. Et cette fois, il décela la fissure dans l'armure d'Henri : il persuada le jeune Jean de trahir son père.

L'aumônier d'Henri II, un chroniqueur gallo-normand du nom de Gerald de Galles, décrit un tableau pendu dans l'une des chambres du château royal de Winchester et représentant un aigle en train de se faire becqueter par trois oisillons tandis qu'un quatrième, plus petit, les observe. Lorsqu'on lui avait demandé le sens de cette étrange scène, Henri avait expliqué que les oisillons étaient ses quatre fils. Le plus jeune d'entre eux « pour qui j'ai aujourd'hui beaucoup d'affection me causera un jour une douleur plus cruelle et plus mortelle que toutes les autres », avait-il expliqué. Que cette histoire soit vraie ou seulement une parabole imaginée a posteriori, sa justesse n'en est pas moins glaçante.

Henri se rendit en Anjou pour se défendre, mais Richard et ses alliés (dont le fils de Louis VII, Philippe Auguste) résistaient tant et si bien qu'Henri décida finalement d'accéder à leurs requêtes. La trahison de Jean avait, en outre, brisé le cœur du vieux roi.

Quelques jours seulement après avoir cédé à ses fils et à leurs alliés français, Henri II mourut au château de Chinon le 6 juillet 1189. On dit qu'il mourut de chagrin et que lorsque Richard, non sans hypocrisie, vint rendre un dernier hommage à sa dépouille, le nez d'Henri se mit à saigner, comme pour accabler son fils dévoyé des maux qu'il lui avait causés.

Richard n'était toutefois pas du genre à se laisser guider par les sentiments : s'étant fait adouber duc de Normandie, il se rendit directement à Londres pour y être intronisé roi d'Angleterre.

À vendre, capitale remplie d'objets d'art

On dit de Richard Ier (Cœur de Lion) qu'il fut un grand roi anglais mais, en réalité, il ne passa que sept mois, sur un règne de dix ans, dans le pays qu'il était censé gouverner. Il préférait s'adonner aux pillages à l'étranger. On le trouvait le plus souvent en train de défendre les habitants de la Méditerranée orientale contre toute espèce de liberté religieuse à laquelle ils pourraient aspirer, ou de bouter tout usurpateur potentiel hors des immenses domaines français qu'il avait hérités de ses parents (Richard n'était pas seulement roi d'Angleterre, mais aussi duc de Normandie, d'Aquitaine et de Gascogne, comte d'Anjou et de Nantes, et seigneur de Bretagne).

Il avait peu d'affection pour l'Angleterre et avait même déclaré que, afin de financer ses croisades, il aurait volontiers « vendu Londres s'il avait pu trouver un acheteur ».

Pendant que Richard était à la croisade, son jeune

frère Jean se chargea de perpétuer la tradition familiale du complot fratricide, ainsi qu'en témoigne le rôle de scélérat qu'il incarne dans d'innombrables films consacrés à Robin des Bois, au côté de son vilain compère, le shérif de Nottingham. Ainsi du moins le veut la légende. Car en dépit de ce que racontent tous les syndicats d'initiative d'Angleterre, il paraît peu probable que Robin des Bois ait jamais existé. Robin des Bois (le nom était très commun au Moyen Âge) a très bien pu être un nom générique donné à tous les hors-la-loi et inspiré par de vrais événements, de même que le mot « hooligan » dérive de « Houlihan », nom d'une famille peu recommandable du Londres des années 1890.

Les romances folkloriques évoquant les exploits héroïques de Robin des Bois datent du XIIIe siècle et traitent essentiellement de la résistance à l'autorité, un thème récurrent à une époque où le *vulgum pecus* était taillable et corvéable à merci, et où l'on pouvait être pendu par un seigneur uniquement parce que tel était son bon vouloir. Dans une chanson appelée *La Geste de Robin des Bois*, composée à la fin du XVe siècle mais apparemment d'origine beaucoup plus ancienne, Robin décrit ainsi ses cibles à son ami Petit Jean :

> « Ces évêques et archevêques,
> Tu les frapperas et les attacheras ;
> Et le grand shérif de Nottingham,
> Tu n'oublieras pas. »

Les évêques, les archevêques et le shérif : piliers de l'autorité médiévale sur le point d'être déboulonnés. Le Robin de ces chansons-là ne donne pas toujours aux pauvres et on n'évoque pratiquement pas son soutien au roi Richard contre son frère Jean. En réalité, pour l'Anglais moyen, Richard représentait davantage un fardeau financier qu'il n'était considéré comme un roi. En 1193, il fut pris en otage par l'un de ses nombreux ennemis, Henri VI, roi du Saint Empire romain germanique, qui exigea une rançon de 150 000 marks (environ trois fois le revenu annuel de la Couronne d'Angleterre). La somme fut collectée grâce à une levée massive d'impôts auprès des Anglais, alourdie probablement du fait que Jean avait offert 80 000 marks de dessous-de-table pour maintenir Richard en prison.

Dans l'histoire de Robin des Bois, la libération de Richard et son retour en Angleterre pour la sauver de l'impéritie de Jean figurent souvent un épilogue dramatique. Mais en réalité, Richard ne demeura pas longtemps sur place pour témoigner de sa gratitude envers ses sujets anglais : l'appel de la guerre et l'envie de se farcir les Français étaient les plus forts. Cherchant à profiter du séjour de Richard Cœur de Lion sous les verrous, Philippe Auguste, vieil allié de Richard devenu Philippe II, roi de France, était en effet en train d'essayer de s'emparer des terres de Normandie et d'Anjou tenues par les Anglais. Richard mit donc le grappin sur tout l'argent disponible et quitta de nouveau l'Angleterre, pour ne jamais y revenir.

Il consacra les cinq dernières années de sa vie à combattre le roi français voleur de terres. Il y réussit si bien que, en septembre 1198, à l'issue de la bataille de Gisors, dans le nord de la France, il renouvela sa déclaration d'indépendance, ainsi que celle de l'Angleterre, à l'endroit du roi de France. En tant que duc ou comte de terres françaises, Richard, comme tous les monarques anglais, était théoriquement vassal de Philippe Auguste. À compter de 1198, Richard adopterait la devise royale qui survivrait jusqu'à aujourd'hui : *Dieu et mon droit*, expression française choisie à dessein afin que Philippe Auguste comprenne bien qu'un roi anglais ne devait allégeance à personne d'autre qu'à Dieu. Et encore, même vis-à-vis de Dieu, il conservait des droits propres.

Mais c'est pourtant la France qui tua Richard.

En mars 1199, il était en train de mater la révolte d'un nobliau français sur son domaine d'Aquitaine et dirigeait le siège du château de Châlus (la routine, quoi), défendu par une poignée de chevaliers dont l'un disposait pour tout bouclier d'une poêle à frire. Richard était tellement sûr de sa victoire qu'il alla traîner un soir au bord des douves sans sa cotte de mailles, mettant les défenseurs du château au défi de lui tirer dessus. Malheureusement, le chevalier à la poêle à frire ne se l'envoya pas dire et atteint Richard au cou d'un tir d'arbalète. La blessure s'infecta après qu'un chirurgien incompétent[1] eut tenté de retirer la flèche ; peu de temps après Richard se retrouvait sur son lit de mort.

Selon la légende, tandis que le Cœur de Lion agonisait, on fit venir l'arbalétrier français pour qu'il demande pardon. Le soldat s'avéra être un jeune garçon du nom de Pierre Basile, qui dit à Richard qu'il avait tiré pour venger son père et son frère tués

---

1. La France n'avait pas encore développé son excellent système de santé.

par les Anglais. Selon la version anglaise de l'histoire, Richard fut si ému qu'il bénit le garçon et lui concéda une grosse somme d'argent.

Certaines sources françaises prétendent que Richard fit traîtreusement tuer l'archer, mais il s'agit de vile calomnie anglophobe. La vérité, semble-t-il, est que juste après la mort de Richard, le 6 avril 1199, le chef des mercenaires (un Français lui aussi, soit dit en passant) fit sauvagement exécuter tous les défenseurs du château de Châlus en les pendant aux remparts, et réserva le châtiment le plus cruel au jeune Pierre Basile, qui fut écorché vif pour avoir assassiné leur riche employeur.

Mais les historiens français diraient n'importe quoi pour ternir la réputation d'un roi anglais…

Le mauvais roi Jean, héros accidentel

Le successeur de Richard Cœur de Lion, Jean, fut réellement un affreux roi d'Angleterre. Ses contemporains lui donnèrent les sobriquets de « sans Terre » et d'« Épée molle », faisant par là référence autant à son incompétence militaire qu'à ses bijoux de famille. De fait, pour ce qui est de l'histoire franco-anglaise, Jean n'eut qu'une seule qualité : il était très doué pour énerver la France.

Dans les mois qui suivirent son accession au trône, il se laissa entraîner dans une triangulaire amoureuse qui ferait les délices de la presse *people* d'aujourd'hui. En 1200, il fit la rencontre d'Isabelle, fille du comte d'Angoulême. Séduit par sa beauté (et par ses vastes propriétés), il la fit enlever et l'épousa, bien qu'elle

78

n'eût que douze ans et qu'elle fût déjà fiancée à un noble français.

À cette époque, le rapt de mineures était une technique de séduction courante mais le prétendant lésé s'en plaignit au roi de France et vieil ennemi de Richard, Philippe Auguste, qui convoqua Jean pour le sommer de s'expliquer. Jean refusa, arguant que, en tant que roi d'Angleterre, il était son propre maître et n'avait de compte à rendre à personne – « *Dieu et mon droit* », n'est-ce pas ?

À la judicieuse devise de Richard, Philippe Auguste opposa que le seigneur d'Aquitaine demeurait vassal du roi de France et que ce dernier, par conséquent, avait autorité sur lui. Avec diligence, il dépouilla Jean de toutes ses terres françaises, à l'exception de la Gascogne, patrie des turbulents Basques et trop éloignée de Paris pour pouvoir être contrôlée.

Cette confiscation affaiblit à ce point Jean que les Français s'enhardirent, allant jusqu'à envahir son bastion familial de Normandie. En un instant, l'empire d'Henri II et de Richard Cœur de Lion, qui recouvrait l'ouest de la France comme un immense rideau rouge anglais, se retrouvait plus ou moins réduit à l'Angleterre et Biarritz.

Jean s'engagea ensuite dans un conflit avec l'Église. Alors qu'il était censé avoir le droit de choisir l'archevêque de Canterbury, le pape décida de l'excommunier et déclara Philippe Auguste, roi de France, comme seul et véritable roi d'Angleterre. Désirant préserver ce qui pouvait l'être, Jean fit marche arrière et accepta, en 1213, de se reconnaître vassal du pape, offrant même de payer à Rome un loyer. La défaite était humiliante mais elle se transforma en victoire antifrançaise. Philippe Auguste, qui avait rassemblé une armée sur la côte de la Manche pour envahir l'Angleterre au prétexte de défendre la papauté, se retrouvait fort marri. Simultanément, grâce à un concours de circonstances formidable, la flotte anglaise croisa la marine française et la détruisit, jetant un peu d'eau salée sur la plaie de Philippe Auguste.

Avec une intrépidité inaccoutumée, Jean décida de surfer sur cette vague porteuse en attaquant la France. Mais son armée fut vaincue au cours de l'été 1214, lors de la bataille de La Roche-aux-Moines, en Anjou (où Jean se distingua en désertant le combat), puis lors de la bataille de Bouvines, dans le nord du pays. Jean fut contraint de renoncer à toute prétention sur la Normandie et la Bretagne.

Malheureusement pour le roi Jean, les Anglais n'avaient pas encore appris qu'une fois que l'on a réussi à énerver un Français, il est bien plus profitable de le laisser ruminer la chose que de lui donner une occasion de contre-attaquer.

Un roi français pour les Anglais

Conséquence de ces humiliations et de ces erreurs d'appréciation en série : les barons de Jean se défièrent tellement de lui qu'ils lui firent signer la *Magna Carta* qui les prémunissait contre d'éventuelles injustices causées à l'avenir par des chefs du même acabit que Jean.

Pour plus de sûreté, les barons invitèrent aussi Louis, prince héritier de France, à venir prendre place sur le trône d'Angleterre – ce qui fut le cas durant une courte période, en 1216, au cours de laquelle Louis fut en effet Louis Ier d'Angleterre. Une trahison méprisable de la part des barons anglais, pourrait-on croire, mais une trahison parfaitement logique. Beaucoup d'entre eux possédaient des domaines tant en Angleterre qu'en Normandie et se disaient sans doute qu'un roi français régnant sur la Normandie et l'Angleterre valait bien un roi anglais en tant que seigneur. Il pourrait même s'avérer meilleur s'il leur évitait de s'embarquer dans des guerres coûteuses et exigeait moins d'impôts.

Pourtant, en octobre 1216, quand Jean mourut de dysenterie alors qu'il battait de nouveau en retraite devant les envahisseurs français, les barons firent un choix proanglais, leur allégeance passant de Louis au fils de Jean, qu'ils firent couronner sous le nom d'Henri III. Il est bien possible qu'ils aient fait ce choix car Henri, alors âgé de neuf ans, était plus facile à dominer – on pouvait lui faire réduire les impôts rien qu'en lui retirant son cheval à bascule. Mais cette décision isola également l'Angleterre vis-à-vis de la France et contraignit les sujets anglais les plus puissants, qui se considéraient jusqu'alors avant tout comme des « expats » normands, à se demander si, après cent cinquante années de présence sur le sol anglais, eux et leurs familles ne devraient pas plutôt rester sur place.

Cette anglicité croissante s'exacerba quand, en 1227, le temps de la régence d'Henri III prit fin. Henri fit alors venir à sa cour pléthore de conseillers étrangers, dont certains membres de sa famille maternelle française, avant d'aggraver son cas en se mariant à une comtesse de douze ans, Éléonore de Provence. L'infante débarqua à la cour d'Angleterre accompagnée d'un aréopage composé de cousins italo-français si envahissants que les Londoniens allèrent jusqu'à essayer de faire couler son chaland tandis qu'Éléonore descendait la Tamise.

Robert Grosseteste, évêque de Lincoln, exprima publiquement sa désapprobation en fustigeant le roi Henri et en se plaignant que ces courtisans français fussent « des étrangers et les pires ennemis de l'Angleterre. Ils ne comprennent pas même la langue anglaise. »

Les Français, jamais en reste quand il s'agit de discuter, mirent de l'huile sur le feu dans ce débat nationaliste de plus en plus bouillant. En 1244, le roi Louis IX (fils du prince Louis qui avait été invité à régner sur l'Angleterre) déclara : « Il est impossible pour un homme vivant dans mon pays mais possédant des terres en Angleterre de servir deux maîtres. Soit il se soumet à mon autorité, soit il se soumet à celle du roi d'Angleterre. »

Le divorce avec la France était presque consommé.

L'Angleterre punie là où ça fait mal

Heureusement pour la France, l'Angleterre n'était pas encore prête à l'attaquer car les rois Édouard Ier et II, dont les règnes durèrent de 1272 à 1327, dépensèrent l'essentiel de leur énergie à persécuter les Écossais et les Gallois. Ils souffrirent de douloureuses représailles, comme le massacre de l'armée anglaise à Bannockburn, en 1314. Mais s'être fait déchiqueter par des mains écossaises et galloises eut deux conséquences inattendues qui allaient plus tard hanter les Français.

Premièrement, les Anglais découvrirent à leurs dépens que les Gallois étaient experts dans le maniement de leur terrible grand arc, une tout autre bête que celui qui avait (peut-être) tué Harold lors de la bataille d'Hastings. Les arcs gallois mesuraient entre 1,50 mètre et 1,80 mètre et étaient souvent plus grands que les hommes qui en faisaient usage. Ils pouvaient tirer de lourdes flèches, ferrées à la pointe, jusqu'à une distance de 250 mètres, avec une précision diabolique. Un peu comme si l'on comparait un « boulet » de mousquet et une balle de sniper. Il fallait une longue expérience et un avant-bras musclé pour tendre la corde de cet arc géant. Les villages anglais résonnèrent bientôt du sifflement et du « ploc » des flèches galloises s'écrasant sur leurs cibles. Or, ce son ferait bientôt trembler sous leur armure les chevaliers français.

Deuxièmement, à Bannockburn, l'armée d'Édouard II, composée de 20 000 chevaliers, fut décimée par les modestes fantassins écossais de Robert Bruce. Les Anglais avaient mené la charge lourdement armés de pied en cap à travers des terrains marécageux. Ils retiendraient la leçon et attireraient par deux fois les Français dans ce même piège au cours du siècle suivant.

Édouard II n'était pas un roi populaire. En plus de son talent pour perdre les batailles, il était ouvertement gay, ce qui, en dépit du travail d'avant-garde mené par Guillaume le Roux cent vingt ans plus tôt, puis par Richard Cœur de Lion, n'était pas encore à la mode au sein de l'aristocratie anglaise.

Finalement, la propre femme d'Édouard, une princesse française dont le caractère lui avait valu le surnom d'« Isabelle, la louve de France », s'arrangea pour le faire déposer et assassiner en 1327, dans des circonstances atroces. On raconte qu'Édouard, emprisonné au château de Berkeley, près de Gloucester, fut cloué au lit avec une corne enfoncée dans le rectum. Comme si cela ne suffisait pas, un bout de métal incandescent fut ensuite inséré dans la corne, brûlant les entrailles d'Édouard.

Au moment où il subissait ce martyre (d'autres récits rapportent qu'il fut simplement étouffé), l'Angleterre était au plus bas. Le pays était exsangue à la suite d'une série de mauvaises récoltes et de l'incapacité de ses dirigeants à juguler la révolte de leurs voisins celtes. Il avait perdu sans coup férir une autre de ses possessions françaises, la Gascogne. Au final, la mort épouvantable d'Édouard II peut être vue comme le symbole d'une Angleterre en train de se faire avoir.

Aussi le pays ressentit-il un désir profond de se ressaisir et de retrouver une certaine estime de soi. L'Angleterre était mûre pour la guerre de Cent Ans, le plus long conflit de son histoire. Et l'adversaire désigné des Anglais étaient les Français.

3

La guerre de Cent Ans : une faute lourde

**Avec en vedette le Prince Noir, Henri V,
et plein de Français morts...**

La plupart des gens qui écrivent sur la guerre de
Cent Ans rechignent à indiquer qu'il s'agit d'une erreur
évidente de calcul : un conflit qui dure de 1337 à
1453 n'est clairement pas une guerre de cent ans.
Mais le plus déprimant est que ce sont les Victoriens
qui l'ont baptisée ainsi, eux qui excellaient en maths,
étant toujours tenus de mesurer un empire en constante
expansion.

L'erreur est toutefois plus grave qu'elle n'en a
l'air. En réalité, il s'agit d'une entreprise délibérée
de falsification de l'histoire. D'abord, il ne s'agit pas
d'une guerre unique mais d'une succession de conflits
s'embrasant et s'éteignant en fonction du niveau des
liquidités dont disposaient les rois d'Angleterre pour
combattre. Bien que les dates dont nous nous souve-
nons aujourd'hui renvoient à des batailles fameuses
– Crécy en 1346 et Azincourt en 1415 –, il est faux

de croire que la guerre de Cent Ans fut menée par des armées de chevaliers et d'archers tombés au champ d'honneur pour leur pays.

Car, à l'exception de quelques combats de chevalerie, la « guerre » prit plus prosaïquement la forme de cent seize années de terreur infligée aux populations civiles de France par des bandits anglais prétendant défendre les droits de leur roi mais, en réalité, occupés à s'enrichir tout en massacrant autant de personnes qu'ils pouvaient.

Pendant plus d'un siècle, aucune ville de la moitié nord de la France ne fut à l'abri d'un assaut, et les paysans ne pouvaient travailler au champ sans poster des hommes de guet au sommet des collines, des beffrois ou des arbres. À la vue d'un nuage de poussière, les fermiers abandonnaient immédiatement leurs outils et décampaient, sachant que tout homme capturé vivant par les Anglais soit ferait l'objet d'une rançon s'il était riche, soit serait exécuté sur-le-champ s'il ne l'était pas, après avoir été le plus souvent cruellement torturé jusqu'à ce qu'il révèle l'endroit où il avait enterré ses maigres économies. En ce qui concerne les femmes, elles subissaient le même sort mais avec le viol en supplément. Ce fut moins une guerre de cent ans qu'un siècle de génocide, agréé par les rois (et, par conséquent, pour les esprits médiévaux, par Dieu).

La page en version française consacrée à la guerre de Cent Ans sur Wikipédia résume ainsi le conflit : « Date : 1337-1453. Issue : victoire française. » C'est un peu comme si on écrivait : « Peste noire : 1347-1351. Issue : victoire des humains. » C'est faire fi d'un nombre incalculable de morts, en l'occurrence majoritairement français.

Enquiquiner les Français
pour le plaisir et pour le profit

La question est : pourquoi les Anglais infligèrent-ils pareille campagne de mort et de destruction à leurs voisins ? Et la réponse, comme souvent en de telles circonstances, est : parce qu'ils le pouvaient. Ou plus exactement parce qu'ils ne pouvaient le faire nulle part ailleurs. À l'est, les Flamands étaient des alliés. Au nord et à l'ouest, les Écossais et les Gallois s'étaient avérés trop durs à cuire. La France, au contraire, était comme une veuve sur un bateau de croisière des Caraïbes : riche et disponible.

Au début des années 1300, la France était une nation bien plus riche que l'Angleterre. Ses terres arables étaient les plus productives d'Europe et le pays était traversé par les routes commerciales venant de la Méditerranée et de l'Orient. Du coup, sa population avait crû tant en taille qu'en raffinement. Tandis que les Anglais mâchaient encore du navet, les Français jouaient les snobs quant à la quantité exacte de poivre qu'il convenait d'ajouter dans la soupe à l'oignon.

De plus, le roi Philippe VI régnait sans conteste sur la quasi-totalité du territoire français. Vu d'outre-Manche, sa position était avantageuse mais dangereuse. C'était un peu comme une bande de hooligans imbibés de bière qui tomberaient sur un play-boy français bronzant sur la plage. Le voilà avec sa Rolex étincelante, ses Ray-Ban superbranchées, son iPod édition limitée. Son maillot de bain sort directement du dernier numéro de *Vogue Hommes*. La tentation d'aller lui verser de la bière (ou pire) sur le visage est irrésistible. À quoi s'ajoute l'opportunité de lui dérober ses vêtements de marque et de briser ses dents trop parfaites. Reste à le brûler avec une cigarette jusqu'à ce qu'il révèle le code PIN de sa carte de crédit. En bref, la guerre s'annonçait cruelle, raciste et meurtrière. Mais par-dessus tout, les Anglais allaient bien s'amuser.

Le nouveau roi d'Angleterre, Édouard III, n'était pas exactement un voyou buveur de bibine, mais un adolescent de quinze ans sortant tout juste d'une enfance perturbée. Comme nous l'avons vu au chapitre précédent, son père fut probablement assassiné avec un suppositoire chauffé à blanc, et Édouard savait que sa mère, la reine Isabelle, avait prêté son concours au crime. Le jeune prince devait aussi deviner que si ce sort lui avait été épargné, c'est parce que son existence permettait à Isabelle de régner sur l'Angleterre par l'intermédiaire d'un régent, un comte nommé Roger Mortimer – son amant. Mais lorsque Isabelle tomba enceinte de Mortimer, Édouard sentit sans doute le métal brûlant lui chauffer le fondement. Une nuit d'octobre 1330, il fractura donc à la hache la porte de la chambre de sa mère, traîna Mortimer au-dehors pour le faire pendre, et emprisonna Isabelle dans un lieu reculé, à Norfolk, où on prétend qu'elle fit une fausse couche. Qu'elle ait été « aidée » en cela par l'un des partisans d'Édouard n'est pas clair. Le roi se retrouvait en tout cas avec un rival en moins pour le trône.

Dorénavant, l'Angleterre était dirigée par un jeune survivant en mal d'action. L'un de ses premiers fait d'armes fut d'incendier le sud de l'Écosse, histoire de se défouler après la défaite de Bannockburn. Il conduisit également une armée d'archers à la victoire contre quelques hastaires écossais sur la colline d'Halidon, près de Berwick, en 1333, avant de rentrer à Londres, salué comme le « nouveau roi Arthur ». Il venait non seulement de goûter au fruit de la victoire, mais aussi à celui de la vengeance.

C'est alors que le roi de France, Philippe VI, commit l'énorme erreur d'irriter le jeune souverain tout juste initié au goût du sang.

En mai 1334, Philippe invita le roi d'Écosse, David II, âgé de dix ans et persécuté par les Anglais, à se refugier chez lui ; il demanda à Édouard III de cesser d'importuner le petit Davy. Cet avertissement fut vécu comme une provocation : Philippe décrétait de nouveau, ce faisant, que le roi d'Angleterre était un vassal du roi de France. L'affirmation de Richard Cœur de Lion qu'un roi anglais n'avait d'autre maître que Dieu n'avait, semble-t-il, toujours pas convaincu les Français. Et comme si cela ne suffisait pas, l'évêque de Rouen annonça avec jubilation dans son sermon qu'une armée française forte de 6 000 hommes se préparait à aller défendre l'Écosse contre les incursions anglaises.

La réaction du roi Édouard fut claire et immédiate : il revendiqua tout simplement le trône de France.

**Toutes les reines sont illégitimes,
mais certaines moins que d'autres**

Isabelle, la mère d'Édouard, avait déjà voulu s'accaparer la France en 1328. Sœur du roi Charles IV décédé en laissant une fillette comme seule héritière, Isabelle avait fait valoir qu'elle était la candidate naturelle à la succession. L'assemblée réunie pour en débattre avait cependant rejeté la demande d'Isabelle car, comme le rapporte le chroniqueur de l'époque Jean Froissart, « le royaume de France est si noble qu'il ne peut aller à femelle ».

Par la suite, Philippe VI s'était emparé du trône vacant. Champion de joute âgé de trente-cinq ans et à la tête d'une importante armée, il était le type d'homme à sortir vainqueur des disputes sur les mérites comparés des souverains. Édouard semblait avoir oublié la revendication de sa mère sur la Couronne française jusqu'à ce que, en 1334, Philippe commette l'erreur de se rallier à l'Écosse.

Les troubles furent attisés par la présence à la cour d'Édouard d'un intrigant français, quinquagénaire bon vivant du nom de Robert d'Artois. Beau-frère du roi Philippe VI, Robert avait fui en Angleterre après avoir, dit-on, empoisonné sa tante afin de s'approprier l'héritage. Du pipi de chat pour l'époque, en somme. Robert avait pourtant été condamné à mort et il avait pris le chemin de l'exil. Quand Philippe VI déclara que quiconque donnerait asile à Robert serait considéré comme son ennemi mortel, Édouard l'accueillit, le fit comte et lui offrit trois châteaux. On ne pouvait être plus clair.

Beau-frère dans toute sa splendeur, français jusqu'à la moelle, Robert ne put s'empêcher de geindre à propos de Philippe et d'inciter Édouard à réclamer son « héritage légitime ». D'après un poème d'époque, *Les Vœux du héron*, Robert précipita les choses lors d'un banquet, en 1338, au cours duquel il accusa Édouard III d'être un lâche de ne pas envahir la France et amena, avec force cajoleries, les invités influents de ce dîner à promettre d'aider Édouard à conquérir le trône de France. Robert prêta serment sur un héron grillé (oiseau timide symbolisant la lâcheté)[1].

Édouard annonça sur-le-champ son intention d'aller s'emparer de la Couronne française. Il dessina lui-même de nouvelles armoiries – des lions rampants anglais avec une fleur de lys française. Le nouveau blason franco-anglais – avec bouclier, casque, justau-corps et uniforme des écuyers assortis – représentait la plus insultante des provocations qui soit, un peu comme coucher de nos jours avec la femme d'un Fran-çais, puis poster la sextape sur YouTube. Par la grâce de cette seule œuvre d'art, Édouard s'assurait que la guerre à venir serait bel et bien extrêmement cruelle.

Comment faire financer votre guerre

Édouard III n'était plus l'adolescent perturbé d'au-trefois. À vingt-cinq ans, il était, aux dires de tous, un homme bien élevé et cultivé qui savait même écrire. À l'instar des gens de son milieu, sa langue maternelle était l'anglo-normand. Mais il parlait anglais comme s'il était né en Angleterre (ce qui était d'ailleurs le cas) et comprenait le latin, l'allemand et le flamand. Il avait aussi, selon le mot d'un de ses contempo-rains, « le visage d'un dieu » et il en usait sans limite, séduisant un nombre incalculable de femmes d'un simple mouvement de ses longues mèches blondes,

---

1. Et qui se nourrit, bien entendu, de grenouilles, bien que, au XIVe siècle, *frogs* ne fût pas encore un sobriquet dévolu aux Français mais plutôt aux Hollandais habitant dans les marécages.

d'un sourire royal et, sans doute, en leur racontant une blague flamande.

Cependant son charme ne lui servait pas uniquement à mettre des femmes dans son lit à baldaquin. Dès que son esprit se fut fixé sur la guerre, il réussit une formidable carrière d'arnaqueur royal, se constituant un trésor de guerre auprès de riches banquiers et commerçants italiens, hollandais et anglais qui firent, pour la plupart, faillite faute d'avoir été remboursés.

Édouard ne gagea pas seulement sa propre couronne d'Angleterre, mais aussi celle qu'il avait commandée, avec un singulier optimisme, pour le jour où il serait couronné roi de France.

Philippe VI, lui, avait de graves difficultés pour financer sa guerre. À l'époque déjà, les Français n'aimaient rien tant qu'ignorer les lois et beaucoup d'entre eux refusaient de payer des impôts. Philippe dut imposer par la force une taxe sur le sel et déprécier sa monnaie, récupérant les pièces d'argent et émettant, en retour, de la monnaie en métal ordinaire. Finalement, il fut contraint de recourir à un emprunt d'un million de florins d'or auprès du pape[1].

Philippe utilisa ses fonds pour constituer une cavalerie forte d'environ 60 000 hommes, dont beaucoup étaient des aristocrates en quête de gloire. Édouard fit à peu près le contraire, ordonnant à ses baillis et à ses intendants de recruter les candidats âgés de seize à soixante ans les mieux équipés pour la guerre. Tout en sélectionnant les meilleurs tireurs au grand arc, la

---

1. En ce temps-là, l'Église semblait témoigner d'une souplesse beaucoup plus grande à l'égard de ses Commandements sur le fait de tuer son prochain ou de convoiter ses biens.

plupart de ces responsables locaux en profitèrent pour se débarrasser des voleurs et assassins sévissant dans les parages.

Ainsi, tandis que les plus nobles des chevaliers de France se harnachaient de leur armure et jouaient au quizz sur les règles de la chevalerie, des milliers de criminels anglais s'échangeaient des tuyaux sur la meilleure façon de poignarder un aristo.

Mauvaise publicité pour un massacre

S'il faut trouver une excuse aux horreurs qui allaient être perpétrées en France, soulignons que ce sont les Français qui ont commencé.

En 1337, ils attaquèrent les côtes anglaises et pillèrent, en une année, les villes de Rye, Hastings, Portsmouth, Southampton, ainsi que l'île de Wight et Plymouth. Des navires marchands anglais furent saisis et des vaisseaux français remontèrent l'estuaire de la Tamise. La rumeur d'une invasion française commença à circuler, et le bruit courait que des pêcheurs du Kent avaient été torturés avant d'être exhibés dans les rues de Calais.

Les Anglais, eux, se rendirent rapidement compte du bénéfice à tirer des raids. Ils commencèrent à rendre aux ports normands et bretons la monnaie de leur pièce. Il arrivait même parfois que les pilleurs anglais s'emparent d'un butin fauché chez eux peu de temps auparavant. La Manche devint très vite dangereuse pour toute embarcation.

Puis ce fut l'invasion proprement dite. En septembre 1339, Édouard III posa le pied en France avec une armée d'environ 15 000 hommes, dont beaucoup étaient des mercenaires allemands et hollandais payés avec l'argent qu'il avait emprunté. Philippe VI les attendait au lieu dit La Flamengrie, au nord-est du pays, avec 35 000 hommes. Malgré cette supériorité numérique, Philippe offrit de transformer cette bataille en rencontre sportive et proposa une sorte de tournoi entre ses paladins – les plus nobles de ses chevaliers – et les meilleurs hommes de l'armée anglaise. Il s'agissait sans doute d'un coup de griffe à l'adresse d'Édouard, lui-même paladin avant que Philippe ne lui confisquât ses terres françaises.

Édouard, lui, brûlait d'en découdre, non seulement parce que c'était sa nature mais aussi parce que ses mercenaires allemands et hollandais se plaignaient de ne pas manger assez et menaçaient de rentrer chez eux. Il accepta donc de rencontrer Philippe comme bon lui semblerait. Or, Philippe ne se présenta tout simplement pas au rendez-vous.

Peut-être était-ce là une preuve de lâcheté, n'empêche que cela s'avérait très efficace. Car Édouard ne pouvait tout simplement pas se permettre de rester en France plus longtemps. Il était tellement à court d'argent qu'il avait dû, en guise de caution, laisser son épouse Philippa à Gand. Son offensive – cette attaque qui était censée le faire débouler à Paris pour s'emparer de la Couronne française – durait depuis un mois et ne l'avait pas mené plus loin que les faubourgs de Calais.

Pourtant, au regard de la guerre à venir, cette entreprise ne fut pas complètement veine car Édouard et ses troupes venaient de forger un concept nouveau auquel ils donnèrent un nom français pour mieux masquer, en fait, une invention anglaise.

Le mot « *chevauchée* » signifiait jusque-là une course à cheval, un petit galop revigorant à travers la campagne. Désormais, Édouard III lui conférait un sens beaucoup moins anodin. Tandis que ses hommes s'enfonçaient en territoire français, il leur ordonna de tout détruire sur leur passage. Il s'en vanta même dans une lettre à son fils, le Prince Noir, notant sans s'en émouvoir qu'il avançait avec « nos gens brûlant et détruisant jusqu'à douze ou quatorze lieues de terres » et racontant que la région autour de la ville de Cambrai était « pillée de son blé, de son bétail et de ses autres ressources ». Il passa en revanche sous silence que cette avancée se fit au prix de villes entières incendiées et du déplacement de populations, mises en fuite ou à mort.

La même technique avait été utilisée en Angleterre par Guillaume le Conquérant, essentiellement à des fins punitives en vue de mater la rébellion. Mais Édouard, lui, envisageait de mener ainsi *toute sa guerre*, espérant, par tant de carnage, écœurer la France au point de la conduire à capituler. Il s'agit peu ou prou du même argument utilisé en 1945 pour justifier le bombardement d'Hiroshima et de Nagasaki. Si des têtes nucléaires avaient existé au XIVe siècle, seuls la perte d'otages à forte valeur ajoutée et le risque de rendre le trône de France si radioactif qu'il ne puisse s'y asseoir auraient pu dissuader Édouard d'en faire usage.

La tactique française, c'est de la blague

Édouard III était à l'évidence un homme cruel, mais on ne peut pas lui reprocher d'avoir manqué de détermination. À peine était-il rentré en Angleterre qu'il persuada le Parlement de faire voter un impôt sur la laine, le blé et l'agneau ainsi que de faire saisir le neuvième des propriétés de chaque citadin, histoire de montrer qu'il n'avait rien contre le monde rural. Il utilisa cet argent pour faire sortir sa femme du mont-de-piété de Gand, où elle était enfermée, et pour préparer une nouvelle campagne contre la France. Et cette fois-ci, le succès allait être retentissant.

Informé que Philippe était en train de se doter d'une flotte destinée à envahir les côtes, Édouard décida de frapper l'ennemi en mer. En juin 1340, il commanda à travers la Manche quelque 200 embarcations, pour la plupart des navires marchands aménagés.

C'était a priori pure folie face à des Français qui avaient loué à Gênes des galères de guerre faciles à manœuvrer, équipées de béliers et de catapultes, et dirigées par un Génois, le vieux renard des mers connu sous le nom de Barbe Noire.

Ces galères, garnies de nombre de « gent d'armes » français[1], étaient amarrées dans le grand port naturel de Sluys, sis dans les Pays-Bas actuels, reliées l'une à l'autre en une ligne de défense de manière à prévenir tout abordage.

Le plan d'Édouard était simple : il naviguerait droit sur les Français avant que ses troupes en armure ne

---

1. Ce terme médiéval est à l'origine du mot « gendarmes ».

passent à l'abordage. Quoi ? Des hommes en armure donnant l'assaut à un bateau ? Tout autre chef moins optimiste aurait pensé que cela n'était guère envisageable. Mais Édouard ignorait un facteur capital qui allait jouer en sa faveur, un point faible français qui a persisté jusqu'à nos jours.

La flotte de Philippe VI disposait bien d'un grand capitaine génois pour la conduire, mais Barbe Noire avait pour supérieurs deux Français, Hue Quiéret et Nicolas Béhuchet, ni l'un ni l'autre marins (Béhuchet était un ancien percepteur). Lorsque Barbe Noire leur suggéra de gagner le large à bord des galères pour prendre à revers la lente flotte anglaise et la couler, les deux Français refusèrent.

Il s'agit là d'une caractéristique française. Encore aujourd'hui, si une entreprise est en difficulté, on y parachutera un diplômé des grandes écoles, quelqu'un qui aura étudié les théories commerciales et les maths pendant dix ans sans avoir jamais mis les pieds dans une usine. Pour les Français, ce qui compte n'est pas l'expérience mais la gestion – ou, plus exactement, la gestion à la française, qui consiste pour l'essentiel à ignorer l'avis de toute personne expérimentée dont le CV ne porte la marque d'aucune « grande école ».

Quiéret et Béhuchet maintinrent ainsi leur flotte au port, tandis qu'Édouard avançait lentement mais sûrement dans l'anse et découvrait avec surprise que la supposée ligne de défense laissait les embarcations excentrées vulnérables à un abordage latéral. De plus, les navires étant enchaînés les uns aux autres, ils ne pouvaient venir à la rescousse.

Alors que les deux amiraux consultaient des manuels qui leur apprendraient quoi faire en pareilles circonstances, les troupes anglaises se hissaient à bord des vaisseaux, passant de l'un à l'autre, causant d'abord le chaos par l'envoi d'une massive volée de flèches (les grand archers anglais se lançaient à cette occasion dans leur première opération d'envergure hors de leurs frontières), puis assaillant les soldats français rescapés, prenant les riches en otage et jetant par-dessus bord les autres, dont l'armure n'aidait pas vraiment à fuir à la nage.

Tout Français légèrement vêtu qui parvenait à rejoindre la berge était promptement massacré par les Flamands du coin.

Barbe Noire, le vétéran génois, prit rapidement conscience qu'on courait droit à un désastre aux dimensions titanesques (quand bien même le *Titanic* ne sombrerait que cinq cent soixante-douze années plus tard) et demanda à ses hommes de s'éloigner à la rame. Ils auraient ainsi la vie sauve et pourraient, plus tard, se battre sur leurs galères au nom de commanditaires qui écouteraient leurs conseils.

Vaincus, les chefs français Quiéret et Béhuchet tentèrent de mettre en œuvre les théories apprises sur la guerre médiévale en se rendant afin d'être échangés contre une rançon. Mais ce n'était pas leur jour de chance. Quiéret eut la tête tranchée et Béhuchet fut conduit jusqu'au navire amiral d'Édouard III pour y être pendu, la vue de son cadavre se balançant étant censée démoraliser le reste des troupes françaises. Édouard avait peut-être bien besoin d'une rançon mais il était engagé dans une guerre totale, au point que même le bateau abritant son épouse et sa suite prit part à la bataille, entraînant la mort d'une dame d'honneur. Ce fut la dernière fois que la reine accepta une invitation d'Édouard à « faire une petite balade sur son voilier ».

Cet affrontement se solda, pour la France, par la destruction presque totale de sa flotte d'invasion et la perte de dizaines de milliers de soldats. Les messagers du roi Philippe VI étaient si inquiets de lui annoncer la mauvaise nouvelle qu'il fut laissé au fou du roi le soin de la lui conter sous la forme d'une plaisanterie.

« Nos chevaliers sont bien plus courageux que les Anglais, dit le bouffon.

— Qu'est-ce à dire ? demanda Philippe.

— Les Anglais n'osent pas se jeter à la mer revêtus de leur armure. »

Comme pour nombre de blagues françaises, il fallut expliquer celle-ci et elle ne fit pas beaucoup rire.

Crécy, une bataille causée par une envie de bacon

Ce fut un autre traître français qui poussa Édouard à se lancer dans la phase suivante de la guerre – une petite dose de collaboration qui conduirait à une défaite encore plus désastreuse pour Philippe VI.

Godefroi d'Harcourt était un chevalier normand qui avait juré de se battre au côté de Philippe. Pourtant, quand Godefroi décida de se marier à une riche héritière normande au nom rustique de Jeanne Bacon, il découvrit qu'il avait un sérieux rival en la personne de Guillaume Bertrand, ami puissant du roi Philippe. Comme on pouvait s'y attendre, Philippe déclara que Jeanne devait se marier avec Guillaume (personne ne demanda à Jeanne ce qu'elle en pensait). Godefroi déclencha donc une petite guerre privée contre la famille Bertrand. Quelques fermes incendiées et quelques vaches et paysans massacrés tout au plus, mais les Bertrand s'en plaignirent au roi, qui fit confisquer les terres de Godefroi et décapiter quatre de ses meilleurs amis.

En rogne, comme on peut le comprendre, Godefroi rejoignit l'Angleterre et offrit ses services, ainsi que de précieux renseignements, à Édouard III. D'après le chroniqueur Froissart, Godefroi dit à Édouard : « Le pays de Normandie est l'un des plus riches au monde […] et si vous y débarquez, personne ne vous résistera. […] Là-bas, vous trouverez de grandes villes sans murailles, de sorte que vos hommes mettront la main sur un tel butin qu'ils seront encore riches vingt ans plus tard. »

Édouard ne prit même pas le temps de demander à quoi ressemblaient les filles du cru. Il rassembla autant de bateaux et d'hommes qu'il put et, le 5 juillet 1346, vogua à leur tête vers la Normandie, débarqua une semaine plus tard à La Hague, près de Cherbourg, lieu que la France (sans doute pour commémorer cet événement) a plus récemment reconverti en usine de traitement des déchets nucléaires.

Bien déterminé à piller, Godefroi d'Harcourt mena la « chevauchée » sanglante de l'armée d'Édouard à travers le pays à la tête d'une armée de 500 hommes. À Caen, les habitants, pour se défendre, grimpèrent sur les toits de leurs maisons en vue de jeter sur les envahisseurs tout ce qui leur tombait sous la main. Édouard en conçut tant de fureur qu'il donna l'ordre à ses hommes de brûler la ville et de tuer tous ses habitants. Trois jours de destruction et 3 000 morts plus tard, son armée avait fait main basse sur un tel butin qu'il dut être convoyé par la rivière, sur des barges. Peu après, des navires emplis de bijoux, de vaisselle d'or et d'argent, de fourrures, d'habits richement brodés et, bien sûr, d'otages, faisaient route vers l'Angleterre.

Les Français affirment qu'Édouard entendait alors se diriger vers Paris pour détrôner Philippe VI. Si tel est le cas, alors son entreprise échoua. Mais il semble plus probable que le roi anglais souhaitait juste titiller des Français tire-au-flanc. Ainsi, après avoir mis le feu aux faubourgs parisiens de Saint-Cloud et Saint-Germain-en-Laye (qui sont aujourd'hui tous deux, non sans ironie, des bastions de la communauté expatriée britannique), Édouard se dirigea de nouveau vers le nord-est. Puis, après avoir traversé la Somme, les Brits s'arrêtèrent près d'une petite ville appelée Crécy.

De nos jours, le lieu de la bataille de Crécy ressemble sans doute beaucoup à ce qu'il était en 1346, mis à part une maison moderne construite au coin du champ, quelques arbres en moins et un petit coin toilettes en ciment le long du parking. Le moulin à vent qui trônait au sommet de la pente boueuse a été remplacé par une tour de guet en bois du haut de laquelle on peut voir... eh bien, une pente toujours aussi boueuse.

Loin de moi l'idée de me moquer de la boue : ces mottes de terre sont parmi les plus célèbres de l'histoire d'Angleterre.

Au pied de la tour de guet, une plaque un peu cabossée offre au visiteur une description de la bataille à la fois courte et typiquement française. Il s'agit, fondamentalement, de justifications pour expliquer la défaite française – « les troupes étaient aveuglées par le soleil, qui brillait à nouveau »[1], est-il écrit. D'un côté, une cavalerie française ayant fait un long voyage pour rallier le champ de bataille, de l'autre, un camp anglais où « les archers étaient frais et bien préparés » ; le massacre des chevaliers les plus nobles de France est mentionné sous forme euphémique. « La cavalerie française rencontra des difficultés et fut alors vaincue. » Être pris sous ce qui fut probablement le plus grand déluge de flèches jamais vu en Europe était juste, oui, une « difficulté ».

Dans le village de Crécy se trouve un magnifique petit musée, à l'intérieur de l'ancienne école, avec une exposition qui occupe deux salles de classe juste en face d'une rangée de cinq toilettes – quatre cabinets avec de petites portes pour les enfants et un autre, pour les enseignants, plus discret et doté d'une porte pleine.

La pièce la plus impressionnante de l'exposition est la boîte contenant des répliques de flèches. Une chose est sûre : ce ne devait pas être drôle de se trouver la cible de l'un de ces monstres. Grosses comme le pouce, elles mesurent environ un mètre de long et sont munies de pointes de métal. Certaines de ces pointes sont droites, avec quatre côtés – des « alênes » utilisées pour percer une armure. D'autres sont dotées d'une barbelure vicieuse qui peut découper la chair d'un cheval de combat et le faire détaler, fou de douleur.

Il y avait, à Crécy, environ 7 000 archers anglais qui pouvaient tirer 10 flèches à la minute avec une précision mortelle. Dès la première minute de la bataille, quelque 70 000 flèches firent s'écrouler la première

---

1. J'aime ce « à nouveau », comme si Dieu avait fait briller le soleil uniquement pour ennuyer les Français.

ligne des troupes de Philippe VI. Il n'est d'ailleurs pas surprenant que les choses aient si mal débuté pour lui.

Les routes françaises peuvent être un enfer au mois d'août

Avant d'évoquer les détails les plus sanglants de l'affrontement, il est sans doute judicieux de mieux préciser encore le contexte.

Édouard III, dont les troupes venaient d'achever leur très lucrative « chevauchée » à travers le nord de la France, décida du lieu de la bataille et, naturellement, choisit celui qui lui était le plus favorable. Son campement se situait au sommet d'une longue pente protégée, d'un côté, par une rivière et, de l'autre, par une épaisse forêt.

Il disposait de 11 000 à 16 000 hommes, dont les archers (anglais et gallois) susmentionnés, environ 2 000 fantassins en armure, 1 500 tueurs au couteau brandissant leur dague et quelques centaines de chevaliers. Son armée était nettement moins nombreuse que celle de Philippe mais elle était bien entraînée, savamment positionnée et, peut-être par-dessus tout, avait déjà subi le baptême du sang.

Les Français disposaient d'une force impressionnante, avec quelque 15 000 Génois tireurs à l'arbalète, 20 000 hommes en armes, plusieurs milliers de chevaliers et un nombre incalculable de paysans brandissant cailloux, faux ou tout autre instrument à même de leur permettre de se venger des ravages causés à leurs cultures. Philippe fit également jouer l'orchestre, en particulier clairons et tambours, pour effrayer l'ennemi. Déjà à l'époque, il était connu que la musique française terrifiait les Anglais.

Édouard, il est vrai, eut le temps de se préparer. Il disposa ses troupes en V, positionnant des hommes en armes au centre et des archers sur les ailes. Les archers creusèrent des trous dans le sol pour entraver la course des chevaux, ou les faire trébucher. Ils jonchèrent aussi le sol de chausse-trapes sous la forme de larges tétraèdres pointus en métal, conçus pour percer les sabots des chevaux ou les bottes des fantassins. Les divisions de l'armée anglaise étaient conduites par des vétérans, dont le déserteur normand Godefroi d'Harcourt, assigné à la protection du fils d'Édouard, le Prince Noir, âgé de seize ans et sur le point d'assister à sa première grande opération.

Une fois les préparatifs achevés, Édouard III fit distribuer du vin et de la viande aux troupes (des provisions fraîchement « libérées » dans les alentours), puis leur octroya du repos. Le samedi 26 août 1346 fut donc jour de relâche pour les Brits.

Les Français, au contraire, arrivèrent comme à leur habitude en retard pour la bataille. Quand Philippe VI parvint à Crécy, l'essentiel de son armée n'était pas encore présente. L'un de ses conseillers lui recommanda de ne pas se battre ce jour-là car les troupes étaient fatiguées ; en plus, il avait plu et de l'eau ruisselait dans l'armure de certains chevaliers, ce qui était, décidément, trop désagréable. Philippe qui, comme nous l'avons vu, ne demandait jamais son reste quand il pouvait éviter de se battre, donna l'ordre d'installer le camp.

Ce dont Philippe n'avait pas conscience, car les vacances d'été n'avaient pas encore été inventées, c'est que le dernier week-end d'août est un enfer absolu sur les routes françaises. Des hordes de chevaliers, de fantassins et de paysans s'étaient amassées sur toutes les voies menant à Crécy et elles commencèrent à causer un tel embouteillage que la première ligne de Philippe, les arbalétriers génois, n'eut d'autre choix que celui d'aller de l'avant pour éviter la cohue.

Ces pauvres Italiens (qui, à l'évidence, n'avaient pas été avertis par leur compatriote, le navigateur Barbe Noire, du manque d'organisation des Français) furent les premières victimes de la pluie de flèches des hommes d'Édouard.

Ils devaient traverser un terrain détrempé par l'orage, pile en face des grands archers placés en haut de la colline, ainsi condamnés à se tenir debout et immobiles pendant une minute chaque fois qu'ils devaient recharger leur lourde arbalète. Pire : durant leur longue randonnée vers le champ de bataille, les Génois avaient laissé leurs boucliers sur les chariots en queue de convoi et n'avaient pas été en mesure de les récupérer. Les archers anglais et gallois virent cette première vague d'assaillants marcher vers eux d'un pas pesant et les massacrèrent, leurs flèches déchirant les justaucorps en cuir, perçant les casques et lacérant les visages.

Les Génois étaient des mercenaires et, à l'instar de Barbe Noire à la bataille de Sluys, ils semblent avoir alors vécu une prise de conscience collective et pensé : « Au diable ce boulot ! » Ils firent demi-tour et s'enfuirent, ou du moins essayèrent : car il n'y avait nulle part où aller, pressés qu'ils étaient par les rangs serrés et denses de la cavalerie française.

Certaines sources françaises pardonnent les Génois – une chronique va jusqu'à raconter qu'ils étaient handicapés par leurs arbalètes aux cordes distendues par la pluie –, mais la plupart n'ont aucune pitié. On rapporte la fureur de Charles de Valois, frère de Philippe VI, qui, surprenant la retraite de ces malappris, ordonna à ses chevaliers de « piétiner cette racaille ». Certains accusent même les Génois de s'être retournés contre les Français, d'avoir dégainé leurs coutelas et tenté de sectionner les tendons des chevaux ou de trancher la gorge de leurs cavaliers. Une chose est sûre : les archers d'Édouard tiraient maintenant à volonté sur une cohue éperdue d'arbalétriers paniqués, de chevaux trébuchants et de nobliaux français s'étranglant d'indignation. Charles, le frère du roi, galopa lui-même vers les arbalétriers et se retrouva prisonnier d'un enchevêtrement de corps. Il fut probablement tué juste après être entré dans la bataille.

Gonflés d'orgueil, portés par la foule se pressant derrière eux et aiguillonnés par une musique dissonante, les chevaliers français continuaient d'avancer. Dans un désordre absolu, ils avançaient sous les flèches qui tombaient comme la grêle et, selon le chroniqueur Froissart, de manière si drue qu'elles rejetaient dans l'ombre le soleil couchant.

Édouard et son armée durent se demander ce qui se passait. Les habitants de Caen, au moins, leur avaient jeté quelques tuiles et cailloux. Ces chevaliers, cette « fine fleur de France », faisaient juste la queue pour se faire massacrer.

Le Prince Noir et les plumes blanches

L'une des histoires les plus fameuses concernant la bataille est celle de ce chevalier aveugle qui s'entêtait à charger droit vers sa mort. Le roi Jean de Bohême, un allié de Philippe, avait perdu la vue à la suite d'une infection contractée lors d'une campagne en Lituanie. Mais il voulait prendre toute sa part à la fièvre de Crécy. Il ordonna donc à ses hommes d'attacher ses rênes aux leurs et de le tirer vers les lignes anglaises. Chacun peut spéculer sur ce qu'il espérait faire une fois qu'il les aurait atteintes – demander aux archers de dire : « Coucou, par ici ! » pour bien les localiser, peut-être. Toujours est-il que Jean et sa troupe parvinrent au sommet de la pente où ils furent tous dépecés par les soldats anglais.

Les Français donnèrent l'assaut à la colline plus d'une dizaine de fois, et même leur chroniqueur Froissart souligne un manque total de discipline. Ce n'est qu'à la tombée du jour que Philippe accepta la défaite et, après avoir exhibé une blessure que certaines sources situent au cou et d'autres à la cuisse (les deux mots sont, après tout, assez proches), galopa vers un château du coin où il héla le portier pour qu'il ouvre au « malheureux roi de France ». Il s'agissait, croyez-le ou non, d'une plaisanterie car jusque-là il était connu comme Philippe le Bienheureux. Mais, tout comme face à son bouffon six ans plus tôt, il est probable que Philippe n'ait pas goûté à la blague.

Ce n'est que le lendemain matin que les Anglais découvrirent l'ampleur de leur victoire. Épuisés, ils avaient dormi sur les lieux du combat et se réveillèrent au cœur d'une vallée plongée dans le brouillard. La nuit ne saurait avoir été silencieuse – hommes et chevaux blessés avaient dû gémir bruyamment – mais Édouard dut être sous le choc lorsque ses éclaireurs lui rapportèrent que le champ de bataille était un monceau de Français morts (avec quelques Génois au bas de la pile).

Les dessinateurs du Moyen Âge n'étaient certes pas très fiables en matière de perspective ou pour se faire une idée précise du nombre de combattants, mais l'idée centrale y est : les archers britanniques ont été les premiers à semer le trouble à Crécy, en 1346.

Édouard envoya fissa d'autres hommes pour identifier l'origine des victimes. C'était le moment pour les champions du coutelas de s'assurer que toute personne pas assez riche pour être échangée contre une rançon, ou trop gravement blessée pour être faite prisonnière était bel et bien morte. À cette fin, ils usaient d'une longue et fine lame, appelée « miséricorde », qui pouvait être enfoncée dans les interstices de l'armure, sous l'aisselle ou à travers la fente de la visière, pour transpercer le cœur ou la cervelle d'un chevalier.

Le Prince Noir vint sur le théâtre du carnage de sa première bataille et on lui désigna Jean, le roi aveugle, ainsi que les Bohémiens liés jusque dans la mort. Il fut si ému qu'il vola (ou peut-être devrait-on dire adopta) les trois plumes blanches sur les armoiries de Jean, ainsi que sa devise : « *Ich dien* » – « Je sers »[1].

À l'issue du décompte des morts, les Anglais déclarèrent 1 542 nobles français occis et environ 10 000 d'un autre rang.

Ces 10 000-là ne troublaient guère les Français, mais la liste des aristocrates défunts comprenait de nombreux Henri, Louis et Charles qui faisaient partie de la crème du pays. Le plus choquant pour les Français était que presque tous avaient été tués par des flèches ou à coups de dague, par ceux qu'un chroniqueur qualifia de « gent de nulle valeur ». C'était comme si l'équipe de France de football avait été battue par une demi-douzaine de hooligans anglais ivres. Sans surprise,

---

1. Cette devise est, jusqu'à ce jour, demeurée celle du prince de Galles, bien que les princes descendants n'aient jamais adopté l'usage de Jean de Bohême de se battre à l'aveugle et attaché. Sauf à l'occasion de fêtes privées, bien entendu.

tout le monde accusa l'entraîneur, Philippe VI. Et sa désastreuse saison ne faisait que commencer.

Petite cuisine bourgeoise

Les Anglais appellent la célèbre sculpture d'Auguste Rodin, *Les Bourgeois de Calais*, « *The Burghers of Calais* ». On dirait un plat au menu sur le ferry transmanche. Mais, en fait, ce monument honore des héros français, apparus juste après Crécy. Cependant, comme pour tant d'autres héros français, y compris l'imminente Jeanne d'Arc, il existe toujours une version française de l'histoire et une autre, la vraie.

La version française est que, en 1347, ces six citoyens de Calais sauvèrent leur ville des Anglais. La vérité est qu'ils la perdirent.

Les Français veulent nous faire croire que ces bourgeois offrirent à Édouard III d'être exécutés en échange de la promesse que la ville fût épargnée. Ce que personne ne dit, c'est que ces mêmes bourgeois, riches représentants des classes prospères de Calais, avaient déjà sacrifié des centaines de pauvres de la ville pour essayer de sauver leur propre peau.

Au risque d'agacer mes lecteurs français, considérons les faits.

Après Crécy, Édouard III décida de ne pas capitaliser sur sa victoire en marchant sur Paris. Il ne disposait pas d'assez d'hommes pour organiser une occupation à grande échelle, pas même du nord-est de la France. Il se dirigea donc vers la côte et rejoignit le port le plus proche, Calais, une semaine après la bataille. Il en fit le siège et construisit même un grand campement couvert qui se transforma en ville, avec un marché où les résidents locaux pouvaient vendre les produits que les Anglais n'avaient pas encore pillés. Au printemps 1347, il disposait de quelque 30 000 hommes postés autour de Calais et avait même fait fortifier la ville dans l'éventualité où Philippe VI aurait réussi à rassembler suffisamment de troupes pour venir la secourir.

Une flottille anglaise était ancrée au large pour empêcher tout ravitaillement et secours par la mer. En juin, les citoyens de Calais étaient affamés. Désespérés, les chefs de la communauté, dont les fameux bourgeois, prirent la décision de faire évacuer 500 habitants considérés comme perdus. Il s'agissait pour la plupart de vieux et d'enfants et, inévitablement, tous étaient pauvres. Au cours d'un siège, les réserves alimentaires suivent le courant ascendant de l'échelle sociale, jusqu'aux classes qui ont de quoi payer. Les indigents sont toujours les premiers à souffrir.

Alors que, jusque-là, Édouard s'était montré indulgent et avait laissé les non-combattants franchir ses lignes pour échapper à la famine, cette fois-ci, après neuf mois de siège, il se montra intransigeant et refusa la sortie aux 500 personnes. Il exigea une reddition totale. Les habitants, eux, refusèrent aux 500 de réintégrer la ville, et ceux-ci se retrouvèrent à crier famine au pied des murs de la cité, probablement sous le regard des six bourgeois en train de mâcher quelques tranches de caniche sauté.

En juillet, enfin, le roi de France Philippe VI décida qu'il serait bon de libérer ce port stratégique, disposa une armée à un kilomètre des fortifications anglaises et défia Édouard de venir se battre. Mais ce dernier savait qu'il détenait une bien meilleure position et que la ville ne pourrait plus résister très longtemps. Il défia donc Philippe de l'attaquer.

Fidèle à ses habitudes, Philippe ordonna à ses hommes de se retirer et, dit-on, fit la sourde oreille aux supplications des habitants de la ville, abandonnés à leur sort. Les troupes qui résistaient encore à l'intérieur de la ville décrochèrent le drapeau français aux armoiries de Philippe et le jetèrent avec dégoût par-dessus la muraille.

Le lendemain, le commandant de la garnison de Calais, un chevalier du nom de Jean de Vienne, cria être prêt à se rendre. Édouard donna son accord mais prévint que les prisonniers seraient rançonnés ou tués, comme dans une bataille. Ce qui voulait dire que seuls les riches survivraient et que les pauvres seraient massacrés. Finalement, Sir Walter Mauny, un chevalier anglais, persuada Édouard d'accepter le seul sacrifice de six bourgeois.

L'un des plus vieux et riches citoyens de la ville, Eustache de Saint-Pierre, se dévoua le premier, suivi par cinq autres volontaires. Obéissant aux instructions d'Édouard, ils se dépouillèrent de leurs beaux habits et sortirent de la ville vêtus uniquement de leur chemise et de leur culotte (autrement dit en sous-vêtements), une corde autour du cou. Ainsi sont-ils représentés par Auguste Rodin – victimes émaciées et hagardes s'avançant courageusement vers leur mort. Il est exact que, ayant eu vent des « chevauchées », ces bourgeois s'attendaient indubitablement à mourir. Leur seul espoir d'avoir la vie sauve reposait dans leur valeur marchande.

Si l'on en croit plusieurs versions de cette histoire, la reine Philippa, épouse d'Édouard, qui était enceinte, le supplia de ne pas tuer les bourgeois pour épargner le mauvais sort au bébé. On dit aussi que Sir Walter Mauny aurait averti le roi que l'exécution de sang-froid de riches prisonniers, en d'autres circonstances faits prisonniers en tant qu'otages, aurait pu créer un dangereux précédent et entraîner de possibles représailles.

Quoi qu'il en soit, Édouard ne mit pas sa menace à exécution. Il bannit de la ville ces citoyens fortunés et offrit leurs maisons et leurs situations à des Anglais. Aussi entêtés que soient les Français à vouloir considérer les bourgeois de Calais comme des héros patriotes, la vérité est qu'ils prirent part à une défaite cuisante contre les Anglais et qu'ils ne devinrent des parangons du sens du sacrifice qu'après avoir essayé de sauver leur peau en acculant les plus pauvres à la mort.

Rodin semble avoir compris cela en partie. Lorsque la ville de Calais lui commanda cette statue, en 1885, il rompit avec la tradition établie et, au lieu de représenter les bourgeois dans une posture héroïque, les montra défaits. Il demanda aussi que la sculpture soit posée à même le sol et non élevée sur un piédestal. Inutile de dire que Calais ignora cette exigence et érigea la statue devant la mairie, sur un socle de pierre.

Malgré tout, les Anglais eurent le dernier mot. En 1911, le gouvernement britannique acquit l'un des douze moulages de la statue de Rodin et l'exposa dans les jardins de la tour Victoria, à Londres, près du Parlement. Depuis ce jour, tout parlementaire britannique qui sort prendre l'air dans le parc se trouve face à une illustration de la soumission française.

La peste noire, pas si mauvaise pour l'Angleterre…
au bout du compte

Comme si les choses n'allaient déjà pas assez mal pour Philippe VI, la peste noire surgit en France en 1348.

Cette maladie venue d'Asie arriva par l'Italie et se répandit vers le nord, accueillie comme un signe de plus que Dieu s'était détourné des Français. En Avignon, le nombre de victimes était tel que le pape (qui y avait ses quartiers à l'époque) consacra le Rhône pour que les cadavres puissent y être jetés au lieu d'être enterrés, et autorisa le peuple à se confesser auprès de laïcs et « même d'une femme ». On ne saurait imaginer mesure plus extrême.

Pour essayer de stopper l'épidémie, le roi Philippe imposa un châtiment sévère en cas de blasphème. Le contrevenant se verrait couper une lèvre ; en cas de récidive, on lui couperait l'autre, puis la langue. De leur côté, les Strasbourgeois accusèrent les juifs de tous les maux et massacrèrent la communauté forte de 2 000 âmes. Évidemment, aucune de ces mesures ne parvint à stopper la maladie et, un an plus tard, tout le pays était infecté.

Tout naturellement, les Anglais considérèrent avec une certaine suffisance que Dieu remuait juste le couteau dans la plaie de leur ennemi – jusqu'à ce que la peste traverse la Manche.

Les estimations de la population au XIVe siècle sont des plus approximatives. Mais on pense qu'un Européen de l'Ouest sur trois mourut en l'espace de trois ans. Ce sont les villes densément peuplées qui souffrirent le plus et environ la moitié des 70 000 habitants de Londres succombèrent. À Paris, ville comparable par la taille, le bilan fut d'environ 50 000 morts.

Des deux côtés de la Manche, les chroniqueurs de l'époque évoquent les villages abandonnés, les villes plongées dans le silence et un phénomène qui aurait inquiété les Britanniques d'aujourd'hui : la chute des prix dans l'immobilier. Nul besoin d'acheter, les survivants avaient juste à s'installer dans une demeure à l'abandon. Des bâtiments autrefois prisés, comme les moulins à vent, ne valaient presque plus rien étant donné qu'il n'y avait plus de grain à moudre et qu'aucun citadin ne souhaitait en faire sa maison de campagne.

En bref, ce fut une catastrophe pour l'humanité tout entière et chacun souffrit pareillement. Sauf que, par un caprice du destin, la peste noire joua en faveur des Anglais et aux dépens des Français. Ou, pour être plus exact, aux dépens *du* français, la pandémie portant un coup fatal à la langue franco-normande en Angleterre.

Il y eut plusieurs raisons à cela. Tout d'abord, avec une population décimée, le système féodal était condamné en Angleterre. Des villages se retrouvaient sans seigneur et des seigneurs sans serfs, de sorte que les hommes en âge de travailler qui avaient survécu étaient si demandés qu'ils pouvaient trouver du travail ailleurs en tant qu'hommes libres. Le Parlement tenta de fixer les salaires et d'interdire l'émancipation des serfs, mais cela ne fit qu'entraîner la révolte. Le matelas de richesses, de pouvoirs et de privilèges sur lequel reposaient les grands propriétaires de la noblesse anglo-normande n'était pas encore à plat, mais il donnait des signes de fatigue inquiétants, au moment où les plus opprimés parmi les Anglo-Saxons se hissaient sur l'échelle sociale et constituaient une réelle classe moyenne. Tout en circulant à travers la nation, ceux-ci imposaient leur langue – ce mélange abâtardi d'anglo-saxon et de normand que nous appelons l'anglais.

Le bouleversement linguistique fut amplifié du fait de la disparition en masse des moines anglo-normands qui, vivant comme des châtelains dans leurs monastères, avaient été infectés par des victimes venues chercher auprès d'eux un miracle ou, au minimum, les derniers sacrements. Les moines parlant le normand et le latin étaient désormais remplacés par des anglophones, beaucoup plus humbles que leurs prédécesseurs, qui s'assignèrent une mission éducative, apprenant aux gens ordinaires à lire et à écrire – en anglais.

Tous ces facteurs concourent à expliquer que la période qui suit immédiatement l'épidémic de peste noire marque le triomphe de l'anglais en Angleterre. En 1362, pour la première fois, un discours en anglais ouvre les débats du Parlement. La même année, il est décrété que les procès se dérouleront en anglais, le français normand n'étant plus compris par assez de gens. Apparemment, cette affirmation était quelque peu exagérée, mais de tels excès devaient être à la mode si l'on en juge par les propos de deux diplomates anglais qui refusèrent de parler français au prétexte que cette langue « leur était aussi inintelligible que l'hébreu ».

L'anglais, avec ses racines anglo-saxonnes et sa grammaire hybride anglo-saxonne et normande, avait poussé comme un champignon entre les bottes des nobles anglo-normands et était enfin considéré comme autre chose qu'un dialecte grossier utilisé par les paysans pour s'insulter. En 1385, l'érudit John Trevisa écrivit que « dans toutes les écoles d'Angleterre, les enfants abandonnent le français et cultivent l'anglais ». Il alla même jusqu'à affirmer que les enfants anglais parlaient le français « comme leur pied gauche » (à l'instar des gamins d'aujourd'hui).

Comme nous l'avons vu, le roi Édouard III connaissait l'anglais et tout le monde était enchanté qu'il le parlât couramment – il excellait apparemment en jurons, ayant immédiatement compris que l'anglais était une bien meilleure langue que le français pour pester. Le recours à la préposition « *off* » permet à l'anglais de donner à presque n'importe quel mot un tant soit peu agressif ou impoli un caractère d'insulte lapidaire. Le français est trop latin et pudibond sur le plan grammatical pour parvenir à pareil effet.

Édouard parlait anglais couramment mais ce n'était que sa seconde langue. Sa langue maternelle était un français semblable à celui parlé par son ennemi, le roi Philippe. Il s'agissait là encore de la manière chic de s'exprimer à la cour, comme Édouard en témoigna, en 1348, lors du fameux incident du « tomber de la jarretière ».

Au cours d'un bal à Windsor, la jarretière de la comtesse de Salisbury glissa alors qu'elle était en train de danser avec le roi Édouard. Il la ramassa, l'attacha à sa propre jambe et, s'exprimant en français à l'attention de ses courtisans fronçant le sourcil, il lâcha : « Honni soit qui mal y pense », qui pourrait se traduire par : « Honte à celui qui croirait que je suis en quête d'une petite partie de jambes en l'air. » Cette phrase devint la devise de l'ordre de la Jarretière qu'il institua et figure toujours sur les armoiries de la monarchie britannique, au-dessus de *Dieu et mon droit*.

Soixante-sept ans plus tard, lorsque Henri V prononcerait son vibrant discours avant la bataille d'Azincourt, l'anglais serait devenu la langue du roi et aucune traduction ne serait nécessaire.

En somme, les puces qui apportèrent la peste noire en Europe libérèrent aussi l'Angleterre de l'emprise de sa langue officielle étrangère.

Guerre retardée pour cause de maladie soudaine

Assez naturellement, la peste noire doucha quelque peu les ardeurs guerrières. D'ambitieux plans de conquête furent mis sous le boisseau. Pendant que dura le fléau, l'action se cantonna à quelques sorties menées par d'entreprenants chevaliers anglais qui se lançaient à la tête de petites armées dans des chevauchées outre-Manche, histoire d'aller vérifier s'il restait encore quelque chose à y voler.

Édouard III lui-même avait créé une sorte de bourse aux otages et quiconque revenait de France avec un prisonnier de valeur avait de bonnes chances de le vendre au roi (les Français étaient outrés que même des abbesses puissent être kidnappées). Édouard contactait alors les parents du riche captif et en soutirait le meilleur prix.

Pendant ce temps, des bandes de déserteurs anglais donnaient au concept de « chevauchée » une nouvelle dimension en organisant l'occupation de châteaux français. De là, ils pratiquaient le racket, extorquant à chaque personne vivant dans la région une taxe de « protection » consistant en vin, bétail et argent, répandant la terreur dans des campagnes françaises déjà ravagées.

Ces bandes de brigands se donnaient le nom inoffensif de « routiers[1] » et leur idée fut reprise avec enthousiasme par d'autres mercenaires. Des gangs de déserteurs de Gascogne, de Bretagne, d'Espagne et d'Allemagne plongèrent un peu plus le pays dans le chaos. Chose intéressante, les Français se fichaient de connaître la nationalité de ceux qui les persécutaient : ils appelaient tous ces routiers des « Anglais ». Ils les appelaient aussi les « *goddams* », certainement à cause de leur choquante manie de jurer lorsqu'ils massacraient les gens.

Henri V, beaucoup plus qu'une drôle de coiffure

La guerre s'essoufflait quand, en 1377, Édouard III mourut à l'âge respectable de soixante-quatre ans. On la faisait durer seulement afin de permettre à de très nombreux Anglais de faire un saut de l'autre côté de la Manche et, par la même occasion, fortune.

La France était, quant à elle, mûre pour être cueillie. Le roi Charles VI était un parfait cinglé. Il courait d'un château l'autre en hurlant à la façon d'un loup, était convaincu d'être de verre et que les gens voulaient le briser. Un jour, lors d'un accès de folie, il tua quatre de ses courtisans.

Affaiblie à sa tête, la France se divisa en deux familles rivales, les Bourguignons dirigés par Jean de Bourgogne, un cousin de Charles VI, et les Armagnacs menés par Louis, le frère de Charles. Les deux factions

1. À ne pas confondre avec le terme contemporain désignant les conducteurs de poids lourds : il est en principe sans danger d'entrer dans un restaurant en bord de route arborant l'enseigne « routiers ».

commirent bientôt des atrocités qui dépassaient même en cruauté celles des « chevauchées » anglaises. Les Armagnacs inventèrent une nouvelle forme de terreur avec les écorcheurs, qui effrayèrent leurs concitoyens pendant une bonne trentaine d'années.

Les vrais vainqueurs de cette longue période de conflits internes furent les Anglais, qui vendirent leur soutien à une faction puis à l'autre, promettant d'intervenir avant de changer de camp en se vendant au plus offrant en argent et en terres. Et le bénéficiaire principal de cette situation fut Henri V, le nouveau roi d'Angleterre. En 1414, il conclut un traité avec les Armagnacs qui, d'un seul coup d'un seul, lui attribuèrent les régions du Poitou, d'Angoulême et du Périgord, soit une partie des anciennes possessions anglaises.

Henri V, âgé de seulement vingt-six ans lorsqu'il hérita de la Couronne et entouré de mâles à même tout comme lui d'accéder au trône, avait besoin de prouver qu'il était un monarque à poigne. Combattant-né, il arborait une coupe de cheveux en forme de bol de pudding à la mode des chevaliers casqués au lieu des boucles royales tombantes de ses ancêtres. On prétend qu'il était grand et si fort qu'il se déplaçait en armure comme s'il s'était agi d'une cape, probablement car il avait été ainsi vêtu depuis son plus jeune âge. Adolescent, tandis qu'il harcelait les Gallois, il avait été blessé au visage par une flèche (ils étaient encore d'excellents tireurs, ces archers gallois) et en avait conservé une cicatrice, une des raisons qui expliquent que ses portraits les plus connus soient tous de profil.

Malheureusement pour les Français, Henri était un fanatique religieux convaincu que le vœu de Dieu était qu'il devienne roi de France. Il était aussi le premier souverain anglais hétérosexuel depuis Guillaume le Conquérant à ne pas avoir une kyrielle de maîtresses, autre mauvais présage pour ses ennemis d'outre-Manche.

De leur côté, les Français continuaient de donner les verges pour se faire battre. En 1414, Bourguignons et Armagnacs se rendirent en Angleterre pour solliciter l'aide d'Henri. Henri exigea en retour la main d'une princesse française et, dans son élan, la Couronne de France. Devant le refus essuyé, il répliqua que la seule issue possible était la guerre, en se gardant bien de préciser qu'il recrutait des troupes et faisait fabriquer des canons depuis un an déjà.

Il avait aussi soigneusement étudié son projet d'invasion et, bien avant les armées alliées, choisit d'envahir la France par la Normandie plutôt que de passer par Calais. Ainsi, par un dimanche ensoleillé d'août 1415, les 1 500 embarcations de sa flotte, transportant chevaux, bétail, canons et plus de 10 000 soldats, quittèrent le Solent, bras de mer entre l'île de Wight et la côte de l'Angleterre. Le spectacle devait être des plus colorés, les étendards des chevaliers flottant au vent, tandis que le navire de plus de 500 tonnes d'Henri, la *Trinité Royale* (la raison pour laquelle il ne lui donna pas un nom anglais n'est pas claire), arborait fièrement un drapeau royal des plus provocateurs, comparable à celui créé par Édouard III, où lions anglais et fleur de lys française se mêlaient.

L'humeur des troupes était au beau fixe, d'autant que des cygnes se mirent à nager près du vaisseau d'Henri, oiseaux de bon augure puisque sa bannière personnelle figurait, en caractères héraldiques, « un cygne aux ailes d'argent déployées ».

Cap sur les bouches de la Seine et sur Harfleur. Henri y débarqua autour du 14 août et, selon la légende, trébucha et tomba à genoux, à l'instar de Guillaume le Conquérant quelque trois cent quarante-neuf ans plus tôt. Comme ce dernier, Henri réagit promptement, se mettant en position de prière au moment où un chœur entonnait un chant sur le pont de son navire (sûrement pour couvrir les grommellements du roi maugréant : « Oh non ! J'ai du sable dans mon armure ! »)

La flotte était si imposante qu'il fallut deux jours pour décharger les bateaux[1]. Ce n'est que lorsque tous ses hommes eurent débarqué qu'Henri leur apprit la mauvaise nouvelle : il n'était pas question cette fois d'une « chevauchée ». Le pillage, les massacres et les viols systématiques seraient proscrits. Les lamentations anglaises purent, paraît-il, être entendues jusqu'à Paris.

D'emblée, Henri s'appliqua à assiéger Harfleur et fut contrarié de constater que les Normands avaient appris une chose ou deux depuis les raids menés sans rencontrer de résistance par Édouard III. Des défenses imprenables avaient été édifiées autour de la ville et le siège du petit port se prolongea, entraînant de nombreuses pertes, non seulement dues au feu des canons et aux bordées de flèches mais aussi aux maladies. L'eau était contaminée et le chroniqueur John Capgrave écrit que « beaucoup d'hommes moururent après avoir mangé des fruits ». Les fruits français étaient manifestement trop exotiques pour des Anglais mangeurs de viande et de navets. Ils succombèrent à ce qu'un contemporain appela joliment « une évacuation sanglante », probablement la dysenterie.

Ce n'est que le 22 septembre que la ville se rendit

---

1. Les sources évoquant une grève des chantiers navals français pour expliquer ce délai ne sont pas avérées.

enfin et que les Anglais purent mettre le grappin sur de riches otages. Henri épargna les citoyens les plus pauvres et en autorisa même certains à demeurer sur place, tout en attribuant les demeures les plus huppées de la ville à des Anglais.

Après un mois passé en Normandie, Henri devait faire face à la situation suivante : environ un tiers de ses hommes étaient morts, un grand nombre d'entre eux avaient été contraints de rentrer à la maison en congé maladie, et plusieurs centaines étaient mobilisés par la défense d'Harfleur. Ainsi, contraint d'abandonner son idée d'attaquer, décida-t-il de faire un saut rapide jusqu'au bastion anglais de Calais, certain de ne rencontrer aucune difficulté en chemin du fait de l'excellent travail de sape accompli par ses prédécesseurs. Mais le projet d'Henri buta sur deux obstacles : les pluies torrentielles qui freinèrent son avance, et Charles VI, toujours roi, du moins en titre, du pays. Celui-ci avait été informé par des rescapés du siège d'Harfleur que les forces d'invasion étaient amoindries et il avait rapidement mis sur pied, à Paris, une armée chargée d'aller couper la route aux Anglais. D'autres soldats s'appliquèrent à harceler les hommes du « roi Harry » au cours de leur marche vers le nord-est. Les Brits furent horrifiés de découvrir, rivière après rivière, les points de passage détruits ou obstrués. Ils devaient se battre pour franchir chaque pont et chaque gué, et durent opérer un détour imprévu de 70 kilomètres à l'intérieur des terres avant de traverser la Somme.

Alors que les provisions, le nombre et le moral des troupes anglaises étaient au plus bas, celles-ci virent une énorme armée française leur faire face. Dans sa pièce *Henri V*, Shakespeare estime qu'elle s'élevait à

60 000 hommes, bien qu'il exagérât sans doute pour donner plus d'éclat à l'exploit d'Henri. Ils n'étaient vraisemblablement, en réalité, pas plus de 20 000 ou 30 000. Soit tout de même au moins quatre fois plus que la bande de fugitifs épuisés dont disposait Henri.

Des messagers français vinrent l'informer, pour la forme, qu'ils avaient l'intention de le combattre et de « se venger de sa conduite ». Au lieu de plaider qu'une fois n'est pas coutume il venait de laisser la vie sauve à des roturiers – argument qui eût laissé de marbre la noblesse française –, Henri répliqua, dans un style bien à lui : « Qu'il en soit à la volonté de Dieu. »

Ses troupes campèrent cette nuit-là sur un sol détrempé, avec pour bien maigre consolation que pareil terrain avait porté chance aux Anglais pas loin de là, à Crécy, cinquante ans plus tôt. Assis dans la boue, les hommes d'Henri pouvaient voir les campements français s'étaler à l'horizon, leurs feux crépitant et l'odeur des saucisses grillées flottant dans l'air, ajoutant à leur tourment, eux qui étaient réduits depuis une semaine au pain et à l'eau, et à se nourrir de fruits empoisonnés. Au fond de leur cœur, Henri et ses hommes se préparaient à mourir.

Azincourt, perdu au fond des temps et de l'espace

La première fois que j'ai visité le champ de bataille d'Azincourt, j'ai fait la grimace devant la tentative française d'éliminer tout souvenir de sa seconde[1] plus fameuse défaite militaire. C'était encore plus flagrant

---

1. Après Waterloo, bien entendu.

qu'à Crécy. Ici, le musée n'était pas pauvrement confiné à deux petites pièces dans une vieille école. Il n'y en avait tout simplement pas.

Ce n'était guère étonnant car je me trouvais, en fait, au mauvais endroit. En route pour Nancy, je m'étais arrêté à Agincourt. J'aurais dû savoir que, pour les Français, la bataille ne s'était pas déroulée à Agincourt, comme les Anglais l'écrivent encore aujourd'hui, mais à Azincourt, à plus de 500 kilomètres de là, près de Calais.

C'est probablement ce qui énerve le plus les Français : non seulement nous prononçons mal le nom des batailles (nous disons « Cressi » pour Crécy, et « Wotalou » pour Waterloo), mais nous en écorchons aussi l'orthographe.

Henri V non plus ne savait pas exactement où il se trouvait quand il combattit et il ne s'en enquit qu'après sa victoire (de façon fort compréhensible car, en cas de défaite, il aurait soit trouvé la mort, soit décidé d'oublier cet endroit). Quelqu'un de son entourage connaissait le nom du château le plus proche – Azincourt – et, à cause de l'absence de panneaux d'indication dans le coin, les Anglais l'avaient orthographié Agincourt. En vérité, la bataille n'aurait pas dû s'appeler ainsi car l'armée d'Henri était postée près du hameau de Maisoncelle. Mais cela n'a pas d'importance car, dans ce cas, les Anglais l'auraient certainement confondu avec Maisonnette ou Manchester.

Le musée du village d'Azincourt contraste franchement avec la petite école reconvertie de Crécy. C'est un impressionnant bâtiment moderne en bois et en verre, au toit ondulé soutenu par des poutres en forme de grand arc anglais. À l'intérieur, les visiteurs reçoivent un audioguide qui se déclenche automatiquement dès que vous passez devant un écran interactif. On a l'impression de déambuler en écoutant la voix des morts. Et l'histoire qui est racontée ici ressemble à celle présentée à Crécy : tout est fait pour trouver des excuses aux Français.

Les audioguides vous expliquent que les chevaliers français ont passé la nuit en selle, qu'il pleuvait, que les chevaux avaient labouré le sol de leurs sabots et que les lignes de fantassins français étaient si compactes que les hommes n'arrivaient pas à mouvoir leurs armes. On peut si on le souhaite aller s'écraser le visage à l'intérieur d'un de leurs casques pour se rendre compte à quel point leur visibilité était réduite. On peut même soulever une épée ou une massue pour mesurer combien elles étaient lourdes. Simultanément, le monologue de Shakespeare, dans lequel un Henri plein de fougue encourage ses troupes à se battre pour l'Angleterre et pour saint Crépin, est récité par un acteur lugubre, au visage de crapaud, et dont on dirait qu'il est sur le point de mourir de chagrin.

La question qui s'impose est la suivante : comment diable les Français ont-ils pu s'y prendre pour transformer une victoire certaine en catastrophe nationale ? La « fine fleur de France », qui avait eu quelques années pour se remettre de Crécy, se présentait au meilleur de sa forme avec des chevaliers si sûrs de leur victoire que leur unique souci était qu'il n'y eût pas assez d'Anglais à occire pour chacun d'entre eux. Cette bataille devait être une promenade de santé.

Résigné à la défaite, Henri libéra tous ses otages et les rendit aux Français en plaidant pour pouvoir s'en retourner librement en Angleterre en échange de la restitution d'Harfleur. Il offrit même de payer pour tous les dommages causés par ses hommes en France. Inutile de dire que les Français lui opposèrent une fin de non-recevoir.

Dans sa pièce, Shakespeare fait déambuler à travers le campement anglais un roi déguisé, badinant avec ses soldats. En réalité, cette nuit-là, le roi interdit tout bruit dans le campement, souhaitant sans doute mettre sous le boisseau les propos défaitistes, et alla jusqu'à menacer de couper les oreilles à quiconque parlerait, n'était pour se confesser aux aumôniers.

Le lendemain matin, lesdits aumôniers dirent trois fois la messe (prudence est mère de sûreté) et les Anglais prirent position ainsi qu'ils l'avaient fait à Crécy, les fantassins en armes au centre, encadrés sur les ailes par les archers. Shakespeare met dans la bouche du roi Henri un revigorant discours d'avant-bataille qui comprend ces lignes fameuses à l'attention de sa modeste armée : « Nous qui sommes si peu, Nous les bienheureux, Nous qui sommes comme des frères. » Il déclare encore : « Et les gentilshommes anglais aujourd'hui dans leur lit / Se tiendront pour maudits de ne pas s'être trouvés ici. » En réalité, le roi rappela à ces hommes son droit légitime à revendiquer la Couronne de France (autrement dit que Dieu soutenait les droits anglais) et, selon le chroniqueur Jean Le Fèvre, essaya de motiver ses archers à se battre jusqu'à la mort en les avertissant que les Français avaient menacé de couper les doigts de tout archer qu'ils captureraient. Il est douteux qu'ils l'aient cru car tout le monde savait qu'en pareilles circonstances les prisonniers de basse extraction étaient éliminés sur-le-champ, mais cela suscita vraisemblablement quelques rires et poussa les tireurs à l'arc à faire quelques gestes obscènes en direction des chevaliers français, une provocation à l'adresse de ces nobles, pour piquer l'orgueil de l'ennemi et l'inciter à attaquer. Henri priait sans doute pour que les Français commettent la même erreur qu'à Crécy et donnent la charge sur la colline boueuse. Mais ceux-ci avaient tiré quelques leçons de l'histoire et ils attendaient tranquillement que les Anglais, condamnés, descendent de leur piédestal, pensant l'affaire jouée d'avance.

Or, il s'avéra que cette stratégie d'attente était une erreur fatale.

La « fine fleur de France »
se fait piétiner dans la boue

Vers 9 heures du matin, le 25 octobre 1415, jour de la Saint-Crépin, Henri en eut assez d'attendre et donna l'ordre à ses archers d'avancer, ce qu'ils firent au vu et au su des Français, s'acheminant péniblement vers le bas de la colline en traînant dans la boue leurs grands arcs, leurs flèches et leurs longs pieux en bois jusqu'à se trouver à environ 250 mètres de l'ennemi.

Pour les Français, le moment aurait été propice à l'attaque car les archers ne disposaient ni d'armures ni de boucliers et étaient entravés par leurs pieux. Leur unique protection était leurs casques de cuir bouilli. Selon un observateur, le soldat français Jehan de Wavrin, les Anglais durent même « s'arrêter plusieurs fois pour reprendre leur souffle ». Pourtant, peut-être à cause du souvenir de la débâcle à Crécy, les arbalétriers français ne tirèrent pas et manquèrent l'occasion de canarder les Anglais. Pour couronner le tout, de nombreux chevaliers français, trop confiants dans la victoire promise, étaient partis se promener dans la campagne.

Désormais à portée de tir, les archers anglais érigèrent une ligne protectrice de pieux croisés et prirent tout leur temps avant de faire pleuvoir leurs flèches sur la première ligne de chevaliers, tout comme à Crécy. Pour les raisons susmentionnées, les chevaliers ne disposaient pas de toute leur force de frappe mais, face au danger de voir leurs montures se dérober sous eux et de prendre une flèche à travers le casque, ils décidèrent de charger.

Dès lors, le scénario de Crécy se répéta peu ou prou. La cavalerie française se rua à l'assaut avant d'être fauchée par les flèches ou d'aller s'empaler sur les pieux en bois. Les chevaux blessés éjectèrent leurs cavaliers, qui se retrouvèrent au sol sans défense, empêtrés dans leur armure et incapables de se relever. La vie de ces hommes à terre fut provisoirement épargnée car les fantassins, derrière eux, s'étaient mis en ordre de marche ; les archers anglais devaient rester à couvert de leurs pieux et continuer de tirer.

Le terrain à Azincourt est lourd et gras. J'ai essayé de progresser un peu à travers le champ de bataille avec des chaussures légères. En quelques mètres seulement, leur poids a doublé. Si vous ajoutez une pesante armure à cette gluante équation, les fantassins français ont dû avoir l'impression d'être enlisés jusqu'au menton dans des sables mouvants. Leur mobilité était d'autant plus réduite qu'ils avançaient en formation serrée pour être moins vulnérables à un tir de barrage frontal. Voyant cela, les archers anglais placés sur les ailes se sont tout simplement avancés et se sont mis à viser les flancs de la colonne française.

Quand les fantassins atteignirent enfin les Anglais, ils étaient épuisés et pratiquement aveuglés : constamment menacés d'être atteints par les flèches, ils devaient, en effet, maintenir leur visière baissée et ne pouvaient voir qu'à travers d'étroites ouvertures.

Quelques-uns réussirent tout de même à percer la ligne de front anglaise – les fantassins placés entre les deux ailes d'archers – mais Henri ordonna à ses archers de lâcher leurs arcs et de venir en renfort pour combattre au corps à corps.

La dense colonne française se retrouva dès lors aux prises avec des assaillants très mobiles qui pouvaient esquiver leurs coups de massue et porter des coups de poignard sous les aisselles et à la cuisse, ou plus simplement faire tomber les hommes en armure.

Comme à Crécy, le sol boueux fut rapidement jonché de Français morts ou battant de l'aile, allongés sur le dos comme des tortues blessées. Comme d'habitude, les plus nobles furent retenus comme otages tandis que les plus infortunés étaient achevés d'un coup de lame dans l'œil, dans le cœur ou à la gorge.

Quelques grands aristocrates français jouèrent particulièrement de malchance. Le chef des fantassins, le duc d'Alençon, se trouva ainsi nez à nez avec Henri en personne. Le duc fut rapidement encerclé et, observant les gestes traditionnels du chevalier battu, retira son casque et offrit son gant en signe de reddition. Malheureusement pour lui, un Anglais vit en lui une cible facile et lui défonça le crâne d'un coup de hache.

De même, le duc de Brabant, arrivé en retard mais ne voulant pas rater la bataille, ne prit pas le temps d'enfiler son blason. Il fonça habillé comme un messager et, alors qu'il était battu au combat et tentait de se rendre, fut tué, comme l'aurait été n'importe quel humble messager.

Être fait prisonnier ne l'aurait pas sauvé pour autant, car ce qui choque le plus les Français à propos de la bataille d'Azincourt n'est pas tant la façon dont trois vagues successives de leurs hommes terminèrent dans la boue en attendant d'être achevés, après avoir répété presque à l'identique les erreurs commises à Crécy. Ce qui les horrifie, c'est le sort des prisonniers.

Les estimations varient quant au nombre d'otages faits prisonniers au cours des premières heures de la bataille. Les Français l'estiment à 1 500. S'étant rendus, ils étaient tenus par serment de ne pas rejoindre le combat et étaient sans doute confiants de retrouver les leurs dès lors que ceux-ci auraient suffisamment taxé leurs paysans pour payer la rançon.

Mais le seigneur du château le plus proche, un dénommé Ysambart d'Azincourt, qui avait noté le grabuge en bas de chez lui, s'avança à la tête d'une horde de 600 gars du coin pour attaquer les chariots anglais non protégés où se trouvait réuni le butin des pillages commis par les hommes d'Henri depuis Harfleur. Voyant qu'il était attaqué par l'arrière et craignant que les otages français, s'ils étaient libérés, ne retournent au combat, Henri donna l'ordre à ses hommes d'exécuter les prisonniers.

Cet ordre ne passa pas bien auprès des soldats qui avaient mis le grappin sur de tels trophées. Henri dut donc envoyer 200 de ses archers parmi les plus assoiffés de sang et les moins nobles pour accomplir la basse besogne. Désarmés et confiants en leurs ravisseurs, les gentilshommes français furent battus à mort, poignardés ou immolés.

De nos jours encore, l'indignation soulevée par ce massacre peut se ressentir dans toute évocation française de la bataille, quand bien même on pourrait trouver cela un peu fort venant d'un pays qui s'est complu dans le guillotinage systématique et public de sa propre aristocratie à la fin du XVIIIe siècle.

Il est exact que l'exécution des prisonniers par un roi supposé chevaleresque fut un acte de sauvagerie contraire à toutes les règles de la guerre au XVe siècle. Mais il fut perpétré alors que l'issue du combat était encore incertaine. Bien que les événements fussent en train de tourner en faveur d'Henri, il restait encore suffisamment de soldats français pour attaquer les Anglais et remporter la victoire. Ou peut-être, de manière plus intelligente, pour attendre que l'armée d'Henri se mette en mouvement, comme elle aurait fini par être contrainte de le faire, étant à court de nourriture, et l'affaiblir tout au long de son trajet de retour vers Calais par des attaques de harcèlement.

Mais les chroniqueurs français disent que les rescapés étaient « écœurés par le bain de sang » (on pourrait aussi ajouter épouvantés à l'idée d'être jetés dans la boue pour y être embrochés) au point que les chevaliers restants décidèrent de cesser le combat. Beaucoup rebroussèrent chemin et s'en retournèrent sur leurs terres – l'un d'entre eux, Jean, duc de Bretagne, s'adonnant même en route, avec ses soldats bretons, à quelques pillages antipatriotiques dans le nord de la France.

Les troupes d'Henri se reposèrent la nuit à Maisoncelle et retournèrent le lendemain « nettoyer » le champ de bataille. Comme de coutume, les morts furent dépouillés de leurs armes et de leurs bijoux tandis que l'on demandait aux blessés s'ils figuraient dans le *Who's Who* en vue d'inscrire ou non leur patronyme sur la liste des morts.

Au total, les Français perdirent environ 10 000 hommes, dont – encore une fois – la « fine fleur » du pays (il semble bien qu'il ait existé plusieurs bouquets de ce pétale aristocratique). En face, les pertes anglaises s'élevaient à environ 300 personnes, dont seulement une dizaine de nobles.

Henri et ses troupes à bout de force se traînèrent sur les 80 kilomètres qui les séparaient de Calais. Là, de nombreux soldats se débrouillèrent pour perdre l'ensemble de leurs trophées en payant nourriture et boissons à des prix exorbitants. Henri, quant à lui, récupéra les prisonniers les plus prometteurs et les fit embarquer sur des bateaux en direction de l'Angleterre.

Malgré de terribles orages, tous ses vaisseaux arrivèrent à bon port, confortant certainement encore plus Henri dans l'idée que Dieu était à ses côtés. Comment expliquer autrement qu'une victoire aussi totale sur la crème de l'armée française ait pu être remportée par une bande de roturiers anglais éreintés et souffrant de dysenterie ?

Ce qu'Henri ne savait pas, c'était que l'Angleterre allait bientôt être confrontée à une adversaire française de tout aussi basse extraction que ses soldats, une femme animée d'une foi fervente, et qui allait renverser le cours de l'histoire…

4

Jeanne d'Arc,
martyre de la propagande française

« Dame Jehanne, que on nommoit la Pucelle, icellui jour fut
fait ung preschement à Rouen, elle estant en ung eschauffaut
que chascun la povoit veoir clerement, vestue en habit de
homme, et là lui fut demonstré les grans maulx doloreux
qui par elle estoient advenus en Chrestienté […] et plusieurs
grans pechez enormes qu'elle avoit fait et fait faire, et
comment […] elle avoit fait ydolatrer le simple peuple, car
sa faulce ypocrisie ils la suyvoient comme saincte pucelle. »

On pourrait croire ici à une vision typiquement
antifrançaise de Jeanne d'Arc, alias la sorcière d'Orléans. Il s'agit pourtant d'un texte français tiré du
Journal d'un bourgeois de Paris, récit contemporain
de la vie de Jeanne et révélateur de l'opinion dans
cette ville entre 1405 et 1449. Si l'auteur anonyme
de ce texte n'était assurément pas un fan de Jeanne, il
n'était cependant pas non plus un supplétif proanglais.
Ailleurs, il se montre choqué que les Anglais brûlent

ceux qu'ils ne peuvent rançonner, violent les nonnes et mangent de la viande le dimanche, et écrit sur un ton cinglant que « les Angloys veulent touzjours guerreer leurs voisins sans cause, par quoy ilz meurent tous mauvaisement ».

De nos jours, l'opinion que les Français se font de Jeanne d'Arc ne saurait être plus différente. On lui attribue les mérites de la victoire lors de la guerre de Cent Ans pour avoir « bouté les Anglais hors de France » ; elle est célébrée comme une héroïne militaire (un porte-hélicoptères de la Marine nationale française a été baptisé de son nom et, pendant la Seconde Guerre mondiale, la France libre ajouta une croix de Lorraine, sa région natale, à son drapeau). Son statut d'icône est tel qu'elle inspira l'un des premiers films jamais réalisés, celui des frères Lumière, en 1899 (en dépit des difficultés rencontrées pour faire un film muet sur une fille qui entendait des voix).

Mais surtout, Jeanne est perçue comme une martyre des Anglais, une sainte brûlée au bûcher de Rouen, en 1431, par les envahisseurs intolérants. Au cours de la Seconde Guerre mondiale, ce point de vue fut exploité par la propagande pronazie du gouvernement de Vichy. Quand les Alliés bombardèrent des sites nazis stratégiques en Normandie, des affiches furent placardées dans Rouen, où il était écrit : « Ils reviennent toujours sur les lieux de leurs crimes. »

Mais si l'on se réfère à une approche contemporaine moins romantique, on apprend que non seulement Jeanne a échoué à bouter les Anglais hors de France (comment l'aurait-elle pu après avoir été brûlée par eux à Rouen ?), mais qu'elle fut considérée à la fin de sa vie comme une sorte de peste par son roi et les chefs militaires de son propre camp. Pour couronner le tout, elle ne fut pas du tout la victime de la tyrannie anglaise : elle fut, en réalité, trahie et jugée par des Français.

Alors, Jeanne d'Arc, une martyre ? Oui, de la propagande française !

La mission de Jeanne : sauver le Dauphin

Jeanne n'était pas, comme les Français le pensent habituellement, une pauvre bergère. Elle était née aux environs de 1412 dans une famille de paysans relativement aisée. Son père, Jacques, était propriétaire terrien, possédant environ 20 hectares. C'était un notable du village de Domrémy, dans le nord-est du pays, à la frontière de la Lorraine et de la Champagne. La famille d'Arc était apparemment prodigue envers les nécessiteux, ce qui révèle qu'ils étaient relativement riches.

Jeanne, pourtant, était un phénomène pour son époque : une fille de modeste extraction qui voulait prendre la défense de son pays. Et, en 1425, au moment où elle entendit pour la première fois des voix patriotiques lui parler, la France avait dramatiquement besoin d'un sauveur.

Avec Azincourt, le roi Henri V d'Angleterre avait tiré avantage de ses archers et porté un coup mortel à des Français à terre. Il avait colonisé la Normandie en suivant l'exemple de Guillaume en Angleterre, la saignant à blanc tant sur le plan financier que commercial. Il trompa quelque peu un roi Charles VI lunatique, dans le cadre d'un traité qui déclarait le propre fils de

Charles, le Dauphin[1], inéligible au trône de France, et garantissait qu'Henri V et ses héritiers recevraient la Couronne française à la mort de Charles. Afin de sceller cet accord, Henri se maria avec la fille de Charles, Catherine, et, pour leur lune de miel, le belliqueux roi anglais emmena sa nouvelle épouse assister à un siège.

Henri attisa ensuite les braises de la guerre civile qui faisait rage en France en s'alliant au duc de Bourgogne contre la faction Armagnac (partisans du Dauphin déshérité). Des armées anglo-bourguignonnes occupèrent Paris et pillèrent et assiégèrent l'ensemble du pays au nord de la Loire. Henri V lui-même se joignit aux combats mais fut victime de la dysenterie au cours du siège de la ville de Meaux, à l'est de Paris. Il mourut en 1422, à seulement trente-cinq ans. Son fils devint le roi Henri VI d'Angleterre et de France, et respecta la tradition familiale qui consistait à assiéger et dévaster la France.

L'un des villages razziés par les Anglo-Bourguignons à cette époque fut Domrémy, bourg natal de la famille d'Arc. Tout le bétail fut volé, l'église brûlée, et la famille de Jeanne dut fuir vers la ville voisine de Neufchâteau pour échapper à une mort certaine. C'est au cours de cet exil que, en 1425, la jeune Jeanne, âgée de treize ans, entendit des voix lui disant de libérer la France et d'installer le Dauphin sur le trône.

Cet appel aux armes émana de saint Michel, sainte Marguerite et sainte Catherine, expliqua-t-elle plus

_____

1. De 1350 à 1830, les héritiers mâles du trône français furent appelés « Dauphins », non à cause d'une aptitude particulière à la nage mais parce que figuraient sur leurs armoiries, à côté de la fleur de lys, des mammifères marins à l'allure folâtre.

tard, ce qui constitue un choix intéressant (si tant est qu'elle les ait, en réalité, choisis plutôt que d'avoir été visitée par eux) car et Marguerite et Catherine devinrent des martyres pour avoir refusé de se marier à des païens et furent souvent décrites une épée à la main, prêtes à couper la tête ou tout autre appendice menaçant de leur soupirant non désiré. Michel, lui, était toujours représenté en armure, bien qu'il fût un archange. Pour les esprits modernes, un ange en tenue de combat peut sembler incongru. Mais au Moyen Âge, il s'agissait du symbole d'une résistance d'inspiration divine.

Après trois années à entendre ces voix insistantes, Jeanne se résolut à quitter le foyer familial avec l'un de ses frères pour accomplir sa mission sacrée. Mais ce n'est pas ce qu'elle expliqua à ses parents. Comme toute fille de seize ans qui se respecte, elle leur dit simplement qu'elle allait rendre visite à une cousine sur le point d'accoucher.

Au fond d'elle-même, Jeanne ne doutait pas du bien-fondé de sa mission. Élevée par une mère qui, fervente religieuse, avait effectué plusieurs pèlerinages, elle dut être persuadée que ces voix qu'elle entendait étaient bien des manifestations divines plutôt que l'expression d'un ras-le-bol face à la menace constante des pillards anglo-bourguignons.

Jeanne se rendit directement auprès du « *capitaine* » (une sorte de shérif), un noble du nom de Robert de Baudricourt, et lui annonça qu'elle était envoyée par Dieu pour sauver la France. Naturellement, le noble ordonna à ses domestiques de corriger cette « folle » et de la renvoyer chez elle. Après tout, elle n'était qu'une paysanne et n'était pas censée avoir davantage de cervelle ou d'esprit d'initiative que les animaux de la ferme de son père.

Mais Jeanne ne renonça pas. Il semble qu'elle ait été dotée du charisme propre aux personnes convaincues de la légitimité de leur cause, et sa prétention à détenir une mission divine rencontra un écho favorable auprès d'une population dans l'attente désespérée d'un signe que quelqu'un, là-haut, pensât encore à eux. La nouvelle que Jeanne avait entendu des voix se répandit rapidement. On prétendit qu'elle était l'incarnation d'une prophétie de la mystique Marie d'Avignon, selon qui « une jeune vierge des bords de la Lorraine » viendrait sauver la France (prophétie que Jeanne devait d'ailleurs sûrement connaître).

L'espoir, en sommeil depuis un siècle de guerre et de fléaux, commença à renaître dans le cœur des Français et se cristallisa sur cette fille modeste aux idées grandioses. Baudricourt céda finalement à la pression des partisans de Jeanne et mit à sa disposition une escorte armée afin qu'elle se rende jusqu'à Chinon, à environ 500 kilomètres de là, où résidait le Dauphin.

La réputation de Jeanne grandit alors et les soldats affluèrent pour se joindre à la procession. L'adolescente incarnait le mouvement de libération. Chaque partisan gagné en chemin la renforçait dans la certitude que Dieu était à ses côtés. La nouvelle de son arrivée imminente parvint jusqu'au Dauphin, qui n'était pas certain de vouloir l'« aide » de quelqu'un qui entendait des voix – son père, rappelez-vous, était un fou furieux. Pendant deux jours, il la fit attendre devant l'enceinte du château.

Faire poireauter une bêcheuse de paysanne revenait à lui faire comprendre que la vedette, ici, c'était lui,

Charles, pas elle. Jeanne ne traîna cependant pas pour se faire remarquer. À peine eut-elle reçu la permission d'entrer dans le château qu'elle fit l'un de ses premiers miracles. Elle franchissait le pont-levis quand un garde la railla : « Est-ce donc là cette fameuse vierge ? Que Dieu me l'accorde pour une nuit et elle ne le sera plus », se moqua-t-il.

Jeanne devait être habituée à ce genre de mauvais esprit puisqu'elle rétorqua, en substance : « Il peut être dangereux d'invoquer en vain le nom du Seigneur lorsqu'on est si près de la mort. »

Un peu plus tard, le type tomba dans les douves et mourut. « Elle l'avait prédit ! » s'écrièrent les partisans de Jeanne tandis que l'agonisant gargouillait : « Lequel de ces cinglés religieux m'a poussé ? »

Ceux qui croient en la sainteté de Jeanne citent sa première rencontre avec le Dauphin comme une preuve de ses pouvoirs de divination. Désireux de la sonder, le Dauphin fit accueillir Jeanne, au milieu d'une salle de réception pleine de monde, par un imposteur. Sans hésiter une seconde, Jeanne ignora le faux Dauphin et se tourna vers l'authentique prince, qui se tenait parmi ses courtisans. Elle baisa ses pieds avant de l'appeler « mon doux roi ».

Un autre miracle ? Peut-être. Mais il est presque certain que Jeanne avait été briefée sur la dégaine du Dauphin, petit, les genoux cagneux, avec un strabisme et le menton fuyant. Sachant que la plupart de ses courtisans avaient dû être choisis en vertu de leur apparence avantageuse, il ne devait pas être difficile de l'identifier.

Afin de s'assurer que Jeanne était bel et bien la fille de la prophétie de Marie d'Avignon, envoyée par Dieu et non par le diable, le Dauphin la fit interroger par une commission religieuse et demanda à un groupe de dames respectables de confirmer sa virginité. Elle passa les deux tests avec succès et, la foi et l'absence d'expérience sexuelle étant manifestement considérées comme d'excellents gages pour une carrière militaire, on lui remit une armure et on la dota d'une armée de 4 000 hommes avant de l'envoyer à Orléans, assiégée depuis six longs mois par les Anglais.

Certains sceptiques dans le camp même de Jeanne lui firent encore quelques croche-pattes en chemin. Bien que les Anglais eussent installé leur campement au nord de la Loire, le commandement français l'envoya sur la rive méridionale. On lui expliqua qu'elle et ses hommes se rendraient plus utiles en escortant les bateaux de ravitaillement qui descendaient le fleuve jusqu'à Orléans (le siège ne prenait pas la forme d'un blocus complet mais plutôt d'un assaut long et continu). Furieuse qu'on l'empêche de se jeter sur les Anglais, Jeanne se laissa malgré tout fléchir et son escorte entra dans la ville sous des applaudissements frénétiques – et pas seulement parce que son arrivée signifiait que le vin coulerait de nouveau à flots. Accompagnée par la noblesse locale, elle s'avança au milieu d'un cortège de flambeaux, saluée par la foule comme un sauveur. La fête ne fut point gâchée quand l'une des torches enflamma son fanion. Au contraire, elle éteignit les flammes promptement et ce geste fut interprété comme un nouveau miracle.

Ainsi, lorsque Jeanne, revêtue de sa blanche armure, attaqua des troupes anglaises occupant un petit édifice fortifié à l'extérieur des remparts de la ville, non seulement ses hommes étaient exaltés par la certitude que la victoire leur était promise par Dieu et le message des saints, mais les Anglais, qui avaient entendu parler de Jeanne, étaient saisis de terreur. À leurs yeux, soit elle était vraiment guidée par les anges, soit elle était une sorcière envoyée par le diable.

Lorsque les Anglais, apeurés, s'enfuirent, la réputation de Jeanne grimpa en flèche. Dès lors, sa simple présence à un siège ou dans une bataille suffisait à faire rapidement battre en retraite les Anglais. En l'espace d'une semaine, elle remporta quatre victoires, dont la levée du siège d'Orléans. Désormais, même les plus sceptiques des commandants français voulaient avoir Jeanne comme mascotte.

Tout cela ne faisait qu'attiser la dévotion de Jeanne pour sa cause et elle dicta une lettre au Dauphin l'informant sans ambages qu'elle allait le faire couronner roi de France à Reims. Bien que cette ville soit la capitale du champagne et, de ce fait, un endroit tout désigné pour une fête de couronnement, le Dauphin hésita. Il craignait sans doute que Jeanne lui fasse de l'ombre ou qu'il devienne politiquement vulnérable si elle venait à être finalement discréditée. Mais pas de souci : Jeanne écrivit aux citoyens de Reims pour qu'ils parent la cathédrale. Sous la pression des hordes de croyants se hâtant de rejoindre l'armée de Jeanne, le Dauphin capitula.

Son couronnement eut lieu le 17 juillet 1429, malheureusement sans la véritable couronne qui se trouvait en la cathédrale de Saint-Denis, près de Paris, entre les mains des Anglais. Mais peu importe, il s'agissait déjà d'un événement dont le prince n'aurait pas pu rêver encore quelques semaines plus tôt. Voici qu'il était Charles VII, roi de France, rival officiel de la fausse monarchie anglaise, surfant sur une vague de soutien populaire, alors que ses armées emportaient victoire après victoire sur les envahisseurs.

La seule ombre à ce tableau éblouissant, pensait sans doute Charles, était cette petite roturière dans sa ridicule armure blanche, le regardant avec un grand sourire, comme s'il lui appartenait.

Couper les ponts à Jeanne

À peine le couronnement fut-il achevé que Jeanne ordonna au roi de marcher sur Paris pour en évincer les Anglais et le duc de Bourgogne. Charles était beaucoup moins confiant que Jeanne : il s'agissait d'une entreprise autrement plus ardue que les batailles isolées menées jusque-là par Jeanne. Elle ne le savait peut-être pas, mais une armée devait être payée et nourrie durant un siège, qui risquait de s'avérer particulièrement long.

Charles négocia une trêve de deux semaines avec la Bourgogne et fut furieux en découvrant la lettre ouverte adressée par Jeanne aux habitants de Reims : « Je ne suis pas contente de cette trêve et je ne sais si je la respecterai », y déclarait-elle.

Dès lors, les choses se gâtèrent vite pour Jeanne. Elle parvint effectivement à convaincre Charles de marcher sur Paris. Mais celui-ci négociait secrètement en parallèle avec la Bourgogne, au moment où de nombreux soldats, mal nourris et non payés, décidaient de déserter. Jeanne donna l'assaut aux portes de Paris mais elle fut blessée par une flèche à la cuisse et dut quitter le champ de bataille contre son gré. Pour l'empêcher d'y retourner, Charles fit brûler un pont.

Jeanne ne renonça pas pour autant. En mai 1430, Charles l'envoya à Compiègne, près de Paris, d'où elle pourrait (lui dit-il) établir un bon camp de base en vue d'attaquer la capitale. Jeanne arriva à Compiègne avec à peine 200 hommes pour faire face à une armée bourguignonne comptant plusieurs milliers de soldats qui campaient non loin. N'importe qui aurait pu deviner que Charles lui avait assigné là une mission impossible.

Comme à l'accoutumée, Jeanne partit néanmoins à l'offensive et, quand elle fut repoussée sans surprise, elle retourna au galop vers la ville pour s'y réfugier. Or, les habitants lui interdirent de battre en retraite en relevant le pont-levis. À l'instar de Charles, ils lui opposaient gentiment un : « Merci, mais non merci. »

Jeanne tenta à toute force de se frayer un chemin vers la liberté mais elle fut capturée par un archer (un Picard) qui l'arracha de son cheval. Roturière, elle aurait dû avoir la gorge tranchée, l'archer décida toutefois de l'épargner. N'était-elle pas, après tout, une amie du nouveau roi, qui paierait sûrement une lourde rançon pour elle ?

Les Français abandonnent Jeanne à son sort

Il serait peut-être hâtif de conclure que l'ex-Dauphin, couronné Charles VII grâce à Jeanne et son armée de fidèles, se comporta en macho, la jetant aussitôt après avoir obtenu ce qu'il désirait. Mais cela semble bien proche de la vérité. Entre le moment de la capture de Jeanne et son exécution, un an plus tard, Charles ne leva pas le petit doigt pour lui venir en aide.

Et contrairement à ce que les Français croient, la

plupart des souffrances auxquelles le roi abandonna Jeanne lui furent infligées par des Français, et non par des Anglais (même si ces derniers participeraient, pour finir, aux basses besognes).

Jeanne fut d'abord prisonnière d'un chef local des Bourguignons, Jean de Luxembourg, qui, en dépit de son nom, était bien français et né en Picardie. Jean devait espérer recevoir des offres de rançon généreuses en échange de Jeanne. Or, l'une des premières réponses qu'il reçut fut une déclaration de l'archevêque (français) de Reims, Regnault de Chartres, annonçant qu'un jeune berger, découvert dans le Languedoc, remplacerait désormais Jeanne comme saint messager.

Puis Martin Billori, vice-inquisiteur de France, exigea que Jeanne soit remise au clergé pour être jugée, accusée d'avoir commis « de grands scandales aux dépens de l'honneur divin et de la sainte foi » et d'avoir causé « la perdition de plusieurs simples chrétiens ». Un Français souhaitait donc faire monter Jeanne sur le bûcher pour hérésie. Elle n'en réchappa que parce que le vice-inquisiteur n'offrit jamais de rançon pour la récupérer.

Au même moment, un autre membre du clergé français, Pierre Cauchon, évêque de Beauvais, suppliait le duc de Bourgogne de lui confier Jeanne pour qu'il juge personnellement de son cas. Ne recevant aucune réponse, il se mit à harceler le duc de Bedford, régent du roi d'Angleterre Henri VI, en affirmant que Jeanne appartenait aux Anglais et qu'elle devait être jugée par eux pour hérésie. Ou plutôt que lui, Cauchon, devait être autorisé à agir en leur nom.

Bedford n'aimait pas Jeanne, qui lui avait coûté la ville d'Orléans et lui avait aussi adressé des lettres venimeuses, s'enorgueillissant d'« avoir été envoyée par le Roi des Cieux pour [les] jeter hors de France » et l'avertissant que s'il ne retournait pas chez lui en Angleterre, il « entendrait parler de la Vierge » et que cette rencontre leur causerait « de grandes souffrances ».

Bedford s'acquitta d'une rançon de 10 000 livres tournois – environ 10 % de ses revenus annuels – et Jeanne fut ligotée et remise aux Anglais. La future sainte patronne de France venait d'être vendue à l'ennemi par un Français.

Mais les Anglais ne feraient office que de geôliers, pas de procureurs. Cauchon était si désireux d'œuvrer en tant qu'inquisiteur qu'il déposa une requête d'urgence en ce sens pour que le procès puisse se dérouler dans le ressort du diocèse de Rouen. Puis il nomma second juge l'un de ses amis, Jean Le Maître, hostile à Jeanne et revêtu du titre terrorisant de « Vicaire auprès de l'Inquisiteur de la Perversité hérétique ».

Les charges à l'encontre de Jeanne étaient nombreuses et diverses. On n'en comptait pas moins de 70, dont la sorcellerie, le blasphème, la conduite d'une bataille un dimanche et, la plus odieuse d'entre toutes, le port d'habits masculins. Chacune entraînait à chaque fois la peine de mort. Bien qu'adolescente encore et convaincue de recevoir ses ordres directement de Dieu, Jeanne dut comprendre qu'elle n'avait aucune chance d'être acquittée.

Elle opposa néanmoins une défense pleine de fougue lors d'audiences qui se prolongèrent pendant des mois. Des professeurs de théologie furent amenés de Paris pour tenter de la confondre par des questions pièges astucieusement formulées. Par exemple, on demanda à

Jeanne si elle pensait avoir obtenu la grâce de Dieu. Répondre « oui » aurait été blasphémer car Dieu seul sait qui se trouve en état de grâce. Répondre « non » aurait été avouer avoir commis un péché mortel. Mais Jeanne répondit : « Si tel n'est pas le cas, je prie Dieu de me la donner et, s'il en est ainsi, qu'il me garde. » Un peu comme si, après avoir paré le coup d'un champion, un simple amateur mettait KO en retour, d'un seul coup d'un seul, l'institution ecclésiastique.

Jeanne esquiva également les questions au sujet non des voix et des visions des anges qu'elle avait eues mais du fait qu'elle avait aussi senti et touché lesdits anges. Répondre par l'affirmative aurait relevé de l'idolâtrie, un autre péché mortel. En matière de visitations, il convenait de se limiter à « regarde – et écoute – mais ne touche pas ». Jeanne était si précautionneuse dans ses réponses, si dévote et pieuse dans ses opinions, qu'il parut même un temps qu'elle allait échapper à la mort.

Malheureusement pour elle, les Français aiment les débats intellectuels et le sujet sur lequel ses juges avaient décidé de ne pas lâcher était celui de l'habit masculin, quand bien même elle aurait répondu l'avoir porté pour mener une guerre sainte. À l'époque, cela ne se faisait tout simplement pas pour une femme de porter l'armure. C'était aussi choquant, par exemple, qu'une armée qui serait, de nos jours, commandée par un travesti en jupe[1].

À l'époque médiévale, porter les cheveux courts était considéré, pour une femme, comme un péché mortel, de même porter un casque et se battre – son rôle dans la guerre se limitait à être violée et/ou tuée.

_____

1. Bien que les Écossais n'aient jamais pâti de s'exhiber en kilt.

Certains ont suggéré que Jeanne aimait porter des habits d'homme car elle était lesbienne. Une autre théorie est qu'elle avait de gros seins et en avait assez d'être harcelée par les hommes. Toujours est-il qu'au moment du procès elle avait si peur d'être violée par ses gardiens anglais qu'elle refusa de troquer son pantalon contre une jupe. Aussi étrange que cela paraisse à nos esprits modernes, les gardes, ayant peur d'avoir affaire à une sorcière ou à une diablesse, sembleraient avoir redouté de la toucher quand elle était vêtue en homme.

Les juges connaissaient la hantise de Jeanne et en usèrent pour la piéger : ils offrirent de lui épargner la vie et de la transférer vers une prison religieuse si elle acceptait de reconnaître ses péchés et revêtait une jupe. Jeanne, qui croyait encore que Dieu finirait par bouter les Anglais hors de France et par placer son ami Charles VII sur le trône comme roi incontesté, accepta cet accord de plaider coupable, assurée d'être libérée aussitôt que le balancier politique pencherait à nouveau en faveur de Charles.

Une cérémonie – probablement celle mentionnée dans le *Journal d'un bourgeois de Paris* – se tint dans un cimetière de Rouen, au cours de laquelle Jeanne, vêtue d'une robe pour la première fois depuis au moins deux ans, signa des aveux publics, ou plutôt traça une croix dans la mesure où elle ne savait pas écrire et qu'il n'existait pas encore de cours d'alphabétisation en milieu carcéral.

Mais les Français la trahirent de nouveau. À peine eut-elle signé qu'elle fut ramenée dans sa vieille prison, auprès de ses geôliers en manque. Terrifiée, elle remit son pantalon, à la grande joie de ses juges qui la déclarèrent « hérétique récidiviste » et la condamnèrent au bûcher sur la place du marché de Rouen.

Le 30 mai 1431, la tête rasée, Jeanne fut promenée à pied à travers les rues de la ville au milieu des quolibets de la foule (française). Arrivée au lieu de l'exécution, ses juges lui refusèrent le réconfort d'un crucifix pour l'accompagner dans la mort. C'est un soldat anglais qui improvisa une croix grâce à deux bouts de bois retirés du foyer.

Les Français plaisantent encore aujourd'hui de Jeanne, « la seule chose que les Anglais aient jamais cuite correctement, et encore elle était trop cuite ». Après l'extinction du foyer, le bourreau fouilla en effet les cendres pour exposer le corps calciné et prouver ainsi à la foule que c'était bien une femme. Le *Bourgeois de Paris* raconte qu'« on écarta les braises et tout le monde put la voir nue, avec tous les secrets que doit posséder une femme [...]. Quand ils eurent vu ce qu'ils voulaient, le bourreau ralluma le feu et le pitoyable cadavre fut entièrement consumé par les flammes ».

Oui, les Anglais sont bien coupables d'avoir tué Jeanne d'Arc. Ils la brûlèrent, et la brûlèrent même une seconde fois pour plus de sûreté. Mais ceux qui s'assurèrent qu'elle terminât ligotée sur le bûcher étaient des Français collaborant avec les envahisseurs anglais. En bref, les Français laissèrent aux Anglais le travail le moins noble et vivent dans le déni depuis plus de cinq cents ans. Or, ce qui est dénié n'est pas mince : en vérité, la France martyrisa elle-même sa future sainte patronne *pour avoir porté un pantalon*. On peut dire que c'est avoir poussé le sens français de la mode tout de même un petit peu loin.

Une image rare de Jeanne d'Arc sans son armure. En 1431, elle fut brûlée à Rouen et, en dépit de la blague française selon laquelle elle fut « la seule chose que les Brits aient jamais cuite correctement », elle fut en réalité capturée, jugée et condamnée par des Français.

La France démolie mais pas défaite

La guerre de Cent Ans se mourait à petit feu, les Anglais abandonnant progressivement le combat.

Les Français finirent par prendre la mesure des archers anglais et acquirent la maîtrise d'une arme nouvelle : le canon. Les Anglais en possédaient eux aussi mais, jusque-là, ils avaient davantage été utilisés pour faire du bruit : dès Crécy, les coups de canon auraient ainsi effrayé les chevaux français (toujours des excuses). À partir du milieu des années 1400, les artilleurs français avaient appris à bien viser et quiconque essayait d'assiéger une ville française avait toutes les chances de voir son campement bombardé de plomb chaud. De manière compréhensible, cette situation détourna de leurs pillages les opportunistes anglais à la recherche de butins faciles et, après un siècle doré de profits, les « chevauchées » commencèrent à boiter bas.

Un certain Sir John Falstof, l'homme qui inspira le personnage de Falstaff, qu'on retrouve dans trois pièces de Shakespeare, essaya d'obtenir du soutien pour la création d'une saison annuelle de la « chevauchée », de juin à novembre. Son plan était que deux armées de 750 hommes soient envoyées de l'autre côté de la Manche pour passer l'été et l'automne à brûler maisons, récoltes, animaux et paysans, réduisant la France à la famine. Mais l'idée des « chevauchées » était désormais dépassée, et cette offre ne trouva pas preneur.

Les Français reprirent Paris et la Normandie, puis le bastion anglais de l'Aquitaine. Le 19 octobre 1453, Bordeaux capitula et les Anglais furent enfin boutés hors de France, non par Jeanne, mais bien comme elle l'avait prédit.

À peine la guerre terminée, les Français cachèrent leurs mauvais souvenirs sous le tapis. Au grand mécontentement de Charles VII, les gens ne cessaient d'évoquer Jeanne d'Arc, beaucoup affirmant qu'elle était encore en vie. Ses propres frères voyageaient à travers le pays en compagnie d'une femme prétendant être Jeanne et récoltaient des « contributions » à sa cause. « Si elle est en vie, de quoi vous plaignez-vous ? » argua Charles VII. Mais l'argument fut de peu de poids et, après avoir repoussé l'inévitable pendant des années, Charles accorda à Jeanne un nouveau procès posthume.

Ce second procès fut aussi pipé que le premier, mais cette fois-ci en faveur de Jeanne. Les juges comptaient parmi eux le propre confesseur de Jeanne, ainsi que des ennemis des évêques et professeurs impliqués dans la première procédure. La mère de Jeanne fit une déclaration émouvante sur l'innocence de sa fille (rédigée pour elle par des membres du clergé) et parvint même à s'évanouir à la barre des témoins. Personne n'évoqua la question délicate du travestissement, les voix entendues par Jeanne furent déclarées authentiques car elle-même les croyait vraies et, en 1456, vingt-cinq ans après sa mort, la condamnation fut annulée. Ce qui ne changeait pas grand-chose pour Jeanne.

Toujours sur le mode « planquons sous le tapis les preuves embarrassantes », les procès-verbaux du premier procès furent brûlés publiquement à l'endroit même où elle avait péri.

Cela ne signifie pas pour autant qu'elle fut immédiatement considérée comme sainte. Au contraire, Charles espérait que sa mémoire disparaîtrait aussi sûrement que les preuves de son premier procès. Il fit tout ce qui était en son pouvoir pour éviter qu'elle ne devienne une icône et pour faire cesser les pèlerinages à Rouen et à Orléans. Il fut même interdit d'afficher une image d'elle[1].

Ce qui importait le plus au roi de France, ce n'était pas l'amnistie d'une hérétique mais de régner désormais sans partage. Selon la version officielle, Crécy et Azincourt ne constituaient que de petits accrocs sans importance. Après quelques percées chanceuses au cours de la première moitié du conflit, les Anglais avaient été boutés hors de France et humiliés par Charles VII. Et par lui seul. Bon, d'accord, peut-être avec un petit coup de pouce de sa grande copine Jeanne, perfidement assassinée par ces satanés Anglais.

Et que peuvent bien penser ces derniers de tout cela ? Le commun du peuple d'Angleterre aurait sûrement pouffé à l'annonce du verdict du second procès de Jeanne et de son innocence présumée. Au temps de Shakespeare comme plus tard, ils continueraient de penser qu'il s'agissait d'une sorcière, une diablesse utilisée par l'ennemi français honni comme arme secrète impie.

Évidemment, la défaite atteignit les Anglais dans leur orgueil, mais beaucoup auraient haussé les épaules au moment de dresser le bilan de la guerre de Cent Ans. Après tout, les gains avaient été énormes. Un nombre considérable d'Anglais s'étaient enrichis et pratiquement chaque manoir et chaque château construit entre

---

1. Jeanne dut patienter encore quatre siècles avant de servir à nouveau la cause de la France. À propos du débat sur sa canonisation, voir le chapitre 20.

1330 et 1450 le fut, au moins en partie, grâce à de l'argent extorqué aux Français.

Concrètement, la guerre de Cent Ans avait servi à affirmer l'identité de l'Angleterre. L'anglais était enfin devenu la langue maternelle des monarques et les Brits avaient gagné à Crécy et à Azincourt des victoires qui resplendiraient à jamais dans la mémoire populaire.

De plus, ce que les Français oublièrent de façon fort opportune au moment de la célébration, en 1453, de leur « victoire totale », était que les Anglais possédaient encore Calais, une des villes françaises les plus importantes sur le plan stratégique, et la conserveraient pendant encore un siècle, utilisant ce port pour le commerce et comme avant-poste pour leurs raids dans la région. Il arrive qu'une victoire totale ne le soit pas tant que ça…

5

Marie, reine des Écossais :
une tête française sur des épaules écossaises

Il est indiscutable que Marie, reine des Écossais, est née en Écosse et qu'elle était par conséquent, au sens strict du terme, écossaise. Mais même le plus patriote des habitants des Highlands ne saurait nier que son caractère a été formé en France, où elle vécut de cinq à dix-neuf ans. Sa mère était française et, toute sa vie, Marie écrivit la plupart de ses lettres en français, y compris celles à sa cousine anglaise, la reine Élisabeth Ire. De surcroît, elle signait « Marie », délaissant manifestement l'orthographe anglaise. Pendant quelques années, Marie se trouva aussi être reine de France. En bref, la femme que nous appelons aujourd'hui Marie, reine des Écossais, est une création française, aussi écossaise qu'un haggis parfumé au foie gras.

Si, au cours des dernières années de sa captivité en Angleterre, on avait pu lui demander ce qu'elle pensait de l'Écosse, elle aurait probablement offert une réponse parfaitement diplomatique (en français) sur son amour éternel pour sa terre natale. Mais derrière le voile politique, elle aurait certainement déclaré *in petto* : « *Merde*, ne me parlez plus jamais de cette maudite Écosse ! »

L'amertume de Marie aurait été bien compréhensible car, durant son court règne en tant que souveraine d'Écosse, elle fut trahie par à peu près tout ce que ce pays compte de nobles, enlevée et violée par l'un d'entre eux, et manqua d'être assassinée. Son exécution laissa une grande partie des Écossais indifférents car elle n'avait plus depuis longtemps la moindre utilité à leurs yeux. En réalité, en lui coupant la tête, les Anglais ne cherchaient pas du tout à provoquer les Écossais – ils voulaient porter un coup aux Français.

Considérons à présent de plus près la vie tragique de Marie, reine *française* des Écossais.

À vendre, bébé royal

Certains membres de la famille royale anglaise se sont plaints d'avoir été placés trop tôt sous les feux de la rampe, ou trop souvent. Marie, elle, connut cette situation pratiquement dès sa naissance.

Elle était née le 8 décembre 1542, dans le palais de Linlithgow, en bordure de lac, à 30 kilomètres d'Édimbourg. La date était engageante : c'était la fête de l'Immaculée Conception de la Vierge Marie. L'endroit l'était moins : les personnes nées à Linlithgow étaient souvent appelées les « chiennes noires », d'après l'animal représenté sur les armoiries de la ville.

La mère de Marie, Marie de Guise, était la seconde épouse du roi Jacques V d'Écosse. La première femme de celui-ci, morte de tuberculose, était également française et le remariage du roi avec Marie avait pour but de reconstituer l'ancienne alliance franco-écossaise. Cette union avait le don d'irriter les Anglais. Henri VIII, se sentant apparemment un peu seul après avoir fait exécuter sa deuxième femme, Anne Boleyn, avait également demandé la main de Marie de Guise.

Marie fut soulagée d'apprendre que sa famille avait rejeté l'offre d'Henri. Horrifiée par la décapitation d'Anne Boleyn, on rapporte qu'elle aurait lâché : « Je suis peut-être grande mais j'ai un petit cou. » La saillie aurait un goût amer et tragique quand, cinquante ans plus tard, la fille de Marie, Marie reine des Écossais, verrait à son tour son cou frêle passé par le tranchant d'une hache anglaise, sur ordre de la fille d'Anne Boleyn, Élisabeth Ire.

Marie de Guise épousa donc un roi Écossais et partit s'installer à Édimbourg, emportant avec elle un ensemble de futilités françaises pour aider à la transition, parmi lesquelles des poiriers, des sangliers, des tailleurs et, naturellement, étant française, des médecins.

Elle eut avec Jacques deux fils qui moururent coup sur coup en bas âge. Puis vint la princesse Marie. Mais le roi, dans un état d'épuisement nerveux avancé après avoir livré guerre aux Anglais, se trouvait déjà alors sur son lit de mort et s'éteignit quelques jours plus tard, à seulement trente ans. Âgée de moins d'une semaine, Marie se retrouva reine d'Écosse, avec sa mère française comme régente. En tant qu'arrière-petit-enfant d'Henri VII, le bébé était aussi en lice pour la succession au trône d'Angleterre, en deuxième position après la princesse Élisabeth. Une drôle de responsabilité pour un être si jeune.

Avant que les yeux de Marie eussent même appris à faire le point, tous les regards des chefs d'État d'Europe étaient déjà fixés sur elle. À onze jours, elle reçut sa première demande en mariage, quand Henri VIII, cherchant à compenser la perte de Marie de Guise, entreprit de promettre bébé Marie à son fils Édouard, âgé de cinq ans. La demande fut refusée, sans doute au motif de la différence d'âge – après tout, Édouard n'était-il pas cent cinquante fois plus âgé que Marie ?

Mais comme nous le savons tous, le mariage était un sujet sensible pour Henri VIII qui, colère d'avoir été éconduit pour la seconde fois, lança une campagne de raids punitifs sur l'Écosse, assez drôlement baptisée « galantiser à la dure » (ce qui prouve combien faire la cour était à l'époque une affaire virile). Puis, sous la menace, il contraignit les Écossais à signer un contrat de fiançailles entre Marie et Édouard.

Marie de Guise mère dut se sentir soulagée lorsque, en 1547, Henri VIII mourut avant d'avoir réussi à mener ses projets à bien. Cela ne la mettait pas à l'abri pour autant, chaque noble d'Écosse lui suggérant qui un fils qui un cousin comme futur mari. Marie en savait suffisamment long sur les *lairds* (lords) écossais pour deviner que ces offres pourraient très bien s'accompagner d'une tentative d'enfermement de Marie fille loin du château familial tandis que le *laird* ferait office de régent. Elle se tourna donc vers sa patrie d'origine.

Par chance, le roi de France, Henri II, était un ami d'enfance de la famille de Guise doublé d'un anglophobe virulent. Il répondit favorablement à l'appel et promit en mariage son fils François, plus jeune que Marie d'une année. Afin de s'assurer que ni les Anglais ni les Écossais ne maintiendraient séparés les deux enfants, Henri envoya son propre vaisseau chercher la petite Marie, mais pas sa mère, qui demeura quant à elle en Écosse en compagnie d'un détachement de l'armée française pour protéger la mainmise de la France sur la Couronne écossaise.

Nous étions alors en juillet 1548, et la petite Marie, âgée de cinq ans, se trouvait déjà traitée comme une pièce essentielle au cœur d'un vaste puzzle politique.

Les « farouches » Écossais arrivent en France

La jeune reine avait apparemment le pied marin. Au cours de la longue et orageuse traversée vers la France, elle se divertit en riant de ses compagnons de voyage souffrant du mal de mer – deux ou trois de ses demi-frères, un tuteur, une gouvernante et quatre jeunes dames d'honneur (portant toutes le nom de Marie), ainsi que leurs serviteurs. En dépit d'une avarie du gouvernail sur une mer démontée, Marie arriva finalement à bon port, dans le pays qui serait le sien pour le restant de son enfance.

Dans un premier temps, la troupe d'Écossais eut sans doute une impression de déjà-vu car ils débarquèrent en Bretagne occidentale, cousine méridionale de l'Écosse, pluvieuse et granitique, où les autochtones parlaient une langue qui n'était pas si éloignée du gaélique des Écossais. Marie, qui n'avait aucune notion de gaélique – à Édimbourg, les gens parlaient l'écossais des Lowlands (les plaines du Sud), un dialecte anglais – dut néanmoins trouver la Bretagne agréablement familière.

Puis les choses prirent une tournure de plus en plus

française au cours d'une pérégrination de deux mois en direction de l'est, vers le château royal de Saint-Germain-en-Laye, où les courtisans étaient au comble de l'excitation dans l'attente de l'arrivée de leur nouvelle future princesse et où les poètes composaient déjà des odes à la beauté de Marie avant même que de l'avoir vue.

Lorsqu'elle se présenta enfin, les Parisiens eurent, semble-t-il, un choc. La petite Marie était exquise mais ils trouvèrent ses serviteurs et courtisans écossais quelque peu farouches.

La future belle-famille de Marie, ainsi que ses grands-parents, décidèrent qu'elle avait besoin d'une éducation à la française pour être à la hauteur de son rôle de reine de France, considéré comme autrement plus important que celui de reine des Écossais.

Libérée de la menace de la guerre ou d'un enlèvement, une enfance idyllique s'ouvrit à Marie au milieu d'une tripotée d'enfants vivant dans la maison royale d'Henri II. Parmi ses nouveaux camarades de jeu figuraient son futur époux, le maladif et bégayant François, qui semblait souffrir depuis la naissance après que sa mère, Catherine de Médicis, eut pris des potions pour la fertilité – au XVIe siècle, il n'y avait point de contre-indications sur les boîtes de médicaments.

L'heureuse bande royale se déplaçait d'un château luxueux à un autre – Saint-Germain-en-Laye, Fontainebleau, Blois – et Marie, fillette charmante et vive, ravissait son monde. Petite préférée d'Henri, elle fut placée sous l'aile protectrice de la séduisante maîtresse de celui-ci, Diane de Poitiers, dont on se souvient aujourd'hui en France comme une sorte de sex-symbol du XVIe siècle. Diane avait vingt ans de plus qu'Henri mais elle avait tellement d'allure que l'épouse du roi, Catherine de Médicis, avait fait percer des trous dans le plafond de la chambre à coucher de son époux afin d'observer son mari et Diane en train de batifoler et, vraisemblablement, d'en tirer quelques trucs.

Personne n'a jamais suggéré que la jeune Marie, reine des Écossais, ait reçu ce genre d'éducation de la part de Diane, qui était aussi une grande dame douée d'une conversation brillante. Mais elle demeura un temps dans le nid d'amour de Diane, le romantique château d'Anet, en Normandie, injustement ignoré des touristes étrangers, sans doute du fait de son éloignement de la Loire. Sa seule gloire récente fut d'apparaître au début d'un film de James Bond, *Opération Tonnerre*, comme le lieu de la réunion des agents du SPECTRE. Regarder les ennemis de Bond planifier la destruction du monde par une bombe atomique en pensant que Marie, reine des Écossais, s'adonnait jadis en ces mêmes lieux à des jeux d'enfant a quelque chose de troublant.

Tandis qu'elle procédait à l'inspection des demeures royales, Marie acquit rapidement le sens français de la mode, s'habillant de robes, de bas et de chaussures aux couleurs vives, et montrant un goût manifeste pour les gants en peau de chien. Elle fut aussi, bien sûr, sensibilisée à des sujets plus intellectuels. À son arrivée en France, Marie parlait surtout l'écossais, ce qui sonnait affreusement barbare à des oreilles françaises[1], mais elle parla vite couramment la langue de son pays adoptif et apprit également l'italien, l'espagnol, le latin et le grec.

---

1. Cela ne doit pas être pris comme une insulte car, pour les Français, toutes les langues sonnent ainsi, sauf le français.

Une future reine se doit de connaître les arts de la cour, et Marie s'adonna aux danses et aux chansons françaises avant – sur le tard – de se passionner pour la poésie qu'elle se mit à écrire chaque fois que ses émotions gonflaient sa poitrine de plus en plus gauloise.

Malgré tout, Marie n'oubliait pas ses origines, bien que l'Écosse eût fini par devenir un souvenir bien flou. Un jour, elle amusa la cour en s'habillant à la manière des Écossais, vêtue d'un costume composé pour l'essentiel de peaux de bêtes. Elle avait apparemment fini par considérer ses compatriotes écossais comme des hommes de Neandertal.

Marie avait quinze ans quand elle apprit, en 1558, que le port de Calais venait d'être repris aux Anglais par l'un de ses oncles de Guise – succès familial qui accrut encore son prestige au sein de la maison royale de France. À la suite de cette victoire, on hâta les préparatifs de son mariage avec le jeune prince François. Ce devait être le dernier clou franco-écossais planté dans le cercueil anglais.

Sous toutes les coutures, Marie est alors une ravissante princesse française. Et en matière de couture, il y avait de quoi faire. Elle mesurait environ 1,80 mètre, avec le cou gracieux hérité de sa mère et une peau blanche très à la mode, en dépit de son goût pour les activités en plein air, comme la chasse. Sa chevelure était en train de virer du blond de l'enfance à un auburn somptueux, ses yeux étaient clairs, presque dorés. Elle avait du charme, de l'esprit, et possédait une voix mélodieuse (depuis qu'elle avait renoncé à s'exprimer dans un écossais braillard).

Elle avait aussi suffisamment confiance en elle pour soutenir que sa beauté serait mieux mise en valeur si elle portait une robe de mariage blanche. Un tel choix peut sembler aller de soi pour une jeune vierge sur le point de se marier, mais à l'époque il s'agissait d'une décision osée, voire choquante, car le blanc était la couleur que les reines françaises portaient traditionnellement pour le deuil. À considérer le destin de ses trois futurs maris, il y a de quoi trouver que c'était là un tout petit peu trop tenter le sort.

On accéda à sa demande, surtout dans la mesure où elle perdait sur nombre d'autres plans. Le contrat de mariage entre les maisons royales de France et d'Écosse était en effet d'une incroyable iniquité. Premièrement, Marie devait céder par écrit sa place de prétendante au trône d'Angleterre à François, son mari français. Deuxièmement, l'Écosse devait rembourser l'aide qu'elle avait reçue depuis des siècles de la part des Français – un diabolique tour de passe-passe comptable pour vider les coffres écossais au profit d'Henri II. Enfin, la France et l'Écosse seraient unifiées, sous l'égide de François. Oui, l'Écosse allait devenir une colonie française. Si tout s'était déroulé selon ce plan, l'Écosse serait peut-être aujourd'hui une station thermale pour Parisiens et la France prétendrait avoir inventé le whisky. Pire, le succès des golfeurs français serait agaçant au possible, comme dans tous les autres sports individuels où ils remportent des trophées.

Marie n'était encore qu'une adolescente mais elle mesurait certainement les conséquences de son acte en couchant son nom au bas du contrat de mariage. Il s'agissait, tout simplement, d'une trahison totale de la souveraineté de son pays natal.

Cousin, cousine

Les temps étaient fastes pour Marie. Après son mariage et la prise de Calais, Marie apprit que sa cousine anglaise issue de germain, également prénommée Marie, était décédée. En ces temps où la médecine était encore balbutiante, perdre un parent était un événement courant. Mais cette Marie avait quelque importance : elle était reine d'Angleterre.

Élisabeth hérita immédiatement du trône mais, aux yeux des catholiques, y compris ceux de la famille royale française, la véritable héritière était Marie, reine des Écossais. Élisabeth, fille d'Anne Boleyn, seconde épouse d'un Henri VIII divorcé, était de ce fait considérée comme illégitime, tandis que Marie était de manière indiscutable la petite-fille légitime de la sœur d'Henri VIII, Marguerite Tudor.

Henri II de France saisit l'occasion pour faire valoir les droits de Marie – et de son fils – en son nom. Il fit même produire un étendard royal provocateur, combinant les armoiries anglaise et écossaise (un lecteur attentif se souviendra qu'Édouard II et Henri V d'Angleterre avaient usé exactement du même procédé pour énerver les Français plus d'un siècle auparavant – preuve que les Français n'oublient jamais les insultes).

Marie, reine des Écossais, était désormais le symbole vivant de l'opposition catholique à la nouvelle reine Élisabeth d'Angleterre. Plus largement, Marie devenait également une arme dans les guerres religieuses qui commençaient à éclater à travers l'Europe. Malheureusement pour elle, à peine poussée sur le devant de la scène, son protecteur fut tué – ironiquement, par un Écossais. Henri II, qui avait soustrait Marie au danger en la faisant venir d'Écosse et en s'assurant qu'elle jouisse d'une enfance dorée, était le mâle dominant par excellence. Il adorait la joute, se vantant de ses prouesses de chevalier, jouant de la lance contre l'écu des meilleurs partout en Europe.

Le 30 juin 1559, Henri participa à un tournoi à Paris, au château de Tournelles, où est sise aujourd'hui la pittoresque place des Vosges. Les jeux avaient été organisés à l'occasion du mariage d'Élisabeth, fille d'Henri, avec le roi Philippe II d'Espagne, veuf depuis peu de la reine Marie d'Angleterre. Ce mariage était un nouveau coup porté aux Anglais, et une excuse toute trouvée pour faire la fête.

Bien que cette célébration eût été de nature familiale, le roi participait à la joute revêtu des couleurs noir et blanc de sa maîtresse Diane, sous les yeux de sa femme Catherine. Le jour finissait et Henri avait déjà brisé plusieurs lances mais il souhaitait une dernière joute et lança un défi à un chevalier normand-écossais, le comte de Montgomery (un ancêtre du général du même nom qui dirigerait le débarquement en Normandie, en 1944). Le comte refusa poliment mais le roi lui ordonna de se mettre en selle et de charger.

Catherine l'aurait, dit-on, supplié de renoncer car elle avait rêvé qu'une lance lui transpercerait l'œil (bien qu'elle n'en eût pas été gênée au cours des joutes précédentes ; cela aurait fort bien pu sonner comme une prophétie posthume, une sorte de « Je te l'avais bien dit », visant à éprouver les nerfs de l'agonisant sur son lit de mort). Pour ne rien arranger, le roi entendait monter un cheval appelé le Malheureux. Moquant les avertissements superstitieux, Henri II chargea Mont-gomery. On entendit le fracas traditionnel de la lance contre le bouclier mais, cette fois-ci, la lance de Mont-gomery se brisa en morceaux et une écharde s'engouffra dans une fente du casque d'Henri et vint se loger dans son œil.

Il fut transporté au château, souffrit et délira pendant dix jours avant de mourir d'une infection. Sa veuve, furieuse, fit démolir le château et, bien que la blessure fatale eût été reçue lors d'une joute sollicitée par le roi, fit jeter Montgomery en prison. Elle bannit aussi de la cour Diane de Poitiers et la contraignit à vivre dans les ténèbres de Normandie. Par décret royal, la fête venait de prendre fin.

Deux mois plus tard, pleurant toujours son protec-teur, Marie, âgée de seize ans, était couronnée reine de France en la cathédrale de Reims, au côté de son mari de quinze ans, le roi François II, prépubère timide qu'un chroniqueur de l'époque décrivit comme ayant « les parties constipées ». Que le nouveau roi fût trop frêle pour tenir sa couronne sur la tête sans aide n'augurait assurément rien de bon.

Ados qui s'éclatent, et se font éclater

La première requête de Marie lorsqu'elle devint reine rendit furieux ses hôtes français. Elle exigea un inventaire des joyaux de la Couronne et ordonna que toutes les possessions de la reine régnante lui soient remises par sa belle-mère, l'ancienne reine Catherine de Médicis. Si elle entendait faire une démonstration de force, celle-ci s'avérait terriblement dommageable :

en une seule requête, Marie venait de transformer en ennemie à vie la plus puissante – et vindicative – femme de France.

Pendant ce temps, la nouvelle se répandait que la France avait placé à sa tête un jeune roi faible. En Écosse, les seigneurs protestants se révoltèrent contre la mère de Marie, Marie de Guise, et envahirent Édimbourg, appelant à foutre dehors les intrus français. Naturellement, les Anglais se ruèrent à leur tour dans la bataille et firent le siège du port de Leith, aux portes d'Édimbourg, où la reine mère avait trouvé refuge avec ses troupes. Afin d'échapper à un désastre, elle dut céder à la pression et renvoyer les troupes françaises au pays. La bonne vieille entente était en lambeaux, tout comme la vie de la jeune mariée : le 11 juin 1560, sa mère, Marie de Guise, mourut d'hydropisie – un œdème causé par une rétention de liquide. Preuve cruelle que, pour une femme française aussi, devenir grosse peut s'avérer fatal.

Marie était encore en deuil lorsque l'échelle française sur laquelle elle tenait en équilibre vola en éclats. En décembre, à peine trois jours avant son dix-huitième anniversaire, son époux, le roi François, trépassa d'une surinfection à l'oreille, semble-t-il. En quelques mois, Marie était passée d'une vie parfaitement stable à la cour d'Henri II à une situation que les Français redoutent par-dessus tout : la précarité, la menace d'un avenir incertain.

Une perspective attrayante s'offrait à elle : on lui avait conféré le titre de duchesse de Touraine, région cossue de la vallée de la Loire. Elle aurait pu s'y prélasser dans un beau château de la Renaissance comme celui d'Amboise ou de Chenonceau, en attendant que se présente un bon mari catholique, membre d'une importante famille de France ou d'Espagne.

Mais Catherine de Médicis fit clairement savoir que Marie n'était plus la bienvenue en France. Vingt-quatre heures après la mort de François, elle se vengea de sa belle-fille endeuillée en exigeant de récupérer tous les joyaux de la Couronne dont Marie avait hérité en devenant reine de France. La belle-mère dans toute sa splendeur, version Renaissance.

La famille de Marie, les Guise, ne se montrait pas non plus très solidaire. Lorsqu'elle alla chercher du réconfort auprès de ses oncles et cousins dans le domaine familial de Lorraine (le pays de Jeanne d'Arc), ceux-ci lui conseillèrent de retourner en Écosse. Conseil plutôt dur pour une jeune fille seule de dix-huit ans. À l'évidence, ils entendaient se servir d'elle pour défendre leurs derniers liens royaux. Après tout, Marie était encore vue par de nombreux Écossais comme leur reine. Une fois de retour à Édimbourg, lui dirent les Guise, elle pourrait essayer de s'entendre avec la reine d'Angleterre Élisabeth pour éviter toute interférence du clan Médicis à la frontière nord. Par une confusion des allégeances familiales et patriotiques propre aux mœurs médiévales, ces Français catholiques encourageaient Marie à s'unir à une reine anglaise protestante[1]...

L'objectif des Guise était indubitablement de placer l'un des leurs sur le trône d'Angleterre. Si Marie deve-

---

1. J'emploierai à dessein le terme générique de « protestant » pour désigner aussi bien les anglicans que les autres communautés, afin de les distinguer des catholiques. La différence primordiale, en l'occurrence, se situe entre ceux faisant allégeance au pape et ceux s'y refusant.

nait l'alliée d'Élisabeth, la reine d'Angleterre pourrait l'accepter comme héritière. Avec Catherine de Médicis rôdant autour du trône de France pour un certain temps (son fils Charles IX était désormais roi et elle avait cinq autres enfants qui pouvaient prétendre à la Couronne), la famille de Guise avait beaucoup plus de chances de conquérir pouvoir et influence en Angleterre qu'en France.

Le problème, que les Guise devaient pourtant connaître et avaient délibérément choisi d'ignorer, était que les Anglais s'opposaient de manière virulente à Marie. Française, catholique et nièce de celui qui avait reconquis Calais, elle n'était, aux yeux du peuple d'Angleterre, guère plus attirante qu'une lépreuse.

En somme, l'adolescente Marie était jetée dans la fosse aux lions à des fins de stratégie politique par sa propre famille française.

Vous n'êtes pas la bienvenue chez vous

Au cours de l'été 1561, l'obéissante Marie partit donc pour l'Écosse depuis Calais la française, en disant « Adieu, France » des sanglots dans la voix, tandis que la côte disparaissait à l'horizon (Calais devait être alors infiniment plus pittoresque que de nos jours). Elle devinait déjà que la vie n'allait pas être aussi facile que les Guise le lui avaient laissé entendre, la reine Élisabeth ayant refusé de lui garantir une traversée sans encombre de l'Angleterre. Marie était donc obligée de suivre un itinéraire risqué par la mer du Nord, qui était infestée de pirates. Et comme si une mer démontée, les pirates et la perspective d'une réception hostile ne suffisaient pas, un autre désagrément rendit le voyage déplaisant : à l'époque, les galères françaises étaient emmenées à la rame par des esclaves (des condamnés pour la plupart), et Marie devait constamment supplier le capitaine qu'ils ne fussent pas fouettés.

Elle arriva en Écosse le 19 août, et – agréable surprise – lorsque son bateau s'amarra à Leith, elle était attendue par les gens du coin comme n'importe quelle belle princesse en visite royale. Ils étaient ébahis devant le chic de sa robe et ravis qu'elle s'adressât à eux en écossais (assurément avec un délicieux accent français).

Mais au fond de son cœur, Marie s'y sentait totalement étrangère. Elle était sans doute d'accord avec les commentateurs français de l'époque quand ils écrivaient de l'Écosse que c'était une terre aride et hostile, habitée par une population fruste et perfide, perpétuellement engagée dans des vendettas interfamiliales. Bienvenue à la maison.

Marie prit résidence à Holyroodhouse, le palais royal au centre d'Édimbourg, que les maçons et décorateurs d'intérieur français de sa mère avaient habillé de plafonds ornés et de magnifiques tentures murales. Marie aima tout de suite son nouveau refuge – c'était en ville mais elle disposait de jardins où elle pouvait pratiquer le tir à l'arc et c'était juste à côté d'un parc rempli d'animaux qu'elle pouvait chasser. Elle aimait aussi partir se promener sur la lande et jouer au golf, jeu qu'elle appréciait depuis sa tendre enfance écossaise. On lui attribue d'ailleurs l'invention du terme « caddie », ses clubs étaient transportés par de jeunes fils de nobles français connus sous le nom de cadets.

À domicile, Marie préférait les divertissements français. Elle fit venir de France des musiciens et des saltimbanques et se mit à organiser des soirées musicales et dansantes qui ne passèrent pas très bien auprès des puritains du coin.

Innocente, ou peut-être influencée par ses parents français, Marie ne se rendait pas compte à quel point la question religieuse allait s'avérer sérieuse. L'Écosse était un État nouvellement protestant et, bien que la catholique Marie eût déclaré son intention de ne pas interférer avec la religion officielle du pays, elle fut horrifiée de constater que sa première tentative de célébrer la messe faillit se solder par une émeute. Ses prêtres furent molestés et la musique interdite au cours du service. La pauvre Marie dut se sentir un peu plus étrangère encore – et un peu plus française.

Mais son éducation française lui avait appris une chose : comment jouer de son charme. En vraie Parisienne capable d'envoûter n'importe qui, elle parcourut l'Écosse à la rencontre de la population. Celle-ci succomba rapidement.

Si les Écossais commençaient à apprécier leur monarque, le sentiment n'était pas tout à fait réciproque. Comme le dit Antonia Fraser dans sa biographie de Marie, la reine voyait dans les habitants des Highlands de nobles sauvages et dans les *lairds* des Lowlands des sauvages nobles. Elle savait que les factions rivales de seigneurs écossais catholiques et protestants ourdissaient de terribles complots dont elle était l'objet, avec à la clé un projet d'enlèvement et un mariage forcé au fils aîné de la famille.

Or, Marie et sa famille avaient des ambitions plus vastes. Les Guise cherchaient activement un mari qui serait acceptable non seulement pour les Écossais mais, plus que tout, pour la voisine fouineuse de Marie, Élisabeth Ire.

En réalité, ces deux reines auraient sûrement été d'accord pour dire qu'il était fort dommage que l'une des deux ne fût pas un homme car elles auraient formé un couple politique idéal. Si seulement le mariage homosexuel avait alors été légal, l'histoire aurait été bien différente et de nombreuses souffrances (surtout pour Marie) auraient pu être épargnées. Les deux femmes auraient dû adopter des enfants, bien sûr, mais cela leur aurait été plus facile qu'aux vedettes d'aujourd'hui car, en ce temps-là, les reines faisaient la loi[1].

Mais il ne devait point en être ainsi et Marie finit par se décider en faveur d'un Anglais, un adolescent impétueux nommé Henri Darnley. Ce cousin catholique de Marie (ils avaient la même grand-mère anglaise) était un jeune seigneur de dix-neuf ans, beau et plein d'assurance. En 1565, il vint rendre visite à Marie et tomba astucieusement « malade », de sorte qu'il fut contraint de demeurer au château de Stirling pendant qu'elle prenait soin de lui. Marie, vingt-deux ans et selon toute probabilité encore vierge, fut saisie d'un désir ardent pour Henri et, malgré l'opposition déclarée d'Élisabeth et de tous les seigneurs protestants d'Écosse, ils décidèrent de se marier. La cérémonie au cours de laquelle Henri fut couronné roi d'Écosse fut marquée par un silence total dans les rangs des lords.

---

1. Il est aussi fort regrettable qu'aucune lettre de leur correspondance ne contienne de bon mot à ce sujet – par exemple quelque chose du genre « dommage que cette Marie ne puisse devenir mon mari ».

Si Marie avait mené, depuis quelques années, une vie précaire, ce mariage la condamnait. À compter de ce jour, elle ne connaîtrait pratiquement plus rien d'autre qu'emprisonnement et effusions de sang.

La violence domestique est aussi pratique courante chez les classes supérieures

La première victime de ce climat de violence nouveau fut le secrétaire franco-italien de Marie, David Riccio, un petit homme laid qui divertissait la reine – maintenant enceinte – avec des jeux de cartes et de la musique tandis que son jeune mari, courant les chemins, contractait la syphilis. Des intrigants écossais convainquirent un Henri franchement benêt que Riccio était l'amant de sa femme ; un soir de mars 1566, une bande déboula dans la chambre de Marie, traîna le secrétaire hurlant jusqu'à l'entrée et le poignarda à plus de cinquante reprises sous les yeux d'Henri tandis qu'un des lords maintenait un pistolet sur le ventre de Marie.

Les intrigues et le meurtre avaient beau constituer le quotidien de la vie royale au XVIe siècle et la France être déjà déchirée par des massacres religieux du temps où Marie y résidait, ce n'est qu'à compter de ce jour-là qu'elle découvrit réellement la violence du monde dans lequel elle vivait. Elle soupçonna que les seigneurs comploteurs avaient promis à Henri le trône d'Écosse pour lui seul. Et elle avait probablement raison de croire que l'agression contre Riccio aurait dû s'achever par son meurtre à elle et qu'elle avait eu la vie sauve uniquement à cause des nerfs à vif des tueurs.

Elle réprima donc le dégoût que lui inspirait son mari et parvint à convaincre ce dernier qu'elle l'avait pardonné pour le malentendu concernant Riccio. Il mordit à l'hameçon et, dès que les intrigants virent qu'Henri avait repris le parti de son épouse, le complot fut déjoué. Du moins pour cette fois.

En juin 1566, à Édimbourg, Marie donna naissance à un garçon, Jacques, et prit la décision téméraire de le faire baptiser selon le rite catholique (même si elle rejeta une coutume très répandue qui voulait que le prêtre crachât dans la bouche du bébé). La cérémonie s'accompagnait d'une sorte de pantomime organisée par un valet français de Marie, un homme appelé Bastian Pages, au cours de laquelle des clowns français adressaient des gestes obscènes aux invités anglais, blague de mauvais goût qui faillit coûter la vie à Bastian Pages.

Le baptême comptait un absent de marque : le père de l'enfant, Henri, de plus en plus éloigné de l'épouse qu'il avait presque fait occire, et qui conspirait à l'enlèvement de son propre fils.

Marie n'eut cependant pas à le supporter beaucoup plus longtemps. En février 1567, alors qu'il se remettait d'un accès de syphilis dans une maison près des remparts d'Édimbourg, son dévoyé de mari anglais fut assassiné par une bande d'intrigants écossais, menés par le charismatique comte de Bothwell. Ils étaient en train de bourrer le sous-sol de la maison avec de la poudre à canon quand Henri s'était réveillé et, soupçonnant quelque chose de suspect, avait sauté par la fenêtre en chemise de nuit. Il avait tout de même été rattrapé et étranglé par les conspirateurs, qui en avaient profité pour faire sauter la maison.

174

Désormais mère célibataire, Marie était en proie à des problèmes nerveux de plus en plus graves. Mais la reine des Écossais était soudain redevenue un très bon parti. Elle savait aussi parfaitement combien la vie était fragile, ce qu'elle put constater à ses dépens le jour où elle rendit visite à son fils Jacques, à l'abri des murs du château royal de Stirling. Las, de retour pour Édimbourg, le convoi de Marie fut intercepté par un certain comte de Bothwell qui la persuada qu'un danger imminent la menaçait et la convainquit de la nécessité d'aller se cacher – pourquoi pas chez lui ? Elle accepta l'invitation de Bothwell, qui la conduisit aussitôt au château de Dunbar, à côté d'Édimbourg, pour la violer.

L'initiative, pour brutale qu'elle fût, était politiquement rusée : Bothwell pourrait revendiquer la paternité de tout enfant né de Marie dans les neuf mois qui suivraient. Bothwell savait également que, dans l'esprit catholique de Marie et contrairement à l'éducation reçue par les femmes françaises d'aujourd'hui, sexe et mariage étaient inextricablement liés. En somme, le viol contraignait Marie à épouser Bothwell.

En toute objectivité, Bothwell était, en fait, un bon choix : un lord écossais qui s'était montré assez impitoyable pour violer la reine était le genre d'homme dont le pays avait besoin pour lui donner un peu de stabilité (au XVIe siècle, s'entend). Trois semaines plus tard, le couple était marié, délai nécessaire pour que Bothwell, déjà marié, congédie son épouse précédente. Les noces furent tristes, expédiées comme les affaires courantes. Marie offrit ensuite à son nouvel époux un cadeau choisi à la hâte : un morceau de fourrure tiré du vieux manteau de sa mère.

Cette période de stabilité fut de courte durée. Un mois plus tard, un groupe de lords écossais conspirateurs, tous parents et changeant d'alliance une fois par semaine, leva une armée contre Bothwell et ses partisans. Tandis que les forces opposées se rassemblaient sur le champ de bataille à la porte d'Édimbourg, l'ambassadeur français vint demander à Marie de quitter Bothwell et de rallier les rebelles qui, dit-il, lui étaient loyaux et promettaient de la restaurer en tant que seule et unique reine d'Écosse (ce qui, soit dit en passant, referait d'elle une marionnette de la France).

Marie refusa, arguant que nombre de ces rebelles avaient encore il y a peu comploté avec Bothwell. Elle était alors parvenue à la conclusion qu'elle ne pouvait faire confiance à personne en Écosse, n'était son entourage intime de serviteurs français. Elle ne pouvait en aucun cas se fier à l'ambassadeur de France, au service de sa vieille ennemie Catherine de Médicis, qui souhaitait préserver l'alliance franco-écossaise mais préférait sans doute voir sur le trône l'enfant-roi Jacques, facilement manipulable, plutôt qu'une reine Marie adulte.

Finalement, la grande bataille annoncée capota. Lorsque Bothwell s'avança pour relever le défi d'un combat d'homme à homme, la plupart des membres de son armée s'éclipsèrent. Marie, seule au sommet de la colline surplombant le spectacle, fut prise en charge par une escorte de ses nouveaux « alliés » ; les soldats l'accueillirent au cri de « Brûlez la putain ! » ou « Noyez-la ! »

Comme une loque au milieu d'un loch

Plus vulnérable que jamais, Marie – toujours reine d'Écosse – fut conduite au château de Lochleven, une forteresse isolée au milieu d'un *loch*. Là, elle fut emprisonnée dans une tour et coupée de toute communication avec le monde extérieur. En vue d'annihiler tout soutien dont elle pourrait encore bénéficier au sein de la population, de fausses rumeurs circulaient sur sa complicité dans l'assassinat d'Henri Darnley. La preuve la plus tangible de sa culpabilité était qu'elle avait joué au golf juste avant le meurtre – le fait d'être sportive, pour une femme, était apparemment l'indice d'une criminalité en puissance.

Au cas où la campagne de dénigrement ne s'avérerait pas suffisante, Marie fut aussi menacée d'avoir la gorge tranchée si elle n'abdiquait pas en faveur de son fils Jacques, âgé d'un an. Une proposition qui ne se refusait pas.

Le choix du régent de Jacques fut un choc pour Marie : il s'agissait, en effet, de Jacques Stuart, comte de Moray, un demi-frère de Marie, l'un des enfants naturels de son père, qui avait été autrefois l'un des proches conseillers de Marie. Le traître se saisissait maintenant du pouvoir et de tous les joyaux de la Couronne. Après avoir perdu ses bijoux français, Marie se trouvait dépouillée du reste de son héritage familial. C'était la goutte d'eau écossaise qui faisait déborder le vase. Marie n'en pouvait plus de ces Nordistes ; elle voulait rentrer en France.

Âgée de seulement vingt-quatre ans, elle offrit d'abandonner la politique et de se retirer dans un couvent en

France ou de vivre en silence parmi les Guise. Elle parvint à transmettre clandestinement une lettre à Catherine de Médicis, l'implorant d'envoyer des troupes françaises pour la libérer. Sans surprise, la réponse fut un « non » cinglant. Loin de proposer son aide, Catherine envoya immédiatement une requête auprès du comte de Moray afin de récupérer certains des bijoux confisqués à Marie.

En désespoir de cause, Marie écrivit aussi (en français) à la reine Élisabeth d'Angleterre. Or, au moment même où elle trempait la plume dans ses larmes pour solliciter son aide, la cousine Liz admirait certains des bijoux de Marie que Moray venait de lui vendre.

Marie devait donc compter sur sa seule ruse pour s'évader du château. En mai 1568, après dix mois d'incarcération, elle usa de ses charmes pour convaincre un jeune cousin de ses ravisseurs de l'aider à s'enfuir, cachée dans un bateau. Apprenant qu'elle était libre, une nouvelle armée de nobles écossais soi-disant loyaux offrit de défendre sa cause, avant de se débiner au milieu de la bataille et sous ses yeux, comme toujours.

Marie dut se sentir désespérément seule, trahie et abandonnée par tous ceux qui avaient promis de l'aider. Il en allait à présent de sa vie.

Devait-elle rentrer « chez elle » en France ? Impossible ; Catherine de Médicis était une ennemie trop virulente. De surcroît, la France était en proie à des guerres religieuses sanglantes où sa famille semblait jouer un rôle délibérément funeste.

Devait-elle rester en Écosse en prétextant avoir abdiqué sous la contrainte pour essayer de ravir le pouvoir au régent ? Tout aussi impossible car elle manquait de soutiens fiables et risquait d'y perdre sa vie ou celle de son fils.

Marie se tourna donc vers le sud, l'Angleterre, se plaçant à la merci de sa cousine, la reine Élisabeth. Et nous savons tous combien cette décision fut déplorable...

Marie gagne une visite guidée des châteaux d'Angleterre

Ainsi commence une histoire que chacun connaît bien, celle de l'emprisonnement de Marie, de 1568 jusqu'à son exécution en 1587. Elle fut d'abord détenue à Carlisle, puis au château de Bolton, dans le Yorkshire du Nord, puis, pendant quinze ans, au château de Tutbury, à Staffordshire[1].

Le premier et dernier voyage de Marie en Angleterre débuta de façon fâcheuse : elle se rendit au Lake District par la mer et trébucha en mettant pied à terre, tombant à genoux comme Guillaume le Conquérant et Henri V avant elle. Il semble que l'entourage de Marie ait su que les membres de la famille royale étaient héréditairement incapables de débarquer d'un bateau. Comme il était de coutume de commenter un tel présage, il fut déclaré qu'il s'agissait d'un signe favorable : Marie venait mettre la main sur l'Angleterre.

Ce n'était assurément pas le genre de chose à dire sur le sol anglais, même en français ou en écossais,

---

1. Tutbury fut construit par un certain Henri de Ferrières, qui combattit à Hastings dans l'armée de Guillaume le Conquérant, et qui compta parmi ses descendants une autre figure tragique de l'histoire royale, la princesse Diana.

car Élisabeth redoutait les visées sur le trône de Marie. Aussi, au lieu d'être conduite auprès de sa cousine, Marie fut-elle immédiatement incarcérée sur la foi d'une loi expresse établissant que comploter contre Élisabeth relevait de la trahison, a fortiori quand on en était le principal bénéficiaire.

Marie reconnut cette loi et promit de renoncer à la Couronne anglaise. Elle jura même de ne plus jamais chercher à forger d'alliance franco-écossaise et de rendre illégales les messes catholiques en Écosse. Aucune de ces concessions, pourtant, ne suffit à lui garantir la liberté.

Pire, Élisabeth semblait croire les ragots colportés en Écosse sur le compte de Marie par Moray, notamment de nouvelles « preuves » découvertes fort à propos à Édimbourg et impliquant Marie dans le meurtre d'Henri Darnley. Il s'agissait des Casket Letters, supposément écrites par Marie à Bothwell (l'homme qui l'avait enlevée et violée) et qui, si elles étaient authentiques, suggéraient que Marie était au courant du complot visant son mari et avait déjà entretenu une liaison avec Bothwell. Personne ne paraissait troublé outre mesure que certaines de ces lettres fussent signées « Mary », orthographe qu'elle n'utilisait jamais, et que l'unique lettre en français fût truffée de fautes de grammaire que Marie aurait été incapable de commettre.

Marie envoya une multitude de missives à Élisabeth sollicitant au moins une audience – de cousine à cousine, de femme à femme – où elles pourraient percer l'abcès et faire le tri parmi tous ces mensonges. L'une de ces suppliques était un poème (en français, bien entendu) où Marie se comparait à un frêle esquif à la dérive sur les mers démontées du destin.

Marie écrivit aussi au roi de France Charles IX, frère cadet de son premier mari, le roi François, en implorant son aide au nom du temps jadis. En vain. Au contraire, sous l'influence de Catherine de Médicis, Charles suspendit la pension due à Marie en tant qu'ancienne reine de France et lui confisqua ses terres de Touraine.

Marie fut donc contrainte d'accepter son emprisonnement et fit de son mieux pour recréer autour d'elle sa mini-France, avec trente serviteurs, dont un secrétaire français pour écrire ses lettres et, bien sûr, un médecin et un apothicaire eux aussi français. Elle parvint à obtenir la permission de se rendre aux thermes de Buxton, près de Tutbury, pour y recevoir quelques cures à la française, et, comme toute Française demeurant dans une famille anglaise, elle suivit également un stage pour parfaire son anglais qui manifestement, jusque-là, demeurait terriblement désastreux.

Marie n'était pourtant pas une expatriée française ordinaire. Pendant qu'elle prenait ses bains à remous à la station thermale et améliorait son anglais, le pape poussait l'Espagne à envahir l'Angleterre pour secourir Marie et la marier au frère de Philippe d'Espagne, qui s'emparerait alors du trône d'Angleterre et reconvertirait tout le monde au catholicisme. Dans le même temps, la France envisageait aussi une alliance avec l'Angleterre en mariant Élisabeth à un autre frère du roi Charles IX, le duc Hercule d'Anjou. Sur le plan politique, Marie devenait au mieux encombrante et au pire gênante.

Il était donc logique que sa chute finale fût orchestrée par les services secrets anglais, l'ambassade de France à Londres y prenant part de façon apparemment involontaire. Des lettres secrètes adressées à Marie s'étaient, en effet, accumulées à l'ambassade dans l'attente du jour où elle pourrait les recevoir. Certaines relevaient de la trahison mais Marie ne pourrait être condamnée que si elle les lisait et, mieux, y répondait. Un postier se présenta donc à l'ambassade et offrit de porter les lettres clandestinement à Tutbury. Gilbert Gifford[1] était un Anglais catholique. Les Français lui remirent les lettres.

Ainsi débuta une correspondance entre Marie et ses sympathisants français, chacun ignorant que toutes ces lettres étaient lues par le maître espion Sir Francis Walsingham, chef des services secrets de la reine Élisabeth. Walsingham guettait le moindre mot qui puisse constituer une preuve de haute trahison et n'en revint pas de sa chance quand un nouveau correspondant apparut, un gentilhomme anglais du nom d'Anthony Babington, qui voyait en Marie une sorte de sainte catholique et avait décidé d'organiser une opération de sauvetage au fil de l'épée.

En juillet 1586, Babington envoya une lettre annonçant son intention d'assassiner Élisabeth et d'installer Marie sur le trône. Marie lui répondit que, si elle devait devenir reine d'Angleterre, une aide française serait nécessaire. Dans sa biographie, Antonia Fraser estime que Marie pourrait ne pas avoir approuvé le meurtre d'Élisabeth et que cette réponse relevait d'une

---

1. Gifford reçut une pension de l'Angleterre pour services rendus dans le cadre du complot contre Marie. Après la condamnation de cette dernière, il se rendit en France, devint prêtre, fut arrêté alors qu'il participait dans un bordel à une triangulaire bisexuelle et mourut en prison, à la Bastille.

simple supposition, typique de l'incapacité française à résister au plaisir d'une discussion philosophique. Mais pour Walsingham, cela suffisait : Marie avait approuvé la mort d'Élisabeth et se trouvait donc coupable de haute trahison.

Marie allégua, en vain, que, en tant que chef d'État étranger, elle ne pouvait être jugée par un tribunal anglais. En principe, cela était exact, mais la loi rendant passible de poursuites quiconque ourdirait la chute d'Élisabeth s'appliquait y compris aux reines étrangères.

Se sachant en danger de mort, Marie joua la carte « J'ai le bras long » et prononça une de ses plus fameuses déclarations concernant la menace voilée d'une intervention franco-espagnole en cas d'atteinte à sa personne. « Souvenez-vous, dit-elle aux officiers présents à l'une des audiences, que le théâtre du monde est plus vaste que le royaume d'Angleterre. » Assez pour s'assurer que Marie aurait bientôt un tête-à-tête avec l'homme à la hache. Comment ? Suggérer qu'il existait quelque chose de plus grand que l'Angleterre élisabéthaine ? Coupez-lui la tête !

Catherine de Médicis avait beau ne pas vraiment porter Marie dans son cœur, elle ne pouvait décemment pas laisser une ancienne reine de France être exécutée comme une vulgaire criminelle, surtout par les Angliches. Henri III, le nouveau roi de France et ex-beau-frère de Marie, promit de veiller à ce qu'aucune autre conspiration contre Élisabeth ne puisse être ourdie si Marie était épargnée. Mais les Anglais n'avaient que faire des promesses françaises ou s'en méfiaient. On ignora la proposition d'Henri.

L'Écosse, elle, gardait le silence – ce qui n'était guère surprenant étant donné que le fils de Marie, le roi Jacques, à présent âgé de vingt ans et indépendant d'esprit, avait conclu une alliance avec Élisabeth. Si bien que lorsque les ambassadeurs anglais lui demandèrent s'il romprait cette alliance dans l'éventualité où l'on couperait la tête de sa mère, il répondit que non.

La pauvre Marie était condamnée.

La récidive et c'est perpète

Marie semble avoir réagi avec dignité, acceptant que les jeux fussent faits. Elle déclara être prête à devenir une martyre – « avec l'aide de Dieu, je mourrai dans la foi catholique » – et alla jusqu'à déclarer qu'il revenait à Philippe d'Espagne de s'emparer du trône d'Angleterre et d'en finir avec le protestantisme.

En dépit de cette ultime bravade, Élisabeth était pourtant encore réticente à signer l'arrêt de mort, redoutant de créer une martyre, ainsi que les représailles des pays catholiques. Elle essaya même de convaincre les geôliers de Marie de l'éliminer discrètement – comme nous l'avons vu, les précédents abondent de membres de familles royales victimes d'un malheureux accident alors qu'ils se trouvaient en détention, en allant, par exemple, s'empaler par inadvertance sur un tisonnier ardent. Mais devant le refus obstiné des gardiens (le charme de Marie agissait encore), Élisabeth fit en sorte qu'elle signe l'ordre d'exécution « innocemment ». Sa secrétaire le plaça ainsi au milieu d'une pile d'autres papiers et Élisabeth prétendit qu'elle n'avait « pas fait attention » à ce qu'elle signait.

L'affaire conclue, elle fit mine de garder par-devers

elle le document mais n'empêcha nullement ses assistants de le remettre au château de Fotheringhay, dans le Northamptonshire, dernier lieu d'incarcération de Marie.

Le 7 février 1587 au soir, à l'âge de quarante-quatre ans, Marie reçut la visite des comtes de Kent et Shrewsbury, qui lui annoncèrent que son exécution aurait lieu le lendemain matin. Marie s'y était préparée mais jura sur la Bible qu'elle était innocente et qu'elle n'avait fomenté aucun complot visant à tuer Élisabeth. Le comte de Kent objecta que son serment ne valait rien car il avait été prononcé sur une bible catholique. Marie répliqua avec la logique irréfutable des Français : « Si je devais jurer sur un livre que je crois être la vraie version, Monsieur le comte ne croirait-il pas davantage à mon serment que si je jurais sur une traduction à laquelle je ne crois pas ? » Le pauvre comte devait encore chercher que répondre lorsque Marie fut exécutée.

Marie passa sa dernière nuit à rédiger son testament et à écrire quelques lettres. Elle demanda à ce qu'une messe soit dite en France et fit un legs aux moines de Reims. Elle sollicita aussi formellement d'être inhumée en France, dans l'une des cathédrales royales de Saint-Denis ou Reims – ce que les Français refusèrent.

Le lendemain matin, elle s'avança courageusement vers le billot et instruisit ses serviteurs de « dire à mes amis que je suis morte en femme fidèle à ma religion, comme une vraie femme écossaise et comme une vraie femme française ». Lorsque ceux-ci se mirent à gémir, elle leur demanda, en français bien sûr, de rester dignes.

Une fois l'affaire réglée (par deux coups de hache

de boucher déjà ensanglantée, dit-on), le bourreau leva la tête de Marie en la tirant par ses fameux cheveux auburn et une perruque lui resta entre les mains. La tête roula au sol ; ses vrais cheveux avaient grisonné prématurément à la suite de son long emprisonnement.

Dans la plus pure tradition d'hypocrisie politique, la France se mit en deuil et une messe de requiem fut célébrée à Notre-Dame, en présence d'Henri III et de sa mère, Catherine de Médicis, qui, espère-t-on, s'abstint de porter les bijoux qu'elle avait confisqués à Marie. Un archevêque prononça le sermon, écumant avec rage que « la hache d'un vulgaire bourreau [avait] défiguré ce corps qui avait honoré le lit d'un roi de France ».

Du côté de l'Écosse, le fils de Marie, le roi Jacques, réagit à la nouvelle avec un stoïcisme que certains purent prendre pour de l'indifférence. Il demeura impassible et déclara seulement : « Maintenant, je suis seul roi. » Plus tard, il ajouta que cette exécution était « une procédure étrange et ridicule ». Pas vraiment ce qu'on pourrait appeler de l'indignation filiale ou patriotique.

Posons-nous finalement la question : Marie, reine des Écossais ?

Eh bien, stricto sensu, oui, même si, ayant été trahie par à peu près tous les Écossais en état de le faire, au moment de mourir, Marie s'était clairement revendiquée française. C'est en France qu'elle souhaitait être enterrée et, dans sa toute dernière lettre adressée au roi Henri III, elle disait mourir parce qu'elle constituait une menace française pour le trône d'Angleterre. Marie semblait avoir oublié que ses parents maternels, les Guise, avaient mis sa vie en danger en l'impliquant dans leurs luttes de pouvoir religieuses et que Catherine de Médicis, reine ou reine mère pendant toute la vie de Marie, avait été – excusez mon français – une véritable salope envers elle.

En termes politiques, c'étaient les Français, et non les Écossais, qui y perdaient avec la disparition de Marie. La France se trouvait ainsi privée de la seule personne en Europe qui pouvait, de manière réaliste, prétendre occuper la place sur le trône d'Angleterre sans apparaître antipathique à l'ambassadeur de France. Au goût des Français, le fils de Marie, le roi Jacques d'Écosse, était beaucoup trop copain avec Élisabeth. À quarante-quatre ans, Marie aurait pu encore, en théorie, se marier à un Français, hériter de la Couronne d'Angleterre à la mort d'Élisabeth (de cause naturelle ou non) et ramener dans le droit chemin son fils errant. Cela aurait été une situation rêvée pour la France : avec Marie sur le trône d'Angleterre et Jacques au pouvoir en Écosse, toute la Grande-Bretagne aurait pu se trouver dirigée à nouveau depuis l'autre côté de la Manche, comme cela avait été le cas du temps de Guillaume le Conquérant.

Mais d'un coup (ou deux) de hache anglaise, ce rêve français avait été brisé. La France venait de perdre une colonie potentielle, à cause de son incapacité à militer en faveur de la personne qui représentait le mieux ses intérêts. Une attitude qu'elle reproduirait bientôt à l'autre bout du monde…

En 1587, en même temps que Marie, reine des Écossais, perdait sa tête, la France perdait tout espoir de s'emparer de la couronne de la reine Élisabeth Ire d'Angleterre.

6

Le Canada français,
ou comment perdre une colonie

Pour les Français, leurs cousins du Canada les ramènent à des temps historiques pittoresques. Les Québécois parlent avec un accent que la plupart d'entre eux trouvent archaïque, voire comique, une sorte de patois paysan du XVIIᵉ siècle. Les Québécois usent de drôles de mots comme « *char* » pour « voiture » et « *blonde* » pour « petite amie », et leurs jurons font référence à des termes religieux anciens comme « *sacrement !* » ou « *tabernacle !* ». Lorsqu'un Québécois accorde un entretien à une chaîne de télévision française, il ou elle est souvent sous-titré(e) en français « normal », comme si la langue parlée au Canada francophone était si barbare qu'elle en devenait incompréhensible. En un mot, les Français considèrent les Québécois un peu comme les New-Yorkais considèrent les gens de l'Alabama. Il y aurait un peu de l'homme de Cro-Magnon en eux.

En même temps, toute évocation de l'histoire du

Québec suscite chez les Français une indignation anti-anglaise et antiaméricaine encore brûlante, comme à l'évocation d'un vieux bistrot transformé en Starbucks. Le Canada a été volé à la France, prétendent-ils, et si le mot « Acadie » vient à être prononcé, l'accusation de génocide britannique risque de ne pas tarder à tomber (à condition, évidemment, que la personne ait entendu parler de l'Acadie).

L'Acadie est, bien entendu, le nom français donné à ce qui est aujourd'hui la Nouvelle-Écosse, une péninsule située au nord-est du Canada qui, en 1713, après un siècle et demi d'atermoiements, fut finalement concédée à la Grande-Bretagne puis évacuée dans les années 1750, de manière peu amène, il est vrai, après que les colons français eurent refusé de prêter allégeance à la Couronne britannique. Quelque 12 600 Acadiens furent renvoyés de force par la mer, la plupart échouant comme réfugiés en Nouvelle-Angleterre, en Grande-Bretagne, en France et en Louisiane (le mot « cajun » est d'ailleurs une déformation du mot « acadien »).

Si vous vous rendez à Belle-Île-en-Mer, au large de la côte bretonne, vous pourrez y voir, au Palais, une exposition permanente consacrée aux Acadiens qui s'établirent ici. Le site officiel de l'île propose une page poignante dédiée à ces réfugiés qui formèrent « la diaspora de ce peuple humble et pacifique dont toute la civilisation fut fondée sur la foi en Dieu, le respect des ancêtres et l'honneur du travail ». En bref, l'Acadie est l'un de ces sésames qui, comme Jeanne d'Arc, permet de lever le voile sur l'ignoble traîtrise et la francophobie cruelle des Britanniques.

Pourtant, comme dans le cas de Jeanne d'Arc, les

Français semblent oublier le rôle pas très glorieux qu'ils jouèrent eux-mêmes dans cette affaire.

Pas de place pour la France
dans le Nouveau Monde

Dès que Christophe Colomb revint de sa première aventure transatlantique, les rois d'Espagne et du Portugal obtinrent l'accord du pape pour entrer en possession des territoires nouvellement découverts. Le Saint-Père les autorisait à un partage le long d'une ligne fictive tracée de haut en bas de la carte connue du monde occidental, d'un pôle à l'autre, et coupant l'Atlantique en deux. Tout ce qui se trouvait à l'est de cette ligne – la côte africaine, de vastes zones océaniques et une partie du Brésil – revint au Portugal. Tout ce qui se trouvait à l'ouest de cette ligne appartiendrait à l'Espagne. Grosso modo, le 7 juin 1494, par un décret d'ordre divin, l'Amérique du Nord et l'Amérique du Sud devinrent espagnoles dans leur quasi-totalité.

La France en conçut une aigreur considérable tout en n'étant probablement pas surprise ; le pape en question, Alexandre VI, alias Rodrigo Borgia[1], venait en effet d'être désigné au terme d'une campagne où les groupes de pression politiques, les intérêts particuliers, les belles promesses et, soupçonne-t-on, quelques pots-de-vin eurent la part belle. La France avait soutenu

---

1. Ce pape fut un peu plus qu'un simple *Saint*-Père. L'*Encyclopédie catholique* concède qu'il entretenait « des relations avec une dame romaine » qui lui donna quatre enfants, dont la célèbre Lucrèce. Elle ne fait toutefois pas mention des trois autres enfants qu'il eut avec d'autres maîtresses.

le rival de Rodrigo Borgia en lui concédant 200 000 ducats d'or (en monnaie d'aujourd'hui, un sacré pactole). Pas étonnant, donc, que la France ne trouvât pas sa place sur la carte papale du Nouveau Monde.

Les Français considérèrent cela comme d'autant plus injuste qu'ils affirmaient avoir découvert le Nouveau Monde bien avant Colomb (personne n'imaginait que les peuples autochtones d'Amérique aient pu découvrir eux-mêmes les lieux plutôt que d'y avoir poussé comme des plantes, et personne n'avait connaissance des expéditions vikings du XIe siècle ; celles-ci étaient mentionnées dans les sagas islandaises, mais la *Saga des Groenlandais* n'était pas disponible dans les bibliothèques publiques françaises, probablement parce que au XVe siècle, la France n'en possédait aucune).

Une histoire de la colonisation française datant de 1940 et écrite par Henri Blet affirme qu'une église de Dieppe avait été décorée dès 1440 de mosaïques figurant les indigènes d'Amérique, et que les archives de la ville contenaient des récits de marins qui s'étaient rendus en Amérique du Sud au moins cinquante ans avant Colomb. Hélas, écrivait M. Blet, toutes ces preuves irréfutables avaient été détruites au cours d'un bombardement de Dieppe par les Anglais, en 1694. La faute aux Anglais, comme d'habitude.

Le même auteur précise que des « pêcheurs de Bayonne » avaient de longue date atteint Terre-Neuve, sur la côte canadienne, au cours de chasses à la baleine. Il se tire toutefois une balle dans le pied en mentionnant qu'ils appelaient cette île Baccalaos, un terme portugais qui désigne la morue. Ces pêcheurs étaient en réalité des Basques, et non des Français, qui séchaient et salaient là-bas le poisson depuis des siècles et avaient tu, pour des raisons évidentes, l'existence de cette riche réserve de poissons.

M. Blet ajoute que des pêcheurs de Normandie, de Bretagne et de La Rochelle s'étaient rendus au Canada des dizaines d'années avant que Colomb ne traverse l'Atlantique et il conclut que « les Français n'étaient pas absents de ces grandes découvertes. Mais leurs voyages étaient discrets… » Certainement la première (et dernière) fois dans l'histoire que les Français s'étaient montrés discrets sur leurs exploits.

« *Dice semper* » (« Cause toujours », en latin), répondit sans doute *Signore* Borgia, alias Alexandre VI. Le Nouveau Monde serait portugais et espagnol, par décret divin, ce qui ne manquait pas d'ironie étant donné que l'une des découvertes que Colomb rapportera de ses voyages fut la syphilis, maladie que le pape attraperait bientôt.

Henri VII d'Angleterre répliqua au décret papal en finançant l'expédition de l'explorateur Giovanni Caboto (un Italien, comme Colomb), dont le nom fut modifié en John Cabot afin que ses découvertes apparaissent plus anglaises. En 1497, Cabot « découvrit » bien l'Amérique du Nord (Colomb ne s'était pas rendu plus au nord que les Caraïbes) même s'il adressa sans doute un petit signe de la main aux Basques en arrivant à Terre-Neuve. S'il y parvint jamais d'ailleurs : ses cartes étaient suffisamment imprécises pour que nous n'en soyons pas certains. Ce qui explique probablement aussi pourquoi il disparut pour toujours lors de sa seconde mission, en 1498.

Quant aux Français, ils se contentèrent de pester contre le décret papal. Selon Henri Blet, le roi François Ier s'en tint à une remontrance auprès des Espagnols au prétexte que « le soleil luit pour moi comme pour les autres. Je voudrais bien voir la clause du testament d'Adam qui m'exclut du partage du monde ». Cela ne manquait pas d'esprit mais grandement d'efficacité puisque les Espagnols s'en soucièrent comme d'une guigne.

Appelez Mr Darcy !

Au cours des deux siècles suivants, les monarques anglais et français envoyèrent explorateurs et pionniers de l'autre côté de l'Atlantique pour essayer de s'approprier les marchés de la morue et de la fourrure de castor. Les Français envoyés ainsi sur le littoral oriental de l'Amérique ne furent, en général, pas défaits par les Brits mais plutôt minés par leurs querelles internes. Pendant toute cette période, la France était déchirée par les conflits religieux. Ses tentatives de coloniser le monde se heurtaient à un écueil redoutable : tandis que ses dirigeants étaient généralement catholiques, ses plus grands armateurs étaient protestants. Tout ce que les Anglais avaient à faire était de souffler sur les braises de la guerre religieuse et d'envoyer quelques vaisseaux remplis de semi-pirates pour piller toute colonie française qui aurait réussi à s'établir en dépit de l'impéritie de la métropole.

Aussi, à la fin du XVIIᵉ siècle, alors que les Britanniques possédaient des colonies s'étendant de la Virginie au Maine, habitées par quelque 200 000 planteurs et commerçants, les terres françaises se situaient-elles pour l'essentiel à l'intérieur du territoire, en remontant le cours du fleuve Saint-Laurent, autour de villages lourdement fortifiés, comme Québec et Montréal. La population ne dépassait guère 20 000 âmes, notamment parce que les Français tenaient à établir là-bas des religieuses et des prêtres jésuites – deux communautés peu connues pour leur taux de fécondité élevé.

Autre problème : dans les années 1590, le roi Henri IV avait décrété que des colonies françaises devaient être créées au nord du 40e parallèle, loin des importuns espagnols, présumant certainement que le climat à cette latitude était le même qu'en Europe. Quand les colons français mouraient de froid au Canada en gémissant « Mais ne nous trouvons-nous pas à la même latitude que Venise ? », leurs plaintes étaient emportées par les bourrasques de vent arctiques.

Au début du XVIIIe siècle, les Français s'obstinaient pourtant à demeurer en Nouvelle-France (le nom donné aux régions du Canada possédées par la France) et en Acadie. Quel dommage alors de donner tout cela aux Britanniques !

En 1713, le roi Louis XIV signa le traité d'Utrecht dans lequel, entre autres choses, il renonçait à ses prétentions sur Terre-Neuve et sur l'Acadie, en échange de la possession de l'Alsace et d'une réduction des taxes sur les exportations françaises en Angleterre. En somme, la côte canadienne était passée par pertes et profits. Le genre de choses qui expliquent que, encore aujourd'hui, les Québécois détestent la France métropolitaine.

Plusieurs vagues de colons anglophones s'implantèrent aussitôt en Acadie, accompagnés d'un nombre important de soldats. En 1749, les Britanniques fondèrent Halifax afin de se doter d'une capitale à eux, non francophone. Les Acadiens ne furent certainement pas rassurés quand, en 1754, ils apprirent qu'un homme du nom de Charles Lawrence venait d'être désigné gouverneur de la Nouvelle-Écosse. Son profil sera familier à quiconque a lu Jane Austen ou vu l'une de ses adaptations : un Anglais arrogant et bigot, convaincu que la loi est de son côté et qu'il est donc libre d'agir odieusement. Jane Austen aurait sans doute envoyé Mr Darcy lui rabattre le caquet mais tout cela se déroulait fort loin de la bucolique campagne anglaise, dans une péninsule sauvage accrochée au bout du monde connu, où la mort menaçait comme la pluie et où, de mémoire d'homme, des communautés entières avaient été décimées ou déplacées un nombre incalculable de fois.

Lawrence, un militaire, était un sadique aux pouvoirs presque illimités. Fortement suspicieux à l'encontre des Acadiens, l'une de ses premières actions fut d'exiger qu'ils prêtent allégeance à la Grande-Bretagne et qu'ils s'engagent sur le plan militaire contre toute force d'invasion – la France, par exemple. Naturellement, les Acadiens refusèrent, non seulement parce qu'ils répugnaient à tirer sur leurs anciens compatriotes mais également parce qu'ils ne voulaient pas être appelés loin de leurs champs et de leurs forêts chaque fois qu'un commandant français viendrait à faire du grabuge.

En retour, Lawrence imposa des peines ridiculement lourdes pour tout acte de déloyauté. Par exemple, si on demandait à un Acadien d'approvisionner en bois de chauffe un campement britannique et qu'il n'obtempérait pas assez vite, sa maison était détruite pour en faire du combustible. Lawrence fit aussi confisquer fusils et canots aux Acadiens – outils essentiels pour ces communautés de chasseurs et de pêcheurs – et entreprit de convertir les colons français à l'Église anglicane. Sans surprise, les Acadiens cherchèrent refuge loin de ce fou anglais, ce qui n'était pas bien difficile vu que la Nouvelle-Écosse était une vaste péninsule en grande partie inexploitée, pleine de rivières et de ruisseaux où un trappeur ingénieux pouvait facilement gagner sa vie.

Rendu furieux que ces rusés de Français défient son autorité, le gouverneur Lawrence donna l'ordre, le 28 juillet 1755, de les faire déporter.

Il commanda à la Nouvelle-Angleterre, au sud, l'envoi d'une flotte d'une vingtaine de bateaux-cargos dont les cales furent transformées en cellules, sans fenêtre et sans sanitaires (marchands d'esclaves, les gens de Nouvelle-Angleterre étaient familiers de ce genre de transport). Dans le même temps, des soldats – également venus de Nouvelle-Angleterre – étaient positionnés près du village de Grand-Pré, en Nouvelle-Écosse, avec instruction d'attendre avant de passer à l'action ; c'était en effet la saison de la pêche et le gouverneur désirait que les Acadiens laissent derrière eux de belles réserves de poisson frais.

Se demandant ce que les soldats manigançaient, les paisibles colons continuèrent de mener une vie normale mais soupçonnèrent que quelque chose de déplaisant se tramait quand cinq bateaux-cargos amarrèrent à vide et que Charles Lawrence enjoignit à tous les mâles de plus de dix ans d'assister à un rassemblement, le 5 septembre à 15 heures, en l'église Saint-Charles, à Grand-Pré (on ne sait si le choix du lieu était une plaisanterie mais c'est douteux : le pas du tout saint Charles Lawrence ne semblait guère porté à l'humour). La présence à la réunion était obligatoire « sous peine de confiscation de tous les biens ».

Cet après-midi-là, plus de 400 hommes et enfants se rassemblèrent pour entendre de la bouche d'un certain colonel Winslow qu'ils allaient être instruits de « la résolution finale de Sa Majesté à l'adresse des habitants français de cette province royale de Nouvelle-Écosse, qui ont depuis près d'un demi-siècle été traités avec davantage d'indulgence que n'importe quel sujet de ses dominions ». Le colonel Winslow déclara que ce qu'il était sur le point d'accomplir lui était « très désagréable » – « comme je sais que cela sera très pénible pour vous qui êtes de la même espèce » (admettant au moins que les Acadiens étaient des êtres humains). Puis il annonça : « Vos terres, logements et bétails de toutes sortes sont confisqués par la Couronne tandis que tous vos autres effets, économies, argent et meubles doivent quitter cette Province en même temps que vous-mêmes. »

L'annonce était particulièrement choquante mais Winslow fit montre de *fair-play*, en précisant « être par la bonté de Sa Majesté instruit de vous autoriser à transporter argent et meubles dans la mesure où cela n'encombre pas les vaisseaux sur lesquels vous monterez ». Ce qui, étant donné le nombre de personnes prêtes à être embarquées à bord de chaque bateau, relevait du mensonge éhonté.

Il promit aussi que « les familles [embarqueraient] sur le même vaisseau » – autre mensonge, comme le démontrait un ordre donné par Lawrence à l'un des autres soldats, un certain colonel Robert Monckton : « Je vous saurais gré de ne pas attendre femmes et enfants et d'embarquer les hommes sans eux. »

L'annonce faite dans l'église dut être accueillie avec perplexité car les seuls mots d'anglais que connais-

saient les Acadiens étaient « *cod* » (« morue ») et
« *beaver* » (« castor »). Il semble que le seul linguiste
présent fut un Acadien du nom de Pierre Landry, qui
traduisit la déclaration britannique dès qu'il se fut
quelque peu remis du choc provoqué par celle-ci.

Les plaidoyers pour une plus grande clémence se
firent aussitôt entendre. Certains Acadiens proposèrent
de payer pour leur relaxe et de gagner l'intérieur des
terres, vers les colonies françaises. Mais on le leur
refusa. D'autres supplièrent d'être autorisés à aller dire
aux femmes ce qui se passait, afin de pouvoir se préparer au départ. Finalement, une petite délégation fut
autorisée à aller informer les familles, pendant que
Winslow gardait les autres hommes en otage, plaçant
250 d'entre eux, parmi les plus jeunes, en détention
sur les bateaux à quai.

Il fallut attendre le 8 octobre pour que le reste de
la flotte cargo arrive et que débute la déportation de
masse. 24 hommes avaient déjà alors sauté des bateaux
et 2 d'entre eux avaient été abattus. Femmes et enfants
rejoignirent les hommes, emportant avec eux autant de
biens qu'ils pouvaient en transporter, des biens qui,
en dépit des promesses britanniques, furent laissés sur
la berge. Ils s'y trouvaient encore cinq ans plus tard
lorsque des colons anglais vinrent s'implanter dans
la région.

Le 27 octobre, 14 navires levèrent l'ancre avec
presque 3 000 personnes à bord, parqués comme des
esclaves et ayant à peine de quoi se nourrir pour survivre. Si les Acadiens avaient disposé de hublots, ils
auraient pu voir la fumée et les flammes s'élever de
leurs habitations tandis que les soldats brûlaient maisons et granges.

Dans d'autres régions de la Nouvelle-Écosse, des déportations tout aussi brutales eurent lieu, elles furent toutefois moins « efficaces ». Des hommes parvenaient à s'évader et de nombreuses familles se cachaient dans les forêts, échappant à des parties de chasse dont elles auraient été le gibier mais souffrant de la rigueur du climat et du manque de nourriture. Dans certains cas, des villages entiers prirent leur bâton de pèlerin et émigrèrent vers l'intérieur des terres pour fonder de nouvelles colonies dans des endroits où les Brits ne les trouveraient pas.

Afin de s'assurer que les Acadiens ne recevraient aucune aide de la part des populations indigènes, Lawrence offrit 30 livres sterling (une petite fortune) pour tout homme et 25 pour toute femme ou enfant capturé vivant.

Il s'agissait là d'un nettoyage ethnique à grande échelle, tel que les Britanniques ne l'avaient pas pratiqué depuis la guerre de Cent Ans, la différence étant que, au lieu d'être transpercées au hasard d'un coup d'épée, les victimes mouraient de froid, de faim ou alors qu'elles étaient « en train de s'évader » ou d'« aider l'ennemi ».

Entre 1755 et 1763, on estime à 12 600 le nombre d'Acadiens déportés sur un total d'environ 18 000 et à 8 000 le nombre de morts, dont beaucoup étaient ceux qui avaient tenté de s'échapper.

La France ne se montra pas particulièrement sensible au sort de ses colons. Ainsi de Voltaire qui, avec sa plume acérée, ne faisait que dire tout haut ce que tout le monde pensait tout bas à propos du Canada quand il écrivit dans une lettre, après le terrible tremblement de terre de Lisbonne en 1755 : « Je voudrais que le tremblement de terre eût englouti la misérable Acadie plutôt que Lisbonne. » L'écrivain est aussi célèbre (du moins au Québec) pour avoir regretté, en 1757, que la Grande-Bretagne et la France se fassent la guerre pour « quelques arpents[1] de glace en Canada ». Et les Canadiens français, qui tiennent à disposition une longue liste de citations du même tonneau, apprécient également celle-ci, de 1762 : « J'aime mieux la paix que le Canada. »

Cela étant, la déportation des Acadiens ne fut pas exactement la plus grande heure de gloire de l'histoire des Anglais ou de la Nouvelle-Angleterre, ce qui explique sans doute qu'il en soit fait moins de publicité dans les livres d'histoire anglais que des incursions héroïques vers l'intérieur des terres...

Un loup déguisé en Wolfe

En 1756, un an après le début de la déportation des Acadiens, la guerre de Sept Ans éclata et, en fait d'escarmouches, la France et la Grande-Bretagne étaient cette fois officiellement engagées dans une bataille à grande échelle pour le contrôle des colonies en Amérique du Nord et ailleurs.

L'Acadie avait été plus ou moins abandonnée à son sort, mais un officier expérimenté fut choisi pour défendre les intérêts de la France au Canada : Louis Joseph de Montcalm-Gozon, marquis de Saint-Véran

---

1. En France, un arpent représentait 71,48 mètres carrés. Mais en Nouvelle-France, c'est-à-dire au Canada, un arpent ne représentait plus que 64,97 mètres carrés. Même ici, les Canadiens français se retrouvaient floués.

(plus prosaïquement appelé Montcalm), qui avait combattu dans plusieurs conflits européens et américains et en avait été récompensé par des blessures au mousquet et à l'épée. Au printemps 1756, il traversa l'Atlantique avec 1 200 soldats pour renforcer une armée de quelque 4 000 hommes déjà basés en Nouvelle-France. Il disposait également du soutien de 2 000 miliciens locaux, bien que ces derniers fussent des combattants notoirement inconstants, plus intéressés à courir le gibier qu'à prendre part à des guerres internationales.

Dans un premier temps, Montcalm mena avec succès des incursions en territoire britannique, s'emparant de plusieurs forts en même temps que de leurs précieux canons et de réserves de munitions. Mais l'aide promise par Paris n'arrivait pas, la majeure partie des convois français étaient arraisonnés par les Anglais. En septembre 1759, Montcalm trouva refuge dans la ville de Québec.

C'est là qu'eut lieu le face-à-face final avec le général anglais James Wolfe. Le 13 septembre 1759, Wolfe atteignit Québec à la tête d'une énorme armée de 9 000 soldats, 18 000 marins et 170 bateaux, après avoir remonté le fleuve Saint-Laurent sur près de 450 kilomètres – avec l'aide précieuse d'un capitaine de trente ans, James Cook, qui avait un don pour les relevés topographiques et la cartographie qui lui serait fort utile, quelques années plus tard, au moment de s'en aller découvrir l'Australie.

Face à des Français douillettement installés dans leur ville fortifiée au sommet d'une falaise imprenable, le long voyage de Wolfe semblait s'être avéré inutile. Mais le général refusait d'accepter la défaite et il envoya une partie de ses troupes à l'assaut de la falaise. Montcalm n'en aurait pas été inquiété si les Britanniques n'avaient pas débarqué des canons à terre. Craignant que la ville soit bombardée, il se plaça à la tête de 5 000 hommes pour repousser les envahisseurs vers le fleuve.

Wolfe menait lui aussi personnellement ses troupes à la bataille et avait développé une façon singulière – à la fois hardie et calme – de faire face à des attaques frontales. Il laissa donc les assaillants français s'approcher jusqu'à 40 mètres de lui, puis ordonna à ses hommes de tirer une seule et meurtrière salve de mousquet, brisant net l'attaque et acculant les rescapés – dont beaucoup de miliciens sans grande conviction – à une retraite immédiate. La bataille dura à peine un quart d'heure et Québec tomba.

Cependant, les deux commandants gisaient à terre, mortellement blessés par les tirs de mousquet. Lorsque Wolfe fut informé de la retraite de l'ennemi, il déclara : « Dieu soit loué, je mourrai en paix. » Ce qu'il fit à l'instant même. Montcalm, à qui l'on apprit qu'il ne survivrait pas à ses blessures, déclara dans un râle : « Tant mieux. » Il paraissait avoir deviné que la bataille du Canada était d'ores et déjà perdue.

Retournez chez vous (si vous savez où c'est)

Montréal, l'autre grande ville française à l'intérieur des terres, capitula l'année suivante. Les Britanniques laissèrent en paix la plupart des civils et ceux-ci demeurèrent sur place, loin de la France, préservant ainsi leur accent archaïque et forts de leur taux de natalité aux normes catholiques (il y a encore une génération, les familles québécoises comptaient en moyenne une dizaine d'enfants).

Les Acadiens, eux, n'eurent pas droit à pareil traitement. Ceux qui avaient survécu à l'emprisonnement et à la déportation n'en avaient pas fini pour autant de souffrir.

Les colonies britanniques n'avaient pas été averties de l'arrivée prochaine des réfugiés, bien que le gouverneur de la Nouvelle-Angleterre, William Shirley, fût impliqué dans toute l'affaire. Environ 1 500 Acadiens débarquèrent en Virginie et Caroline du Nord mais se virent refuser l'entrée sur le territoire et furent contraints de demeurer sur la plage ou à bord des navires jusqu'à ce que leur traversée vers l'Angleterre soit organisée. Lorsqu'ils repartirent, deux vaisseaux sombrèrent, faisant près de 300 morts. Pendant des années, de nombreux Acadiens, considérés comme des prisonniers de guerre, vécurent dans des cabanes près du port de Southampton, dans des poteries désaffectées de Liverpool et dans des bâtiments en ruine à Bristol.

Quelque 2 000 réfugiés arrivés dans le Massachussetts y moururent de la variole ou furent contraints de travailler comme domestiques. Plus au sud, à New York, 250 d'entre eux furent emprisonnés et réduits à la servitude.

Dans le Maryland, les Acadiens ne furent guère mieux traités que les esclaves ; ils étaient jetés en prison s'ils ne trouvaient pas aussitôt un emploi quel qu'il soit. S'ils cherchaient à quitter la colonie, on leur tirait dessus. En Pennsylvanie, ils furent entassés dans un bidonville de Philadelphie (la « ville de l'amour fraternel ») et on leur refusa le droit de travailler. Beaucoup furent incités à émigrer vers Haïti, où le gouverneur français les employa comme forçats de l'île pour y construire une base navale. *Bienvenue en France !*

En 1763, Français et Britanniques signèrent le traité de Paris, par lequel le Canada était cédé à la Grande-Bretagne, à l'exception de deux minuscules îles au large de la côte Atlantique – Saint-Pierre et Miquelon. L'une des conséquences de la paix fut de permettre à la France de récupérer ses prisonniers de guerre, les Acadiens. Pour le dire autrement, maintenant que la guerre était finie, les Britanniques et les colons américains avaient une bonne excuse pour se débarrasser de ces embarrassants réfugiés franco-canadiens.

Ainsi, ces Acadiens qui avaient survécu à des années d'emprisonnement, d'esclavage, de privations et d'apprentissage de l'anglais étaient « autorisés » à émigrer. Plusieurs centaines optèrent pour Haïti, choix qu'ils regrettèrent amèrement – comme d'habitude, les Français les traitèrent aussi mal que les Anglais et la moitié moururent de malnutrition et de maladie. Quelques dizaines furent emmenés aux Malouines avant d'être rapidement rembarqués lorsque la France remit les îles à l'Espagne. Environ 1 500 Acadiens rejoignirent la Louisiane française, pour y voir leur nom écorché et devenir les « Cajuns ».

Enfin, environ 4 000 partirent pour la France, dont 78 familles qui furent installées à Belle-Île. Ces nouveaux Bellilois que l'on peut aujourd'hui admirer au musée du Palais. L'exposition permanente les représente à travers des scènes déchirantes figurant l'exil et la séparation du Canada, ou bien, reconnaissants, en train de contempler leurs petites chaumières sur leur nouvelle terre.

Sur l'île, on leur offrit des terrains et des animaux d'élevage (soit bien plus que ce que de nombreux paysans français possédaient à l'époque) et, selon le site Internet de l'office du tourisme de Belle-Île, « il ne leur fallut pas longtemps pour s'intégrer aux familles de l'île et, dès la première année, des mariages mixtes étaient célébrés ».

Nonobstant le fait que le terme « mariages mixtes » sonne un peu étrange s'agissant de personnes de même origine linguistique et ethnique (ça sonne bizarre en toute circonstance mais ici plus encore), la vérité serait peut-être ailleurs, un site Internet acadien-cajun affirmant pour sa part qu'« à cause d'épidémies, de mauvaises récoltes, de la sécheresse et des *réticences locales*[1], la colonie fut un échec au bout de sept ans ».

Il semble donc qu'en France on n'aida pas non plus les Acadiens à se sentir chez eux. Après tout, ils prenaient des terres, de la nourriture et du travail à des paysans français ayant du mal à subsister. De plus, ils ne cessaient d'essayer de draguer les *blondes* locales et probablement de poser des pièges à castor dont étaient victimes les chiens et chats des autochtones. Pour finir, ils parlaient avec un drôle d'accent.

En quelques années, plus de 1 500 Acadiens qui avaient été « rapatriés » en France repartirent, la plupart allant retrouver leurs anciens voisins qui s'établissaient maintenant en Louisiane. Ce nouveau lieu d'asile serait temporaire, lui aussi, car la France n'allait pas tarder à le céder à des colons américains tout aussi accueillants.

Sacrement et tabernacle !

---

1. C'est moi qui souligne.

7

Champagne : Dom Pérignon a tout faux

« [La] femme est comme le champagne, [...] dans un emballage français, elle coûte plus cher. »

M. Aguéev, *Roman avec cocaïne*

La France est un pays très protectionniste, surtout quand sa culture est en jeu. Et le pan de sa culture dont elle est le plus jalouse et sur lequel elle veille avec le plus grand soin n'est pas le cinéma, la peinture ou le grand roman français, mais le manger et le boire. Ce n'est d'ailleurs pas un hasard si, en français, les mots « culture » et « agriculture » sont, dans certains cas, synonymes.

Le produit agricole dont elle est le plus fière et qui lui rapporte autant d'argent que de renommée, c'est le champagne.

De fait, la France se préoccupe tellement du champagne qu'une clause protégeant son nom figure même dans le traité de Versailles, l'accord de paix scellant la fin officielle de la Première Guerre mondiale. Une génération entière de jeunes Français gît dans la boue, plusieurs centaines de milliers de civils sont morts, 10 % de la population a été blessée au combat, et la France trouve encore le temps de se soucier de ses vins.

L'inquiétude était née de ce que, durant la guerre et pour des raisons compréhensibles, la production de champagne avait chuté. Il est certes assez difficile de récolter le raisin quand on est bombardé au mortier. La France redoutait donc que d'autres vins pétillants venus d'Amérique, d'Italie, d'Espagne ou même d'Allemagne, en profitent pour s'implanter sur le marché. Aussi, l'article 275 du traité de Versailles stipula-t-il que « l'Allemagne […] s'oblige à se conformer aux lois […] en vigueur dans un pays allié ou associé […] déterminant ou réglementant le droit à une appellation régionale, pour les vins ou spiritueux produits dans le pays auquel appartient la région » et que « l'importation, l'exportation, ainsi que la fabrication, la circulation, la vente ou la mise en vente des produits ou marchandises portant des appellations régionales contrairement aux lois ou décisions précitées seront interdites par l'Allemagne et réprimées ».

En somme, oui, la paix du monde était importante, mais pas plus que le droit exclusif pour le vin pétillant français de s'appeler « champagne ».

Il est par conséquent contraire au droit international, et pratiquement aux droits de l'homme, d'accoler les mots « champagne » et « anglais » ou « espagnol ». Seule l'Amérique a osé se dresser contre le Comité interprofessionnel du vin de Champagne (CIVC). Le gouvernement américain soutient qu'un vin fabriqué en Californie en utilisant le même type de raisin et la même méthode peut être vendu comme du « champagne californien » – position rendue possible du fait que, bien que l'ayant signé, les États-Unis n'ont jamais ratifié le traité de Versailles. Pas fous, ces Américains.

On pourrait objecter que les fabricants de vin français ont parfaitement raison de protéger le champagne. N'a-t-il pas été inventé par un moine français du nom de Dom Pérignon en 1668 ?

Eh bien non.

Désolé, chère France, mais mis à part son nom, le champagne est anglais.

Un homme de quelque Merret

La légende française de l'histoire du champagne veut qu'un moine bénédictin malvoyant, Pierre (alias Dom, titre honorifique dérivé du latin *dominus* – « maître ») Pérignon, natif de la région de Champagne, devenu en 1668 trésorier et maître caviste de l'abbaye de Hautvillers, près d'Épernay, développât le champagne tel que nous le connaissons aujourd'hui, en perfectionnant le processus de fermentation et en transformant un vin sans bulles en vin pétillant.

La réalité force à dire qu'il passa une bonne partie de sa carrière de moine à faire tout son possible pour rendre le champagne *moins* mousseux car les bouteilles n'arrêtaient pas d'exploser dans sa cave. Du vin mis en bouteilles à l'automne voyait ses levures se réveiller au printemps, transformant les caves en laboratoire des essais nucléaires souterrains français.

Dom Pérignon entreprit donc de fabriquer un vin plus pur, pour empêcher une fermentation excessive. Il fit récolter le raisin tôt le matin, quand il est frais, décréta que les grappes abîmées devaient être jetées et développa une méthode plus délicate de pressage

Dom Pérignon, le moine français censé être l'« inventeur » du champagne, est victime d'un débouchage précoce. En réalité, ce qu'il souhaitait était bien de *réduire* le caractère pétillant des vins de sa région, et non l'inverse.

du fruit de sorte que le jus tiré de la chair du raisin ne se mélange pas trop avec la peau. Ainsi parvint-il à produire du vin blanc à partir de raisin rouge, ce qui procura à l'abbé une sacrée manne financière : le raisin rouge était en effet moins sensible au mauvais temps et le vin blanc se vendait plus cher.

L'abbé produisait désormais des vins plus purs et engrangeait des profits plus importants, mais il devait encore régler le problème des explosions souterraines. Quand Dom (si l'on me permet une telle familiarité avec ce moine de légende) décida de sceller ses bouteilles avec des bouchons plutôt qu'avec une cheville en bois, le vin n'explosa plus que par le cul de la bouteille.

On dit souvent que le jour où Dom Pérignon avala pour la première fois du champagne pétillant, il s'exclama : « Je goûte les étoiles ! » Mais il s'agit là d'un argument de vente inventé au XIXe siècle. Il est plus probable qu'il ait grommelé un truc du genre : « Mais qu'est-ce que c'est que ces bulles de merde ! »

Un peu plus au nord, il existait cependant des gens qui vivaient parfaitement heureux avec leur champagne explosif, et ce bien avant Dom Pérignon. Ces gens n'étaient pas friands des explosions en tant que telles, auxquelles ils essayaient eux aussi de remédier, mais ils adoraient le pétillant joyeux du vin.

Ils étaient anglais.

Cela se passait juste après l'épidémie de peste de 1665 et le grand incendie de Londres. La Grande-Bretagne s'était débarrassée depuis peu de Cromwell et de ses puritains, qui avaient interdit la danse, la musique, le théâtre et tout ce qui dans la vie peut faire se trémousser les gens, et elle avait hérité de Charles II. Les Britanniques étaient mûrs pour un peu de divertissement. Ils avaient adopté les bulles françaises avec joie et étaient si soulagés qu'il fut à nouveau légal de s'amuser qu'ils avaient sans doute dû inventer des jeux du style : « Enfonce-toi une bouteille de champ' dans chaque narine et saute. »

Au début des années 1660, le vin de Champagne avait d'abord été popularisé en Angleterre par un soldat français, écrivain et bon vivant, du nom de Charles de Saint-Évremond, qui avait été contraint à un exil londonien après avoir critiqué le tout-puissant cardinal Mazarin. Le vin que Saint-Évremond importait de France par barriques entières était censé être sans bulles mais il moussait énormément et avait tendance à exploser après sa mise en bouteilles. Le problème fut réglé grâce au développement de fourneaux au charbon, à Newcastle, dans le nord de l'Angleterre. Soudain, il fut possible de fabriquer des bouteilles beaucoup plus épaisses et résistantes que celles produites en France et les Londoniens purent s'amuser à contrôler la projection du bouchon de champagne au lieu de se précipiter sous la table pour se protéger.

Au cas où des lecteurs français seraient tentés de contester ces dires, une preuve documentaire, sous la forme d'un article présenté, en 1662, à la *Royal Society* par un scientifique du nom de Christophe Merret[1], pourra leur être opposée. Né à Gloucestershire en 1614 ou 1615 (le champagne semble lui avoir brouillé la mémoire), il étudia à Oxford (terre d'élection privilégiée des soiffards) et, en 1661, avait traduit, repris et enrichi un traité italien sur la fabrication de bouteilles. C'est ce qui semble avoir attiré son attention sur le problème

---

1. Merret, dont le nom est parfois orthographié Merrett, était un ami de Samuel Pepys avec qui il s'enivra, un 22 janvier 1666. Le diariste ne précise pas s'il s'agissait ou non d'une cuite au champagne.

du champagne explosif ; l'année suivante, il publiait un article intitulé « Quelques observations concernant la passation de commandes de vin ». Il tente d'y expliquer pourquoi le vin devient pétillant et identifie la seconde fermentation en bouteilles comme en étant la cause principale. Il explique également avoir ajouté du sucre ou de la mélasse pour obtenir *délibérément* une seconde fermentation. Le pétillement est une bonne chose, soulignait Merret, et pourrait être obtenu avec n'importe quel vin – plus encore à présent que l'Angleterre disposait de bouteilles solides aptes à contenir les bulles. Ainsi, tandis que Dom Pérignon essayait de se débarrasser des bulles, les Brits en demandaient davantage.

Aujourd'hui, ils ne sont pas les seuls. Les producteurs de champagne ont recours à la méthode de Merret et ajoutent du sucre à leur vin pour lui donner son pétillant, technique appelée « méthode champenoise » alors que, au sens strict, si l'on respecte le principe en vertu duquel une découverte appartient à celui qui a publié le premier un article scientifique à son sujet, elle devrait assurément être nommée « méthode merretoise ». Après tout, si l'on ne respecte pas ce principe, qu'est-ce qui peut m'empêcher d'affirmer avoir établi la théorie de la relativité ? (À part le fait, bien sûr, que je ne la comprenne pas.)

Faire pétiller l'esprit anglais

Le champagne (ou « champaigne », comme disaient les Britanniques, soucieux de maintenir vivant leur art d'écorcher les noms de lieux français comme ils le faisaient depuis Azincourt) fut célébré dans la littérature anglaise du XVIIᵉ siècle. Le dramaturge irlandais

George Farquhar, exilé à Londres après avoir failli tuer un acteur en utilisant dans un combat sur scène une véritable épée, chante ainsi ses louanges dans une pièce écrite en 1698, *L'Amour dans une bouteille.*

« Le champaigne, dit un des personnages, un alcool délicat que tous les grands Beaux boivent pour être spirituels. » Un autre décrit ce « vin spirituel » en des termes qui en saisissent tout le pétillant : « Comme il blague et comme il chicane dans le verre ! »

C'est cette popularité au sein des milieux mondains britanniques qui poussa les Français à s'interroger au sujet du succès du champagne au point de convaincre le roi Louis XIV de l'adopter comme vin de prédilection. Louis en fit un *must* chez les Français après que les beaux esprits de Londres en eurent initié la mode et, bien sûr, après seulement qu'il fut devenu sans danger pour le Roi-Soleil de le boire, grâce à l'importation en France des solides bouteilles anglaises.

Entre-temps, Dom Pérignon perfectionnait ses techniques de vinification et inventait la méthode de conservation des bouteilles de champagne le goulot vers le bas et en diagonale afin que les sédiments puissent être plus facilement ôtés. Mais encore une fois, le but était d'empêcher ses bouteilles d'exploser plutôt que de produire davantage de bulles.

Nous y sommes donc. Le champagne est un vin qui doit son pétillant à une technique mise au point par un scientifique anglais, sa commercialisation à une technologie anglaise de fabrication de bouteilles et sa popularité à de joyeux dandies londoniens du XVIIe siècle.

Naturellement, les Français peuvent revendiquer le nom car la Champagne est indéniablement en France. Mais en toute équité, on pourrait proposer (si on voulait vraiment agacer les Français) que cette boisson s'appelle champagne à l'anglaise, pour la distinguer du vin plat et sans bulles que Dom Pérignon voulait produire. On pourrait même suggérer à Moët et Chandon de changer le nom de leur Dom Pérignon en Merret. Ça sonnerait moins chic, peut-être, mais ce serait plus juste. Merret le mérite, n'est-ce pas ?

Évidemment, dans la mesure où le champagne est protégé par le traité de Versailles, les règlements de l'UE et (probablement) une obscure disposition dans la Déclaration des droits de l'homme, les Français peuvent faire fi de telles suggestions. Mais pour des raisons historiques, il n'y a vraiment aucune raison qu'ils s'opposent à des étiquettes portant la mention « Champagne américain » ou « Champagne anglais ». Si c'est la question de la qualité qui les soucie, qu'ils se rassurent : les vins pétillants produits aux États-Unis sont depuis longtemps fort prisés et les bulles anglaises ont également le vent en poupe.

L'amélioration de la production anglaise est apparemment à mettre sur le compte du réchauffement climatique, qui a pour effet de déplacer vers le nord les conditions idéales de production de champagne, vers des vignobles disposant d'un sol comparable à ceux existant de l'autre côté de la Manche. Cette ironie de l'histoire est délicieuse : des nations industrielles (y compris la France) signent le traité de Versailles, polluent l'atmosphère avec du dioxyde de carbone et font retourner au final le champagne vers sa véritable terre natale, l'Angleterre !

Cheers !

8

L'éclipse du Roi-Soleil

Louis XIV se faisait appeler le Roi-Soleil pour faire croire à ses sujets qu'il était en France la source de vie en personne. Ce n'était pas précisément ce que l'on pourrait appeler un démocrate.

Louis se comparait aussi à Jupiter, le roi des divinités romaines, dieu du Ciel et gardien de la loi et de l'ordre sur terre, bien que ce fût surtout pour convaincre ses courtisans qu'il était acceptable que leurs femmes couchent avec lui. « Un partage avec Jupiter n'a rien du tout qui déshonore[1] », disait-il en enlevant la jeune épouse d'un duc pour une coquinerie royale.

Louis XIV détient toujours le record de longévité parmi les monarques européens – soixante-douze ans – devant la reine Élisabeth II et même la reine Victoria. Et bien que les Français refusent d'être qualifiés de monarchistes, ils le vénèrent presque autant que Jeanne d'Arc, Napoléon et Johnny Hallyday.

Mais la toute-puissance supposée du Roi-Soleil ne le

---

1. Molière, *Amphitryon*. (*N.d.T.*)

rendit pas infaillible pour autant. Et c'est précisément la foi de Louis en ses pouvoirs divins qui le conduisit à sous-estimer deux grands dirigeants qui, avant la fin de son règne en 1715, surent affermir la place de la Grande-Bretagne en vue du leadership mondial, en compétition avec sa rivale française.

Et cela pourrait se résumer à une histoire d'intestins…

Le quotidien d'un dieu

Pour Louis XIV, coucher avec les femmes de ses courtisans était juste une manière de faire étalage de ses pouvoirs divins. Tout, dans son comportement, avait pour but de démontrer sa magnificence. Chaque journée à la cour obéissait à un schéma rigide défini par le roi – comme le soleil, disait-on, on savait toujours où il était et, plus important pour les courtisans, ceux-ci savaient dès lors où ils devaient se trouver.

En 1682, Louis déplaça la cour vers le vieux château de son père, à Versailles, à 16 kilomètres du Louvre, alors même que sa rénovation n'était qu'à moitié achevée. 20 000 ouvriers œuvraient encore aux jardins, donnaient de nouvelles ailes au palais et en décoraient l'intérieur.

Louis avait ses raisons pour déraciner l'aristocratie de Paris. Les factions rivales y avaient leurs bastions ; intrigues et rébellions pouvaient y fleurir. Avec son château isolé au milieu de la forêt, soit les nobles se trouvaient à la cour, soit ils ne s'y trouvaient pas ; il n'y avait pas de demi-mesure. Et dans la mesure où Louis exerçait l'ensemble des pouvoirs à l'intérieur du pays, mieux valait s'y trouver s'ils escomptaient argent et influence.

Si Louis XIV (1638-1715) se considérait comme un dieu, ses goûts en matière vestimentaire n'étaient pas des plus divins.

Rapidement, une ville nouvelle se créa autour du palais, les courtisans se faisant construire des maisons quand ils n'étaient pas assez importants pour être invités à résider chez Louis, leurs domestiques étant, quant à eux, interdits au palais.

Chaque matin, à 8 h 30, le Roi-Soleil se levait, réveillé avec une tasse de thé ou un bouillon. Le *lever*, cérémonie du réveil du roi était un spectacle en soi, en présence des *petites entrées*, le groupe restreint de personnes habilitées à voir le roi en chemise de nuit. Y assistaient habituellement ses médecins, ses valets et le *porte-chaise d'affaires*, qui n'était pas un déménageur de meubles de bureau mais l'homme qui apportait la chaise percée. Cet officier de la cour, qui s'était acquitté d'une petite fortune pour acquérir cette charge héréditaire, apportait une sanisette richement décorée, sur laquelle Louis s'asseyait pendant que son barbier réajustait sa perruque matinale (moins relevée que celle de l'après-midi et que celle du soir) et, un jour sur deux, le rasait. Pendant ce temps, Louis se consacrait à ses *affaires* et les médecins en examinaient les résultats pour y détecter tout signe éventuel de mauvaise santé.

Une fois la cérémonie achevée et le fondement royal essuyé au tampon, le roi était prêt à recevoir un groupe choisi de courtisans – uniquement des hommes – autorisés à le voir se faire habiller. Cet honneur échéait à une centaine d'entre eux, et la foule dans la chambre était si dense que le vol de montres et de bourses était monnaie courante. Vivre à Versailles coûtait très cher et certains aristocrates appauvris ne rechignaient pas à arrondir leurs fins de mois en laissant s'aventurer ici ou là leurs doigts manucurés.

À 10 heures, Louis assistait à une messe d'une demi-heure, au cours de laquelle étaient souvent interprétées des musiques chorales écrites spécialement à son intention par les compositeurs les plus doués du pays. Avant et après la messe, sur le chemin de la chapelle, le roi toucherait des malades admis dans le palais afin de bénéficier des divins et autoproclamés pouvoirs de guérison du souverain.

Après environ deux heures passées à s'entretenir avec ses ministres et à entendre les requêtes de gens ayant réussi à obtenir une audience à force de palabres ou grâce à des pots-de-vin, Louis prenait son déjeuner. Celui-ci débutait à 13 heures précises, il mangeait seul, faisant généralement face à une fenêtre avec vue sur ses jardins. Il *mangeait* seul, mais il était regardé par une foule immense de gens tandis qu'il engloutissait un repas pantagruélique au menu duquel pouvaient se trouver un faisan entier, un canard, un mouton rôti et quelques tranches de jambon, le tout accompagné de salades, de pâtisseries et de fruits. Tout comme son *lever*, les masticages et les bâfrements du Roi-Soleil étaient considérés comme une cérémonie fascinante à laquelle les courtisans avaient le privilège d'assister.

À 14 heures, l'après-midi de divertissements du roi pouvait commencer, fait de promenades dans le parc en compagnie d'un groupe de dames, de séances de tir dans le domaine de Versailles ou de chasses à cheval dans la forêt. Louis plus accessible, les courtisans disposaient d'une belle occasion d'attirer son attention et d'obtenir une faveur royale – une invitation au *lever* par exemple, un poste dans un ministère, une promotion dans l'armée, ou un don pour rénover leur château.

On se faisait remarquer grâce à ses habits délicatement ouvragés (les courtisans se changeaient plusieurs fois par jour), un mot d'esprit au passage du roi (un savoureux potin sur l'un de ses ennemis, par exemple), ou plus simplement en étant une belle femme.

Une chose qu'aucun courtisan n'aurait pu se permettre, cependant, aurait été de déroger aux règles strictes attachées aux activités royales. Quand le monarque était en selle, par exemple, personne ne pouvait s'arrêter ou descendre de monture avant lui. Louis était doté à la fois d'un sens de l'humour cruel et d'une vessie à la contenance importante. Contrairement à la plupart des gens de sa cour, il pouvait trotter pendant des heures après le déjeuner sans uriner. Et les laquais de Louis de se faire dessus plutôt que d'enfreindre le protocole royal.

À partir de 18 heures débutait une « soirée d'appartement » au cours de laquelle Louis déambulait nonchalamment dans ses habitations, s'arrêtant pour bavarder avec des courtisans en train de jouer aux cartes ou au billard, de danser ou, tout simplement, de converser. Bien entendu, tout le monde était contraint de se délecter de ces moments merveilleux et l'on imagine aisément, à l'apparition du Soleil, des paris soudain à la hausse, des coups de billard de plus en plus audacieux et des blagues de plus en plus bruyantes et de moins en moins spontanées.

À 22 heures, le *souper* était servi. L'instant était moins intime que le déjeuner et plusieurs centaines de courtisans et de domestiques y assistaient, tous debout à l'exception de la famille royale, assise autour de la table, et des duchesses, autorisées à regarder, assises sur des tabourets. Là aussi, les règles étaient strictes, Louis détestait être dérangé pendant qu'il mangeait, tout le monde devait donc garder le silence pendant que lui et les membres de sa famille présents picoraient dans les quelque 40 plats proposés. La nourriture était apportée à table par une procession de serviteurs qui défilaient à travers le palais depuis les cuisines, et toute personne voyant cette caravane se dirigeant vers le roi devait s'incliner ou faire une révérence devant ses heureux mets sur le point de disparaître dans de si divines entrailles.

Enfin, à 23 heures, sonnait le coucher du soleil officiel, un *lever* inversé qui s'achevait après que le roi eut réglé une nouvelle fois ses *affaires*, ôté sa perruque, enfilé sa chemise et se fut mis au lit. Bien qu'il ne demeurât pas toujours dans son lit et qu'il préférât souvent traverser à pas feutrés l'un des passages qui menaient à quelques chambres non loin, où ses favorites attendaient que Jupiter pointe à leur horizon, leur mari probablement caché sous le lit et leur susurrant : « N'oublie pas de lui demander à propos du contrat pour la construction navale. »

Ainsi, au cours d'une journée normale, Louis pouvait-il être observé et admiré par 10 000 personnes, dont la plupart devaient avoir l'obligeance – si elles souhaitaient conserver leur statut – de dépenser les sommes astronomiques qu'exigeait le train de vie à la cour. Elles devaient acheter de nouveaux habits, des perruques, des bijoux et des carrosses, prendre part à des jeux d'argent obligatoires et soudoyer les membres du palais pour la moindre faveur. C'était une vie de tyrannie sous un vernis de politesse, une dictature de l'ennui et de l'hypocrisie, une pantomime sans fin visant à museler une aristocratie potentiellement dangereuse.

Pendant ce temps, les couches populaires les plus basses étaient instruites de la grandeur du roi à travers un flot incessant de gravures à l'eau-forte, d'opuscules, de peintures, de tapisseries et de médailles célébrant chacun de ses actes. La monarchie avait tellement confiance en elle-même que toute opposition paraissait impensable.

Paraissait seulement.

La pulpe de Guillaume d'Orange

Guillaume d'Orange, qui usurperait plus tard le trône de Jacques II pour devenir le roi Guillaume III d'Angleterre, était à l'origine le simple seigneur féodal d'un petit État indépendant du sud de la France. Orange, qui représentait quelques kilomètres carrés autour de la vieille ville du même nom, était une sorte de mini-Liechtenstein, hérité d'une famille néerlandaise, les Nassau, au milieu du XVIᵉ siècle.

Bien qu'à la tête d'un fief minuscule, ses souverains réclamaient le droit d'être appelés princes d'Orange, probablement pour contrebalancer le titre beaucoup moins prestigieux de *stadhouder*, « lieutenant », nom prosaïque donné aux souverains héréditaires dans une grande partie de la Hollande, dont ils étaient affublés dans leur pays natal.

Guillaume n'était même pas né lorsque cette responsabilité lui échut – son père mourut de la variole une semaine avant sa naissance, en 1650 – et ses terres hollandaises furent gérées dans un premier temps dans le cadre d'une régence exercée par sa mère, Marie, sœur du roi Charles II d'Angleterre.

En 1650, en réaction à des pratiques dictatoriales, la famille fut dépouillée de son titre de *stadhouder* et tout laissait à penser que Guillaume allait grandir comme un prince sans emploi, à l'instar du jeune Charles II. Son avenir paraissait d'autant plus sombre que sa mère mourut à son tour en 1660, elle aussi de la variole, au cours d'une visite à son frère en Angleterre. Et les choses auraient définitivement pu se gâter quand, en 1672, l'oncle Charles II attaqua la Hollande après avoir signé un pacte secret avec la France de Louis XIV.

Cette année-là est connue en Hollande comme le *rampjaar*, l'*annus horribilis*, mais pour Guillaume ce malheur fut une bénédiction et il profita de la situation de la plus spectaculaire des manières. Il élimina ses rivaux au sein de sa famille, prit la tête de l'armée et forgea la citation la plus fameuse de l'histoire néerlandaise. Menacé par la coalition anglo-française de voir son pays rayé de la carte s'il ne se rendait pas, Guillaume répondit : « Il existe un sûr moyen par lequel je peux être certain de ne pas voir mon pays en ruine. Je mourrai dans le dernier fossé. » Cette repartie devint si célèbre que la langue anglaise s'appropria l'expression « *last ditch attempt* » (« tentative de la dernière chance »).

Guillaume donna alors l'ordre à ses citoyens d'inonder de vastes zones du territoire, ce qui ne favorisait pas tellement la cueillette des tulipes mais stoppa net l'avancée de l'armée française.

De manière bien compréhensible, Louis XIV fut contrarié par son incapacité à mater quelques pêcheurs de hareng en sabots. Il se vengea en annexant Orange, le petit fief de Guillaume, beaucoup plus facile à envahir – c'était en France et il n'y avait pas de fossé à inonder. Il donna cette terre et le titre qui allait avec à un noble français, Louis, marquis de Nesle et de Mailly[1].

Quand la paix fut rétablie au début de 1674, le prince Guillaume, âgé de vingt-trois ans et auparavant sans emploi, avait retrouvé son statut de *stadhouder*, ses terres ancestrales de Hollande et avait même reçu autorité sur d'autres petits États indépendants du pays.

Surtout, il avait résolu de consacrer sa vie à agacer le principal instigateur de cette guerre : l'arrogant Louis XIV.

Louis presse l'Orange

Guillaume décida de renforcer son jeu à la table de poker politique européen en demandant la main de sa cousine Marie, nièce du roi Charles II d'Angleterre. Marie, plutôt séduisante, aurait pleuré amèrement à cette perspective, non parce qu'elle aurait été condamnée à manger de l'édam pour le restant de ses jours et à être connue sous le nom de *stadhoudersvrouw*, mais parce que Guillaume était laid et réputé avoir un faible pour les soldats mâles.

Le père de Marie, futur roi Jacques II, aurait préféré marier sa fille à la famille royale française, mais son oncle Charles II vit là l'occasion d'apaiser les protestants d'Angleterre et de se gagner un allié contre Louis XIV. Il mit donc tout son poids dans la conclusion de cette union anglo-néerlandaise. Tout au long de la cérémonie, Marie pleura à chaudes larmes.

---

1. Il advint que ce nouveau prince Louis d'Orange avait cinq filles et que quatre d'entre elles seraient plus tard des petites copines du roi Louis XV.

Piqué par cette nouvelle entente antifrançaise, Louis commit deux erreurs fatales. La première, en 1685, fut de révoquer l'édit de Nantes, la loi qui protégeait les protestants contre toute persécution, provoquant une vague d'immigration vers la Hollande, y compris de militaires. La seconde fut de sous-estimer le belliqueux *stadhouder*, en signant un pacte naval avec Jacques II dès que celui-ci fut devenu roi d'Angleterre et en ordonnant de confisquer tous les navires commerciaux néerlandais amarrés dans des ports français. Par deux fois, le gant avait été jeté aux pieds des Hollandais.

À la surprise de Louis, et plus encore de Jacques, Guillaume ne fit pas que relever le défi qui lui était lancé, il prit le taureau par les cornes et riposta de façon foudroyante. Au lieu d'envoyer quelques bateaux sur la Manche pour harceler les flottes française et anglaise, ce qui avait été jusqu'alors le *modus operandi* néerlandais habituel, il cingla vers l'Angleterre et s'empara du trône.

Pour ce faire, il expliqua avoir été invité par des parlementaires protestants et par l'évêque de Londres. Le prétexte de leur invitation était que la seconde épouse de Jacques II, une princesse catholique italienne du nom de Marie (un décret prévoyait alors que tous les membres de sexe féminin des familles royales devaient s'appeler Marie afin d'embrouiller les futurs lecteurs de livres d'histoire), venait de donner naissance à un garçon. Jusque-là, malgré la conversion de Jacques au catholicisme, les héritières désignées du trône d'Angleterre étaient ses filles protestantes d'un premier mariage, dont l'aînée – une autre Marie – était la femme de Guillaume d'Orange.

À cette période, la seule question religieuse aurait

pu suffire à renverser un roi anglais – on souhaitait en finir avec les vagues de persécution qui balayaient le pays depuis des décennies –, mais Jacques était un dirigeant despotique inspiré par le modèle de Louis XIV et qui, apparemment, avait oublié ce qui était arrivé à son père, Charles Ier, dont la tête était tombée pour avoir montré un égal mépris pour son peuple et pour son Parlement.

En novembre 1688, avec une audace incroyable, Guillaume rassembla une armée composée de Hollandais, de réfugiés protestants français et de mercenaires venus de toute l'Europe, et lui fit prendre la mer et longer la côte méridionale de l'Angleterre en vue de débarquer à Torbay, à l'extrême sud-ouest du pays. Une erreur de pilotage faillit entraîner la flotte d'environ 250 bateaux vers l'Atlantique, mais un prétendu « vent protestant » permit finalement à la flotte de débarquer.

Pendant ce temps, la marine du roi Jacques était bloquée au milieu de la Manche par de puissants vents venus du large, puis se trouva encalminée le long de la côte du Sussex avant de rebrousser chemin, certains de ses capitaines ayant déjà rallié la cause protestante. À terre, Jacques tenta de résister à Guillaume à la tête d'une armée mais, au vu du nombre de désertions, il craqua nerveusement et s'enfuit vers la France.

La troupe hétéroclite de soldats étrangers rassemblée par Guillaume marcha sur Londres, surprise de voir acclamer ses hommes comme des libérateurs, et d'un instant à l'autre, sans un coup de feu, l'Angleterre se retrouva avec un roi hollandais. Certes, la reine était anglaise, mais tout le monde savait que ce n'était pas elle qui tirait les ficelles. La « Glorieuse Révolution », ou « Révolution sans effusion de sang » de 1688 avait été rondement menée.

Louis XIV appuya une tentative de reconquête de la Couronne d'Angleterre par Jacques en organisant une invasion de l'Irlande, mais celle-ci échoua quand Guillaume prit lui-même la tête d'une armée pour triompher de Jacques à la bataille de Boyne, près de Dublin, en juillet 1690. Ce n'était pas seulement une catastrophe pour Jacques mais aussi pour tous les catholiques irlandais, qui allaient devoir se coltiner près de trois siècles de domination anglo-protestante.

Louis XIV, toujours déterminé à réinstaller Jacques comme souverain fantoche en Angleterre, concocta une nouvelle campagne. Au menu de celle-ci : une attaque navale visant à détruire la flotte anglaise, suivie par une invasion franco-irlandaise de l'Angleterre qui ramènerait Jacques au pouvoir.

Mais les choses tournèrent au vinaigre. Passant outre la mauvaise météo et les défauts de commandement qui avaient déjà réduit la flotte française de moitié, Louis ordonna à son malheureux commandant (un homme, malgré son nom : Anne Hilarion de Tourville) d'attaquer la puissante force anglo-néerlandaise qui faisait route vers la Normandie afin de mener une attaque préventive.

Après plusieurs jours de combat acharné et de poursuites dans un épais brouillard, les Anglo-Hollandais mirent en fuite Tourville, bombardèrent les navires de guerre français échoués sur la plage pour s'assurer de leur destruction complète et envoyèrent des hommes sur terre pour incendier les vaisseaux qui avaient trouvé refuge dans le port. En quelques jours, entre le 29 mai et le 4 juin 1692, la menace d'une invasion française de l'Angleterre fut réduite à néant, en grande partie à cause de l'imprudence de Louis XIV, qui avait poussé à l'offensive une flotte dégarnie.

Au rayon des pertes françaises, le navire *Saint-Louis* et, plus triste encore, le magnifique *Soleil-Royal*, qui avait pris feu après avoir été touché par un brûlot et explosé telle une supernova en ne laissant au final qu'un seul survivant.

En guise de dédommagement, Louis offrit à Jacques le trône de Pologne, mais celui-ci préféra décliner l'offre et s'installer à Saint-Germain-en-Laye, plutôt qu'à Versailles, au plus près du cœur de l'action politique. Le 20 septembre 1697, Louis officialisa la défaite de Jacques en acceptant de signer le traité de Ryswick par lequel il reconnaissait Guillaume et Marie comme souverains de l'Angleterre et s'engageait à n'accorder, à l'avenir, aucun soutien aux partisans de Jacques II.

En ce matin de septembre, assis sur sa chaise d'affaires, Louis se rendit peut-être compte que s'il avait perdu toute influence sur son voisin d'outre-Manche, sabordé ses chances de régner en tant que Roi-Soleil sur toute l'Europe et considérablement renforcé les arrières politiques de ses ennemis protestants, il ne pouvait s'en prendre qu'à lui-même. Si ces réflexions troublèrent un tant soit peu le *lever* du roi, ses médecins ont certainement dû relever ce jour-là quelque signe de stress dans ses *affaires* matinales.

Mais l'indigestion devait se prolonger...

Le fils de Winston Churchill

Revenons à 1650 : John Churchill, premier duc de Marlborough qui, devenu général, écrasera l'infanterie de Louis XIV et imposera au Roi-Soleil de quémander la paix, vient de naître. Nom du père : Sir Winston Churchill.

Non, il ne s'agit pas d'un voyage dans le temps. Sir Winston n'était pas un Premier ministre du XXe siècle qui, tel un Terminator, aurait été téléporté dans le passé pour combattre Louis XIV. Ce Winston-là était membre de l'honorable aristocratie du sud-ouest de l'Angleterre. Il avait combattu dans la cavalerie royale au cours de la Guerre civile et se trouvait quasi ruiné à l'issue de celle-ci à cause d'une amende au montant astronomique.

La Guerre civile terminée, en reconnaissance de la loyauté des Churchill, on accorda au fils aîné de Winston et Élisabeth, John, une place de garçon d'honneur auprès de Jacques, frère de Charles II (et futur Jacques II). L'adolescent accompagna souvent son maître lors de parades militaires et on raconte qu'un jour, alors que Jacques demandait à un John impressionnable ce qu'il entendait faire quand il serait grand, le fiston tomba à genoux et supplia qu'on l'enrôle dans l'armée.

Quand il eut dix-sept ans, le vœu de John fut exaucé. Un biographe du XIXe siècle, Charles Bucke, nous renseigne sur cet épisode en précisant que l'épouse de Jacques, Anne, « avait montré pour le jeune candidat plus de gentillesse et de faveur que son mari ne trouvait prudent ». Au XXIe siècle, on dirait plutôt que Jacques soupçonnait les deux de coucher ensemble. John fut donc envoyé comme officier porte-étendard au sein des régiments de la garde royale au Maroc, où il prit part à des escarmouches avec les Arabes, pas franchement ravis de voir les Anglais en villégiature sur leur bord de mer.

John ne se fit pas castrer au cimeterre, ce dont Jacques avait peut-être rêvé. Dès son retour, le jeune et fringant officier repassa à l'action – cette fois-ci en compagnie de l'une des maîtresses du roi Charles II, Barbara Villiers. Barbara n'accorda pas seulement ses faveurs à John, elle le couvrit aussi d'un argent bienvenu au vu de sa maigre solde militaire. Par un étrange retour des choses, l'argent accordé à John par sa maîtresse représentait presque exactement le montant de l'amende versée par son père après la Guerre civile. Une façon élégante et plaisante de rééquilibrer les comptes familiaux.

La liaison scandaleuse de John et Barbara était si discrète que le roi Charles lui-même les surprit en pleine action. Après que John eut trouvé refuge dans la garde-robe, Charles l'en fit sortir et éclata de rire, déclarant qu'il lui pardonnait « car tu fais ça pour gagner ta croûte », précisa-t-il.

Nonobstant sa magnanimité, Charles trouva plus sage d'imiter l'exemple de son frère Jacques ; il envoya le jeune soldat et chaud lapin effectuer une autre mission périlleuse à l'étranger. C'est ici que Louis XIV entre en scène.

Un Anglais qui daigne combattre pour les Français

John Churchill faisait partie des 6 000 hommes envoyés par Charles II pour se joindre à l'armée française chargée d'envahir la Hollande en 1672, sous le commandement du duc de Monmouth, l'un des fils naturels de Charles, âgé d'à peine un an de plus que John Churchill. Au cours des nombreuses batailles de la campagne, la renommée des deux jeunes hommes grandit. Le courage de John impressionna à ce point ses compagnons d'armes français que, au cours du siège de Nijmegen, le vicomte de Turenne, maréchal de France, paria que John lui apporterait la victoire. Aux soldats français qui venaient de perdre le contrôle d'un important poste de commandement, Turenne déclara : « Je parie un souper et une douzaine de bouteilles de bordeaux que mon bel Anglais reprendra le poste avec moitié moins d'hommes que l'officier qui l'a perdu. »

Il est possible que le jeune Churchill ait couché avec la maîtresse de Turenne et que le Français eût souhaité se débarrasser de lui. Le pari fut toutefois remporté et Churchill devint un véritable héros dans les rangs de l'armée.

Lors du siège de Maastricht, John franchit un nouveau pas en se proposant pour l'opération « Mince Espoir », une sorte d'attentat suicide contre une forteresse. Au cours de cette bataille, il fit plus que sauver la vie du duc de Monmouth, il fut le premier homme à percer les défenses adverses et planta en personne le drapeau (français) de la victoire au sommet des remparts.

Louis XIV lui en fut si reconnaissant qu'il nomma Churchill lieutenant-général au sein de l'armée franco-anglaise en Hollande. À l'issue du conflit, Churchill demeura au service des Français et au côté de Turenne, ajoutant un savoir-faire tactique à sa vaillance déjà éprouvée et se muant rapidement en ce qu'il y a de plus galvanisant pour un soldat : un chef idolâtré par ses troupes.

Plutôt imprudent, donc, de déchaîner ce même homme *contre* la France quelques années plus tard…

Marlborough en fait un paquet

Revenons en 1701. Au cours de la Glorieuse Révolution, John Churchill avait sagement choisi de soutenir Guillaume d'Orange plutôt que ses anciens protecteurs, Charles et Jacques. Il n'avait pas seulement le nez creux ; il était également désenchanté : John avait, en effet, servi Charles comme diplomate, au nom de l'Angleterre, alors que le roi menait, en réalité, un double jeu avec la France. Pour le récompenser de son soutien, Guillaume et Marie l'avaient fait comte de Marlborough.

C'est alors que Louis XIV mit le feu aux poudres.

À la mort de Jacques, en 1701 à Paris, Louis XIV reconnut le jeune fils du roi en exil comme Jacques III d'Angleterre, en violation flagrante du traité de paix signé avec Guillaume d'Orange quatre ans plus tôt. Naturellement, cela eut le don de mettre en rage les Anglais qui se résolurent à préparer la guerre – les préparatifs durent toutefois être brièvement reportés suite à la chute de cheval de Guillaume lors d'une partie de chasse au château d'Hampton Court.

Avant de succomber à ses blessures, Guillaume recommanda à son successeur, la reine Anne (l'une des filles protestantes de Jacques II), de prendre Marlborough comme conseiller principal dans la bataille à venir contre Louis. Ce dont elle n'eut qu'à se réjouir car la plupart des commentateurs s'accordent pour dire que la victoire qui s'ensuivit fut due au génie tactique de Marlborough. Diplomate avisé, il fut d'abord envoyé négocier avec les alliés de l'Angleterre – l'Autriche, la Hollande (dont une partie avait été annexée par l'Espagne), le Portugal et la plupart des États indépendants d'Allemagne. Tous ces pays étaient déjà en guerre contre la France car l'accession récente du petit-fils de Louis XIV, Philippe, à la Couronne d'Espagne, ouvrait de fait la voie à une puissante et inquiétante alliance entre les deux pays. Aujourd'hui, nous considérons seulement comme un détail amusant que le roi Juan Carlos d'Espagne soit un descendant de Louis XIV et des archiducs d'Autriche. Mais il y a trois cents ans, l'imbroglio fut à l'origine d'une kyrielle de guerres.

Le début du conflit se solda par des gains territoriaux pour la Hollande et l'Allemagne ; la reine Anne d'Angleterre s'en trouva à ce point satisfaite qu'elle offrit à John Churchill, comte de Marlborough, un duché. De leur côté, les Français, qui avaient identifié leur plus dangereux adversaire, décidèrent que la seule façon de l'emporter était de contenir l'armée de Marlborough au nord, tandis qu'ils s'empareraient de l'Autriche avec leurs alliés bavarois. Ayant la prescience d'un danger, Marlborough se dirigea à marche forcée vers le sud, le long de la vallée du Rhin, à l'intérieur de l'Allemagne, gardant sa stratégie si secrète qu'il ne confia pas même à ses alliés où il se rendait.

Cinq jours plus tard, il resurgissait près du Danube. Il venait de couvrir 250 kilomètres, soit pour nous l'équivalent d'une bonne petite sortie à vélo mais pour les historiens de la guerre l'objet d'une véritable admiration. Au début du XVIIIe siècle, pareille marche à pied et à cheval aurait dû décimer n'importe quelle armée, à cause de la fatigue encourue ou des maladies. Marlborough s'assura cependant que ses troupes seraient correctement alimentées et hydratées tout au long du trajet de sorte que, selon l'un des officiers présents,

« les soldats n'avaient rien d'autre à faire qu'à planter leur tente, chauffer leur bouilloire et s'allonger pour se reposer ».

Les Français, quant à eux, furent contrariés dans leur tentative de suivre Marlborough car tout changement de tactique devait être approuvé par Louis XIV, et parce que Versailles se trouvait à plusieurs jours de voyage. De plus, les dépêches en provenance de l'étranger ne pouvaient être lues à Louis qu'à certains moments de la journée, et passaient après l'ajustement de la perruque royale et autres cérémonies intimes.

Sur les berges du Danube, Marlborough rencontra le prince Eugène de Savoie, chef de l'armée autrichienne et ennemi, ici encore, suscité par Louis XIV. Eugène était né à Paris ; enfant de l'une des amoureuses de Louis, il aurait servi dans l'armée française si le Roi-Soleil ne l'en avait pas écarté. Il prit donc le chemin de l'Autriche et devint commandant de l'armée des Habsbourg – ces mêmes troupes qui étaient sur le point de se joindre à Marlborough pour infliger à la France l'une de ses défaites militaires les plus retentissantes.

Blenheim, un autre Azincourt

À l'instar d'Azincourt, cette autre victoire fameuse sur la France, la bataille de Blenheim, en 1704, est mal nommée. En réalité, elle fut menée autour d'un village de Bavière appelé Blindheim et, en écorchant son nom, les Anglais irritèrent autant les Français que les Bavarois.

Aux yeux d'un esprit non militaire, la bataille ressemble à toutes celles au cours desquelles on ordonnait aux hommes de charger droit sur les canons et les mousquets ennemis, la victoire revenant au camp qui avait su témoigner d'un esprit aussi téméraire que suicidaire. En l'espèce, quelque 52 000 Anglo-Autrichiens furent envoyés affronter 56 000 Franco-Bavarois installés sur des positions réputées imprenables, autour du village de Blindheim, près d'une zone de marécages. Un général français venait juste d'envoyer un message au roi Louis, disant que l'ennemi n'oserait jamais attaquer, quand Marlborough et Eugène surgirent à l'horizon, à l'aube du 13 août 1704.

Les charges se succédèrent toute la journée et la bataille fut finalement perdue par les Français plus qu'elle ne fut gagnée par les Anglo-Autrichiens. Pour être plus exact, la victoire fut rendue possible par la capacité de Marlborough à percer à jour les failles des Français et à les exploiter aussitôt. Lorsqu'ils rassemblèrent trop d'hommes dans le village, il incendia les bâtiments et obligea des défenseurs apeurés à se découvrir. Et lorsque les commandants français, en désaccord sur la stratégie à adopter, fragilisèrent de la sorte leur ligne de défense, Marlborough s'en prit immédiatement à ce maillon faible. Au final, 30 000 Français trouvèrent la mort – dont 3 000 cavaliers qui se noyèrent en voulant fuir, emportés par les courants rapides du Danube – et plus de 10 000 des meilleurs fantassins de Louis XIV durent se rendre après s'être retrouvés isolés à cause des dissensions de leurs généraux.

Non seulement la Bavière, alliée de la France, se retrouva hors jeu du conflit, mais Marlborough y gagna en popularité en France, où il devint le héros d'un chant populaire : « Malbrough s'en va-t-en guerre ». La chansonnette sonna comme une claque cruelle pour l'ego de Louis XIV. Personne n'osa lui parler de la défaite jusqu'à ce que sa maîtresse, Mme de Maintenon, prenne son courage à deux mains pour lui livrer la terrible nouvelle : « Vous n'êtes plus invincible », lui dit-elle.

À partir de ce moment-là, la longue guerre se poursuivit, Louis recherchant la paix tel jour et se ruant à l'offensive tel autre, tandis que Marlborough paradait à travers tout le continent, infligeant défaite sur défaite à l'armée française. Il aurait même pu prétendre attaquer Paris, si une volonté politique s'était manifestée dans ce sens.

Le retour de manivelle ne devait plus tarder. Marlborough ressemblait à une pop star qui aurait sorti un tube de trop – l'establishment militaire britannique se défia de lui, l'accusa de corruption et d'autoglorification. Il fut relevé de son commandement.

La France avait déjà perdu la guerre et Louis signa, en 1713, le traité d'Utrecht, par lequel il reconnaissait la nouvelle lignée royale britannique, la perte d'une grande partie du Canada français et – beaucoup plus humiliant – acceptait que les Couronnes de France et d'Espagne ne fussent jamais unifiées, au cas où elles fussent entre les mains d'une même famille. Au fond, ce que Louis abandonnait, c'était son rêve de domination mondiale.

Le Soleil se couche sur la France

Le Roi-Soleil mourut le 1er septembre 1715, d'une gangrène due à une mauvaise circulation sanguine, alors que ses médecins avaient d'abord diagnostiqué une sciatique qu'il avait ensuite tenté de traiter en utilisant un médicament contre la variole. Bien qu'on se souvienne de lui encore aujourd'hui comme du glorieux Roi-Soleil – essentiellement parce qu'on demeure ébahi face à la grandeur du château de Versailles et envieux du nombre de ses maîtresses – sa disparition entraîna à l'époque des réactions du type : « Bon voyage et bon débarras. » Son cortège funéraire fut conspué par la foule tandis qu'il se dirigeait vers la nécropole de la cathédrale Saint-Denis, au nord de Paris (encore qu'il s'agisse là peut-être simplement d'une tradition locale car un président français, mort ou vif, traversant cette même banlieue nord de nos jours recevrait certainement un traitement comparable).

Sur son lit de mort, Louis semble avoir reconnu son erreur. Au futur Louis XV, alors âgé de cinq ans, il déclara : « J'ai trop aimé la guerre. » Peut-être essayait-il de rendre la situation intelligible à un bambin car lui-même devait savoir que les choses étaient en réalité un peu plus compliquées que cela. Louis XIV avait dilapidé toute la richesse du pays dans des guerres perdues et dans un palais aussi grand qu'une ville, encouragé les aristocrates à se muer en dandies paresseux, et accablé d'impôts des roturiers qui finiraient, soixante-quatorze ans plus tard, par perdre patience et se mettre à couper les têtes des privilégiés. Plus encore, en se faisant des ennemis de deux des soldats européens les plus ambitieux et les plus audacieux – Guillaume d'Orange et le duc de Marlborough –, Louis avait ruiné les chances de la France d'étendre son influence sur l'ensemble du continent.

Comble du comble, avec la fortune qu'il avait accumulée au cours de sa spectaculaire carrière, « Malbrough » fit bâtir son propre Versailles, un splendide château dans la campagne anglaise qui porterait le nom d'une défaite française : le palais de Blenheim. L'édifice est littéralement une insulte à la France humiliée ; dans son entrée trône une sculpture qui représente la couronne ducale, accrochée à un boulet de canon, écrabouillant une fleur de lys, emblème de la monarchie française. L'affront est complet quand on sait que le palais fut construit sur un terrain qui fut donné à Marlborough par la nation reconnaissante et que, aujourd'hui encore, les Marlborough offrent chaque année au monarque britannique un loyer symbolique sous la forme d'un étendard où est figurée une fleur de lys.

En bref, la demeure familiale des Churchill-Marlborough agit comme une piqûre de rappel des foirades historiques de Louis XIV ; elle est une plaisanterie antifrançaise vieille de trois cents ans qui fait chaque année le bonheur d'un demi-million de visiteurs – et particulièrement celui de la famille royale britannique.

9

Pourquoi Amérique se dit *America* ?

Dans chaque cerveau français existe une petite région qui ne cesse jamais de palpiter.

Il ne s'agit pas de la zone dédiée au sexe, que les Français peuvent en fait assez facilement oublier – dès qu'ils se mettent à parler bouffe, maladie ou acquis sociaux, par exemple. Il ne s'agit pas non plus d'une colonie de bactéries qui aurait trouvé refuge dans leur cerveau en se nichant dans un fromage grouillant de vie.

Non. Il s'agit de cellules cérébrales obnubilées par l'idée que Barack Obama aurait dû être français, que Neil Armstrong, en marchant sur la Lune, aurait dû dire : « C'est un pas de géant pour l'humanité » au lieu de « *It's a giant leap for mankind* », et que, plutôt que d'être accro à une certaine marque de hamburgers, le monde devrait être avide de bœuf bourguignon à emporter. D'accord, la sauce coulerait de partout mais un ingénieur français aurait découvert un moyen ingénieux de pallier ce problème.

En résumé, la raison pour laquelle ces neurones

ne cessent de tambouriner est que l'Amérique aurait vraiment dû être un département français, comme la Martinique et la Guadeloupe.

Pour ramener les Français à la réalité, il suffit de rappeler que les mots anglais *debacle*, *disaster*, *calamity* et *defeat* ont tous été empruntés au français[1]. La triste vérité est que la France a eu sa chance en Amérique et qu'elle l'a gâchée. Pas seulement une fois, mais à de multiples reprises, tout au long d'un siècle de faux pas.

À un moment donné, les Français eurent une idée directrice pour coloniser non seulement le Canada mais toute l'Amérique du Nord et, comme nous le verrons, ils auraient vraiment pu la mettre en œuvre. Mais, à l'arrivée, ils perdirent et vendirent tout, à part quelques îles et quelques noms de rues à La Nouvelle-Orléans.

Face à une telle insolence, les Français auraient beau jeu de rétorquer : oui mais, vous les Brits, avez perdu plus encore car ce que l'on nomme aujourd'hui les États-Unis vous appartenait jusqu'à ce que vous vous fassiez éjecter sans autre forme de procès par des révolutionnaires qui, comble de l'insulte, balancèrent une cargaison de votre si précieux thé dans le port de Boston. Touché !

Oui mais, ne serait-ce qu'en termes de superficie, la Grande-Bretagne n'a jamais possédé de colonies que sur une mince bande de terre le long de la côte Est.

De plus, dans la plupart des cervelles britanniques,

---

1. Il est vrai que *victory*, *triumph*, *success* et *glory* sont aussi des termes empruntés au français, mais cela affaiblirait quelque peu mon argumentation.

on ne trouve pas trace de ces neurones qui picotent (enfin, pas à propos de l'Amérique en tout cas – de multiples autres problèmes nous donnent mal à la tête). Nous, les Brits, n'éprouvons aucun ressentiment à propos de la « perte » de nos colonies américaines. Nous aimons beaucoup les Américains que nous voyons comme de lointains cousins incapables de parler notre langue correctement. Nous avons coopéré avec l'Amérique de façon fort amicale sur des projets comme la libération de l'Europe et l'invention de la pop music. Et nous n'avons pas la moindre envie d'essayer de gouverner les Texans.

Pourtant, les Français continuent de se plaindre encore aujourd'hui des États-Unis comme s'il s'agissait d'une personne qu'on n'aurait pas dû laisser filer : le genre à dire qu'elle doit faire un saut aux toilettes et qui se carapate par l'arrière-cour ; l'acteur inconnu qui a quitté la France avant de devenir mondialement célèbre. Cela, inconsciemment, les rend malades et c'est la principale raison pour laquelle ils se plaignent constamment que le français ne soit pas la langue universelle.

Le caractère tragicomique de la situation vient de ce que leur chute fut causée par des soldats français qui avaient menacé de recourir à la violence contre une pacifique vache anglo-américaine...

La France complètement à l'ouest

De nos jours, le Français moyen n'a pas conscience de tout ce qu'il a perdu. Il se souvient vaguement avoir eu la mainmise sur la Louisiane pendant un temps,

L'Amérique du Nord
au milieu du XVIIIᵉ siècle

Québec
Montréal
ACADIE
Grand-Pré
Fort William Henry
Boston
Fort Le Boeuf
Fort Duquesne
Fort Necessity
New York
Fort Miami
OHIO
IROQUOIS
SAINT-LAURENT
MISSISSIPPI
Yorktown
LOUISIANE FRANÇAISE
LES 13 COLONIES BRITANNIQUES
Fort Arkansas
INDIENS NATCHEZ
Fort Rosalie
Biloxi Mobile
La Nouvelle-Orléans
FLORIDE (espagnole)

La politique française en Amérique du Nord avait
pour objectif d'acculer les colonies britanniques le
long de la côte, puis de les refouler vers l'Atlantique.
Cela aurait bien pu marcher si les Français eux-
mêmes n'avaient pas fait n'importe quoi.

après l'indépendance américaine, et l'une des rares critiques qu'il adresse à Napoléon est d'avoir vendu ce petit coin du sud des États-Unis à des anglophones.

Mais, dans la majorité des cas, ce qu'il ne perçoit pas, c'est que la Louisiane, à l'origine, c'était beaucoup, beaucoup plus que quelques marécages à l'embouchure du Mississippi. Au départ, le territoire français de la Louisiane, baptisé ainsi pour flatter Louis XIV, était immense et couvrait pratiquement un tiers des États-Unis actuels, une zone aussi vaste que l'Europe, une étendue de terres inexplorées s'étalant des Grands Lacs jusqu'au golfe du Mexique, de l'Illinois jusqu'à mi-chemin du Pacifique.

La Louisiane était conçue comme un rempart contre les Britanniques ou les Espagnols qui auraient entendu explorer l'Ouest. Et un moyen de contenir les colonies étrangères sur la côte atlantique, de la Nouvelle-Angleterre à la Floride espagnole au sud et – pourquoi pas ? – de les repousser vers l'océan et de revendiquer pour la France tout le continent nord-américain. Le plan était osé, mais il aurait pu fonctionner.

Tout commença un peu comme dans une pièce de Molière, avec un prêtre défroqué coiffé d'une perruque frisée. René Robert Cavelier de La Salle était le fils d'un marchand normand qui avait fait des études pour devenir prêtre avant de renoncer à cause de ce qu'il décrivait comme ses « infirmités morales ». À la poursuite d'une fortune plus temporelle, il quitta la France pour le Canada au milieu des années 1660 et se retrouva bientôt à parcourir rivières et lacs à la recherche d'une autoroute vers la Chine. Il était tellement obsédé par cette idée que lorsqu'il obtint un lopin de terre près de Montréal, les autres colons le surnommèrent, en riant, « la Chine ».

La Salle ne se laissa pas atteindre par ces plaisanteries. Il s'allia au fils d'un banquier italien, Tonti, un géant qui avait eu jadis une main arrachée par une grenade et l'avait remplacée par un poing en fer dont il se servait comme d'une massue.

Le Jour de l'an 1682, La Salle et Tonti se couvrirent chaudement et partirent pour Fort des Miamis, sur la côte sud-ouest du lac Michigan, près de ce qui est devenu aujourd'hui la ville de Chicago, afin de trouver la Chine.

Ces postes-frontières, appelés « forts », n'étaient souvent rien d'autre que de grandes cabanes en rondins entourées d'une palissade en bois, afin de dissuader des Indiens hostiles de les attaquer. Les Indiens étaient des combattants courageux mais pas suicidaires pour autant – comme un prêtre jésuite le remarqua, « Ils se battent pour tuer, pas pour être tués ». Néanmoins, lorsque La Salle quitta le petit fort, il savait qu'il laissait derrière lui le dernier filet de protection existant dans cette partie du globe et qu'il pénétrait au cœur d'une immensité sauvage – l'une des raisons pour lesquelles, en plus de 22 Français armés et 18 Indiens, il emmenait avec lui un prêtre. Il pensait pouvoir avoir besoin du coup de pouce d'un ami, là-haut.

Progressant sur une neige épaisse, le groupe commença à se diriger lentement vers le sud et, le 6 février, il découvrit le Mississippi. La source du fleuve se trouvant 400 kilomètres en amont vers le nord, l'eau était glacée mais, le fleuve étant large et le courant puissant, il paraissait navigable.

Le groupe de La Salle construisit des radeaux,

embarqua à bord et navigua jusqu'à atteindre le golfe du Mexique, un bon millier de kilomètres plus au sud. La Salle se rendit probablement compte que, vu l'absence de temples bouddhistes, le fleuve ne menait pas en Chine. Mais leur périple les conduisit à travers un pays en apparence fertile, où l'on n'avait pas de la neige jusqu'au cou – une sensation nouvelle pour des explorateurs français habitués à parcourir le Canada.

La Salle fut si content qu'il décida de revendiquer cette vaste région au nom de la France – le Mississippi sur toute sa longueur (même s'il ne savait pas où s'en trouvait la source), ainsi que son affluent de 1 500 kilomètres de long, l'Ohio, qui menait, au nord-est, à la frontière des colonies anglaises. La Salle enfila un manteau rouge couvert de broderies en or, qu'il avait emporté au cas où il rencontrerait l'empereur de Chine, et entreprit de baptiser les lieux. Sur un dessin de la cérémonie (réalisé après les faits), il semble même porter une perruque à frises.

En présence d'un avocat, une plaque fabriquée à partir d'une casserole fondue fut clouée sur un crucifix géant afin d'informer le monde (ou, à tout le moins, ses habitants francophones) que se trouvait désormais ici la frontière méridionale du nouveau territoire de Louisiane.

La Salle retourna vers le nord et, plein d'optimisme, décréta que l'une des régions qu'il avait traversées – l'Illinois, juste à l'ouest des colonies anglaises – deviendrait le cœur de la colonisation française. Il jugea, avec raison, que son climat était beaucoup plus clément que celui du Canada et que ces terres seraient donc nettement plus fertiles. En plus, ça grouillait de castors.

Cette région servait de zone de chasse aux Iroquois, qui étaient généralement en bons termes avec les Français. La Salle considéra donc que n'existait aucun obstacle à la mise en œuvre immédiate d'un programme de colonisation. Son plan visait l'implantation de 15 000 colons qui, prédisait-il, auraient infiniment moins de difficultés à s'installer que les pauvres pêcheurs et trappeurs qui se gelaient au nord. Le nombre qu'il avançait paraissait des plus raisonnables : avec 19 millions d'habitants, contre 8 millions pour la Grande-Bretagne, la France avait la population la plus importante d'Europe et moult paysans sous la main.

Mais ce plan ambitieux ne vit jamais le jour, et ce pour la plus française des raisons.

Le prêtre qui accompagnait La Salle au cours de ses voyages et qui bénissait toutes ses découvertes n'était pas un jésuite (la communauté catholique la plus puissante en France) mais un récollet, les récollets constituant une branche de l'ordre des franciscains. Or, les jésuites étaient très impliqués dans la colonisation du Canada et considéraient les âmes des Indiens un peu comme les colons les peaux de castor – ils en voulaient le monopole. Pour ne rien arranger, les jésuites jouissaient d'une influence notable auprès du gouverneur des territoires français en Amérique du Nord, la Nouvelle-France, un sexagénaire nommé La Barre qui savait devoir bientôt paraître devant Dieu. Ils décidèrent donc d'écrire à Louis XIV pour exiger que cet agité de La Salle mette la pédale douce sur la colonisation. Malheureusement pour La Salle, Louis acquiesça et répondit au gouverneur que cette entreprise exploratoire hors du Canada était « fort inutile et qu'il [fallait] dans la suite empêcher de pareilles découvertes ».

Une vague de réactions tout aussi hostiles fut soulevée par les marchands franco-canadiens qui ne voulaient pas que les nouveaux territoires du Sud viennent leur faire concurrence. D'étranges gènes non américains semblent avoir empêché les marchands français de penser : Formidable ! Nous pouvons ouvrir de nouveaux lieux de commerce dans l'Illinois !

Au final, la réaction française à l'idée de La Salle fut de dire : « Non, je ne veux pas du gros lot de votre loterie. Primo, vous avez coché les numéros avec un mauvais stylo. Secundo, il me faudrait parcourir au moins un kilomètre pour aller récupérer mes gains. »

La croisière ne s'amuse point

La Salle ne perdit toutefois pas espoir. Il rentra en France pour soutenir un plan visant à attaquer les colonies espagnoles dans le golfe du Mexique et au Texas qui constituaient une menace pour la colonisation française dans la région. Il n'avait besoin, dit-il, que de 200 soldats. Le reste de ses forces serait recruté chez les amis iroquois, plus amicaux encore depuis que leurs terrains de chasse dans l'Illinois leur avaient été rendus.

Louis XIV était un bon client pour ce type de discours. Il n'aimait rien tant qu'envoyer l'armée française attaquer quelqu'un. Il donna donc son accord et, en juillet 1684, La Salle quitta la France avec 5 vaisseaux, 200 soldats et 100 civils. Mais au lieu de donner le commandement de l'expédition à La Salle, qui connaissait la région, la marine nomma le marin aristocrate Tanguy Le Gallois de Beaujeu, fils d'un valet du roi. À l'époque, un Français ne comptant pas au moins un « de » dans son nom était considéré comme incapable de diriger autre chose qu'une décharge publique.

La rivalité entre La Salle et Beaujeu couva pendant toute la traversée et s'envenima après que les pirates se furent emparés de l'un des navires, dans les Caraïbes. L'expédition n'avait plus rien à voir avec *La croisière s'amuse*. Soit que La Salle ne réussit pas à retrouver l'embouchure du Mississippi, soit que Beaujeu refusât de suivre ses indications (les avis divergent sur ce point), ils dérivaient vers l'ouest en quête d'un lieu de mouillage propice à l'accostage lorsque le désastre se produisit ; l'un des vaisseaux, pris au piège de courants traîtres, coula avec son chargement de provisions.

Quand La Salle réussit enfin à rallier la terre ferme, il était si furieux qu'il aurait demandé à Beaujeu de « rentrer en France ». Si tel est le cas – certains récits de l'expédition accusent Beaujeu d'avoir simplement jeté les colons sur la berge et de s'être barré toutes voiles dehors –, La Salle ne croyait pas si bien dire.

Il fit construire un fort et acheminer les provisions du seul bateau restant, *La Belle*, qui se trouvait abondamment pourvu en viande séchée (2 tonnes), vin et cognac (10 tonneaux), poudre à canon (4,5 tonnes) pistolets, sel, vinaigre et huile (à l'évidence, ils entendaient trouver des pommes de terre et se lancer dans la production de chips). Un avant-poste protégé était ainsi mis en place et la situation semblait sous contrôle – bien que La Salle et les siens eussent égaré en route le Mississippi.

Laissant en garnison un groupe de soldats et de

colons, La Salle se mit en quête du fleuve vers l'est. Pendant que des hommes pagayaient en canoë en eau peu profonde, *La Belle* suivait au large. Leurs malheurs commencèrent aussitôt. D'abord, le capitaine de *La Belle* mourut, étouffé par les piquants d'une figue de Barbarie. Peu de temps après, un groupe d'hommes, dont le second du capitaine, furent tués par des Indiens alors qu'ils dormaient sur la berge.

La Salle décida que la meilleure solution était de laisser le bateau au mouillage avec un équipage de 27 hommes, femmes et enfants pendant que lui et d'autres soldats continueraient seuls en canoë. Il leur annonça qu'il serait de retour dès qu'il aurait retrouvé l'embouchure du Mississippi. Les semaines passèrent sans que La Salle réapparaisse et les réserves d'eau à bord de *La Belle* atteignirent un niveau critique. Cinq hommes embarquèrent à bord d'une chaloupe en quête de ravitaillement. Ils ne revinrent jamais. L'équipage, mal en point, se mit à boire le vin et le cognac qui se trouvaient à bord. Malheureusement, même un foie français ne peut pas survivre longtemps à un tel régime et, quand certains membres de l'équipage commencèrent à mourir de déshydratation, les rescapés décidèrent de regagner le fort. Or, aucun n'avait d'expérience de capitaine ou de pilote et ils perdirent vite le contrôle du navire, qui s'échoua sur un banc de boue avant de sombrer dans la vase. Sur 27 personnes, seules 6 survécurent et parvinrent à rejoindre l'avant-poste.

De retour au fort, La Salle découvrit ce qui s'était passé et prit la décision qui s'imposait : partir à pied vers le Canada pour chercher de l'aide, une randonnée de 1 500 kilomètres à côté de laquelle les émissions de télé-réalité où l'on doit survivre dans la jungle ressemblent à des promenades de santé.

Il prit 26 hommes avec lui, promettant à ceux qu'il laissait au fort qu'il reviendrait les secourir dès que possible.

Il va sans dire qu'à ce stade la confiance en ses qualités de chef était bien entamée et il fut l'un des premiers hommes à être abattus au Texas, d'une balle en pleine tête tirée par l'un de ses soldats, à la suite, semble-t-il, d'une querelle sur le partage de la viande. Les Français n'ont jamais été d'heureux végétariens et les myrtilles américaines ne leur auraient tout simplement pas suffi.

Par une cruelle ironie de l'histoire, la carrière de l'un des explorateurs français les plus ambitieux et visionnaires s'acheva sur un coup de mousquet qu'il avait précisément rapporté de France. La dernière pensée de La Salle avant de fermer les yeux à tout jamais fut sans doute de regretter de ne pas avoir suivi le conseil de Louis XIV et mis un terme à ses « vaines découvertes ».

Pendant ce temps, au cœur des étendues sauvages du Texas, les survivants s'échinaient à remonter vers le nord et leurs rangs ne cessaient de se clairsemer à cause des éléments ou d'Indiens tout aussi hostiles. Au terme de cette odyssée, 5 hommes rejoignirent une colonie française au Canada, chacun déclarant, bien entendu, que le meurtrier de La Salle était quelqu'un d'autre que lui. On ne revit jamais aucun de ceux qui étaient restés en avant-poste au bord du golfe du Mexique.

L'addition salée du sucre

La mort de La Salle ne mit pas un terme à l'entreprise de colonisation française en Amérique du Nord. Des groupes d'éclaireurs continuèrent d'être envoyés depuis le Canada pour agacer les habitants de la Nouvelle-Angleterre et, en 1689, une attaque fut même lancée contre la prospère colonie de New York, que les Britanniques avaient récemment échangée aux Hollandais contre le Surinam. Heureusement pour les New-Yorkais, la flotte française s'égara dans le brouillard et s'en retourna au Canada.

Les Français s'intéressaient toujours cependant à la côte du golfe du Mississippi, surtout après avoir découvert, grâce à La Salle, que ce fleuve pourrait être une voie de communication formidable entre le Canada et leurs colonies sur les îles caribéennes, en passe de les rendre formidablement riches grâce aux plantations de sucre.

Depuis le jour où ils sont arrivés en Amérique, les Européens ont toujours vu là le potentiel d'un eldorado. Avec le sucre, ils trouvèrent de l'or liquide. Nul besoin de l'extraire d'une mine ou de l'acheter, il poussait tout seul. Enfin, avec l'aide de quelques esclaves.

Les Britanniques étaient tout particulièrement amateurs de cet édulcorant naturel exotique désormais présent en abondance et devenu relativement bon marché. L'utilisant pour les desserts et les pâtisseries, ils s'en servaient également pour faire de l'alcool et pour adoucir leur nouvelle boisson nationale, le thé. Les Français, eux, ne se servaient guère du sucre dans leur cuisine, ni pour fabriquer de l'alcool – ils avaient déjà le vin – mais ils adoraient en faire le commerce, ce qui explique pourquoi le sucre était le produit du Nouveau Monde qui, bien plus que le tabac, allait être au cœur des guerres en Amérique et renforcer la détermination des Britanniques à s'accrocher à leurs colonies. Le sucre que les Britanniques achetaient ou produisaient n'était pas intégralement exporté outre-Atlantique. Il occupait une place importante dans le commerce extrêmement lucratif organisé entre les colonies et l'Angleterre, souvent appelé commerce triangulaire. Des produits anglais manufacturés, comme le tissu, étaient transportés par bateau vers l'Afrique, où ils étaient vendus, l'argent de la vente étant employé pour acquérir des esclaves. Cette cargaison humaine était alors acheminée de l'autre côté de l'Atlantique et ceux qui survivaient au voyage étaient vendus aux planteurs de sucre. Le sucre était ensuite envoyé soit vers l'Europe, soit le long de la côte atlantique et destiné à des colons assoiffés de rhum. En retour, ces mêmes colons remplissaient souvent les cales vides des navires de morue séchée, échangée en Afrique contre des esclaves que les colonies nord-américaines pouvaient utiliser sur leurs propres plantations de tabac, ou vendre aux Français.

Le coût humain de ce commerce triangulaire était extrêmement élevé mais il générait suffisamment de profits pour pousser chacun à l'ignorer – Britanniques et Français en oublièrent même qu'ils étaient en guerre. La piraterie avait beau se pratiquer bon an mal an d'un côté comme de l'autre et quelques tentatives de s'emparer de telle ou telle île être signalées, à la fin du XVIIe siècle, rien ne semblait devoir faire obstacle à la libre circulation de cet argent facile. Les Britanniques étaient ainsi les plus grands marchands d'esclaves et les Français leurs plus gros clients, à cause de leurs besoins en main-d'œuvre dans les îles à sucre – Saint-Domingue (Haïti), la Martinique et la Guadeloupe.

Au total, de 1687 à 1701, entre 28 000 et 40 000 esclaves furent achetés par les planteurs français, la production de sucre et les bénéfices augmentant d'autant.

Malgré l'échec de la France à repousser les Anglais vers l'Atlantique, et en dépit du développement poussif de la Louisiane, l'Amérique promettait d'être une source de richesses considérable pour une France à court d'argent.

C'est alors qu'un Écossais apparut et engloutit ces espoirs dans un océan de dettes.

Ne laissez jamais un banquier diriger votre économie

Les historiens français se souviennent de John Law de Lauriston comme de l'homme responsable du krach de la Compagnie du Mississippi, ou *Mississippi Bubble*. On dirait une maladie tropicale ; en fait, comme la *South Sea Bubble* en Angleterre, il s'agit de cette même espèce de modèle d'investissement fou qui a contribué à l'effondrement de l'économie mondiale en 2008.

Law était né à Édimbourg, en 1671, d'un père orfèvre qui, comme beaucoup d'orfèvres à cette époque, faisait aussi office de banquier. À dix-sept ans, John hérita de la fortune de son père et décida immédiatement de vouer sa vie à la dépenser. Il cultiva l'image d'un jeune dandy, prisé par ces dames de la haute société et fréquentant les tripots en vogue d'Édimbourg. Bientôt, il prit conscience qu'au lieu de dépenser son argent il en gagnait, grâce à un brillant cerveau de matheux et un talent certain pour l'arnaque.

Selon William Harrison Ainsworth, qui a écrit au XIXᵉ siècle une biographie romancée dont le titre évoque presque un super-héros – *John Law : The Projector* –, Law devint un adepte d'un jeu de cartes fort risqué, le faro, adoré des parieurs car le montant des gains était plus élevé qu'à d'autres jeux. Ce jeu était aussi très populaire chez les joueurs aguerris car il était facile pour le « banquier » de tricher sans être démasqué, raison pour laquelle il devint célèbre plus tard, dans le Far West, car il permettait de délester rapidement de leurs gains chercheurs d'or et éleveurs de bétail.

Ainsworth prend la défense de Law au sujet des accusations de malhonnêteté dont il a été la cible. Il cite un aristocrate français expliquant que Law était « si habile au jeu que, sans la moindre supercherie, il réussissait ce qui paraissait incroyable, gagner énormément ». Mais quand Law se mit à organiser des parties de faro à travers l'Europe, il fut poliment invité à quitter plusieurs villes, dont Paris, où le roi Louis XIV signa personnellement son ordre d'expulsion. Il est donc étonnant d'apprendre que lorsque Law revint en France, en 1715, aussitôt après que Louis eut passé l'arme à gauche, il fut recruté par le Régent, le duc d'Orléans, comme principal conseiller économique.

Le duc n'entendait pas remplir les coffres de l'État en organisant des tournois de faro (bien que les gouvernements aient depuis compris qu'ils pouvaient y parvenir grâce aux loteries). Ami du duc depuis qu'ils avaient partagé des soirées de jeu sous Louis XIV, Law était rentré à Paris en annonçant avoir mis au point une méthode infaillible pour gagner de l'argent, non seulement pour son propre compte mais aussi pour celui de tout un pays. Peu importe, pour le duc d'Orléans, que plusieurs autres monarques européens aient déjà répondu « *No thanks* », « *Nein danke* », ou « *No grazie* » à Law. La France se trouvait dos au mur, Louis XIV avait plombé les finances du pays à cause de ses guerres et le nouveau régent avait besoin d'un miracle.

Le système de Law était simple, nouveau et très séduisant. Il reposait sur l'idée que l'argent produit de la richesse en changeant de mains. Surtout en passant par les siennes, bien sûr, mais pas uniquement, permettant ainsi à chacun de vendre ses marchandises et ses services. Par exemple, un riche Parisien possède 1 000 livres (la monnaie française de l'époque) et les dépense dans les bras d'une prostituée de luxe. La prostituée dépense à son tour son argent pour acquérir une bague en diamant, le joaillier achète du champagne, le caviste s'offre une perruque et un costume, le tailleur s'offre un nouveau traitement contre la syphilis, etc., jusqu'à ce que l'argent revienne inévitablement dans la poche du riche Parisien. Tout le monde en a tiré profit.

L'argent français empruntait jusqu'alors un tout autre circuit. Les riches aristocrates avaient l'habitude d'être assis sur leur fortune et de vivre des intérêts. Ils devaient dépenser de grosses sommes au nom des signes extérieurs de richesse mais ils laissaient dormir le plus gros de leur fortune. Le plan de Law visait à réveiller l'argent qui dormait et à le remettre en circulation. Cela rendra la France à nouveau riche, dit-il au Régent.

Le duc accueillit avec enthousiasme cette idée qui avait conduit l'Écossais à être expulsé de pays moins crédules et, en 1716, Law fut autorisé à ouvrir la Banque générale, qui se mit à émettre des billets dont la valeur dépendait des réserves d'or et d'argent royal. La banque connut un tel succès que, en 1718, elle fut rebaptisée Banque royale, garantie suprême apportée à son sérieux. Mais déjà, la banque émettait bien plus de billets qu'il n'y avait d'or et d'argent en caisse, la confiance dans sa réputation n'étant maintenue que grâce au soutien réitéré du duc dans le système de Law.

Parallèlement, Law créa une société, la Compagnie d'Occident ; il bénéficiait d'amitiés si haut placées qu'il obtint l'exclusivité des droits commerciaux entre la France et la Louisiane. Il se mit à acquérir des terres près du Mississippi pour un prix ridicule : à cette époque, des pans de marais sauvages d'un million de mètres carrés s'échangeaient contre une peau de castor. Il n'avait aucune intention d'en faire quoi que ce soit – c'était de la pure spéculation –, mais le fait que Law lui-même investît de la sorte renforçait la confiance dans sa société, dont les actions commencèrent à flamber, les Français étant emballés par ce moyen éclair de s'enrichir. Et sur chaque contrat, Law prenait une commission personnelle de 4 %.

Fort de son succès, Law acquit le contrôle de toutes les autres compagnies coloniales faisant commerce avec l'Afrique, la Chine et les Indes. En 1719, il les fusionna dans la Compagnie perpétuelle des Indes orientales, à la dénomination des plus optimistes. Intelligemment, il augmenta le prix des parts, obligeant les investisseurs à échanger quatre anciennes parts pour en acquérir une nouvelle, et justifia cette inflation en faisant miroiter les fortunes que ne manqueraient pas de dégager dans un avenir proche ces continents sous-exploités : or, diamant, bois précieux, fourrures et épices, sans oublier la morue.

Il noya aussi la France sous un déluge de récits de fabuleuses découvertes de minerais autour du Mississippi[1], pour attirer les colons. Ceux-ci ne mordant pas à l'hameçon, il eut recours (avec ses représentants) à des techniques de recrutement plus brutales, faisant ramasser vagabonds, prostituées, repris de justice et aliénés, et procéder à l'enlèvement d'enfants. En tout, quelque 4 000 Franco-Américains potentiels furent embarqués sur des bateaux et lâchés dans des « forts » établis le long du golfe du Mississippi, notamment à Biloxi, dévastée par le cyclone Katrina en 2005 et qui n'était guère plus accueillante en 1719, les Français ayant construit leur colonie en lieu et place d'un village indien.

Rapidement, la nature purement spéculative de la colonisation se fit jour et les quelque 40 colonies de Louisiane – le long des vallées du Mississippi et de l'Ohio, au Texas et dans les plaines – mirent la clé sous la porte, essentiellement parce que la Compagnie avait la mauvaise habitude de ne pas payer les fourrures et autres marchandises qu'elle commandait. Finalement, la quasi-totalité des nouveaux immigrants périrent ou, pour les plus chanceux, partirent établir ailleurs leurs propres communautés.

---

1. Pour une fois, Law disait la vérité. Malheureusement, le pétrole ne serait découvert qu'après la vente de la Louisiane par la France.

En France, en revanche, la ruse et la confiance de Law lui permettaient de maintenir ses affaires à flot. Il fusionna la Compagnie et la Banque, se fit nommer contrôleur général des finances en janvier 1720 et s'arrangea même pour prêter à l'État plus d'un milliard de livres – avec son propre papier-monnaie. En à peine trois mois, les actions de sa nouvelle société grimpèrent de manière ahurissante pour passer de 500 à 20 000 livres – une valorisation de 4 000 %, taux d'intérêt des plus corrects quel que soit le critère.

À ce stade, des actionnaires malins dirent souhaiter, s'il vous plaît, récupérer leur investissement et se mirent à vendre leurs parts. D'autres demandèrent à échanger leurs jolis billets de la Banque royale contre des blocs de métal précieux plus solides – comme ils en avaient le droit – et découvrirent que la Banque avait émis des billets pour une valeur d'un milliard de livres alors qu'elle possédait seulement 330 millions en or et argent.

Le système sombra aussi rapidement qu'un bateau de marchandises pris dans la vase du Mississippi, et il emporta tout le monde. Enfin, presque tout le monde. Le capitaine de ce vaisseau à la dérive, Law, s'enfuit à Venise en décembre 1720, abandonnant la France à son sort. Il avait convaincu environ un million de familles françaises d'acheter des parts dans ses différentes sociétés. Elles se retrouvèrent avec entre les mains des bouts de papier sans valeur. Idem pour tous ceux qui avaient conservé leurs billets de banque dans un coffre ou sous leur matelas. « En janvier dernier, j'avais 60 000 livres en papier-monnaie, écrit un avocat français, en 1721. Maintenant, je n'ai pas même assez pour donner à mes domestiques leurs étrennes de Noël. » Ce qui témoigne de la violence du choc.

La Grande-Bretagne attrape le mal français

Le plus drôle est que, tandis que la bulle du Mississippi de Law était en train d'éclater, les Britanniques choisirent de se mettre à souffler à leur tour dans leur bulle des « mers du Sud ». Comme si, en matière de folie, ils voulaient surpasser la France.

La South Sea Company gagnait de l'argent depuis environ une décennie grâce au commerce des esclaves avec l'Amérique du Sud (le terme « South Sea », ou « mers du Sud », renvoie à la zone atlantique contrôlée par les Espagnols). Jusqu'au début 1720, elle avait certes promis des bénéfices excessifs mais n'avait mis personne en faillite. Puis, juste au moment où le système de Law tournait en eau de boudin, une frénésie d'investissements s'empara de l'Angleterre, où des politiciens véreux acceptèrent des parts de la Company en échange de déclarations d'après lesquelles celle-ci était sur le point de faire fortune grâce à l'or du Pérou, et autres sornettes lawesques du même tonneau. Le prix de l'action passa de 120 *pounds* à environ 1 000 *pounds* – une augmentation considérable quoique modeste en comparaison des 4 000 % français.

Simultanément, une foultitude de projets du même genre surgit, des compagnies britanniques promettant de développer le mouvement perpétuel ou d'assurer les gens contre les dégâts causés par leurs domestiques. On voyait fleurir des sociétés en vue d'« améliorer l'art de fabriquer du savon », pour favoriser le « commerce des cheveux » et, mieux encore, pour « poursuivre une entreprise de grand attrait, sans révéler ce que c'est ». Le directeur de cette singulière start-up offrait 5 000 parts à 100 *pounds* chacune, avec des dividendes garantis de 100 *pounds* par an et par part. La seule mise de départ demandée était un acompte de 2 *pounds* pour acquérir une part. Un matin, à 9 heures, il ouvrit les portes de son bureau et découvrit la foule qui se pressait devant lui. À 15 heures, il avait recueilli 1 000 acomptes et à 15 h 01 précises il disparaissait pour ne plus jamais faire entendre parler de lui, après avoir empoché 2 000 *pounds* (moins une journée de location de bureau et un peu de travail d'imprimerie) en six heures, à une époque où un commerçant doué pouvait espérer 200 *pounds* par an.

Et ce scénario se répéta cent fois à Londres. Des actions étaient proposées le matin, un public fou de titres et de valeurs rencontrait ses courtiers préférés dans des cafés et achetait, le directeur de la société vendait immédiatement pour rafler la mise et la société fermait du jour au lendemain. C'était de la folie pure et l'on se demande comment les gens pouvaient être si crédules pour continuer à se présenter ainsi comme des moutons devant le loup (même si la réponse est, évidemment, fort simple : comme le montre l'effondrement, en 2008, du fonds d'« investissements » Madoff, nous les humains avons une propension quasi illimitée à la crédulité dès lors que quelqu'un nous promet un retour sur investissement faramineux).

Lorsque, inévitablement, la bulle britannique éclata, de nombreux investisseurs se retrouvèrent ruinés et un paquet d'hommes politiques perdirent leur boulot. Un certain Lord Molesworth demanda au Parlement de voter une motion selon laquelle « les contrôleurs et exécutants de l'infâme projet South Sea », qui étaient à l'origine de tous ces problèmes, seraient « attachés dans des sacs et jetés dans la Tamise ». Robert Walpole, nouvellement nommé ministre des Finances, répondit, avec ironie, qu'il leur faudrait d'abord éponger les pertes, et les directeurs de la South Sea Company virent tous leurs biens confisqués. Les dommages étaient importants et la confiance dans le gouvernement pratiquement anéantie mais – et c'est là le plus important – la crise n'avait pas entamé la foi britannique dans la construction de son empire. Étonnamment, la Company elle-même fut restructurée et elle survécut jusque dans les années 1850.

John Law n'eut pas cette chance. On ne le jeta pas dans le fleuve mais il subit un sort comparable, s'éteignant à Venise, en 1729, après avoir contracté une pneumonie lors d'une balade en gondole. Des deux côtés de l'Atlantique, on ne le regretta guère car les dégâts qu'il avait causés étaient profonds. Il n'avait pas seulement conduit la France à la banqueroute. Il avait aussi causé un dommage irréparable au « label Louisiane ».

Ironiquement, les seuls à ne pas s'en être rendu compte furent les quelques pauvres colons français qui essayaient d'y faire leur vie.

Descente sur La Nouvelle-Orléans

En 1721, un an après que le projet vicié de John Law se fut effondré, des travaux commencèrent en vue d'édifier une nouvelle colonie sur les bords du

Mississippi. Elle s'appellerait La Nouvelle-Orléans, en l'honneur du Régent, le duc d'Orléans, et les colons avaient décidé de construire quelque chose d'un peu plus grandiose qu'une palissade autour d'un baraquement. Commande avait donc été passée à un ingénieur, Adrien de Pauger, pour bâtir une vraie ville, selon un plan quadrillé, comptant six pâtés de maisons sur onze.

Mais dès le début, Pauger rencontra des problèmes. Pas à cause de l'ouragan financier qui s'abattait sur la France au même moment mais parce que les colons semblaient incapables de respecter son soigneux quadrillage. Ils n'arrêtaient pas de construire en biais ou au milieu des rues prévues. Cela perturba un Pauger irritable, qui entra en conflit avec les colons, dont certains contestèrent le lieu d'implantation de la ville, qui aurait dû selon eux être déplacé plus en aval du fleuve.

Pourtant, non sans surprise, la ville se développa peu à peu suivant les plans de Pauger, ainsi qu'un nouveau style d'architecture : le style colonial français, avec ses élégantes façades boisées et ses colonnades classiques. Pauger construisit également la première digue contre les eaux imprévisibles du Mississippi. Cela ne se fit pas tout seul, bien sûr – il fallut 4 231 jours de travail forcé pour en venir à bout.

Lorsque La Nouvelle-Orléans fut officiellement nommée capitale de la Louisiane, en 1723, il semblait que la colonie allait finalement parvenir à s'extraire du bourbier politique et financier. Jusqu'au moment où, encore une fois, les Français se tirèrent une balle dans le pied. Avec, il faut le dire, un petit coup de main des Brits.

Les colons français en Amérique entretenaient alors de bonnes relations avec certains des peuples amérindiens les plus puissants, comme les Iroquois et les Hurons, qu'ils avaient persuadés de s'opposer aux Anglais. La survie des petites colonies de Fort Rosalie et Fort Arkansas, sur la rive orientale du Mississippi, dépendait de la bonne volonté du peuple natchez. Les Natchez avaient développé une société agricole très évoluée et ne vivaient pas dans un village de tipis, comme les Européens pourraient se l'imaginer, mais dans des fermes familiales dispersées, avec pour centre une capitale édifiée sur un monticule destiné aux cérémonies. Ils fabriquaient des étoffes et des poteries remarquables, étaient dotés d'une organisation sociale solide et appréciaient les tournois de crosse entre tribus. De sorte qu'ils étaient beaucoup plus civilisés que la plupart des colons européens de la région et avaient même aidé à construire Fort Rosalie en fournissant l'essentiel du bois.

Des agents provocateurs anglais tentaient constamment de saboter leur entente chaleureuse avec les Français ; certains se rendirent chez les Natchez pour les avertir de ce qui adviendrait si la France venait à s'établir durablement sur leurs terres – eh bien, oui ! ces terrains herbeux conçus pour se défier à la crosse seraient recouverts de gravier pour jouer à la pétanque ! Or, un jour de 1729, le commandant de la garnison française à Fort Rosalie vint confirmer les soupçons britanniques en faisant construire sa maison sur le terrain d'une ferme natchez.

Les Natchez attaquèrent Fort Rosalie, massacrant 60 esclaves et 183 colons français (surtout des hommes) et faisant leurs femmes prisonnières. L'armée française réagit promptement et pénétra plus avant en territoire natchez pour se venger. Une première expédition récupéra 50 Françaises et 100 esclaves. La seconde incursion releva clairement du génocide : sur 6 000 Natchez, seuls 1 500 échappèrent au massacre. Parmi les rescapés, 500 furent envoyés comme esclaves dans les plantations sucrières de Saint-Domingue ; les autres réussirent à s'échapper et à trouver refuge chez d'autres peuples amérindiens, comme les Creeks, les Cherokees et les Chickasaws.

Alors que le récit du génocide était peu à peu colporté, des Amérindiens jusqu'alors neutres se retournèrent contre la France. En 1736, sur l'insistance des Natchez, les Chickasaws se préparèrent à la guerre. Les Français eurent vent de ces préparatifs et envoyèrent deux unités militaires en territoire chickasaw. La première, constituée d'environ 400 hommes, fut assaillie et brûlée vive. La seconde fut repoussée et dut battre en retraite vers la côte.

La purification ethnique en territoire natchez eut de graves répercussions. Louis XV transforma toute la Louisiane en zone de libre-échange, ébranlant la position de La Nouvelle-Orléans comme lieu de passage obligé de toute marchandise transitant par la région. La ville, nouvellement créée, fut un peu plus fragilisée par la peur que cette situation inspirait aux colons français qui commencèrent à fuir en masse.

Par la faute d'un projet de maison malvenu et de perturbateurs anglais, la France venait de perdre la mainmise sur une immense bande de terre en Louisiane orientale.

Et une vache était sur le point de l'expulser du reste de ses possessions.

La légende des deux George

En 1752, un jeune homme de vingt ans prêta allégeance à son roi, George II d'Angleterre, et devint officier de son armée. Le soldat servit fidèlement le gouverneur britannique de Virginie et sa réputation devint telle qu'il fut choisi pour mener une mission cruciale contre les Français.

Ce loyal patriote anglais s'appelait George Washington. Oui, le futur premier président des États-Unis d'Amérique. Les Américains ont tendance à ne retenir de sa jeunesse que l'abattage du cerisier de son père et son rôle dans la révolution antibritannique. Mais une photo de lui prise au début des années 1750 l'aurait probablement montré en train de chanter *God Save the King* (tube tout récent, entendu pour la première fois en 1744) et de saluer l'Union Jack (adopté en 1707 comme drapeau officiel de la Grande-Bretagne).

Washington, fils d'un planteur propriétaire d'esclaves, commença à travailler à l'âge de seize ans, opérant des relevés de terrain pour le compte d'un parent lointain, Lord Fairfax, unique lord héréditaire du royaume à vivre en Amérique du Nord et loyaliste acharné, qui resterait probritannique même après la fin de la guerre d'Indépendance. Puis on confia au jeune George un emploi beaucoup plus politique.

En 1752-1753, Robert Dinwiddie, gouverneur de Virginie, se montrait de plus en plus inquiet au sujet de la construction de forts français le long du fleuve Ohio, à l'ouest de sa colonie. La région était revendiquée par la France comme partie intégrante de la Louisiane mais elle se trouvait également sur le territoire que l'Ohio Company, nouvellement créée, s'était approprié pour son commerce de fourrure.

Le gouverneur Dinwiddie se trouvait être actionnaire de cette société ; il donna donc une mission au jeune Washington, alors major dans la milice de Virginie – autrement dit, les civils locaux constituant l'armée britannique. Il était chargé d'aller signifier aux Français de quitter l'Ohio, sinon...

Washington apporta un ultimatum au Fort Le Bœuf, en Pennsylvanie, qu'il découvrit être un poste avancé bien construit, équipé de plusieurs canons et dirigé par un officier franco-canadien expérimenté et disposant d'une centaine d'hommes. Les Français, rapporta Washington, donnaient l'impression d'être là pour rester.

L'information alarma Dinwiddie, qui ne fut pas surpris de voir son ultimatum dédaigné et la construction du fort se poursuivre. Mais lorsqu'il apprit que les Français étaient en train d'établir une colonie sur l'emplacement même d'un ancien fort britannique, rebaptisé Fort Duquesne en l'honneur du gouverneur de la Nouvelle-France, il déclara que la provocation avait des limites. Il promut Washington au grade de lieutenant-colonel et l'envoya délivrer un nouvel ordre d'expulsion aux intrus français. Washington s'exécuta. En tant que fils bien élevé d'un propriétaire de plantations, il leur demanda poliment de partir ; en tant que soldats français, ils lui répondirent d'aller se faire voir chez les Iroquois.

La suite des événements est plus controversée et est souvent édulcorée quand on évoque la vie du futur président.

Selon les Français, Washington dut se rendre à l'évidence que Fort Duquesne n'allait pas être démantelé ; il décida donc de construire sa propre base, qu'il appela de manière diplomatique *Fort Necessity* (comme pour dire « Messieurs les Français, ce n'est pas notre faute, c'est vous qui nous y forcez »). Le commandant de Fort Duquesne ne comptait pas s'en laisser compter et il envoya à son tour entre 40 et 50 hommes dissuader les Britanniques.

Ce groupe était conduit par l'officier Jumonville (son nom était infiniment plus long mais en le déclinant nous risquerions de gâcher un suspense qui va croissant). Jumonville se mit à traîner dans le coin en menaçant tout anglophone qu'il croiserait dans les parages de représailles violentes. L'une de ses victimes fut un paysan du nom de Christopher Gist, qui débarqua au campement de Washington dans la nuit du 23 mai 1754 pour se plaindre que des soldats français avaient fait irruption dans sa cabane et lui avaient affirmé que, s'il ne déguerpissait pas, ils tueraient sa vache.

Oui : une vache laitière anglaise était menacée d'être transformée en *steak-frites* à la française. À l'évidence, les Britanniques n'avaient d'autre choix que de déclarer la guerre. Accompagné par un guide indigène, Tanacharison (particulièrement sensible au sort de la vache, lui qui affirmait que les Français avaient cuit et mangé son père), Washington se mit immédiatement en marche et trouva le groupe de Jumonville en train de camper au milieu d'une belle clairière rocheuse. Quelques 40 Virginiens et 12 hommes de Tanacharison encerclèrent le campement et, à l'aube du 24 mai 1754, Washington donna l'ordre de tirer. Quelques minutes plus tard, les corps inertes d'une dizaine de Français gisaient à terre et 23 autres étaient capturés, dont leur chef blessé, Jumonville.

La victoire était acquise et le combat avait officiellement cessé quand Tanacharison, trouvant sans doute que Jumonville ressemblait à celui qui avait cuisiné son père, s'avança et assena un coup de tomahawk sur le crâne du pauvre Français avant de se laver les mains dans la cervelle de sa victime.

En tant qu'officier et gentleman, Washington désapprouvait probablement ce genre de comportement, mais l'époque était violente – et, après tout, ses hommes venaient de tendre une embuscade à quelques dizaines de Français endormis pour les empêcher de commettre l'irréparable à l'encontre d'un animal innocent. Ne laissant pas sa conscience troubler sa mission, Washington s'en retourna construire Fort Necessity.

Ce nom était bien grandiloquent pour un édifice aussi vulnérable, composé d'un baraquement entouré d'une enceinte en rondins de 2 mètres de haut qui n'avait aucune chance de résister aux 700 Français venus crier vengeance.

Ces derniers étaient menés par le frère de Jumonville, Louis de Villiers (son nom complet, dont au moins une partie en commun avec son frère, était beaucoup plus long), qui entreprit de cribler Fort Necessity de balles de mousquet. Washington semblait sur le point de devoir capituler ou d'être transformé en emmental, mais Villiers, impatient que justice soit faite, avertit que, si les Britanniques ne se rendaient pas, les Indiens profrançais se chargeraient de scalper tous les survivants.

Tandis que George retournait l'avertissement dans sa tête, un groupe de Virginiens profita de la trêve pour fracturer les réserves de rhum de la garnison et se saouler comme des cochons. S'ajoutant à cela la pluie battante qui mouillait la poudre à canon des Britanniques, Washington se résolut à accepter la proposition française. Lui et ses hommes abandonneraient le fort et repartiraient pour la Virginie.

Mais, au préalable, Villiers présenta à Washington un document à signer. En bon Anglais de son époque, George ne savait pas lire le français mais il signa néanmoins. Quelle importance pouvait bien avoir un bout de papier ennemi ? Il se trouvait au cœur des forêts apparemment infinies de l'Ohio où, Villiers faisant figure (aux yeux des Anglais en tout cas) d'étranger en situation irrégulière, ces documents soi-disant juridiques n'avaient aucune valeur.

Malheureusement, le document affirmait que lui, George Washington, admettait pleinement la responsabilité du meurtre de Jumonville. Ainsi, pour les juristes français, le Père de la Nation aux cheveux blancs et au visage aimable était-il officiellement un assassin.

Le 4 juillet, date qui serait vingt-deux ans plus tard associée à la signature d'un document moins embarrassant, Washington quitta le fort avec ses hommes, faisant de son mieux pour ignorer les quolibets des Français triomphants et des Indiens dépouillant de leurs armes et de leurs provisions les soldats en déroute. Ce fut là, comme les historiens américains ne manquent pas de le souligner, la seule défaite militaire de Washington.

Son aveu fut rendu public et utilisé pour donner des Britanniques l'image d'une race de tueurs froids et brutaux bien que, comme nous l'avons vu à propos du massacre des Natchez, il s'agissait en l'occurrence d'un monopole que les colons anglais ne pouvaient pas revendiquer. En outre, il existait des circonstances atténuantes dans l'affaire Washington car, après tout, son action avait servi une noble cause : la défense d'une vache innocente.

Bien rincer un scalp avant d'en faire usage

À compter de 1756, la France et la Grande-Bretagne n'en étaient plus à se battre – elles étaient formellement en guerre. Il existait déjà alors une différence technique entre ces deux notions. En fait, un peu comme pour un match de foot dans une cour d'école, la guerre de Sept Ans (qui n'était pas encore appelée ainsi, bien entendu) fut seulement déclarée une fois que les équipes eurent été assemblées. Après quelques heurts, les deux camps furent constitués : d'un côté, la Prusse et la Grande-Bretagne, de l'autre, l'Autriche, l'Espagne et la France.

Au début, les choses se déroulèrent plutôt bien pour les Français, notamment loin de l'Amérique. En avril 1756, une énorme force d'invasion composée de bateaux et de soldats envahit Minorque, une île tenue par les Anglais. Une force de soutien britannique fut envoyée pour sauver Mahón, la capitale de l'île – en vain. Les Britanniques n'offrirent pratiquement aucune résistance à l'ennemi. La France célébra sa victoire en inventant une nouvelle sauce, la *mahonnaise*, délibérément trop compliquée pour les chefs britanniques.

La Grande-Bretagne fit tellement mauvaise figure que l'amiral envoyé à la rescousse de la garnison de Mahón, Sir John Byng, passa en cour martiale pour « ne pas avoir fait de son mieux » et fut exécuté pour l'exemple. C'est cette exécution qui choqua tant Voltaire qu'il décrivit l'épisode dans *Candide*.

La colère britannique fut plus grande encore quand, en août 1757, 6 000 Français et 2 000 Amérindiens attaquèrent Fort William Henry, tenu par les Anglais au nord de New York et défendu par environ 2 200 soldats et miliciens. Comme ils l'avaient fait contre Washington à Fort Necessity, les Français firent donner l'artillerie avant d'offrir aux Britanniques une chance de se rendre.

Montcalm, le commandant français (qui devait mourir deux ans plus tard devant Québec), promit aux vaincus et à la population civile du campement qu'ils auraient la vie sauve. Ces derniers furent donc pour le moins surpris quand les Indiens profrançais se jetèrent sur eux. Hommes, femmes et enfants furent massacrés, tandis que pistolets et scalps étaient récupérés comme trophées. Il semble que les guerriers aient cru pouvoir s'adonner à quelques tueries et pillages et aient été en désaccord avec les termes généreux de la reddition.

Les estimations varient mais il est probable qu'environ 200 personnes trouvèrent la mort avant que Montcalm ne se montre digne de son nom et ramène à de meilleurs sentiments ses alliés sanguinaires. Personne ne lui demanda jamais de signer un aveu où il admettrait ce massacre de masse, mais l'histoire fut beaucoup moins clémente avec lui qu'avec Washington à cause de l'immortalisation, en 1826, des événements de Fort William Henry par Fenimore Cooper, dans *Le Dernier des Mohicans*, qui raconte l'histoire de la tentative de sauvetage des filles du commandant britannique par deux Amérindiens.

L'histoire ne tarda pas à se venger d'une autre

manière. Après le massacre, quelques Amérindiens retournèrent sur les lieux du crime et exhumèrent des corps, espérant récupérer d'autres scalps. Ce qu'ils rapportèrent à la place fut la variole, qu'ils transmirent aux autres, déclenchant une épidémie qui coûta la vie à un nombre incalculable de Français et de leurs alliés. Et l'une de ces victimes fut peut-être bien l'accusateur de Washington, Louis de Villiers, qui mourut de la variole à Québec, en 1757.

Offrir l'Amérique aux Brits

Officiellement, la guerre de Sept Ans porta bien son nom et dura jusqu'en 1763. Mais en réalité, elle était déjà presque terminée au bout de trois ans seulement. La France avait alors perdu le Québec et un héros oublié de la marine anglaise, Sir Edward Hawke, avait infligé tant de dégâts à la flotte française que la France n'avait pratiquement plus aucun moyen d'acheminer soldats et approvisionnements de l'autre côté de l'Atlantique. Fin 1759, Paris entreprit alors de tâter le terrain en vue d'une paix négociée.

Évidemment, les Français ne l'avouèrent à personne, ce qui explique qu'un pauvre Breton ait pu continuer pendant ce temps à dépenser son énergie à essayer de rejoindre la Louisiane.

En tant que gouverneur du territoire, Louis Billouart, chevalier de Kerlerec, faisait de son mieux pour rétablir l'ordre au milieu d'un chaos total. À La Nouvelle-Orléans, chacun paraissait se disputer avec tout le monde – les militaires avec les marchands, le clergé avec les laïcs, les jésuites avec les confréries religieuses rivales – et lorsque les réfugiés acadiens désargentés commencèrent à affluer après leur expulsion du Canada, ceux-ci devinrent une source supplémentaire de querelles.

Kerlerec redoutait que les Brits, venant à passer du côté de La Nouvelle-Orléans, s'en emparent comme bon leur semblerait. Il fit donc construire une palissade en bois autour de la ville et mouiller un vieux vaisseau sur le Mississippi qu'il pourrait couler pour bloquer une tentative d'invasion par la flotte britannique. Il demanda aussi à Paris et au Canada un renfort de troupes mais on ignora sa requête. Il était livré à lui-même.

La seule solution pour Kerlerec était de convaincre les Amérindiens que tous les Français ne ressemblaient pas à ceux qui avaient massacré les Natchez. Il rencontra d'abord quelque succès, persuadant les Cherokees de l'aider à défendre La Nouvelle-Orléans en cas d'attaque britannique.

Mais il n'eut pas à appeler les Indiens à la rescousse car, comme le souligne l'historien français Henri Blet, La Nouvelle-Orléans « ne fut pas attaquée. Elle eut à se défendre contre elle-même ». En d'autres termes, la France était parfaitement capable de perdre ses colonies sans l'aide des Anglais.

Le problème de Kerlerec était qu'il s'agissait d'un officier de la marine relativement collet monté en charge d'une vaste région peuplée de trappeurs, de marchands de fourrure et de propriétaires d'esclaves, perpétuellement en proie à la faillite ou à une mort violente et, par conséquent, à la merci de succomber à la malhonnêteté et à la corruption. Les seuls pots-de-vin que Kerlerec était prêt à payer étaient des petits cadeaux aux Amérindiens. Il fallait que leurs chefs demeurent profrançais et, pour cela, des cérémonies d'offrandes étaient régulièrement organisées. Le gouverneur invitait les représentants des tribus à un grand banquet au cours duquel il remettait solennellement quantité de poudre à canon, de munitions, de serpettes, de haches et de peinture rouge (les Amérindiens adoraient peindre leur corps ou leur maison en rouge), que les chefs distribueraient à leur tour à leurs guerriers.

Le budget alloué à ces dépenses n'était pas directement géré par le gouverneur mais par son ordonnateur (le contrôleur des finances), en l'espèce un autre marin, Vincent de Rochemore. Mais l'argent était un sujet sensible pour Rochemore. Avant même son arrivée à La Nouvelle-Orléans, il s'était plaint que son salaire n'était pas suffisant pour prendre soin de lui et de sa famille et qu'il devrait payer sur ses propres deniers pour conserver un niveau de vie décent. Un responsable des finances ayant des problèmes d'argent ne présageait rien de bon et, rapidement, des rumeurs selon lesquelles Rochemore volait les cadeaux des Amérindiens et les vendait à son profit se mirent à circuler. Or, comme Kerlerec le savait parfaitement, un Cherokee privé de sa hache ou de son pot de peinture française peut avoir envie de se faire des alliés plus généreux.

Le gouverneur ne put faire autrement que de renvoyer Rochemore en France, où l'ordonnateur déchu s'attacha immédiatement à détruire la réputation de Kerlerec. Il accusait, par exemple, le gouverneur d'organiser les cérémonies de cadeaux à La Nouvelle-Orléans alors qu'il aurait été plus sûr de le faire à Mobile, ville où se trouvait un fort important. Pourquoi

Kerlerec voulait-il que les cérémonies se tiennent si près de chez lui sinon pour pouvoir voler une partie de la peinture rouge ?

En fin de compte, Kerlerec fut rappelé et jeté à la Bastille, puis expulsé de Paris et condamné à demeurer à trente lieues de tout palais royal (sans doute car les autorités redoutaient qu'il ne peignît des graffitis rouges sur les murs).

En somme, la dernière chance pour la Louisiane de rester française fut gâchée à cause d'une histoire de cadeaux que l'on se dispute.

Entre-temps, Fort Duquesne, qui avait jadis mis George Washington dans de sales draps, avait été perdu par les Français et un nouvel avant-poste britannique avait été construit à sa place : Fort Pitt, qui deviendrait Pittsburgh en l'honneur du Premier ministre britannique.

Le traité de Paris, en 1763, marqua la fin officielle du conflit. Pour la France, l'humiliation était totale. Le roi Louis XV renonça à la Nouvelle-France (le Canada), préférant s'accrocher aux îles sucrières de Guadeloupe et de Martinique. La guerre avait aussi impliqué l'Espagne et, dans le cadre d'un échange de territoires, la Grande-Bretagne obtint la Floride tandis que la France concédait à l'Espagne ses terres sur la rive ouest du Mississippi, dont La Nouvelle-Orléans (même si personne n'osa annoncer la mauvaise nouvelle en ville avant septembre 1764). De leur côté, les Britanniques héritaient des terres situées à l'est du fleuve. La Louisiane se trouvait ainsi coupée en son milieu – et perdue. L'humiliation française s'étendit jusque sur son propre territoire ; la France accepta de démanteler les fortifications du port de Dunkerque afin que l'Angleterre se sente moins menacée par une éventuelle invasion.

On peut mesurer la profondeur de la douleur ressentie en lisant sur un site Internet gouvernemental français que le « traité de Paris annihila deux siècles d'efforts entrepris par les colons, les explorateurs et les représentants du roi. Ce fut la fin du rêve d'une Amérique française ».

Et tout cela par la propre faute des Français. Comme Napoléon le dit un jour, « notre ridicule défaut national est de ne pas avoir plus grand ennemi de nos succès et de notre gloire que nous-mêmes ». En d'autres termes, les Français n'auraient vraiment pas dû provoquer George Washington en menaçant de tuer cette vache. Jamais un morceau de viande n'aura coûté si cher à un Français.

10

L'indépendance américaine...
vis-à-vis de la France

Il y a une chose dont on ne peut accuser les Français, c'est de renoncer à essayer d'être plus malins que les Britanniques. Même après l'humiliation du traité de Paris, qui dépouillait pratiquement la France du moindre mètre carré qu'elle avait jadis possédé en Amérique, les Français continuèrent de savonner la planche aux Anglais de l'autre côté de l'Atlantique. Tout d'abord, ils aidèrent les Américains à acquérir leur indépendance (en échange d'une bien maigre reconnaissance toutefois). Puis ils poussèrent un peu plus loin l'avantage et cherchèrent à faire de l'Amérique l'ennemi juré de la Grande-Bretagne – avec le succès que nous savons.

Quant à leur baroud d'honneur en territoire américain, il fut si désastreux qu'aujourd'hui encore presque personne en France ne connaît toute la vérité à ce sujet...

Merci, *but* non merci

Ce n'est pas par la *Boston Tea Party* que l'indépendance américaine débuta vraiment, mais par une bourde britannique aussi énorme qu'inhabituelle : après avoir mené pendant sept ans une cruelle guérilla sur le sol américain, les Brits se montrèrent tendres. Et les Américains furent prompts à leur faire comprendre que la tendresse, c'était bon pour les mauviettes.

Le premier signe de mollesse fut la proclamation du roi George III, en 1763, qui interdit les colonies européennes à l'ouest des Appalaches, la chaîne montagneuse qui se dresse parallèlement à la côte atlantique, du Canada à l'Alabama. La proposition était étonnamment moderne – de fait, les Britanniques proclamaient que la majeure partie du continent américain se trouverait bien mieux entre les mains de ses propriétaires légitimes, les Amérindiens.

Mais l'idée provoqua immédiatement un tollé dans les colonies américaines qui voyaient là un obstacle plus insurmontable encore à leur développement que, naguère, la présence des Français. Pire, des colons vivant à l'ouest des Appalaches reçurent des ordres d'expulsion, y compris dans l'Ohio, où la guerre de Sept Ans avait débuté. Des dirigeants américains comme George Washington en furent traumatisés. Ils avaient mené une lutte féroce pour défendre cette terre, en avaient expulsé l'armée française, et on leur demandait maintenant d'y renoncer ?

La Grande-Bretagne fit alors la démonstration de son total manque de fermeté en votant une seconde loi, la loi sur le Québec, pleine de compassion pour ces autres ennemis des colons américains : les Canadiens français, qui avaient si efficacement secondé la France. Cette loi entérina la séparation entre le Canada et les colonies américaines et accorda la liberté de culte aux catholiques français qui y vivaient, ainsi qu'une large autonomie au sein du Québec désormais britannique. Les Américains britanniques, dont beaucoup étaient des puritains intransigeants, n'apprécièrent pas du tout cette décision.

Ainsi, le patriotisme américain, qui avait fédéré les colonies contre la France, se retourna-t-il contre la Grande-Bretagne, notamment lorsque Londres commença à essayer de faire payer l'effort de guerre aux colonies en alourdissant les taxes. C'est l'une de ces taxes qui provoqua la *Boston Tea Party*, en 1773, protestation célèbre orchestrée par une bande de Bostoniens déguisés en Indiens comme pour prouver que ces Iroquois et Cherokees-là n'étaient décidément pas hommes à qui confier un aussi vaste continent.

La France ne put résister à la tentation. Elle vit qu'une brèche fissurait l'Empire britannique et décida d'y introduire de la poudre à canon française.

Des étoiles en guerre

Charles Gravier de Vergennes, ministre des Affaires étrangères de Louis XVI, était violemment antianglais et entendait se venger de la guerre de Sept Ans et du traité de Paris. Quand des divisions surgirent entre Britanniques et Américains, il y vit une chance pour la France. « La Providence, déclara-t-il, a choisi ce moment pour humilier l'Angleterre. »

Benjamin Franklin se trouvait alors en Europe au titre de représentant des colonies américaines à Londres mais également pour tenter d'établir des liens d'amitié avec la France. Les Français semblent s'être immédiatement amourachés de cet Américain accommodant et humble, et ce bien qu'il fût végétarien. Autodidacte, écrivain à succès et inventeur devenu homme politique, il semble avoir pourfendu le snobisme parisien mieux qu'un tomahawk.

Les Français se sentaient peut-être aussi quelques affinités avec lui car, comme eux, il avait un don pour les inventions farfelues et, au bout du compte, inutiles. Ainsi avait-il conçu l'harmonica de verre, instrument qui émettait le même son que celui produit par un doigt humide tournant sur le bord d'un verre mais à l'aide d'une technique beaucoup plus compliquée. Franklin avait aussi, il est vrai, mené des recherches plus utiles, notamment concernant l'électricité. En dépit de sa forte corpulence, de ses habits simples et de sa calvitie que ne masquait aucune perruque, les Parisiennes raffolaient de son caractère excentrique. C'est d'ailleurs peut-être fort de ses succès qu'il développa sa théorie selon laquelle le meilleur remède contre les maladies sexuellement transmissibles était un bon petit pipi après l'amour. Pas l'une de ses meilleures trouvailles.

Quoi qu'il en soit, lorsque Franklin arriva à Paris, fin 1776, pour demander aux Français d'aider à défendre la Déclaration d'indépendance des États-Unis, il fut accueilli à bras ouverts par le ministre des Affaires étrangères. La seule condition que posa l'anglophobe Vergennes fut que personne n'eût vent du soutien de la France à l'Amérique. Le ministre se mit donc en quête d'un intermédiaire.

Le choix de Vergennes se porta sur Pierre Augustin Caron de Beaumarchais. S'il est passé à la postérité pour ses pièces de théâtre, cet ancien fabricant de montres et professeur de harpe de la famille royale était également impliqué, avant d'accéder à la gloire littéraire, dans des activités plus confidentielles et souvent plus douteuses. Ses deux premières épouses, dont il hérita la fortune, moururent dans des circonstances mystérieuses. Il avait également été envoyé à Londres pour enquêter sur la réputation d'une des maîtresses de Louis XV. À présent, Vergennes demandait à Beaumarchais de se faire marchand d'armes. Un auteur de comédies devenu trafiquant ? C'était un peu comme imaginer Jean Dujardin servir d'intermédiaire dans la vente de missiles aux talibans.

Beaumarchais créa une société fictive – Roderigue Hortalez et Cie (le nom espagnol visant à brouiller les pistes) – et commença à livrer à l'Amérique des armes françaises contre du tabac. Il fit ainsi acheminer outre-Atlantique 30 000 mousquets et 2 000 fûts de poudre à canon, ainsi que des canons, des uniformes et des tentes.

Un homme, en France, préconisait néanmoins d'adopter une attitude prudente : le contrôleur général des finances, l'adversaire de Beaumarchais, un économiste plutôt fade portant un nom de femme, Anne Robert Jacques Turgot. Celui-ci suggérait de demeurer à l'écart de la guerre d'Indépendance américaine. Faute de quoi, prévenait-il, les Brits se retourneraient contre la France et entraîneraient le pays dans une guerre dont il n'avait pas les moyens.

Paradoxalement, Turgot était sans doute l'un des responsables politiques français les plus proaméricains.

Il soutenait les idées égalitaires des révolutionnaires, faisait pression en faveur de réformes économiques pour réduire les inégalités sociales. Et c'est la raison même pour laquelle son avertissement fut ignoré : il avait trop d'ennemis au sein de l'aristocratie française, qui en avait assez de l'entendre lui dire comment élaborer le budget de la nation.

Turgot avait raison, évidemment. La défense de Vergennes et de Beaumarchais – « ces armes ne sont pas françaises, on vous assure, même si elles proviennent de France et que les caisses portent l'estampille *Made in France* » – ne trompait personne. Les Britanniques avaient déjoué depuis longtemps le stratagème, notamment avec l'aide de quelques éminents Français qui leur avaient dévoilé le pot aux roses.

Le plus célèbre d'entre eux était La Fayette, le Français préféré de l'Amérique. Cet aristocrate âgé de dix-neuf ans, dont aucun Américain n'aurait été capable de prononcer le nom entier – Marie Joseph Paul Yves Roch Gilbert Motier, marquis de La Fayette –, était issu d'une famille dont l'anglophobie était quasi héréditaire. L'un de ses ancêtres avait combattu aux côtés de Jeanne d'Arc et son père avait été tué par un boulet de canon anglo-germanique au cours de la guerre de Sept Ans. En avril 1777, en dépit des suppliques d'un Louis XVI le priant de se faire un peu plus discret, La Fayette embarqua donc pour l'Amérique.

Puis il n'y eut plus rien à feindre du tout. En février 1778, la France signa une alliance avec les Américains. Les Britanniques, qui n'attendaient que ça, lui déclarèrent la guerre. La France devait désormais trouver des fonds pour faire face à ce nouveau conflit.

À ce stade, les choses ne se présentaient pas au

mieux pour les partisans de l'indépendance de l'Amérique. Dans les colonies, on trouvait davantage de loyalistes probritanniques que de patriotes prêts à se battre pour Washington. De leur côté, les Amérindiens se rangeaient du côté de George III contre la promesse que des droits fonciers leur seraient concédés, et environ 100 000 esclaves s'étaient enfuis de chez leurs propriétaires après que l'Angleterre leur avait offert la liberté en échange de leur soutien – George Washington fut d'ailleurs l'un des plus touchés par la défection de ces précieux travailleurs non rémunérés ; de plus, ses propres soldats désertaient ou se mutinaient. Il avait donc grand besoin du soutien des Français.

Qu'il reçut. Les États-Unis l'ont peut-être oublié au moment de la guerre en Irak, mais la France mit bel et bien le paquet pour soutenir l'indépendance de l'Amérique. Elle envoya même à Newport, dans le Rhode Island, l'un de ses plus fameux vétérans, Rochambeau, à la tête d'une armée de plus de 6 000 hommes.

Les relations entre les troupes françaises et leurs hôtes américains furent d'abord tendues. Les Français étaient joueurs et capables de reluquer y compris les puritaines les plus chastes. Afin d'éviter un incident diplomatique, seuls les officiers furent autorisés à paraître à l'extérieur du campement et les autochtones tombèrent vite sous le charme de leurs manières élégantes, touchés que de si nobles personnes daignent venir soutenir leur combat pour la démocratie. Quand Washington rendit visite à ses nouveaux alliés, il fut accueilli chaleureusement. Les Français semblaient avoir oublié qu'il avait combattu ces mêmes Américains au cours de la guerre de Sept Ans et qu'il avait même admis avoir assassiné de sang-froid l'un de leurs officiers.

Mais une ambiance aussi bonne ne pouvait pas le demeurer très longtemps et les Français ne tardèrent pas à se chamailler. Rochambeau se querella avec La Fayette, qui était devenu l'aide de camp de Washington[1] et pensait avoir une ou deux idées sur la guerre. Le jeune marquis avait déjà été blessé à la jambe alors qu'il aidait les Américains à perdre une bataille en Pennsylvanie. Il souhaitait, en l'occurrence, conseiller Rochambeau quant au déploiement de ses troupes. Ce qui offrit une magnifique sortie au vieil homme, qui écrivit à La Fayette « comme un père à son cher fils » et l'accusa d'ambition personnelle :

« C'est toujours bien fait de croire les Français invincibles ; mais je vais vous confier un grand secret, d'après une expérience de quarante ans : il n'y en a pas de plus aisés à battre quand ils ont perdu confiance en leurs chefs et ils la perdent tout de suite quand ils ont été compromis à la suite de l'ambition particulière et personnelle. »

À l'été 1779, afin de soulager les hommes de Washington, la France organisa une grotesque tentative d'invasion de l'Angleterre. Une armée d'environ 30 000 hommes fut rassemblée sur la côte de la Manche et embarquée sur des navires français et espagnols. Pour leur malheur, nombre de ces vaisseaux avaient été approvisionnés en eau non potable et, tandis que l'armée essayait de défier les Anglais au beau milieu

---

1. L'aide de camp de Rochambeau était, quant à lui, le très beau comte suédois Hans Axel von Fersen, que l'on voit jouer les mousquetaires avec Marie-Antoinette dans le film de Sofia Coppola – même si l'adultère royal n'a jamais été vraiment prouvé.

de la Manche, la flotte britannique continua de filer vers le large, éloignant les Français de leurs bases. Les soldats et marins français commençant à tomber comme des mouches à cause du scorbut et de l'eau empoisonnée, la force d'invasion s'en retourna finalement chez elle comme elle était venue. On raconte que tant de cadavres français flottaient alors dans la Manche que les populations du sud de l'Angleterre cessèrent pour un temps de manger du poisson.

Les Français aident les Américains à acquérir l'indépendance

Heureusement, du côté de l'Amérique, le soutien de Rochambeau à Washington était plus efficace et, en octobre 1781, une armée coalisée de 8 000 Français et 9 000 Américains remporta la victoire qui, dans la mémoire populaire américaine au moins, scella enfin l'indépendance. L'armée franco-américaine fit le siège du dernier gros contingent de l'armée anglaise – environ 6 000 hommes – replié à Yorktown, en Virginie. La moitié de ces hommes étaient blessés ou atteints de la variole et d'autres maladies encore. Le commandant britannique, Charles Cornwallis, ne tenait que parce qu'on lui avait promis des renforts depuis le nord.

Quand la flotte française coupa la route aux renforts attendus, Cornwallis fut contraint à la reddition de Yorktown et l'opposition britannique à l'indépendance américaine prit fin.

La cérémonie de capitulation fut un grand moment de l'unité franco-américaine. Cornwallis, se faisant porter pâle, envoya à sa place son commandant en second, le général de brigade irlandais Charles O'Hara, qui voulut donner son épée à Rochambeau. Le Français refusa poliment, contraignant l'officier britannique à reconnaître la légitimité de fait de la cause américaine. O'Hara se tourna donc vers Washington, qui refusa également d'accepter la reddition d'un officier subalterne ; O'Hara dut donc présenter son épée au commandant en second américain, le général de division Benjamin Lincoln (sans relation avec Abraham).

Tout en offrant leur soutien diplomatique pour que prenne fin la souveraineté britannique en Amérique, les Français avaient subi davantage de pertes que les Américains au cours du siège de Yorktown – environ 200 morts contre 80 dans les rangs américains. Et c'est leur flotte qui, en définitive, avait fait sombrer les derniers espoirs de Cornwallis. Il peut donc paraître ingrat, de la part des Américains, d'avoir exclu les Français des négociations qui s'engagèrent ensuite avec les Britanniques pour mettre fin à la guerre.

Dans l'accord qu'ils signèrent, les Américains et les Britanniques s'accordèrent pour pigeonner la France. La Grande-Bretagne s'engageait à reconnaître l'indépendance des colonies américaines mais conservait le Canada. Britanniques et Américains se garantissaient un accès mutuel au fleuve Mississippi. Et dès que la guerre fut finie, les Américains tournèrent le dos aux commerçants français qui leur avaient apporté armes et approvisionnement pour faire affaire avec les Brits. Très rapidement, les deux anciens ennemis devinrent les meilleurs amis du monde.

Les Amérindiens, eux, ne reçurent que dalle. Ayant perdu la protection de leur vieil ami le roi George III, ils s'apprêtaient à vivre un XIXe siècle douloureux.

Tout ce que la France obtint de cet accord, ce fut le bonheur d'avoir aidé des rebelles américains opprimés à renverser leur monarchie – une idée que les Français mettraient bientôt en œuvre chez eux. Le pauvre Louis XVI pensait avoir donné un adroit coup de poignard dans le dos à ses voisins anglais. En fait, il venait de placer sa propre tête sur le billot.

La fin du rêve américain français

De façon incroyable (certains parleraient de masochisme), la France parvint pourtant à raviver encore une fois son rêve d'une Amérique française. Et l'homme qui ralluma la flamme (avant de la souffler de nouveau, comme tous les dirigeants français avaient eu tendance à le faire jusqu'alors) s'appelait Napoléon Bonaparte.

Lorsque les États-Unis acquirent leur indépendance, ils ne possédaient que la moitié orientale du continent. L'Espagne possédait une partie de l'Amérique du Nord bien plus grande que les États-Unis eux-mêmes ; par le traité de Paris de 1763, elle avait reçu la Louisiane française, cette étendue de terres vaste et largement inexplorée à l'ouest du Mississippi, qui comprenait La Nouvelle-Orléans.

Mais les Espagnols avaient du mal à tenir leurs ouailles. Une révolte de la population française de La Nouvelle-Orléans avait été réprimée dans le sang par un mercenaire irlandais au service de l'Espagne, Alexander O'Reilly, et les Espagnols avaient échoué à empêcher les Américains de disposer d'un libre accès à la voie de communication commerciale vitale qu'était le Mississippi. Les États-Unis jouissaient aussi d'un « droit de dépôt » de leurs marchandises à La Nouvelle-Orléans, ce qui signifiait qu'ils pouvaient se servir de la ville comme d'un centre de stockage en lien avec leurs colonies le long de la rive orientale. Enfin, la colonisation espagnole faisait du surplace.

Nous étions en l'an 1800. La France avait traversé le cataclysme de la Révolution et son nouveau chef, Napoléon, regardait de nouveau au-delà des frontières du pays. En lorgnant du côté de l'Espagne, il remarqua une opportunité de renforcer à la fois le roi Charles IV et ses propres intérêts par le biais d'une seule et même transaction. La France regagnerait une Louisiane en proie à l'agitation en échange d'une extension du territoire gouverné par le gendre de Charles IV, le duc de Parme, en Italie. Encore aujourd'hui, beaucoup admettraient que quelques kilomètres carrés en Toscane valent bien l'ensemble du Missouri, du Kansas, de l'Oklahoma et d'un tas d'autres États américains. À l'époque, Charles sembla très content du troc. Napoléon insista cependant pour que l'Espagne ne se vante pas de sa nouvelle acquisition italienne car il voulait garder cet accord secret. Du coup, personne n'en informa les Français de Louisiane, qui croyaient encore vivre dans une colonie espagnole.

Le secret était cependant difficile à tenir et, avant même que la cession ne fût effective, les Américains envoyèrent en France des émissaires pour s'assurer que leurs accords d'accès au Mississippi seraient préservés.

Ainsi, en 1801, le président Jefferson détacha à Paris un avocat de New York, Robert R. Livingston, pour essayer d'acheter La Nouvelle-Orléans. « Mission impossible » pour Livingstone qui faisait face, en outre, à un personnage notoirement retors : Charles

Maurice de Talleyrand-Périgord, ministre des Affaires étrangères de Napoléon.

Talleyrand était membre de la noblesse, coureur de jupons et boiteux, un incroyant devenu évêque pour s'enrichir avant de défroquer quand la religion devint taboue pendant la Révolution. En 1801, il avait la réputation d'un homme politique sans autre réel principe que ses propres intérêts. « La trahison, c'est une question de date », déclara-t-il un jour. Son patron, Napoléon, ne l'aimait pas et l'aurait qualifié de « merde dans un bas de soie ». Un homme dur en affaires, soupçonné de ponctionner au passage toute transaction financière qu'il signait au nom du gouvernement français.

Talleyrand avait pourtant déjà négocié autrefois avec les Américains[1], dont il comprenait les aspirations. Il avait passé quelques années en exil en Amérique après la Révolution française, vendant des terrains dans le Massachusetts et des livres et des préservatifs à Philadelphie.

En 1801, les négociations sur la vente de La Nouvelle-Orléans achoppèrent. Mais en 1803, Napoléon devait faire face à un besoin d'argent impérieux – il était en guerre avec l'Angleterre et se trouvait confronté à une révolte dans sa colonie sucrière de Saint-Domingue (Haïti) qui menaçait de réduire encore un peu plus ses revenus. Pire, il devait 18 millions de francs aux Américains au titre de réparation pour des actes de piraterie commis contre des bateaux américains depuis l'indépendance.

Aussi, lorsque Robert R. Livingstone (le « R. », bizar-

---

1. Soit dit en passant, l'ancienne demeure de Talleyrand sur la place de la Concorde est aujourd'hui l'ambassade des États-Unis à Paris.

rement, signifiait Robert car c'était aussi le nom de son père) revint à Paris en avril 1803, espérant acquérir un accès illimité au Mississippi en échange de 2 millions de dollars, il fut stupéfait de se voir offrir toute la Louisiane à l'ouest du fleuve pour 15 millions de dollars, moins les réparations dues. James Monroe, conégociateur avec Livingstone, arriva quelques jours plus tard et les deux hommes conclurent qu'il devait y avoir un piège quelque part. Ils n'étaient pas habilités à discuter d'un marché aussi important et songeaient que les Français essayaient ainsi de gagner du temps pour contraindre les deux hommes à obtenir l'accord de Jefferson.

Mais l'Amérique ne s'est pas construite sur des tergiversations, et Livingstone et Monroe conclurent rapidement qu'il s'agissait là d'une occasion à ne pas manquer. Le prix proposé, calculèrent-ils, représentait moins de 6 centimes de dollar l'hectare. Même il y a deux cents ans, cela constituait une formidable affaire. Jefferson leur avait indiqué qu'ils pouvaient aller, à la rigueur, jusqu'à payer 9 millions de dollars pour acquérir des droits sur le fleuve ainsi que La Nouvelle-Orléans. Or, pour à peine 6 millions de plus, on leur offrait un demi-continent. Le seul réel souci était que les Français semblaient refuser de dire où se situaient exactement, selon eux, les frontières de la Louisiane. Le Mississippi formait une frontière naturelle à l'est, mais pour le reste l'Amérique devrait se débrouiller par elle-même pour s'y retrouver[1].

Quoi qu'il en soit, c'était une occasion en or. Terri-

---

1. Une carte du Trésor français semble même suggérer – de manière erronée – que la Louisiane s'étendait aussi loin que l'État de Washington, à l'ouest.

fiés à l'idée que Napoléon ne change d'avis, les deux Américains rédigèrent en vitesse un contrat, la fameuse « lettre qui achetait un continent », par lequel la France recevrait 80 millions de francs (15 millions de dollars), moins les 18 millions de francs qu'elle devait à l'Amérique, en échange de toutes les possessions françaises restantes en Amérique. L'accord fut signé le 30 avril 1803 et annoncé aux Américains le 4 juillet (toujours et encore cette date). L'achat de la Louisiane (ou sa vente, comme les Français l'appellent logiquement) était effectué. Napoléon venait de s'expulser tout seul de l'Amérique du Nord – définitivement.

À l'époque, il affirma qu'élever l'Amérique au rang de superpuissance était un coup très dur porté aux Britanniques. « Je viens de donner à l'Angleterre une rivale maritime qui, tôt ou tard, abaissera son orgueil », déclara-t-il. Les faits lui donnèrent pourtant tort presque dans l'instant. Deux ans plus tard, à Trafalgar, un Anglais du nom de Nelson humilierait (ou plutôt briserait en mille morceaux) la force navale de Napoléon tandis que, dès le début du XIXe siècle, les États-Unis d'Amérique et la Grande-Bretagne deviendraient les amis qu'ils n'ont jamais cessé d'être depuis.

L'histoire est cruelle, vraiment. Et il est heureux que les Français ne connaissent pas le nombre précis de kilomètres carrés qu'ils ont effectivement perdus car laisser l'Amérique leur filer entre les doigts leur a causé tant de tristesse qu'ils en ont été réduits à inventer Johnny Hallyday, leur idée à eux de l'Amérique, pour essayer de soulager leur douleur.

Et le plus cruel de tout, c'est que c'est encore l'Angleterre qui eut le dernier mot dans cette histoire.

Pour l'achat de la Louisiane, les Américains payèrent 3 millions de dollars en or et le reste en titres garantis par le gouvernement et encaissables en liquide. Néanmoins, les banques françaises se montrèrent rétives à accepter ces titres et deux banques étrangères durent intervenir pour fournir les espèces exigées par la France. La première était la banque Hope and Company, basée à Amsterdam mais fondée par des Écossais. La seconde était la Barings, une banque de Londres (alors un établissement sain, deux siècles avant de faire faillite à cause du trader Nick Leeson). Napoléon était tellement dans le besoin qu'il accepta de vendre les titres à ces deux banques à taux réduit. En somme, pour conclure le marché, « Napo » fit cadeau à la Grande-Bretagne, son pire ennemi, d'au moins un million de dollars.

Pas étonnant que les récits français de la débâcle de Louisiane aient tendance à passer sous silence certains détails. Il y a des limites aux douleurs américaines qu'un Français peut encaisser.

11

Tahiti : la France s'égare au paradis

Quand un Britannique voyageait à travers le monde aux XVIe, XVIIe et XVIIIe siècles, il pensait plus ou moins comme il pense encore aujourd'hui : « Tiens, il fait plus beau dans le coin que par chez moi, je pourrais acheter une maison ici et la remettre à neuf » (ou, s'il n'y a pas de maison dans le coin : « Tiens, je pourrais construire une maison par ici »). Il ouvrait alors une entreprise d'import-export et l'exploitait jusqu'à ce qu'on vienne le mettre dehors.

Le Français, en revanche, a toujours été plus enclin à dire : « Mouais, cet endroit n'est quand même pas aussi beau que la France ; dès que j'aurai gagné assez d'argent, je retournerai m'installer au pays. » S'ils étaient obligés de demeurer dans une colonie pas à leur goût, ils finissaient généralement par y créer le chaos pour prouver à tout un chacun combien ce lieu était atroce. C'est sans doute la raison pour laquelle les colons français ont prospéré en Afrique du Nord, prolongement de la Côte d'Azur en plus ensoleillé, en Afrique de l'Ouest et au Viêt-nam, où les colonies avaient essentiellement besoin d'ingénieurs et de gérants à titre temporaire pour en exporter les ressources naturelles, et sur diverses îles paradisiaques pouvant être transformées en Club Med. Car, de manière générale, pour la France, la colonisation eut très vite un goût amer.

Pourtant, il nous est constamment rappelé qu'un Français au moins a voyagé avec bonheur sous les tropiques. Dans presque toute ville ensoleillée du monde, point de brochure touristique qui ne recèle un jardin où fleurisse un bougainvillier rose. Cet arbre sud-américain tire son nom de Louis Antoine de Bougainville, explorateur français, devenu célèbre en mars 1769 pour avoir accompli un tour du monde par la mer en vingt-huit mois. Ses descriptions idylliques d'amours libres sous les cocotiers ont aussi rendu célèbre Tahiti et conduit les philosophes parisiens à une idéalisation enflammée du « bon sauvage » sur son île et de son innocence prébiblique.

Un homme a refroidi à lui tout seul les ardeurs du culte voué à ce héros – et, bien entendu, il était britannique. En 1771, lorsque James Cook rentra chez lui à l'issue de son premier voyage dans le Pacifique, il apparut très vite que, en comparaison, Bougainville n'avait en réalité pas accompli grand-chose. Tout d'abord, le Français n'avait pas à proprement parler découvert d'endroit nouveau et il était même passé à côté de l'Australie sans la voir. Plus grave, Bougainville fut accusé par Cook d'avoir transmis aux bons sauvages des maladies sexuelles.

Une fois encore, un Anglais venait gâcher la fête coloniale française...

Louis XV essaie de tourmenter le Pacifique

Peu après le retour de Cook en Europe, Bougainville publia un récit de son voyage, au titre simple et enchanteur, *Voyage autour du monde*. Son objectif principal était d'offrir un vade-mecum aux futurs marins qui souhaiteraient suivre le même trajet – son livre est truffé de mesures de profondeur et de coordonnées latitudinales. Mais il semble aussi avoir eu l'ambition farouche de réfuter publiquement les allégations formulées par Cook.

Il est vrai que Bougainville adresse, dans son livre, des éloges à Cook et qu'il se montre délicieusement modeste au sujet de ses propres exploits. Loin de se dépeindre en héros, comme son pays l'aurait aimé, Bougainville dissipe, volontairement ou par inadvertance, plusieurs mythes au sujet de son voyage.

Le plus important d'entre eux est qu'il est souvent présenté comme le premier Français à avoir accompli le tour du monde en bateau. Cela peut se comprendre puisqu'il s'agissait de la raison officielle de son périple : Louis XV, qui voulait remonter le moral de la nation après les traumatismes de la guerre de Sept Ans, avait instruit, en 1766, Bougainville de naviguer autour du globe et de « faire planter en différents endroits des poteaux et de dresser des actes de prise de possession au nom de sa Majesté » – une drôle de manière de dire : « Trouvez-nous des colonies au cœur du Pacifique inexploré avant que d'autres nations européennes viennent tout prendre. »

Dans sa préface au *Voyage autour du monde*, Bougainville demeure évasif sur la question de savoir s'il a été ou non le premier Français à avoir effectué le tour du globe par la mer. Il déclare simplement être le premier de ses compatriotes à avoir entrepris un voyage « de cette espèce » sur les vaisseaux de Sa Majesté. Un peu plus loin, la raison de cette formulation s'éclaircit à l'évocation d'un explorateur français du nom de Le Gentil de La Barbinais, qui pourrait bien avoir accompli le tour du monde en bateau avant lui. Mais, ajoute Bougainville, Barbinais avait embarqué sur un navire privé ; il ne s'agissait donc pas d'une mission officielle. De plus, il avait fait escale en Chine pendant plus d'un an avant de rentrer chez lui avec un autre bateau. « À la vérité, [Barbinais] a fait de sa personne le tour du monde, reconnaît Bougainville, mais sans qu'on puisse dire que ce soit un voyage autour du monde fait par la nation française. » Comme tant d'autres choses en France, le droit à l'exploration dépendait avant tout de votre carnet d'adresses.

Comment perdre les Malouines sans se battre

Le livre de Bougainville ne fait aucun commentaire sur le nom du navire spécialement construit pour son entreprise, même si celui-ci s'appelait *La Boudeuse*. Ce nom était curieusement pessimiste pour un vaisseau censé transporter un équipage de marins superstitieux pour un voyage aussi long et périlleux, mais il convenait bien car Bougainville savait que le premier temps fort de son périple serait triste.

Ordre lui avait été donné de faire escale dans l'Atlantique sud pour prendre part à la cérémonie de cession à l'Espagne par la France des îles Malouines (ou îles de Saint-Malo). Trois ans plus tôt, Bougainville s'y était rendu pour y établir une colonie française, tâche dont il s'était acquitté en abandonnant sur place 75 Acadiens, venus du Canada se réfugier dans une baie relativement protégée, et en baptisant cette colonie Port-Saint-Louis, en l'honneur des rois de France d'hier et de ce temps-là encore. La chose avait beaucoup contrarié l'Espagne, qui revendiquait pour elle toute l'Amérique du Sud et Louis XV avait accepté de leur remettre ces îles et demandé à l'homme naguère responsable de leur colonisation de venir leur en faire la présentation.

Le pauvre Bougainville évoque cette cérémonie historique d'une phrase laconique : « Je livrai notre établissement aux Espagnols, qui en prirent possession en arborant l'étendard d'Espagne. » Puis il lut une lettre du roi Louis aux Acadiens, les informant qu'après avoir été expulsés du Canada, ils étaient à présent virés des Malouines. La France les avait à nouveau laissés tomber et il n'est guère surprenant que plusieurs familles aient décidé de tenter leur chance et de devenir espagnoles, même si leur avant-poste exposé aux vents portait désormais le nom un peu trop explicite de Puerto Soledad – Port-Solitude.

Bougainville espérait laisser derrière lui cette indignité en appareillant immédiatement pour le Pacifique mais il fut contraint de rester sur ces nouvelles « Malvinas[1] » dans l'attente de son bateau de ravitaillement, *L'Étoile*, qui devait le retrouver à Port-Saint-Louis,

---

1. Ces îles deviendront les « Falklands » quand les Britanniques les conquerront en 1833, même si les Français s'obstinent à les appeler les « Malouines ».

pardon, Puerto Soledad. Rongeant son frein dans les eaux de cette colonie française qui venait d'être perdue, *La Boudeuse* n'aura sans doute jamais mieux porter son nom.

Ce n'est que deux mois plus tard que Bougainville retrouva enfin *L'Étoile*, à Rio, où deux personnages clés vinrent se joindre à la mission. Le premier était Philibert Commerson, le botaniste qui découvrirait plus tard la fleur qui porte le nom de Bougainville. Le second était son assistant, Jean Baré, qui s'avérerait être un homme véritablement hors du commun.

Une île pas si vierge

Lorsque les deux vaisseaux quittèrent enfin les eaux houleuses de l'Atlantique sud et retrouvèrent le cha-toyant Pacifique, Bougainville dut se sentir soulagé d'un énorme poids. Un an après avoir quitté la France, il entrait enfin dans le vif du sujet. En lisant son livre, on peut ressentir la jubilation qui fut la sienne devant les îles non répertoriées qui surgissaient à l'horizon. Il paraît néanmoins avoir un peu oublié les termes de la commande de Louis XV car, au lieu de « planter des poteaux » et de « dresser des actes de prise de possession », il se contenta le plus souvent de rele-ver leur position et de leur attribuer un nom français sans prendre toutefois le risque d'aller s'échouer sur une barrière de corail ou de se faire attaquer par des autochtones à l'allure féroce.

Quand, en avril 1768, *La Boudeuse* et *L'Étoile* se trouvèrent en vue d'une île montagneuse inhabituel-lement grande, à 17° 35' 3" de latitude sud (mesures de Bougainville, pas de moi), il fut enchanté de sa découverte et la nomma Nouvelle-Cythère, en hommage à l'île de la mer Égée.

Les indigènes paraissaient accueillants. Les hommes qui approchèrent en canoë des vaisseaux français brandissaient des noix de coco, des bananes et d'autres « fruits délicieux » en lieu et place de lances et de gourdins. Cela, nota Bougainville, leur fit « bien augurer de leur caractère ».

À peine arrivés à terre, pourtant, deux mauvaises surprises les attendaient.

Premièrement, s'il comprenait bien les insulaires, un autre navire rempli d'hommes pâles et trop couverts avait déjà débarqué ici avant eux. Il découvrirait plus tard qu'un natif de Cornouailles, Samuel Wallis, avait visité Tahiti en juin de l'année précédente, pendant que Bougainville attendait son bateau de ravitaillement. Les Français n'avaient donc pas découvert cette île – ces fichus Brits l'avaient repérée avant eux.

Mais peu importe, Bougainville fit de son mieux pour faire miroiter aux habitants de Tahiti les avantages de devenir sujets de sa majesté Louis XV (vacances de longue durée, accès illimité aux Malouines – ah, non, ça oubliez, mais il y avait beaucoup d'autres îles) et se consola en constatant que personne ne brandissait le drapeau britannique.

La deuxième surprise fut encore plus grande. Lorsque le botaniste Commerson et son assistant Jean Baré mirent pied à terre, ils déclenchèrent une émeute. En cause, non pas la religion locale qui aurait interdit la botanique mais Baré, autour de qui les hommes se pressaient en faisant des gestes obscènes, laissant entendre par là qu'ils désiraient avoir des rapports sexuels avec lui. Les Français essayèrent d'expliquer que les relations sexuelles entre hommes étaient proscrites (en dépit de ce que les Brits auraient pu leur avoir dit au sujet des marins français), mais les indigènes leur firent clairement comprendre que ce n'était pas un problème car ils étaient certains que le jeune assistant n'était pas un homme. Quand Bougainville et les siens parvinrent à soustraire Baré à la foule de ses admirateurs et à le ramener à bord, Jean, en larmes, avoua être Jeanne. Elle s'était déguisée, écrit Bougainville, certaine qu'une femme n'aurait jamais été admise au sein de l'expédition (en fait, elle était à l'évidence la maîtresse de Commerson, qui était marié, mais Bougainville reste des plus discrets sur la question).

Cela peut sembler invraisemblable qu'une femme ait pu vivre à bord pendant dix mois sans être confondue. Bougainville reconnaît que des rumeurs couraient parmi l'équipage du fait qu'elle n'avait pas de barbe et à cause de « son attention scrupuleuse [à ne pas] faire ses nécessités » devant les autres hommes. Mais, témoignant par là de tous les préjugés sexuels d'un homme de son époque, il expliqua qu'il était impossible de deviner qu'elle était une fille.

« Comment reconnaître une femme dans cet infatigable Baré, demanda-t-il, botaniste déjà fort exercé, que nous avons vu suivre son maître dans toutes ses herborisations, au milieu des neiges et sur les monts glacés du détroit de Magellan, et porter même dans ces marches pénibles les provisions de bouche, les armes et les cahiers de plantes avec un courage et une force qui lui avaient mérité du naturaliste le surnom de sa bête de somme ? » En un mot, c'était un scientifique

301

dur au mal, il ne pouvait donc évidemment pas être une femme.

Mais à présent que sa vraie nature était révélée, Bougainville tenait l'occasion de voir sa mission figurer dans les livres de records pour une raison indiscutable : Jeanne serait la première femme à avoir accompli le tour du monde en bateau. Il ne lui laissa cependant pas l'occasion d'usurper sa propre gloire. Un peu plus tard, il déposa Commerson et Baré sur l'île Maurice, où ils demeurèrent jusqu'à la mort de Commerson, en 1773. Jeanne parviendrait finalement à rentrer en France, achevant son parcours autour du globe et devenant probablement ainsi la première femme à l'accomplir – bien que, d'après les règles de Bougainville, son escale la disqualifiât sans aucun doute.

En réalité, Bougainville ne s'en débarrassa pas pour attirer la lumière sur lui – il était surtout devenu, dit-il, « difficile d'empêcher que les matelots n'alarmassent quelquefois sa pudeur » car le séjour à Tahiti avait vraiment détraqué leurs hormones…

Pour les Tahitiennes, des clous

Les premiers canoës à accueillir les Français étaient remplis d'hommes. Mais, après ce premier échange amical, les choses évoluèrent rapidement vers plus de mixité. *L'Étoile* et *La Boudeuse* s'approchant du rivage, une flottille de canoës se mit à pagayer dans leur direction et les marins furent stupéfaits de voir des femmes nues à l'intérieur des embarcations, en train de leur faire « des agaceries ». Plus incroyable encore, les hommes indiquaient aux Européens qu'ils étaient libres de choisir une femme et « leurs gestes non équivoques démontraient la manière dont il fallait faire connaissance avec elle ». Soudain, le rêve de tout marin devenait réalité et Bougainville en était aussi époustouflé que le reste de son équipage. « Je le demande : comment retenir au travail, au milieu d'un spectacle pareil, quatre cents Français, jeunes, marins, et qui depuis six mois n'avaient point vu de femmes ? » – eussent-elles été britanniques, il aurait été sans doute beaucoup plus facile de les canaliser.

Dans un premier temps, Bougainville interdit à quiconque de descendre du bateau. Un seul homme désobéit, un cuisinier, qui en revint plus mort que vif. Il expliqua à son capitaine que, à peine à terre, il avait été aussitôt déshabillé par les insulaires, chaque partie de son corps avidement contemplée et sondée, avant de se voir offrir une fille et demandé de s'accoupler à elle devant tout le monde. Comme il ne s'était pas montré à la hauteur de l'entreprise, les Tahitiens déçus l'avaient ramené au bateau.

Une fois autorisés à se rendre à terre, les Français découvrirent une société où le sexe se partageait aussi librement que les bananes. Il était parfaitement normal pour un marin d'être convié dans une maison où une jeune fille lui serait offerte en signe d'hospitalité et où un groupe se rassemblerait pour assister à la cérémonie. « Chaque jouissance est une fête pour la nation », écrit Bougainville, et il reconnaît que les Tahitiens étaient perplexes lorsque les étrangers faisaient part de leur préférence pour une certaine forme d'intimité. « Nos mœurs ont proscrit cette publicité, écrit-il à ses lecteurs pour les rassurer, toutefois je ne garantirais pas qu'aucun n'ait vaincu sa répugnance et ne se soit conformé aux usages du pays. »

Son livre était dédié à Louis XV, homme à femmes notoire qui dut se délecter de la description d'un mode de vie qu'il rêvait sans doute de voir adopté par la cour parisienne. Quant aux adeptes du philosophe Jean-Jacques Rousseau, ils devaient être encore plus émoustillés – eux qui croyaient au bon sauvage, l'homme primitif et innocent, épargné par les hypocrisies de la vie moderne civilisée. Ces Tahitiens qui déambulaient tout nus et s'adonnaient à des parties publiques de jambes en l'air démontraient clairement qu'ils étaient libérés du péché originel d'Adam et Ève[1].

D'autres aspects de la vie insulaire renforcèrent cette vision idéaliste. Le concept de propriété n'existait pas et Bougainville écrit que « chacun cueille les fruits sur le premier arbre qu'il rencontre, en prend dans la maison où il entre. Il paraîtrait que pour les choses absolument nécessaires à la vie, il n'y a point de propriété et que tout est à tous ».

Les admirateurs du bon sauvage ne durent pourtant pas lire Bougainville très attentivement, qui relatait aussi que Tahiti était constamment en guerre avec les îles voisines et que les méthodes guerrières employées manquaient singulièrement de noblesse : quand les Tahitiens remportaient une bataille, ils enlevaient les femmes pour en faire leurs esclaves sexuelles et tuaient tous les hommes et les enfants de sexe masculin, scalpant le menton de quiconque avait de la barbe.

---

1. La même chose pourrait être dite à propos de ceux qui, chaque été, pratiquent le même type d'activités dans la plus grande station naturiste de France, Le Cap-d'Agde.

Bougainville se montrait également critique à propos de l'organisation sociale des Tahitiens. « Les rois et les grands ont droit de vie ou de mort sur leurs esclaves et valets ; je serais même tenté de croire qu'ils ont aussi ce droit barbare sur les gens du peuple qu'ils nomment Tata-einou, hommes vils ; c'est dans cette classe infortunée qu'on prend les victimes pour les sacrifices humains. » Pas tant que ça le paradis, après tout, même si cela constitua une plaisante escale de quinze jours dans le voyage autour du monde des Français.

Il existait cependant un aspect de la vie sur l'île qui, même pour des marins en rut, la dépouilla de son statut de jardin d'Éden – et c'est ici que ces Britanniques énervants entrent en jeu.

Quand James Cook revint de son propre tour du monde, le 13 juillet 1771, il se fit un devoir de dresser la liste de toutes les découvertes que l'explorateur français avait manquées : l'Australie, la Grande Barrière de corail et la Nouvelle-Zélande, qui était un ensemble d'îles et non ce continent du Sud imaginaire dont parlaient les Français, entre autres choses. Et l'Anglais se mit à répandre des rumeurs malveillantes sur le compte de Bougainville et de son équipage.

Dans son journal, Cook évoque les mœurs libérales des Tahitiennes. Il dit avoir dû punir ses hommes qui volaient des clous pour les échanger contre des faveurs sexuelles et accuse les Français d'avoir rendu la situation encore plus compliquée. Dans son carnet de bord, en date du 6 juin 1769, à propos des insulaires lui racontant l'escale des deux bateaux (clairement *La Boudeuse* et *L'Étoile*) à Tahiti, dix ou quinze mois plus tôt, il écrit qu'« ils [les Tahitiens] ont également dit que ces bateaux avaient apporté dans l'île la maladie vénérienne qui est désormais aussi répandue ici que partout dans le monde ».

Homme d'une grande probité, Cook s'interroge sur la possibilité que lui ou Wallis, l'homme qui avait débarqué à Tahiti avant Bougainville, aient pu être à l'origine l'épidémie. Avant de rejeter une telle accusation : « Rien de cela n'arriva à aucun des membres du *Dauphin* [le vaisseau de Wallis] pendant qu'ils étaient ici », écrit-il. De plus, le suivi sanitaire des hommes de Cook était irréprochable. « Je suis heureux que les Indigènes s'accordent tous sur le fait que nous ne l'avons pas apportée ici. » La conclusion était limpide : la faute en revenait aux Français.

Cook retourne le couteau dans la plaie morale de Bougainville en prédisant que, étant donné les coutumes sexuelles des populations des îles, la maladie se répandra partout dans les mers du Sud « et le blâme éternel en reviendra à ceux qui l'apportèrent parmi elles ». Puis il achève cette longue note du 6 juin 1769, entièrement consacrée aux maladies sexuellement transmissibles, en apportant un élément de preuve incontestable : il avait vu des habitants avec des barres de fer que « nous soupçonnons de ne pas provenir du *Dauphin* et qu'ils nous disent avoir récupérées de ces deux bateaux ».

De la ferraille française entre les mains des Tahitiens ne pouvait signifier qu'une chose : les Français avaient eu des rapports sexuels avec les filles du coin et leur avaient laissé une MST en guise de cadeau de départ. CQFD.

En fait, nous savons grâce au récit de Wallis que ses hommes avaient eux aussi échangé des clous contre quelques faveurs sexuelles et qu'il avait dû interdire tout contact avec les insulaires de peur que *Le Dau-phin* ne finisse par partir en morceaux. Mais Cook n'était pas au courant (ou ne voulait pas avouer) et son accusation était écrite noir sur blanc dans son journal de bord, lisible par tous à travers l'Europe : Bougainville avait rendu visite à Adam et Ève et leur avait refilé la chaude-pisse.

Bougainville ne pouvait pas laisser Cook s'en tirer à si bon compte. « C'est avec tout aussi peu de fondement qu'ils [les Anglais] nous accusent d'avoir porté aux malheureux Tahitiens la maladie que nous pourrions peut-être plus justement soupçonner leur avoir été communiquée par l'équipage de Monsieur Wallis », plaide Bougainville dans son livre. Relire, à deux siècles de distance, comment deux des explorateurs les plus célèbres s'encornent sur des questions d'hygiène sexuelle a quelque chose d'extraordinaire.

Bougainville va même plus loin et élargit le débat à la santé en général. Il se trouve ici en terrain plus sûr et termine son livre sur une méchante pique à l'encontre de Cook. Le capitaine anglais avait perdu 38 hommes d'équipage au cours de son voyage, essentiellement à cause d'une épidémie de dysenterie attrapée en Indonésie. Bougainville, de son côté, pouvait se targuer du bilan de *La Boudeuse*, rentrée à Saint-Malo en « n'ayant perdu que sept hommes pendant deux ans et quatre mois écoulés depuis notre sortie de Nantes ». Déjà en ballottage favorable, il insère une note de bas de page précisant que le taux de mortalité à bord de *L'Étoile* était encore plus faible, avec deux morts seulement. Le message en filigrane était clair : qui des deux avait un équipage malade, *ze French or ze*

English ? Faites le calcul, chers lecteurs, le score final s'élevait à 38 à 9 en faveur de la France.

Affaire classée.

Dernières impressions de Tahiti

Malheureusement pour Bougainville, sa revendication initiale de souveraineté française sur Tahiti ne fut pas reconnue de son vivant. Il mourut trente et un ans avant que la France ne parvienne enfin à mettre la main sur l'île. En 1842, en l'absence du consul britannique, un coquin d'amiral français s'infiltra sur l'île et l'annexa. Ce fut néanmoins une acquisition à l'arrière-goût un peu fade : les insulaires, jadis si innocents, avaient été soumis aux missionnaires britanniques et les filles dissimulaient désormais leurs charmes naturels sous des robes victoriennes qui avaient la forme de tentes.

Lorsque le peintre français Paul Gauguin débarqua à la fin du siècle (avec sa propre syphilis), il fut fort contrarié de découvrir que la description de Bougainville d'une nation de déesses de l'amour libre était cruellement datée. Et si vous regardez les tableaux qui ne montrent ni ses amours ni ses modèles, les *Tahitiennes* de Gauguin sont ostensiblement habillées.

Elles racontent vraiment l'histoire d'un paradis perdu… par les Français.

12

La guillotine n'est pas une invention française

« Il n'y a qu'une seule solution aux cheveux blancs. Elle a été inventée par un Français. Elle s'appelle la guillotine. »

P. G. Wodehouse

Avant d'évoquer l'étrange séance d'autoflagellation à laquelle les Français se livrèrent et qu'ils nommèrent « révolution », une injustice historique doit être réparée : la guillotine, dont il sera en tant que telle étonnamment peu question dans le chapitre qui suit, n'est pas une invention française. Les mentions les plus anciennes d'une machine de décapitation à lame sont britanniques.

Pour dire les choses comme elles sont, le Dr Guillotin n'a jamais inventé une telle machine et se montrait, en réalité, extrêmement irrité que son nom fût associé à cette manière de raccourcir la vie des gens (et, pour tout dire, les raccourcir tout court). En tout état de cause, la première guillotine française fut construite par un Prussien.

Alors, la guillotine, une invention française ? Toutes mes excuses à la France (et à P. G. Wodehouse), mais voilà une autre légende à laquelle il convient de tordre le cou.

Tuer avec (ou sans) précaution

Les bourreaux en charge de l'exécution de Marie, reine des Écossais, et du roi Charles Ier le reconnaîtraient sans aucun doute : le problème principal, au moment de couper la tête d'un personnage important, est la précision. La hache est lourde, on a les mains moites, on porte un masque ou une cagoule et l'on est observé par des gens très puissants. Pour couronner le tout, on sait que si on salope le travail, cela figurera à tout jamais dans les livres d'histoire. Quoi de plus humain que de voir la lame déraper, de ne trancher qu'une épaule ou de ne parvenir qu'à scalper sa victime ? C'est la raison pour laquelle, en Angleterre, être passé par l'épée était un privilège. Les chances d'un travail bâclé avant que sa tête ne fût enfin tranchée étaient beaucoup plus faibles.

Si l'on *voulait* du répugnant, il existait bien sûr des manières formidables d'éliminer les gens. Les Français raffolaient par exemple du supplice de la roue. Les bras et les jambes de la victime étaient au préalable brisés à coups de barre de fer et sa poitrine enfoncée, puis elle était ligotée à une roue, ses membres brisés repliés sous elle, et exposée jusqu'à ce que mort s'ensuive. Avant la Révolution, cette méthode fut couramment employée en France pour exécuter les voleurs.

La guillotine fut introduite en France au XVIIIᵉ siècle comme méthode d'exécution rapide et humaine. Notons toutefois que, quelques centaines d'années auparavant, des machines à décapiter étaient déjà utilisées dans le Yorkshire. Parfois même, elles étaient actionnées par des animaux.

Les traîtres étaient, quant à eux, habituellement écartelés par quatre chevaux. Ainsi de Ravaillac, qui poignarda à mort Henri IV, en 1610, qui fut exécuté de la sorte, seulement après, toutefois, que celle de ses mains qui avait porté le coup fatal eut été dissoute dans du soufre et que du plomb en fusion et de l'huile bouillante eurent été versés sur son corps (le « bon roi Henri » était un monarque populaire et la France était très en colère contre Ravaillac).

Ailleurs, de manière étonnamment charitable, on expérimentait des méthodes plus rapides et plus propres pour couper les têtes. Le plus ancien prototype de ce que nous appelons par erreur la guillotine a probablement vu le jour à Halifax, dans le nord de l'Angleterre, ville dont la seule autre gloire en matière d'innovation est Violet Mackintosh, la femme qui inventa les bonbons Quality Street.

Le gibet d'Halifax ressemblait beaucoup à la bête française, en nettement plus robuste et trapu. Le gros billot en bois, d'environ 1,80 mètre de long et 30 centimètres d'épaisseur était pourvu d'un couperet, sorte de dent unique. Ce billot était suspendu à plus de 5 mètres du sol, tenu par deux poteaux de bois qui s'écartaient pour s'abattre sur la victime placée en dessous. Si l'on en croit la reproduction que l'on peut voir encore de nos jours rue Gibbet, à Halifax, cette chose en vous tombant sur le cou devait envoyer valser votre tête à l'autre bout du Yorkshire.

La plus ancienne trace de son utilisation remonte à l'exécution du criminel John Dalton, en 1286, tout en sachant que les archives concernant les exécutions antérieures à Élisabeth Ire ont été perdues. Sous le règne de celle-ci, nous savons néanmoins que le gibet servit à couper 35 têtes et qu'il fut utilisé pour la dernière fois le 30 avril 1650.

Non qu'Halifax eût été un foyer particulièrement actif dans les domaines de la trahison et du meurtre, ou un lieu d'excellence en matière d'exécutions vers lequel les autres villes envoyaient leurs assassins les plus monstrueux pour y être décapités.

Dans un almanach de 1825-1826, *The Every-Day Book* (« Le Livre de tous les jours ») de William Hone, l'anniversaire de l'exécution de Louis XVI – un 21 janvier – renvoie à quelques paragraphes sur le gibet d'Halifax. Hone explique qu'il était utilisé pour des crimes commis en forêt d'Hardwick, qui appartenait alors au châtelain de Wakefield. Si un brigand était attrapé en possession de biens d'une valeur supérieure à « treize pence et un demi-penny », il passait alors en jugement devant l'intendant du lord à Halifax et, s'il était reconnu coupable, il était décapité un jour de marché (mardi, jeudi ou samedi).

Un texte beaucoup plus ancien, écrit en 1577 par un certain William Harrison, offre une description extrêmement détaillée de l'usage qui était fait du gibet d'Halifax et suggère que la population de la cité endossait une forme de responsabilité collective au moment des exécutions (permettant sans doute ainsi au châtelain de garder, pour sa part, les mains propres).

Harrison écrit que la hache du gibet était maintenue par une cheville en bois : « Au milieu de la cheville est attachée une longue corde qui descend jusqu'au public de sorte que, une fois que le contrevenant a avoué et a posé son cou sur le billot du bas, chaque homme présent s'empare de la corde (ou avance son bras si près d'elle qu'il pourrait s'en saisir, pour témoigner qu'il veut que justice soit faite) et, en tirant la cheville de cette façon, fait tomber avec une telle violence le billot d'en haut, où est attaché le couperet, que même si le cou du pécheur était aussi épais que celui d'un taureau, il serait scindé en deux en un seul coup et se détacherait du corps en roulant jusqu'à une longue distance. »

Bien que la chose soit déjà assez épouvantable comme cela, Harrison tient toutefois à mentionner un dernier détail des plus étranges : « S'il se faisait que le contrevenant fût appréhendé pour avoir volé un bœuf, plusieurs bœufs, un mouton, un cheval, ou tout autre bétail de ce genre, la bête en question, ou tout animal de la même espèce, aurait l'extrémité de la corde attachée quelque part à elle pour que, une fois guidée, elle puisse retirer la cheville par laquelle le contrevenant serait exécuté. » Une vache exécutant un voleur de bétail. Dans l'Halifax médiéval, les jours de marché devaient être particulièrement animés. Aucun risque que les gens quittent le centre-ville pour s'en aller faire leurs courses au centre commercial.

D'autres documents évoquent également des machines ressemblant à la guillotine en usage en Irlande, en 1307, et en Écosse, en 1564. Deux siècles plus tard, en 1747, un Écossais, Lord Lovat, traître jugé et condamné dont l'exécution devait se tenir à Londres, supplia le gouvernement d'importer cette technologie vers la capitale. « Mon cou est très court, expliqua-t-il, et le bourreau devra se creuser la tête pour le trouver avec sa hache. » Il semble avoir également espéré que la nouvelle machine londonienne porterait son nom. Finalement, il eut droit à la hache, et il eut de la chance : sa tête tomba du premier coup. Si tant est qu'on puisse appeler ça de la chance, bien entendu.

Une technologie de pointe et coupante

Quand donc apparaît Guillotin ?

Comme nous le verrons dans le chapitre suivant, la Révolution française fut marquée par des massacres de masse ; les royalistes avaient, en réalité, plus de chances d'être hachés menu par la foule que d'avoir le cou proprement tranché. Le Dr Guillotin entendait donc faire œuvre de salubrité publique quand il suggéra qu'une prompte décapitation, sans torture au préalable, devrait être, en France, la norme en matière de peine capitale. Il proposait ainsi de démocratiser la peine de mort ; jusqu'alors, en effet, seuls les aristocrates pouvaient prétendre être décapités, tandis que les citoyens de seconde classe continuaient de subir les horribles châtiments décrits plus haut.

Joseph Ignace Guillotin, médecin originaire de Saintes, dans le Sud-Ouest, était également un homme politique. Élu député de Paris dans le premier parlement postrévolutionnaire, l'Assemblée nationale constituante, c'est au cours d'une session de ladite assemblée, le 10 octobre 1789, qu'il exposa son projet de nouveau code d'application des peines. Tout en proposant que tout le monde, pour un même crime, subisse le même châtiment et que toutes les exécutions soient mises en œuvre à l'aide d'une machine à décapiter, il suggéra que le corps de la victime exécutée soit remis à la famille et dignement enterré. Guillotin, au fond, était un homme sage.

Son seul défaut, semble-t-il, est d'avoir possédé un sens de l'humour un peu spécial. Lors de la session d'octobre, ses idées ne furent pas écoutées avec beaucoup d'attention. Il les soumit donc de nouveau à l'Assemblée en décembre, comparant les mérites de la décapitation par une machine avec le processus long et cruel de la mort par pendaison. « Avec ma machine, se vanta-t-il, je vous fais sauter la tête en un clin d'œil et vous ne souffrez point. » Son mot d'esprit provoqua les rires, mais certains députés furent si choqués par la légèreté de ces propos qu'ils demandèrent une suspension de séance.

La phrase de Guillotin circula en dehors du Parlement et inspira une chanson comique où l'on moquait ce « représentant d'Hippocrate » qui voulait massacrer les gens aussi rapidement que possible. C'est cette chanson qui, pour la première fois, donna un nom à cette machine à tuer qui n'existait pas encore : la « guillotine ».

Finalement, en 1791, le projet du médecin fut adopté et le ministère de la Justice se mit en quête de la machine dont il avait besoin. Antoine Louis, secrétaire de l'Académie de chirurgie, se souvint de la suggestion de Guillotin. Si Guillotin fut convoqué par le procureur général pour développer plus avant son idée de machine, il n'est pas certain pour autant que le médecin ait assisté à la réunion car il avait alors déjà appris que, en hommage à son projet (et peut-être à la chanson qu'il avait inspirée), la nouvelle machine allait véritablement porter son nom. Il en fut, semble-t-il, horrifié.

Plusieurs personnes répondirent à l'appel d'offres pour la fabrication de la machine à décapiter. L'homme qui construisait d'habitude les échafauds pour le compte du ministère de la Justice, le menuisier Guidon, fit une offre prohibitive car ses employés ne voulaient pas être associés au projet. Et même lorsque le gouvernement offrit de rendre les contrats anonymes, les ouvriers persistèrent dans leur refus. À Strasbourg, un officier de la cour nommé Laquiante accepta toutefois de concevoir cette machine et recruta pour la construire Tobias Schmidt, un fabricant de clavecins prussien, établi à Paris.

Achevé début 1792, le prototype de Schmidt était pourvu d'une estrade comptant 24 marches, qui permettait d'offrir au public une bonne vue du spectacle, ainsi qu'un panier en cuir destiné à recueillir la tête coupée. À l'origine, le couperet était arrondi ou droit mais Schmidt le remplaça bientôt par la fameuse lame biseautée à 45 degrés. Voilà un fabricant de clavecins qui avait raté sa vocation.

Le prototype trouva place rue Saint-André-des-Arts, dans le quartier Latin, où Schmidt avait son atelier, et fut testé sur des moutons et des veaux. On lui fit ensuite prendre la direction des faubourgs de Paris et il fut expérimenté sur des cadavres provenant d'un hôpital, d'une prison et d'un hospice. Les résultats furent jugés concluants et, le 25 avril 1792, un voleur à main armée du nom de Nicolas Jacques Pelletier eut le douteux privilège d'être le premier homme guillotiné en place de Grève (sise sur le parvis de l'Hôtel de Ville actuel et où les criminels étaient traditionnellement exécutés).

La nouvelle machine fonctionnait si bien qu'elle devint une sorte d'article de mode. Décliné en jouet pour enfant, le succès fut au rendez-vous, ainsi qu'en boucles d'oreilles dont les Parisiennes firent un must (ou, pour mieux dire, le *neck plus ultra*[1]). En tout cas pour un temps. Après l'exécution de Louis XVI,

---

1. *Neck* signifie « cou » en anglais. (*N.d.T.*)

le 21 janvier 1793, la nouveauté perdit de son éclat quand il devint soudainement fort courant d'accuser de parfaits innocents d'activités contre-révolutionnaires et de leur faire trancher la tête.

On ne sait pas précisément combien de personnes périrent au cours de la Terreur, de juillet 1793 à juillet 1794, mais le chiffre avoisinerait les 17 000. Guillotin lui-même sauva de justesse sa tête. Il fut emprisonné et accusé de sympathies royalistes après qu'un aristocrate condamné lui eut confié femme et enfants. À sa libération de prison, Guillotin se retira de la vie publique et se fit si discret qu'on le crut mort. Il survécut, en réalité, jusqu'en 1814 et espéra sans nul doute, durant les dernières années de sa vie, que l'un des autres surnoms donnés à la machine à décapiter remplacerait le sien – la machine était alors appelée « le rasoir national », « la raccourcisseuse patriotique » et, plus sérieusement, « le louison », en référence au secrétaire de l'Académie de chirurgie, Antoine Louis, qui avait présidé à sa mise en place. Mais le nom « guillotine » demeura et se transforma même en verbe – guillotiner.

En définitive, cependant, le Dr Guillotin ne pouvait s'en prendre qu'à lui-même. S'il n'avait pas lancé sa fameuse plaisanterie au Parlement, au sujet de « [sa] machine », on se serait peut-être souvenu de lui pour ses louables intentions démocratiques plutôt que pour cette affreuse méthode d'exécution. Et la guillotine aurait peut-être reçu un nom historiquement plus exact – la « Halifax », par exemple. Ce qui n'aurait pas manqué de piquant, d'ailleurs. Quelque deux cents ans plus tard, l'Académie française serait probablement encore en train de débattre sur l'opportunité d'autoriser ou non le verbe « halifaxer ».

13

La Révolution française :
qu'ils mangent de la brioche et,
à défaut, qu'ils se mangent entre eux

Tout est dit dans le refrain de l'hymne national français : « Marchons, marchons, qu'un sang impur abreuve nos sillons. »

La majeure partie du sang versé pour la cause de la Révolution française ne fut pas en réalité, ce que l'auteur de *La Marseillaise* aurait appelé « un sang impur ». C'était du sang français, dont une partie – mais une petite partie seulement – était aristocrate. Les paroles et la musique de *La Marseillaise* furent écrites en 1792 par le soldat Claude Joseph Rouget de Lisle. Il avait composé ce chant vibrant à l'attention des troupes françaises marchant à la bataille contre les Allemands. Il fut adopté comme hymne national après que des volontaires marseillais l'eurent chanté dans les rues de Paris. Ironie de l'histoire, Rouget de Lisle lui-même fut plus tard emprisonné comme traître à la patrie pour avoir protesté contre l'internement de la famille royale, et il s'en fallut de peu qu'à son tour il n'abreuvât vos sillons de son sang. Il vécut le restant de ses jours dans la précarité, gagnant sa croûte en traduisant en français des textes anglais, tout en cherchant désespérément à reproduire son premier tube. *La Marseillaise* n'eut pas beaucoup plus de succès que son compositeur : elle fut bannie par Napoléon pour n'être restaurée comme hymne national qu'en 1879.

En définitive, les circonstances dans lesquelles ce chant est né sont une illustration parfaite du chaos sanglant qui régnait pendant la Révolution.

Aujourd'hui, la plupart des Français pensent que les choses se sont déroulées plus ou moins comme suit :

Jour 1 : les libérateurs, affamés mais pleins de nobles intentions, prennent d'assaut la Bastille et délivrent les prisonniers politiques.

Jour 2 : un tribunal populaire vote la décapitation du méchant roi et de son épouse, qui avait fait une remarque malvenue sur la brioche.

Jour 3 : le même tribunal vote la décapitation de toute personne favorisée et hostile à la liberté, l'égalité et la fraternité.

Jour 4 : les idéalistes républicains, élus librement, inaugurent l'ère glorieuse de la démocratie qui règne encore aujourd'hui.

Mais la célébration annuelle de la prise de la Bastille donne un aperçu de ce qui s'est réellement passé. Si vous vous rendez à Paris le 14 juillet, qui verrez-vous parader sur les Champs-Élysées ? Ceux qui ont fait de la France la nation couronnée de succès qu'elle est aujourd'hui – les pâtissiers, les vignerons, les créateurs de mode, les vendeurs d'eau minérale et les ingénieurs en énergie nucléaire ?

Non. Des chars font vibrer l'avenue, des hélicoptères en version peinture camouflage vrombissent dans le ciel, des étudiants de l'École polytechnique défilent en uniforme militaire, épée à la ceinture. Les rues de la Ville lumière sont parées aux couleurs de la guerre, exactement comme il y a deux cents et quelques années. La seule différence est qu'on ne fait pas défiler autant de têtes au bout de piques et que personne n'est massacré à coups de hache par la foule. Ce qui est heureux car cela pourrait faire fuir le touriste.

Or, comme d'habitude, ce sont les Brits qui sont responsables de cette pagaille. Du moins selon un Français de l'époque : Maximilien Robespierre, qui envoya à la guillotine tant de traîtres réels ou supposés avant d'y finir lui-même. En 1793, il prononça un discours où il expliquait que la Révolution avait débuté à Londres « pour conduire la France, épuisée et démembrée, à un changement de dynastie et placer le duc d'York [le prince Frederick, fils de George III] sur le trône de Louis XVI. [...] L'exécution de ce plan devait assurer à l'Angleterre les trois grands objets de son ambition ou de sa jalousie, Toulon, Dunkerque et nos colonies ».

Robespierre versait dans la paranoïa et tentait de récrire l'histoire pour mieux attiser la haine contre les Britanniques en vue d'une nouvelle guerre, mais il n'avait peut-être pas complètement tort. Certains historiens pensent que, sans les Britanniques, les Français n'auraient jamais eu la volonté de se révolter. La guerre de Sept Ans, de 1756 à 1763, et la participation à la guerre d'Indépendance américaine avaient placé la France en situation de faillite et le débat sur la façon de sortir du bourbier financier avait commencé de créer des dissensions au sein de l'establishment politique. Les roturiers exigeaient de Louis XVI et de ses courtisans, propriétaires terriens, d'adopter des mesures radicales pour soulager leur fardeau, et le roi était trop éloigné des réalités, trop mal conseillé et trop faible, pour gérer la situation. Les appels à la réforme virèrent à la révolte pure et simple et, aujourd'hui, la France est une république.

Les Français devraient donc être reconnaissants envers les Britanniques. À l'exception, bien sûr, de ceux qui eurent la tête tranchée durant la Révolution ou furent écartelés, noyés, assassinés ou rôtis vivants : ceux-là auraient sans doute préféré que les choses demeurent un tant soit peu plus calmes en 1789.

Pourquoi la Bastille ?

L'assaut de la prison de la Bastille, le 14 juillet 1789, ne fut en aucun cas le point de départ de la Révolution, ni l'événement le plus significatif.

Par exemple, le 28 avril, une attaque spectaculaire contre une usine de papier eut lieu dans le même quartier de Paris. L'usine appartenait à Jean-Baptiste Réveillon, l'homme qui avait réalisé l'enveloppe de la première montgolfière. Réveillon n'était pas un aristocrate ; c'était un roturier qui avait créé une entreprise de fabrication et de vente de papier peint et avait laissé son empreinte dans l'histoire de France en accueillant sur le terrain de son usine le premier vol en ballon jamais accompli. Alors pourquoi s'en prendre à lui ? Eh bien, car la rumeur avait circulé que Réveillon entendait réduire les salaires dans son usine pour s'aligner sur la baisse récente du prix du pain. La nouvelle provoqua une émeute. Une foule de plusieurs milliers de personnes attaqua le bâtiment où il demeurait et travaillait, brûlant ses marchandises, détruisant ou dérobant ses meubles, et cherchant à mettre la main sur le patron lui-même avec sûrement l'arrière-pensée d'utiliser son hémoglobine comme motif pour un nouveau papier peint. La troupe tira sur les émeutiers, tuant 30 d'entre eux tandis que les autres se mettaient à semer la terreur dans tout le voisinage.

En réalité, les insurgés avaient tout faux. Réveillon avait, en fait, déclaré que le prix du pain devrait être baissé afin que les ouvriers les plus pauvres puissent avoir les moyens d'en acheter. Mais il ne s'attarda pas en chemin pour apporter un démenti formel. Il s'enfuit avec sa famille et sauva sa peau de justesse.

On pourrait argumenter que les intentions de la foule avaient été proprement révolutionnaires et que l'émeute avait fourni son lot de martyrs. Dès lors, cette explosion de violence populaire aurait pu légitimement damer le pion à la Bastille en tant que fête nationale. Mais il existait un écueil linguistique majeur : comment créer un jour de Réveillon étant donné que le réveillon, c'est la veille de Noël ? Avoir deux veilles de Noël, dont une le 28 avril, aurait créé une grande confusion. La chasse à la fête nationale restait donc ouverte.

Le 13 juillet, une foule de gens attaqua le couvent de Saint-Lazare où, affirmait-on, une grosse réserve de blé était stockée. Cette fois-ci, la rumeur disait juste et les assaillants repartirent à la tête d'une cinquantaine de charretées de grain. Le problème, cependant, est que ce couvent était une institution charitable et que le blé était sans doute destiné à être distribué aux pauvres. Et puis, le jour du Pillage du couvent n'aurait pas bien sonné. Il fallait quelque chose de plus politiquement correct.

Le lendemain, à 10 heures du matin, les Parisiens attaquèrent les Invalides et, en l'absence de réaction d'une garnison bienveillante, s'emparèrent de 30 000 mousquets. Une mutinerie de l'armée en faveur du peuple, n'était-ce pas là une formidable occasion de célébration et, pourquoi pas, l'opportunité de créer un nouveau jour férié ?

Eh bien, non – pour deux raisons. La première est que le jour des Invalides n'aurait pas été très sexy. La seconde est que les émeutiers avaient pris possession des fusils mais pas de la poudre ou des balles nécessaires pour s'en servir. Un pétard mouillé, en quelque sorte.

Entrons donc dans la Bastille, vieille prison fortifiée de l'Est parisien. Vouée à une fermeture prochaine, elle comptait seulement sept prisonniers oubliés, dont aucun révolutionnaire. Parmi eux se trouvaient quatre faussaires, emprisonnés pour fraude bancaire, deux aliénés et un comte accusé d'avoir aidé sa sœur à quitter son mari. Le marquis de Sade (accusé de violences sexuelles et banni pour cette raison de sa belle-famille) aurait dû s'y trouver lui aussi, mais il avait été transféré quelques jours plus tôt, après avoir crié aux passants à travers la fenêtre de sa cellule que tous les détenus étaient en train d'être assassinés.

Dans *Le Conte des deux cités*[1], le roman de Charles

1. Le roman, publié en 1859, dépeint de façon équilibrée le climat d'exaltation, d'idéalisme et de pure sauvagerie qui régnait

Dickens qui se déroule pendant la Révolution, les prisonniers délivrés sont portés en triomphe comme des héros mais, en fait, les Parisiens se fichaient pas mal de libérer cette drôle de bande de détenus (d'ailleurs, à part le comte, tous furent réincarcérés après l'assaut). La foule prit la Bastille pour cible car on prétendait qu'elle renfermait une véritable montagne de poudre, sous la garde d'un escadron de seulement 82 soldats à moitié valides. L'assaut était trop tentant. Nous étions le 14 juillet 1789, à 10 h 30 du matin et l'Histoire était sur le point de s'écrire.

Une délégation fut envoyée à la prison pour exiger du gouverneur, le marquis Bernard René Jordan de Launay, qu'il remette la poudre à canon. Les pétitionnaires furent invités à déjeuner (oui, même au milieu de la Révolution, les Français faisaient des pauses pour prendre un bon repas) mais ils repartirent les mains vides. Une seconde délégation ne rencontrant pas plus de succès, l'impatience gagna la foule massée tout autour de la prison.

Launay aurait peut-être dû sentir que le vent politique était en train de tourner et ouvrir les grilles, comme les soldats l'avaient fait aux Invalides. Mais en pleine digestion et après avoir peut-être bu quelques verres en trop, il commit une erreur qui lui serait fatale.

Vers 13 h 30, la foule pénétra de force dans la cour extérieure de la prison et essuya des tirs depuis les remparts. Les coups de feu firent enrager les assaillants, qui n'en pouvaient mais et brandissaient leurs mous-

---

pendant la Révolution, comme en atteste l'incipit du livre : « C'était la meilleure des époques, c'était la pire des époques, c'était une ère de sagesse, c'était l'ère de la bêtise… ».

quets dépourvus de munitions. Hélas pour Launay, ils reçurent bientôt le renfort de soldats mutins munis de quelques canons et qui commencèrent à pilonner la grille d'entrée. Vers 17 heures, Launay reconnut que sa mince garnison ne tiendrait pas longtemps, quand bien même elle disposait en effet de plusieurs tonnes de poudre à canon et de balles de mousquet. Il rédigea une note fort civile, priant la foule d'accepter les conditions qui devraient prévaloir en pareil cas – la reddition en échange d'un traitement humain – et n'aurait pas dû être trop surpris de voir sa requête rejetée. Une centaine d'assaillants avaient été tués, dont un écrasé lorsque les chaînes retenant le pont-levis avaient été sectionnées. Les assaillants de la Bastille n'étaient pas du tout d'humeur à se montrer bien élevés.

Launay finit par ouvrir les grilles et la foule déferla pour prendre le contrôle de la prison. Une demi-douzaine de soldats furent tués pour avoir montré trop de zèle dans leur défense du lieu tandis que Launay lui-même était conduit jusqu'à l'Hôtel de Ville, occupé par les habitants insurgés. En route, il fut roué de coups par ses gardiens, ce qui lui laissa sans doute augurer le genre de violence qui l'attendait. En ayant assez, il riposta en assenant un coup de pied dans l'aine à l'un de ses persécuteurs, crime qui lui valut d'être poignardé sur-le-champ puis achevé d'un coup de feu avant que sa tête ne soit découpée au couteau de cuisine.

L'attaque contre cette prison presque vide ne fut donc pas le début glorieux de la Révolution tel que la légende le raconte couramment, mais elle fut très symptomatique de ce qui allait se passer à l'avenir : ce cocktail à base de justice populaire et de décapitations serait servi à travers tout le pays pendant au moins cinq ans.

La France voulait un roi anglais

À ce stade de la Révolution, personne ne parlait de tuer Louis XVI, ni même de le déposer. Ce que la plupart des responsables politiques souhaitaient était une monarchie constitutionnelle, à l'image de celle d'outre-Manche. De nos jours, on peut voir George III d'Angleterre comme un demeuré congénital qui croyait que le roi de Prusse était un arbre, mais à la fin du XVIIIe siècle il était assez populaire en Grande-Bretagne. Il avait désigné un brillant Premier ministre, William Pitt, et, vu de Paris, il semblait l'incarnation de ce que Voltaire avait décrit dans ses *Lettres écrites de Londres*, où il faisait l'éloge de ce « gouvernement sage, où le Prince tout-puissant pour faire du bien a les mains liées pour faire le mal ».

En mai 1789, Louis XVI avait réagi au mécontentement croissant au sein de la population en renonçant à une journée de chasse et en convoquant le Parlement à Versailles pour qu'il entendît les doléances de parlementaires venus de tout le pays. Il ne s'agissait pas d'une liste de plaintes futiles – on ne demandait pas au Parlement, par exemple, de se prononcer sur la hauteur des haies en Bretagne sud. Non, les doléances portaient sur des exigences fortes : le système fiscal devrait être universel ; les emplois publics importants devraient être attribués en fonction du mérite et non de la naissance ; un système d'éducation nationale devrait être mis en place pour venir en aide notamment aux plus pauvres ; etc. L'espoir était grand et le roi lui-même, ayant revêtu pour l'occasion sa plus belle parure incrustée de bijoux, se montrait confiant : les choses seraient vite clarifiées et il pourrait retourner en paix à sa partie de chasse.

Mais, comme toujours, une querelle à propos du mode de scrutin éclata avant même que ne s'engage le débat sur les réformes sociales à mener. Le Parlement – les états généraux – était divisé en trois états. Le premier, le clergé, disposait de 291 représentants qui s'exprimaient au nom d'environ 10 000 personnes ; il ne payait aucun impôt sur ses vastes domaines fonciers. Le second, la noblesse disposait de 270 représentants pour environ 400 000 personnes – exonérées d'impôts et qui jouissaient de droits féodaux sur de nombreux membres du tiers état, c'est-à-dire les 25 millions de roturiers qui disposaient, quant à eux, de 585 représentants au Parlement. En théorie, les roturiers possédaient une courte majorité mais ils exigeaient désormais que chaque parlementaire représentât un nombre égal d'électeurs. Sur la base d'un tel système, les roturiers auraient eu au moins cinquante fois plus de membres que les deux autres états réunis.

Le roi Louis, qui commençait sans doute à suer sous sa parure de diamants, tenta d'orienter le débat vers le mécanisme d'imposition – le rééquilibrage des comptes de la nation entraînerait une baisse des prix de l'alimentation et apaiserait le mécontentement populaire. Mais il ne jouissait ni du pouvoir ni du charisme nécessaires pour contrôler les travaux du Parlement ; du coup, le tiers état décida de se retirer pour débattre, arriva à la conclusion qu'il pouvait se passer des autres et se proclama en Assemblée nationale. Au lieu de

tenter d'apaiser les roturiers et de les ramener au ber-
cail, Louis choisit tout bonnement de les exclure des
audiences du Parlement.

En un tour de vis, il venait de sceller son destin.
Presque 150 membres du clergé et deux aristocrates
rejoignirent l'Assemblée nationale et, l'instant d'après,
la monarchie absolue était abolie. Un gouvernement
alternatif était en place et un précédent avait été créé :
on pouvait dire *merde* au roi en toute impunité.

Pourtant, ce parlement dissident, dénommé les
Communes en hommage à son modèle britannique,
the House of Commons, ne souhaitait pas la tête du
roi sur un plateau, ni même coiffée d'une casquette
de prisonnier. Le président de l'Assemblée était un
comte – Honoré Gabriel Riqueti, comte de Mirabeau –
élu du tiers état pour la région d'Aix-en-Provence et
de Marseille. Aussi friand d'érotisme que le marquis
de Sade, Mirabeau avait autrefois fait de la prison à
cause de ses écrits salaces. Il dépensait aujourd'hui son
énergie à faire campagne en faveur d'une monarchie
constitutionnelle à l'anglaise. Il tenta de persuader le
roi que l'absolutisme et le féodalisme avaient vécu et
qu'il pourrait se maintenir sur le trône s'il acceptait
simplement de gouverner au côté de ministres, comme
George III de Grande-Bretagne.

Mais Louis XVI ne voulait pas en entendre parler,
pas plus que Marie-Antoinette qui – disait la rumeur –
essayait de corrompre Mirabeau afin qu'il abandonne
ces ridicules idioties démocratiques. Quand Mirabeau,
épuisé, mourut d'une attaque cardiaque (l'un des rares
hommes politiques à mourir de mort naturelle au cours
de la période qui s'ouvrait), la dernière chance de la
monarchie mourut avec lui.

Nobles dépouilles

À partir de ce moment-là, la Révolution se poursuivit sur fond de débat politique idéaliste et de violence. En août 1789, alors que l'Assemblée accouchait dans la difficulté de la Déclaration des droits de l'homme et du citoyen, dont l'article 2 évoquait le droit inaliénable à la propriété, les paysans brûlaient châteaux et maisons de maître à travers le pays. Tout comme pour la prise de la Bastille, on donna un nom à cette vague de destruction, « la Grande Peur », non parce que les propriétaires terriens craignaient d'être immolés au milieu de leurs meubles mais pour expliquer l'action des paysans. Apparemment, cette peur était causée par des oiseaux de malheur qui colportaient la rumeur que les aristos avaient demandé aux Anglais de voler à leur secours. Horreur !

Sans surprise, les propriétaires terriens reçurent le message cinq sur cinq et commencèrent à quitter le pays, tout comme de nombreux officiers supérieurs de l'armée. Emportant avec eux tous les biens qu'ils pouvaient prendre, les émigrés gagnèrent l'Italie, la Hollande, l'Allemagne, l'Autriche (patrie de Marie-Antoinette) et la Grande-Bretagne.

Les aristocrates aux abois qui trouvèrent refuge en Angleterre devaient redouter la façon dont ils allaient être reçus. Ne couraient-ils pas chercher de l'aide auprès de leur ennemi traditionnel, et n'était-il pas établi que de nombreux Britanniques approuvaient la Révolution ? Les idéaux égalitaires de l'Assemblée enflammaient les libertaires – le poète Samuel Taylor Coleridge, alors adolescent, inscrivit en lettres de feu les mots « Liberté » et « Égalité » sur les pelouses de Cambridge (il fut sans doute arrêté avant d'avoir pu s'attaquer à la « Fraternité »). Les royalistes britanniques eux-mêmes étaient favorables à la Révolution car ils pensaient que ce conflit interne épuiserait la France et l'éliminerait une fois pour toutes comme puissance mondiale rivale.

Les aristos français en fuite furent pourtant généralement bien reçus, en particulier en raison du spectacle pitoyable qu'ils offraient. Quitter la France était devenu difficile et coûteux – le prix d'un trajet aller par bateau de Douvres à Calais avait considérablement augmenté. Beaucoup ne se présentèrent qu'avec leurs habits sur le dos ; même les soies les plus légères paraissaient bien froissées après quelques mois de pauvreté.

Le livre magnifique d'Henri Forneron, *Histoire générale des émigrés pendant la Révolution française*, écrit en 1884, est truffé d'anecdotes sur les tribulations des Français à Londres durant les années 1790. Forneron raconte l'histoire de l'écrivain François René de Chateaubriand, qui devait partager un taudis et qui avait si froid la nuit qu'il en était réduit à se blottir sous la seule chaise présente en ce lieu pour essayer de se protéger un peu de la froidure. Le matin, lui et son camarade de chambrée français se réveillaient souvent en pensant : « Où est le domestique pour le petit déjeuner ? » avant de se rappeler qu'ils n'avaient ni serviteurs ni argent pour se payer un petit déjeuner. Ils faisaient alors bouillir de l'eau et s'imaginaient que c'était du thé anglais.

L'écrivaine anglaise Frances Burney rapporte sa rencontre avec une famille française si pauvre qu'elle dormait devant une auberge, à Winchester, dans son carrosse. Le coche abritait une comtesse, son frère, une aristocrate de leurs relations et le petit ami de la comtesse, que celle-ci traitait apparemment tour à tour « avec une impatience dédaigneuse et une douceur séduisante ». Frances Burney écrit qu'ils lui racontèrent des histoires déchirantes de châteaux incendiés et d'amis assassinés ; leur émotion avait toutefois atteint son paroxysme lorsqu'une dame anglaise leur avait confessé ne s'être jamais rendue en France.

« Quoi ? Vous n'êtes jamais allée à Paris ? s'exclama la comtesse, le souffle coupé. Ma pauvre ! »

Frances Burney fit preuve de sa solidarité en épousant un général français désargenté, qu'elle nourrit grâce à ses droits d'auteur, mais d'autres Britanniques usèrent de moyens un peu moins généreux pour venir en aide aux Français.

Les journaux de Londres regorgeaient de publicités proposant de la joaillerie française, de la soie et de l'argenterie en échange d'un paiement immédiat en liquide. Le marquis de Buckingham ouvrit un magasin d'artisanat fabriqué par les émigrés, où des marquises et des comtesses travaillaient dix heures par jour comme vendeuses. L'entreprenant Buckingham créa aussi un atelier de tapisserie employant 200 prêtres – quelque 8 000 ecclésiastiques français au total fuirent vers l'Angleterre au cours de la Révolution et, ne pouvant travailler pour le compte de l'Église anglicane (ou ne le voulant pas), durent rechercher un autre emploi. Beaucoup trouvèrent à s'employer en tant qu'enseignants (le latin et le français étaient très demandés) ou en tant que travailleurs manuels, par exemple pour la fabrication de caisses en bois ou de fleurs en papier.

La reconversion de l'un d'eux fut plus originale. Un abbé s'installa ainsi avec une chanteuse allemande dont il se prétendait l'oncle. Personne n'était dupe et la communauté immigrée se régalait de potins sur les persécutions qu'elle lui faisait subir pour qu'il compose de la poésie française qu'elle vendait ensuite à un éditeur. Mieux encore, elle le battait, suscitant cette remarque chez un compatriote immigré : « Si tu dois te choisir une nièce, choisis-la avec plus de précaution. »

Les réfugiés en Angleterre s'accrochèrent à l'espoir que la fièvre hexagonale retomberait et qu'ils pourraient bientôt rentrer chez eux. Les plus aventureux traversèrent l'Atlantique pour refaire leur vie en Amérique.

Brillat-Savarin, un immigré sans le sou, s'exila dans le Connecticut, où il fut accueilli dans une famille comptant quatre filles – le scénario rêvé pour un Français itinérant, pourrait-on croire. Mais il semble que ses instincts amoureux aient été quelque peu émoussés par la faim. Pour nourrir la famille, il devait se rendre à la chasse dont il rapportait souvent des dindes et des écureuils. Un jour, alors que les filles s'étaient mises sur leur trente-et-un et qu'elles entonnaient *Yankee Doodle*[1], il avoue avoir, pendant toute la chanson, « pensé à la façon dont [il] allait cuisiner [sa] dinde » plutôt que de se demander laquelle il préférerait dés-

_____

1. *Yankee Doodle* est au départ une chanson écrite par un Anglais pour se moquer des Américains. Elle connut un destin particulier puisque les soldats du général Washington la reprirent au moment de la Révolution américaine et qu'elle finit par devenir un hymne patriotique. (*N.d.T.*)

habiller. Prouvant à nouveau que les Français pensent davantage à la bouffe qu'au sexe, il ajoute que « les ailes de la dinde furent servies en papillote et les écureuils bouillis dans un jus de madère ».

Brillat-Savarin semblait cependant heureux dans sa patrie d'adoption. Un soir qu'il dînait avec des Anglais, il fut choqué de voir deux Britanniques boire comme des trous tandis que lui avait l'habitude de déjeuner et souper avec modération. À l'issue du dîner, les Anglais entonnèrent *Rule Britannia* avant de s'effondrer. Il semble que les touristes anglais n'aient guère changé en deux cents ans. Ils convainquirent Brillat-Savarin qu'il ferait mieux de rester en Amérique.

Le beurk de Burke

La vie dut être parfois dure pour les émigrés vivant au milieu de Britanniques peu amènes. En novembre 1790, ils purent cependant compter avec un allié fort respectable.

Âgé de soixante et un ans et membre du Parlement, Edmund Burke était un homme politique et avocat réputé, né à Dublin mais représentant au Parlement de Londres. En 1774, il avait prononcé un discours célèbre en faveur d'une gestion moins autoritaire des colonies américaines. On passa outre son conseil[1] et, deux ans plus tard, les Américains se rebellaient.

Étant donné sa bienveillance envers le mouvement démocratique, on aurait pu s'attendre de la part de

---

1. Il est aussi possible que les parlementaires se soient assoupis – les discours de Burke étaient connus pour durer huit heures.

Burke à une certaine complaisance à l'égard des bouleversements en cours en France ; en fait, les conclusions de son livre *Réflexions sur la Révolution de France* sont tout à fait inverses. Après avoir analysé les tentatives de remédier aux maux économiques et politiques du pays, ainsi que les explosions de violence meurtrière qui le secouent, il conclut qu'il y a quelque chose de fondamentalement malsain dans cette Révolution.

« En regardant cette monstrueuse scène tragicomique, écrit-il, on est pris par les sentiments les plus contradictoires, qui se succèdent et s'entremêlent : du mépris à l'indignation, du rire aux larmes, du dédain à l'horreur. »

Il évoque la violence à Paris et la Grande Peur, avant de s'interroger : « Étaient-elles le fruit inévitable de la lutte désespérée de patriotes résolus, contraints de naviguer dans le sang et le tumulte vers les rives d'une liberté paisible et prospère ? Non ! Pas du tout. Leur cruauté n'a pas même été le pauvre fruit de la peur. Elle a résulté de leur sentiment de parfaite impunité à autoriser trahisons, vols, viols, meurtres, massacres et incendies à travers leur pays assiégé. » Une telle opinion n'était pas à la mode et Burke provoqua des réactions indignées. La plus fameuse fut celle de Thomas Paine, le révolutionnaire anglais devenu l'un des pères fondateurs des États-Unis. Paine répondit en mars 1791 en publiant *Les Droits de l'homme*, où il accusait Burke de « craindre que l'Angleterre et la France ne cessent d'être ennemies » et de se laisser aller à rien moins que de « la rancœur, des préjugés, de l'ignorance » et « une débordante fureur ».

Paine défendit aussi les Français contre l'accusation de Burke qui blâmaient ceux-ci de s'être rebellés contre

« un monarque modéré et légal », soulignant que « le monarque et la monarchie sont deux choses distinctes et c'est contre le despotisme déclaré de cette dernière, non contre la personne ou les principes du premier, que la révolte a pris et que la Révolution a porté ».

Paine infligeait une gifle magistrale à la monarchie en général et au système de gouvernement de la Grande-Bretagne en particulier. Il mettait les idéaux de la Révolution française en exergue et prédisait pour elle « le bonheur politique et la prospérité nationale ».

Joignant les actes à la parole et bien que ne sachant pas un mot de français, Paine rallia la France pour y soutenir la Révolution... même si son départ avait peut-être quelque chose à voir avec le fait que les autorités britanniques entendaient le poursuivre pour sédition.

La réponse de Paine au livre de Burke est fameuse mais, en réalité, la plus prompte à réagir fut l'écrivaine féministe Marie Wollstonecraft, qui publia *Défense des droits des hommes* seulement trois semaines après la parution du livre de Burke. Écrit à la hâte, le livre fut critiqué pour son caractère fouillis. Écrit de plus par une femme, il fut descendu en flammes par les hommes de l'époque pour son caractère trop émotif (en tout cas dès le moment où ils découvrirent qui en était l'auteure, car la première édition était anonyme).

Wollstonecraft s'en prend au soutien que Burke apporte aux privilèges héréditaires et au gouvernement par une élite. Elle raille l'engouement apparent du vieil homme pour Marie-Antoinette. Le 6 octobre 1789, une foule essentiellement composée de femmes avait marché sur Versailles, décapité plusieurs membres de la garde du palais et ramené la famille royale à Paris sous escorte, au milieu d'un cortège où les manifestants brandissaient des têtes plantées sur des piques. Burke avait décrit « les hurlements hideux, les danses frénétiques et les effarantes abominations des Furies de l'enfer, apparues sous la forme injurieuse des femmes les plus viles ». Dans une critique très moderne du langage utilisé par Burke, Wollstonecraft lui reproche de s'en prendre à ces femmes uniquement parce qu'elles sont pauvres et sans éducation, par opposition à une reine pleine de raffinement. Les cris de ces femmes, dit-elle, auraient semblé moins abominables si elles n'avaient pas eu à gagner leur vie en vendant du poisson à la criée.

Cette querelle publique sur la France était aussi divertissante que profitable. Les trois livres se vendirent comme des petits pains des deux côtés de la Manche[1], Paine et Wollstonecraft distançant Burke grâce au rabais sur les prix consentis par leurs éditeurs. Une seule des prophéties contenues dans ces livres devait finalement se réaliser – la plus cruelle.

En dépit de son élitisme et de son côté vieux jeu, Burke avait prévu la façon dont les choses évolueraient. Rapidement, les hommes politiques se lassèrent des débats intellectuels et la purge des éléments les plus modérés débuta. Le nom de l'Assemblée nationale changea plusieurs fois – Assemblée consti-

---

1. Aucun, cependant, n'approcha l'énorme succès du *Conte des deux cités* de Dickens, publié plus de cinquante ans plus tard et qui deviendra, avec 200 millions d'exemplaires, le roman anglais le plus vendu de tous les temps. Ce record semble signifier qu'aucun thème littéraire ne fascine davantage les Anglo-Américains que la Révolution française – ce dont les Français devraient être fiers.

tuante, Assemblée législative, Convention et Directoire furent quelques-unes de ses appellations au cours des cinq années suivantes – et chacun de ces changements s'assortissait non seulement d'exclusions mais encore de vagues d'exécutions au gré de l'accession au pouvoir de tel ou tel parti – Girondins, Montagnards et Jacobins. Voltaire disait qu'« il faut, dans le gouvernement, des bergers et des bouchers ». Le problème, en France, est que les bouchers continuaient d'égorger les bergers tandis que les moutons devenaient cannibales.

Des lois proprement révolutionnaires étaient votées – abolition de l'esclavage, légalisation du divorce, adoption du système métrique – mais elles l'étaient dans un climat aussi dénué de principes qu'un footballeur anglais ivre dans un bordel.

Après la pathétique tentative de fuite de Louis XVI et Marie-Antoinette, organisée, en juin 1791, par l'amant présumé de la reine, le comte Fersen, un climat de paranoïa s'installa. Toute personne soupçonnée d'être royaliste devint passible d'un procès et finissait soit guillotinée, soit, le plus souvent, lâchée au milieu de la foule pour y être lynchée.

En septembre 1792, la rumeur enfla : une contre-révolution se préparait à l'ombre des murs des prisons de Paris et on avait entendu les prisonniers chanter « Vive les Autrichiens » (en référence à la famille de Marie-Antoinette). Dans chaque quartier de la ville, les prisons furent ouvertes, les détenus traînés hors de leurs cellules et jugés pour trahison. Des milliers furent assassinés et, considérant sans doute que tout bâtiment ceint de murs était une prison, les massacres s'étendirent aux monastères.

La plus célèbre des victimes de ces massacres fut Marie-Thérèse Louise, princesse de Lamballe et surintendante de la Maison de la reine Marie-Antoinette, soupçonnée d'avoir entretenu une relation homosexuelle avec cette dernière. Elle fut extraite de la prison de la Force, dans le quartier du Marais, et on lui demanda de jurer solennellement de se désolidariser de la famille royale. Devant son refus, on la battit à mort puis la foule défila, sa tête au bout d'une pique, sous la fenêtre de Marie-Antoinette incarcérée dans la prison du Temple en lui criant de sortir pour embrasser son amoureuse.

C'était exactement l'horreur prédite par Burke.

« Animaux parisiens à deux pattes »

Cette violence reçut une nouvelle appellation officielle – la Terreur – et, au gré des nouvelles circulant sur les atrocités commises, les dernières flammes de sympathie britannique à l'endroit de la Révolution s'éteignirent complètement. Les journaux de Londres s'en donnèrent à cœur joie pour décrire le bain de sang.

Faisant le récit du meurtre de la princesse de Lamballe, le *Times* écrit que « ses cuisses furent tranchées, ses entrailles et son cœur retirés et, pendant deux jours, son corps mutilé fut traîné dans les rues ». Le journal prend un plaisir immense à relater les massacres de septembre 1792, écrivant avec rage que « les tyrans quadrupèdes les plus sauvages qui parcourent les déserts inexplorés d'Afrique ont plus de tendresse en eux que ces animaux parisiens à deux pattes ».

Le 10 septembre, le *Times* offre le récit d'un témoin oculaire du massacre de 120 moines carmélites : « Ils furent tirés de la prison et livrés deux par deux à la foule dans la rue Vaugirard, où on leur trancha la gorge. Leurs corps furent ensuite fixés à des pieux et exhibés sous les yeux des malheureuses victimes suivantes. D'autres corps mutilés étaient entassés dans les rues devant les maisons et, dans les parages des prisons, les cadavres gisaient par centaines, exhalant une odeur pestilentielle. »

Le 12 septembre, le journal cherche à susciter un mouvement de sympathie en faveur des membres de la famille royale emprisonnés : « Les plats que l'on propose au Roi et à la Reine sont plus mauvais que ceux auxquels leurs gardes ont droit mais leurs geôliers les obligent à les manger tout en sachant bien qu'ils leur répugnent. »

Mais en ce temps-là comme de nos jours, les journalistes prenaient davantage de plaisir à se focaliser sur l'horreur pure : « La foule donna l'ordre à l'un des soldats suisses de coiffer un jeune officier, un très beau jeune homme ; quand cela fut fait, on lui ordonna de lui scier la tête et de faire bien attention à sa coiffure car cette tête était trop belle pour être plantée abîmée en haut d'une pique. Le soldat refusa d'obéir et fut immédiatement mis en pièces, et deux femmes se chargèrent de scier la tête de l'officier. On ne l'entendit pas pousser le moindre gémissement et il fallut presque une heure avant que la tête ne soit complètement coupée. »

Une autre histoire, tout aussi sordide – si tant est qu'elle ait été vraie – au féminin.

« Sur la place Dauphine, la foule avait allumé

un feu et plusieurs hommes, femmes et enfants y étaient brûlés vifs. La comtesse Pérignan et ses deux filles furent dénudées – les filles d'abord, la mère ensuite – puis badigeonnées d'huile et rôties vivantes, tandis que la foule dansait et chantait autour du feu et se gaussait de leurs pleurs et de leurs souffrances. En réponse aux implorations de la fille aînée, âgée de quinze ans à peine et qui demandait à ce que quelqu'un mette fin à son supplice d'un coup d'épée ou de pistolet, un jeune homme lui tira une balle dans le cœur. La foule en fut si furieuse qu'elle le jeta dans le feu. »

À la lecture de ces articles de presse, on peut presque sentir la jubilation des Britanniques à constater que la violence a pris le pas sur le discours politique.

À qui, cette brioche ?

La théorie de Thomas Paine selon laquelle le roi n'était pas menacé personnellement n'allait pas tarder à être jetée à bas dans le sang. Le 21 janvier 1793, Louis XVI fut conduit dans un carrosse à travers les rues de Paris jusqu'à la place de la Révolution (aujourd'hui place de la Concorde) pour y être guillotiné. Ses derniers mots furent noyés sous le roulement des tambours et les cris de la foule qui demandait que l'on en finisse. Le 16 octobre, ce fut le tour de Marie-Antoinette après avoir été condamnée pour trahison et (étrangement) pour inceste. Elle n'eut pas droit au carrosse et fut conduite à l'échafaud à l'arrière d'une charrette, sous les quolibets de la foule.

Aujourd'hui, de nombreux Français regardent davantage Marie-Antoinette comme une victime de la Révolution que comme une de ses causes. Ils plaignent cette fille d'Autriche, mariée à l'âge de quatorze ans, pour des raisons politiques, à un prince français impuissant et enfermée dans une cage dorée pendant que son malheureux mari laissait la France partir à vau-l'eau. Mais à l'époque, on la voyait surtout comme une catin hautaine, une princesse étrangère déguisée en bergère vivant dans sa ferme modèle de Versailles alors que les paysans mouraient de faim à quelques lieues de là.

Cela explique sans doute que l'on ait prêté foi à la rumeur qui prétendait que la reine aurait rétorqué : « Qu'ils mangent de la brioche », en apprenant que les Parisiens étaient en révolte car ils n'avaient pas de quoi s'acheter du pain. Si elle a vraiment proféré ces paroles cinglantes, alors d'aucuns pourront toujours arguer qu'elle méritait d'avoir la tête tranchée, ou au minimum frappée à coups de brioche. Mais, en réalité, il est pratiquement certain qu'elle n'a pas prononcé ces mots – et que la fameuse phrase est tirée des *Confessions* de Jean-Jacques Rousseau.

Dans ses *Confessions*, Rousseau raconte avoir été le précepteur des enfants d'un certain M. de Mably et être tombé amoureux du vin blanc du coin, tant et si bien qu'il chapardait souvent une bouteille pour s'offrir un verre tranquillement dans sa chambre. Mais, ajoute-t-il, il ne buvait jamais sans manger. « Comment faire pour avoir du pain ? » se lamente-t-il. Il ne pouvait risquer d'être surpris en train de monter dans sa chambre une baguette à la main, et s'il demandait

Certes effrayant, ce regard grotesque sur la Révolution française jeté par le dessinateur britannique James Gillray contient malgré tout une part de vérité. Le cannibalisme n'était sans doute pas de mise mais se faire massacrer, mutiler, voire rôtir, était monnaie courante sous la Terreur.

au domestique de lui apporter du pain, son hôte s'en serait senti humilié. Finalement, écrit-il, « je me rappelai le pis-aller d'une grande princesse à qui l'on disait que les paysans n'avaient pas de pain, et qui répondit : qu'ils mangent de la brioche. » Rousseau, se fichant du caractère subversif de cette histoire, s'en fut s'acheter de la brioche à la pâtisserie du coin, petit plaisir apparemment accessible à un jeune homme comme lui, la brioche étant alors considérée plutôt comme un luxe.

Rousseau écrivait cela en 1736, quelque dix-neuf ans avant la naissance de Marie-Antoinette, et laissait sans doute entendre que la remarque sur la brioche avait été prononcée par l'épouse du Roi-Soleil, la princesse Marie-Thérèse, fille de Philippe IV d'Espagne. Cette théorie est parfaitement recevable – la cour de Louis XIV était en effet complètement déconnectée de la réalité et vivait au rythme des traits d'esprit. Tout était prétexte à bon mot[1].

Quelle que soit la vérité sur l'histoire de la brioche, l'autobiographie de Rousseau parut en 1782, soit sept ans avant le début de la Révolution. Il se peut que Marie-Antoinette l'ait lue et qu'elle ait effectivement cité l'anecdote de Rousseau, mais celle-ci peut aussi avoir fait l'objet d'un détournement, à un moment où les gens étaient à l'affût de propos méchants à placer dans la bouche de Marie-Antoinette. Comme nous l'avons vu, il s'agissait d'une époque où une rumeur suffisait à provoquer une émeute ou un massacre. Per-

---

1. Certains de ses défenseurs affirment également que la remarque de Marie-Thérèse aurait bien pu être frappée au coin du bon sens : à l'époque, quand le pain venait à manquer, les boulangers baissaient le prix de la brioche.

sonne n'était prêt à révoquer en doute paroles aussi cinglantes et celles-ci allaient rester attachées à Marie-Antoinette bien plus longtemps que sa tête.

Adieu lundi, bonjour carotte !

Il serait pourtant triste de ne voir dans la Révolution française qu'une longue nuit de feu et de sang. Parmi ces gens qui cherchaient à accéder au pouvoir se trouvaient de vrais pionniers qui voyaient là l'occasion de repenser la société de fond en comble.

Mis à part le système métrique, l'idée la plus radicale fut le calendrier républicain, un projet formidablement tordu qui visait à tout faire redémarrer au Premier Jour, celui de la Révolution. L'entreprise était vouée à l'échec pour la raison que nous allons bientôt voir mais, d'une certaine manière, ceux qui s'opposaient à l'ancien calendrier aussi avaient raison. Après tout, par la faute d'un latin mal su, septembre était devenu le neuvième mois de l'année et octobre le dixième : était-ce là un bon exemple à donner aux écoliers ? Et à quoi rimait d'avoir des mois de longueur différente ? Et quid de cette absurdité de décréter que la semaine devait avoir sept jours en référence à la Bible ?

Il était temps, pensaient les révolutionnaires, de bazarder tout ça et de recommencer de zéro.

Le nouveau calendrier fut conçu par un attelage merveilleusement français : deux mathématiciens et deux poètes. Les mathématiciens effectuèrent le travail préparatoire, décidant que l'année aurait douze mois de trente jours. Heureusement, étant mathématiciens, ils se rendirent rapidement à l'évidence que le compte

n'y était pas et ajoutèrent cinq jours de congé sup-
plémentaires – six, les années bissextiles – pour que
la France demeure alignée sur le calendrier grégorien.

Quant aux poètes, ils choisirent le nom des jours et
des mois en recourant à des noms de plantes, d'animaux et d'outils pour les jours et en faisant rimer les
mois par groupes de trois. L'hiver, par exemple, se
divisait en nivôse, pluviôse et ventôse. Pour les jours,
les poètes n'entendaient pas se contenter de remplacer
lundi, mardi, mercredi, etc. ; ils donnèrent donc un nom
à chaque jour de l'année. À l'automne, par exemple, on
trouvait panais (30 septembre), citrouille (8 octobre),
aubergine (17 octobre) et pelle (20 décembre). Au printemps, le 8 avril était ruche, le 4 mai, ver à soie. Tout
cela était très pittoresque mais l'inconvénient évident...

« Quel jour est-on aujourd'hui ?

— Panais.

— Merci.

— Euh, attendez... on ne serait pas plutôt carotte,
ou raifort. »

Mais là n'était pas le défaut majeur de ce calendrier.
Les semaines révolutionnaires devaient compter chacune dix jours, et nul n'est besoin d'être un matheux
pour comprendre que cela réduisait automatiquement
le nombre de week-ends, autant dire un sacrilège pour
un Français. De plus, histoire d'enfoncer le clou, le
gouvernement décréta que « le dimanche [était] aboli
au nom de la raison ». Enfin, comparés à toutes les
anciennes fêtes catholiques, les cinq ou six jours fériés
du nouveau calendrier n'étaient que des clopinettes.
Les gens étaient certes ravis de massacrer quelques
prêtres à l'occasion mais ils ne voulaient pas perdre
pour autant leurs anciennes fêtes.

Le soulagement fut donc général quand Napoléon, en 1805, abolit le calendrier révolutionnaire et restaura le vieux système incohérent, avec en prime un nouveau jour férié, le 14 juillet, qui se serait autrement assez platement appelé « sauge ».

Les Français, ces *aliens*

Peu importe ce que les Britanniques aient pu penser des aspects positifs et négatifs de la Révolution, la France leur força finalement la main.

Tout d'abord, en novembre 1792, la Convention nationale, comme l'organe de gouvernement français s'appelait cette semaine-là, promulgua un décret de la fraternité appelant tous les sujets opprimés par les monarques d'Europe à se soulever pour renverser leurs dirigeants. La Convention déclara qu'elle apporterait secours et assistance aux citoyens de tout pays qui décideraient de « recouvrer leur liberté ». Comme on l'imagine, les monarchies de Grande-Bretagne, de Prusse et d'Espagne n'entendirent pas d'une bonne oreille cet appel public à la rébellion. Puis, le 1er février 1793 (autrement nommé « brocoli », douzième jour de pluviôse, an I), la France se fit plus claire encore et déclara la guerre à la Grande-Bretagne.

Une nouvelle loi fut promulguée, obligeant tout homme célibataire et valide à se joindre à l'Armée révolutionnaire. Comme on pouvait s'y attendre, cette décision provoqua une ruée sur les contrats de mariage, les célibataires demandant la main à n'importe quelle femme qui le souhaitait. On prétend que jamais les veuves françaises ne furent plus joyeuses. Malgré tout, près d'un demi-million d'hommes répondirent à l'appel et, même si nombre d'entre eux déserteraient ou se mutineraient bientôt, la France représentait un adversaire redoutable.

La Grande-Bretagne se retrouvait soudainement sous le coup d'une triple menace française : une guerre contre la France révolutionnaire, des troubles intérieurs provoqués par les quelque 60 000 royalistes réfugiés et une révolution fomentée depuis Paris.

Les Britanniques ne pouvaient faire confiance aux réfugiés français, d'une part, tout simplement parce qu'ils étaient français et, d'autre part, parce que le premier d'entre eux, le comte d'Artois (petit-fils de Louis XV), ainsi que son fils, le duc de Berry, étaient des Bourbons à part entière, de la famille de ce Louis XIV qui avait pratiquement ruiné l'Angleterre avec ses guerres. Le gouvernement de Pitt fit donc voter une loi sur les étrangers, qui obligeait les immigrés français à se faire enregistrer auprès d'un juge de paix et les plaçait de la sorte en période probatoire à durée indéterminée.

Une loi sur la correspondance perfide vint renforcer le système, prévoyant l'ouverture de toutes les lettres envoyées en France et interdisant tout commerce avec la France ou tout soutien à la Révolution.

La crainte d'une révolution conduisit Pitt et ses partisans à se comporter eux-mêmes en tyrans. Les réunions publiques furent interdites et les fauteurs de troubles envoyés au loin dans une nouvelle colonie pénale bien pratique, l'Australie. Pitt estima aussi qu'il était préférable de financer les autres ennemis de la France – notamment l'Autriche et la Prusse – pour qu'ils se battent contre les Français, d'où certainement le peu de vigueur des offensives britanniques contre la France.

Au cours de l'été 1793, par exemple, les Britanniques envoyèrent une flotte pour s'emparer du port de Toulon. Les envahisseurs furent accueillis avec joie, mais ils annoncèrent qu'ils n'avaient nullement l'intention de renverser le régime en place ; ils furent bientôt repoussés par un Corse téméraire de vingt-quatre ans, capitaine d'artillerie, appelé Bonaparte, qui reprit un à un les forts stratégiques avant de bombarder les Brits alors qu'ils battaient en retraite. Toulon repris, les royalistes furent sommairement exécutés, certains étant littéralement soufflés au canon. Comme d'habitude, être contre-révolutionnaire ne s'avérait pas le meilleur parti.

Simultanément, la Corse, patrie de Napoléon, demanda de manière assez insultante à rejoindre l'Empire britannique, avec George III comme roi. L'île fut un moment occupée mais fut vite considérée comme trop difficile à défendre en raison de ses nombreux ports et de son terrain montagneux. Les Britanniques laissèrent donc les Corses à la merci de suzerains français vengeurs. 10 000 Corses durent fuir les persécutions qui s'ensuivirent et les relations avec la France continentale n'ont jamais plus, depuis, été très amicales.

En juillet 1794, une armée royaliste française, soutenue par les Britanniques, débarqua dans la baie de Quiberon, en Bretagne. Mais, d'une part, les chefs aristocrates qui la commandaient peinaient à comprendre les paysans bretons qu'ils venaient libérer et, d'autre part, la flotte britannique dut repartir à cause du mauvais temps, laissant la force d'invasion sans protection.

L'armée révolutionnaire parvint finalement à couper celle-ci de ses arrières, exécuta 700 de ces réfugiés de retour sur le territoire français et s'empara de 20 000 mousquets britanniques. Comme cela ne suffisait pas, la déconfiture de Quiberon poussa la France à lancer une attaque en représailles.

En février 1797, 1 400 soldats français, dont 800 ex-condamnés, revêtus des uniformes anglais saisis à Quiberon, s'en allèrent attaquer Bristol sous le commandement d'un soldat américano-irlandais, William Tate (qui ne savait pas parler français). Mais leurs bateaux s'égarèrent et échouèrent au pays de Galles, où les repris de justice affamés s'adonnèrent à une razzia avant de capituler devant une bande de Galloises en houppelande rouge qu'ils confondirent avec des soldats. 12 Français ivres furent capturés par une seule femme brandissant une fourche. Les soldats réguliers, eux, occupèrent une ferme mais furent mystifiés par un chef de la milice locale, John Campbell, qui les poussa à la reddition sans condition en leur faisant croire (à tort) que l'ennemi était en position de force. Les Français et leur chef américain se rendirent bien sagement jusqu'à la plage où ils déposèrent leurs armes. Ce fiasco, qui dura à peine trente-six heures, fut la dernière invasion étrangère en terre britannique dont la France puisse s'enorgueillir.

La Révolution, pour quoi faire ?

Si cette guerre anglo-française semble avoir été bien tiède (elle ne se réchauffera qu'avec l'arrivée de Nelson et Wellington), c'est en partie parce que la France rencontrait davantage de succès contre des voisins plus abordables, comme la Hollande, la Prusse et l'Italie, et également qu'elle se trouvait fort occupée à liquider sa propre population.

Les massacres antiroyalistes plongèrent la Bretagne et la Vendée dans un bain de sang tel qu'il n'y en avait plus eu depuis les « chevauchées » anglaises pendant la guerre de Cent Ans. À Nantes, des milliers de contre-révolutionnaires furent noyés. En Vendée, les troupes révolutionnaires reçurent l'instruction de « brûler les moulins à vent et démolir les fours » (vitaux l'un comme l'autre pour faire du pain et nourrir la population) et l'ordre suivant : « Si vous tombez sur des femmes et des enfants, faites feu – ils soutiennent tous nos ennemis. »

Après le guillotinage de Robespierre en 1794, la violence céda peu à peu du terrain et la Révolution commença à s'épuiser. Comme si les Français en avaient eu soudain assez de la politique. Après tout, hormis un calendrier fleuri et une thérapie par la saignée, la Révolution n'avait pas beaucoup profité aux pauvres à qui elle était censée bénéficier. Si les aristocrates les plus puissants avaient été éliminés, ils avaient été aussitôt remplacés par des bureaucrates aux pouvoirs tout aussi importants. Fin 1795, après six ans de révolution, l'économie était toujours en ruine et les pauvres mouraient en masse à cause de la famine et du froid. De leur côté, les nouveaux riches de la bourgeoisie amassaient des fortunes grâce au marché noir et s'assuraient de conserver leurs richesses en échange de pots-de-vin à des fonctionnaires véreux. En 1797, la liberté d'expression disparut avec l'introduction d'une censure de la presse. En 1802, l'esclavage redevint légal et une amnistie fut accordée à tous les aristos qui avaient fui en Angleterre ou ailleurs à l'étranger et avaient survécu à toutes les humiliations. Encore quelques années et la France serait dirigée par un dictateur militaire qui se ferait couronner empereur, créerait une nouvelle « aristocratie impériale » et se marierait à une nièce de Marie-Antoinette. Et en 1814, le roi Louis XVIII, petit-fils de Louis XV, entrerait dans Paris au cri de « Vive le Roi ! » Vingt-cinq ans après la prise de la Bastille, la France se retrouverait plus ou moins revenue à la case départ. Un tour sur soi-même, autrement dit une révolution.

La démocratie avait cependant irrigué certains secteurs de la société française. Sans la Révolution, un Corse à l'accent incompréhensible et à la syntaxe douteuse n'aurait jamais gravi les échelons au sein de l'armée française sur la seule base du mérite. Un général bien né se serait assuré que ce jeune arriviste de Bonaparte demeure à sa place : acheter de l'avoine pour les chevaux, peut-être, ou servir de chair à canon.

Oui, Napoléon, surnommé « le Petit Caporal », fut probablement le plus beau fruit produit par la Révolution française, l'ennemi le plus dangereux pour la Grande-Bretagne depuis Guillaume le Conquérant – et avec une égale ambition.

Or, stricto sensu, comme nous allons le voir, *Boney* était une créature de la Grande-Bretagne...

14

Napoléon, le meilleur ennemi des Anglais

Au début du XIXe siècle, Napoléon Bonaparte eut, pendant quelques années, un plan simple en vue d'asseoir la domination de la France sur le monde. Annexer l'Angleterre aurait suffi, selon lui, à diriger la planète entière.

Enfiler l'uniforme de nouvel Empereur de la Terre (Napoléon adorait inventer des créations en tout genre : uniforme, drapeau, monnaie pour ses nouvelles possessions, etc.) était un rêve inspiré dans une large mesure par les Britanniques... rêve qu'ils briseraient eux-mêmes par la suite. C'est pourquoi l'évocation du nom de Napoléon, comme de Jeanne d'Arc et du Tournoi des six nations, engendre de tels accès d'anglophobie chez les patriotes français. À la mort de l'Empereur, certains Français affirmèrent qu'il avait été assassiné avec du papier peint empoisonné, dans le cadre d'un fourbe complot ourdi par les Anglais, quand bien même l'ensemble des analyses médicales concluaient à une maladie héréditaire.

Cette ferveur perdure. En mars 2008, quand l'ancien Premier ministre français Dominique de Villepin mit en vente sa collection de livres et documents bonapartistes (dont le catalogue était modestement intitulé « La Bibliothèque impériale »), la salle des ventes était bondée. Des livres ayant appartenu à « Sa Majesté l'Empereur », comme se plaisaient à le répéter des commissaires-priseurs soi-disant républicains, se vendirent comme des petits pains ; un autographe s'envola à 28 000 euros et lorsqu'un musée français fit l'acquisition d'un pamphlet britannique anti-Bonaparte, des spectateurs applaudirent et crièrent : « Vive l'Empereur ! », manifestant certainement par là leur joie qu'il ne fût pas tombé entre les mains de l'ennemi.

Ce culte voué à Napoléon est compréhensible. En quelques courtes années, comme dictateur militaire puis empereur de France autoproclamé, il remporta davantage de victoires que la France n'en avait enregistré pendant des siècles – et qu'elle n'en enregistrerait par la suite. Il annexa une grande partie du territoire européen, davantage qu'Hitler pourtant aidé de ses avions et de ses chars. De plus, Bonaparte ne fut pas seulement un va-t-en-guerre, il équilibra les comptes désastreux de la France et inspira largement les codes juridiques encore aujourd'hui en vigueur en France. Il créa même ce qui allait devenir une institution : les maisons de tolérance, légales et réglementées.

Napoléon rêva d'envahir l'Angleterre par tous les moyens possibles et imaginables, y compris ceux qui n'existaient pas encore, comme le tunnel sous la Manche. Finalement, il abandonna ses plans car même une technologie supposée fiable échoua : sa flotte de barges coula.

Un caporal pas si petit

Il existe deux mythes au sujet de Napoléon qui empêchent la plupart des gens (les Anglais, au moins) d'apprécier réellement qui il était et ce qu'il a accompli.

Primo, c'est un pauvre prolo corse qui a réussi. En fait, non. Il est issu de l'aristocratie de l'île. Bien sûr, aux yeux d'un marquis parisien, le plus noble des Corses paraissait aussi distingué qu'un pot de chambre, mais Napoléon vient malgré tout d'un milieu privilégié ; sinon, il ne serait jamais entré à l'École militaire.

Secundo, c'est un nain. Faux également. Napoléon mesurait 1,68 mètre, taille fort respectable pour l'époque. Il semble que cette légende ait été colportée par un Anglais qui aurait voulu ainsi jeter le doute sur sa virilité. Cette légende serait née d'une erreur du médecin légiste – un toubib français incompétent qui se serait trompé dans la conversion des centimètres en pouces.

Considérons à présent les faits concernant cet homme qui fut le gouvernant le plus remarquable de la France depuis Charlemagne avant de conduire le pays à son échec le plus retentissant.

D'origine italienne, la famille de Napoléon, les Buonaparte, vint s'installer en Corse au XIIe siècle. L'un de ses ancêtres, Ugo, s'enrôla dans l'armée de Frédéric le Borgne, duc de Souabe, qui envahit la Toscane en 1122. Le neveu d'Ugo deviendrait plus tard l'un des conseillers les plus influents de Florence. La branche corse de la famille était toutefois peu fortunée, et son rang ne pouvait se déduire que de la taille des maisons qu'elle possédait et la reconnaissance sociale dont elle jouissait, son mode de vie était par ailleurs des moins tapageurs. Le grand-père de Napoléon, par exemple, était inspecteur général des Ponts et Chaussées sur l'île, poste enviable s'il en fût dans la mesure où la Corse n'en possédait pratiquement pas.

Lorsque le roi Louis XV acheta la Corse aux Italiens en 1768, le père de Napoléon, Carlo, fut l'un des chefs d'une résistance éphémère qui combattit les envahisseurs français dans le maquis, en compagnie de sa femme enceinte, Letizia. Quand elle accoucha, le 15 août 1769, ils décidèrent d'appeler leur fils Napoleone en hommage à un oncle mort au cours de la lutte pour l'indépendance. Eh oui, le futur héros national est né au cœur d'une guérilla antifrançaise.

Les hommes de Louis XV se rendirent rapidement maîtres de la Corse. Au lieu de châtier les résistants, le roi décida de s'attirer les grâces des chefs locaux les plus influents en leur offrant une place au sein de l'aristocratie française. Les familles devaient juste prouver qu'elles habitaient l'île depuis au moins deux cents ans et avaient des ancêtres nobles – ce qui fut chose facile pour Carlo Buonaparte dont les cousins toscans pouvaient se porter garants. Dès que sa candidature fut agréée, Carlo se mit à porter une perruque poudrée et des bas de soie, et acquit une bibliothèque comptant pas moins de mille tomes pour témoigner de son ouverture d'esprit, autant de luxes qu'il pouvait désormais se permettre étant, comme tous les membres de l'aristocratie française, exempté d'impôts.

Autre privilège, plus important pour le jeune Napoleone : les enfants de la noblesse française disposaient d'un accès gratuit aux écoles les plus prestigieuses du pays. C'est ainsi qu'en mai 1779 un jeune boursier de neuf ans entra à l'école militaire de Brienne, dans l'Aube.

Ses instincts de combattant furent mis à l'épreuve dès son arrivée car, jeune homme malingre à la peau brune et au lourd accent provincial, il fut aussitôt considéré comme une sorte de paria. Mais il s'adapta, perdit son accent et commença même à développer ses talents de conquérant en annexant peu à peu les jardins potagers de l'école. Chaque élève se voyait, en effet, attribuer une parcelle à cultiver mais cela indifférait certains d'entre eux. Napoleone s'attribua donc leurs terres, érigea un mur de défense et cria victoire. Quand d'autres élèves abîmèrent accidentellement les légumes de Napoleone, il les poursuivit avec une houe et ils durent courir se mettre à l'abri. Le style de sa future carrière militaire était né dans un potager.

À douze ans, quand Napoleone décida de s'engager dans la marine, il se mit à dormir dans un hamac. Un inspecteur approuva son choix : « Il est très mauvais danseur et dessinateur. Il fera un excellent marin. » Et quand, en 1783, la Grande-Bretagne et la France s'autorisèrent une trêve, il fit une demande de mutation dans une école navale anglaise, ce qui rétrospectivement donne le vertige : imaginez le Corse servant sous les ordres de Nelson à Trafalgar, voire devenant dictateur en Grande-Bretagne et obligeant la reine Victoria à conquérir le trône en tant que combattante contre-révolutionnaire.

Mais il en alla différemment. On offrit une place à Napoleone Buonaparte à la prestigieuse École militaire et c'est un adolescent plein de confiance en lui qui quitta Brienne pour Paris, portant désormais un nom français, Napoléon Bonaparte, excellant en mathématiques et en jardinage bien plus qu'en grammaire. Il intégrerait l'armée du roi, cinq ans tout juste avant la Révolution.

À l'École militaire, le nouvel étudiant corse administra à nouveau la preuve du tempérament belliqueux entrevu dans le potager de Brienne. Un jour, au cours d'un exercice, il se fit châtier pour avoir commis une erreur. Comme le règlement interdisait formellement les châtiments corporels, Napoléon jeta son fusil à la figure de l'instructeur et jura de ne plus jamais assister à ses leçons. Estimant qu'une telle attitude pourrait s'avérer utile sur les champs de bataille, l'école préféra se chercher un nouvel instructeur.

En réaction à sa plus grave incartade, Napoléon fut puni mais il échappa toutefois à l'exclusion. Lors d'une démonstration de l'aéronaute Jean-Pierre Blanchard (dont nous reparlerons plus tard), Napoléon fut gagné par l'impatience. Constatant que des vents défavorables ne cessaient de retarder le moment de l'envol du ballon dirigeable, il prit les choses en main et sectionna les cordes d'attache, envoyant Blanchard prendre l'air. Blanchard en réchappa, ce qui ne serait pas le cas quelques années plus tard.

En 1785, Napoléon sortit diplômé de l'École (en une année au lieu de deux) et, puisqu'il avait renoncé à la marine, accepta un poste d'officier d'artillerie, qui lui permettrait de mettre à profit ses connaissances en mathématiques tout en se défoulant avec des canons. Napoléon avait seize ans et sa carrière militaire commençait pour de bon. Il reçut son affectation de Louis XVI en personne, l'homme qu'il remplacerait bientôt sur le trône de France.

Napoléon fut envoyé en poste à Valence et, tout en suivant des cours de balistique, se plongea dans les livres d'histoire. L'un de ses préférés était une histoire de l'Angleterre depuis l'invasion des Romains, qui s'achevait assez tôt pour épargner aux lecteurs français les célèbres victoires de Marlborough sur l'armée de Louis XIV (déjà, à Brienne, les manuels que lisait Napoléon ne faisaient aucunement référence aux victoires anglaises durant la guerre de Cent Ans et attribuaient les victoires d'Azincourt et de Crécy aux Gascons, autrement dit à des Français).

Napoléon en arriva cependant à la même conclusion que de nombreux Français à la veille de la Révolution : il tomba en admiration devant la monarchie constitutionnelle britannique et écrivit à ce sujet que si le roi d'Angleterre venait à abuser de « son grand pouvoir pour commettre des injustices, le cri du peuple enfl[erait] jusqu'au bruit du tonnerre et le roi d[evrait] reculer ». Il songeait sûrement qu'il y avait là matière à réflexion pour Louis XVI.

Bien entendu, Louis n'y réfléchit pas, la Révolution débuta et les premières lois de l'Assemblée nationale s'attaquèrent directement aux privilèges de Napoléon et des siens. Sous la royauté, rappelons-le, sa famille ne payait pas d'impôts et ses frères et sœurs bénéficiaient d'une éducation gratuite dans les meilleures écoles.

On aurait pu pardonner à Napoléon d'épouser la cause royaliste. Mais il embrassa, au contraire, celle de la Révolution, à un moment où elle était encore modérée, et fit allégeance au nouvel État. Il se félicita même que l'on puisse désormais se porter acquéreur des maisons confisquées aux aristocrates et au clergé – avec la certitude que personne n'oserait faire la même chose avec les biens de sa famille en Corse de peur de déclencher une vendetta.

Il ressentit néanmoins le désir de se rapprocher de chez lui et, en 1791, regagna la Corse, où il entreprit de se faire élire chef de la Garde nationale. Afin de s'assurer que les votants (les gardes eux-mêmes) avaient bien reçu le message, il cantonna 200 d'entre eux dans la maison familiale où ils purent se délecter du meilleur de la cuisine maternelle. Il mit aussi sur pied une équipe de quelque 500 gardes chargés d'intimider son principal opposant au cours d'un discours de campagne. Il n'était âgé que de vingt-deux ans mais il avait déjà appris à combiner son héritage corse à sa formation militaire, un cocktail d'efficacité détonnant qu'il allait bientôt faire découvrir au reste de l'Europe.

Une occasion de rudoyer les Brits

Ce n'est qu'avec la Terreur que le désenchantement gagna Napoléon, peu convaincu par la direction que prenait la Révolution. L'entrée en guerre de la France contre la Grande-Bretagne, en 1793, lui fut un grand soulagement. Il allait enfin pouvoir mettre en pratique tout ce qu'il avait appris en classe d'artillerie et l'utiliser contre ces étrangers si prétentieux.

Le 27 août, le port de Toulon se rebella contre le gouvernement révolutionnaire, arracha le drapeau tricolore et fit signe aux bateaux anglais et espagnols qui croisaient dans les parages d'approcher. Napoléon supplia, quant à lui, d'être autorisé à les pourchasser. Par chance, le commandant local de l'artillerie étant blessé, c'est finalement Napoléon qui se vit confier la tâche de procéder au bombardement.

L'officier en charge de coordonner l'opération était un produit typique de ce que la Révolution avait pu engendrer : en l'occurrence, un peintre ayant décrété qu'il excellerait dans les fonctions de général. Quand il ordonna à Napoléon de faire feu sur les vaisseaux les plus proches, le jeune officier fit remarquer que cela ne servirait à rien étant donné que ceux-ci se trouvaient hors d'atteinte des canons, à une distance de plus de 3 kilomètres. Impressionné par l'expertise du jeune homme et dédaignant les récriminations de ses collègues officiers qui accusaient le nouveau venu d'être un traître d'aristo, le général décida de donner carte blanche à Napoléon. Pour l'ambitieux Corse, c'était là une occasion en or. Il fit venir des canons d'aussi loin que Monaco, ainsi que 100 000 sacs de terre afin d'édifier un poste de tir fortifié en bord de mer. Quelques semaines plus tard, non seulement la flotte britannique se trouvait à portée de canon, mais encore l'artillerie ne possédait plus cinq mais presque 200 canons. Quand les Français firent feu, les tirs de riposte de la marine britannique ne troublèrent pas Napoléon et ses hommes, à l'abri de leur bunker. Les vaisseaux durent se replier, et laisser le port à la merci de Bonaparte.

Enhardi par son succès, Napoléon conçut un plan audacieux en vue de la reprise de la ville. Il avait remarqué que le fort dit du Petit-Gibraltar, situé sur les remparts, était la clé de la bataille. S'il tombait, les Français pourraient s'en servir de poste de bombardement pour attaquer les autres avant-postes ennemis et mettre ainsi fin au siège. Excellent ! estima le général (et ancien planteur de sucre) chargé de l'opération, beaucoup mieux que notre ancien plan visant à bombarder la ville au petit bonheur la chance en espérant que, de guerre lasse, les Britanniques finissent par s'en aller !

Napoléon fit donc édifier un nouveau poste de tir au pied du fort et entama un long ping-pong de quarante-huit heures avec l'artillerie adverse, grappillant de brefs instants de repos en s'allongeant à même le sol, enroulé dans son pardessus. Puis il prit la tête d'une charge de cavalerie contre la forteresse ennemie, charge au cours de laquelle son cheval fut blessé et où il fut poignardé à la cuisse par un coup de lame anglaise.

Le Petit-Gibraltar tomba, avant que bientôt la ville de Toulon ne tombât à son tour. Une étoile était née.

Napoléon dit joliment à ce propos : « Dans les révolutions, il y a deux sortes de gens : ceux qui les font et ceux qui en profitent. » Bonaparte, nouvellement promu général de brigade, incarnait on ne peut mieux cette maxime. En récompense de son coup d'éclat de Toulon, il fut promu inspecteur général des défenses côtières pour toute la Côte d'Azur et reçut une luxueuse villa près d'Antibes. Il pouvait voir la vie en rose.

Pas ce soir, Horatio

Malheureusement pour Napoléon, un marin britannique qu'il aurait presque pu voir à la longue-vue depuis la terrasse de sa nouvelle résidence s'était rendu compte au même moment que ce qu'il aimait le plus dans la vie était de bombarder les Français au canon.

Son nom était Horatio Nelson, fils d'une famille modeste de Norfolk engagé dans la marine à l'âge de douze ans et qui vivait sa première expérience de guerre en tant que capitaine.

Nelson ressentait pour les Français l'horreur instinctive qu'éprouvait à leur endroit tout Anglais de l'époque. Quand il visita la France, en 1783, il fit ce commentaire lapidaire : « Je hais leur pays et leurs manières. » En prenant son commandement en 1793, il précisa, confiant à un enseigne de vaisseau de deuxième classe : « Tu dois haïr les Français comme tu hais le diable. »

Et c'est ainsi qu'en 1794 Nelson se jeta à l'eau, organisant le blocage des ports corses pour soutenir l'invasion de l'île par l'armée britannique. Les Anglais renoncèrent finalement à leur projet d'utiliser la Corse comme base arrière en Méditerranée et se retirèrent. Mais Nelson avait eu le temps de prendre goût à ces batailles au canon dont Napoléon raffolait lui aussi.

Quand Nelson quitta les lieux, il avait acquis une réputation de grande bravoure. À un ami, il écrivit : « Même les Français me respectent. »

Ils feraient bientôt beaucoup plus que le respecter.

Napoléon aurait bien sûr aimé défendre son île en personne mais il était bloqué sur le continent. Objet d'une enquête à cause de ses origines italiennes, il était considéré comme un traître potentiel. Risquant la guillotine, il pensa à se suicider puis (plus sérieusement) à émigrer en Turquie, où les officiers d'artillerie étaient très demandés. Il se trouvait à Paris en train de rassembler les papiers nécessaires à son exil quand le destin, une fois encore, lui sourit.

En septembre 1795, Paris était en proie à des troubles entre républicains modérés et royalistes, qui se disputaient le pouvoir. Lorsque les Anglais débarquèrent (ou plutôt larguèrent) une armée française royaliste dans l'ouest du pays, les événements se précipitèrent et les contre-révolutionnaires marchèrent sur le palais des Tuileries, siège du gouvernement.

Tout heureux de se trouver au cœur de l'action, Napoléon prit part à un débat à l'Assemblée, où on le remarqua et où on lui offrit l'occasion de défendre la République. La question qu'il posa lui ressembla : « Où sont les canons ? »

La réponse était que 40 pièces d'artillerie étaient entreposées à Neuilly (banlieue où un certain Nicolas Sarkozy débuta sa carrière politique). Napoléon les fit rapatrier dans la capitale et positionna ses canons à différents points stratégiques autour des Tuileries. Quand l'armée rebelle, forte de 30 000 hommes, déboula au centre de Paris, les canons meurtriers de Napoléon permirent aux 8 000 soldats républicains de les repousser.

En une journée de combat, Napoléon avait réparé à lui seul tous les dégâts politiques que l'année précédente avait causés. En octobre 1795, à seulement vingt-six ans, il fut nommé commandant en chef de l'armée de l'Intérieur. Il n'avait certes pas encore le droit de dessiner lui-même son uniforme mais son manteau à galons dorés avait déjà fière allure et il n'aurait plus très longtemps à attendre avant de devenir son propre styliste.

Histoire à l'eau de Rose

Peu de temps après, Napoléon décrocha un autre prix, de beauté cette fois, Joséphine, à qui le futur empereur aurait dit : « Pas ce soir. » Les Français vous affirmeront qu'il n'a jamais prononcé ces mots, qu'il s'agit là de pure propagande antinapoléonienne orchestrée par les Britanniques ; comme nous allons le voir, cette histoire n'est sans doute pas toutefois très éloignée de la réalité.

Joséphine, de son vrai nom Rose de Beauharnais, avait six ans de plus que Napoléon et déjà deux enfants lorsqu'elle le rencontra. Veuve d'un aristocrate guillotiné, elle-même manqua de peu d'y passer aussi, ce qui pourrait expliquer son choix d'embrasser dès lors pleinement la vie en entretenant notamment de nombreux amants, dont un héros national, le général Hoche, et l'un des principaux dirigeants politiques français, Paul Barras. La chose à laquelle elle s'attendait sans doute le moins au monde serait d'être l'objet de la dévotion béate d'un jeune soldat corse qui n'aimait pas son prénom et décida de l'appeler Joséphine. Elle coucha avec lui, bien sûr – au sein de la société parisienne, il avait l'attrait de la nouveauté –, mais fut déroutée de recevoir, le lendemain dès 7 heures du matin, une longue lettre d'amour où Napoléon cherchait à savoir si elle avait aussi couché avec Barras.

Ce n'est qu'après l'avoir demandée en mariage que Bonaparte reçut toute son attention. Elle était veuve et sans revenus, ne vivant que de la générosité de ses amis ; lui venait d'être promu général, était promis à un avenir brillant ou, dans le pire des cas, à disposer d'une bonne retraite. Elle accepta donc son offre et Barras, bon joueur, offrit à Napoléon un cadeau de mariage : le commandement de l'armée des Alpes.

Il n'était pas tellement question de permettre aux jeunes mariés d'aller skier pour leur lune de miel. L'armée des Alpes se préparait à envahir l'Italie et on envoyait Napoléon au front. Joséphine dut se sentir aussi ravie que la jeune épouse du roi anglais Henri V contrainte, pour ses noces, d'assister à un siège.

Napoléon ne fit rien pour arranger son cas : en vue du voyage, il lut des tas de livres sur l'histoire militaire et la topographie des Alpes et, lorsque Joséphine lui suggéra de réviser autre chose que la géographie, il lui répondit : « Patience, ma chérie, nous aurons le temps de faire l'amour quand la guerre sera finie. »

Le Nil nié

Napoléon trouva une armée littéralement en lambeaux. Les quelque 40 000 hommes cantonnés à Nice portaient des pantalons effilochés et des tuniques rapiécées, certains arborant encore la veste blanche en vigueur sous Louis XVI. Leurs couvre-chefs étaient composés de bonnets à poil sans poil et de casques cabossés ; en guise de chaussures, ils portaient des sabots ou de simples bandes de tissu enroulées autour des pieds. Ils étaient mal nourris et démoralisés, tout juste capables de défiler au pas, et certainement pas de « libérer » l'Italie de l'occupation autrichienne.

La première chose que fit Napoléon fut de dépenser tous les fonds dont il disposait en nourriture et en cognac et d'en emprunter assez pour fournir à ses hommes une réserve de farine de trois mois et 18 000 paires de bottes. Il fut aussitôt adoré de ses troupes et leur remonta à ce point le moral que, quelques semaines plus tard, le 10 mai 1796, il remportait sa première grande victoire et y gagnait un nouveau surnom.

À Lodi, près de Milan, il persuada ses fantassins, il y a peu de temps encore sur le point de crever de faim, de mener une charge suicidaire sur un pont étroit. Simultanément, grâce à ce sens stratégique qui allait faire de lui un si dangereux adversaire, il envoya la cavalerie traverser la rivière en amont pour prendre à revers les Autrichiens en fondant sur eux au galop tandis qu'ils avaient leur attention fixée sur la rivière. Son plan fonctionna comme dans un rêve, le pont fut pris et les Français vainqueurs, qui comptaient en leurs rangs de nombreux vétérans, surnommèrent leur jeune chef « le Petit Caporal », sans se douter que les Britanniques l'utiliseraient plus tard pour moquer sa taille.

L'année suivante, le « petit homme » remporta plus de batailles en Italie qu'aucune armée française au cours des trois siècles précédents, s'emparant de plus de 1 000 canons autrichiens et d'un important butin. En vertu des principes édictés par la Révolution, les œuvres d'art ayant appartenu jadis à la royauté, à l'aristocratie ou à l'Église de France devenaient propriété du peuple. Napoléon appliqua ce principe aux Italiens et c'est de cette époque que date la fameuse collection parisienne[1] composée de peintures et documents italiens ; des œuvres de Raphaël, Vinci, le Corrège et Mantegna furent ainsi transportées par bateau pour la plus grande gloire de la Révolution. Le pape lui-même

---

1. Le Louvre fut transformé en musée national en 1793.

fut mis à contribution et Napoléon vint en personne choisir certaines pièces au Vatican. Rien de surprenant à ce qu'il fût plus tard excommunié. Personne ne vole le Vatican sans encourir la colère divine.

L'entreprise suivante menée par Napoléon serait celle qui attirerait sur lui le courroux de l'amiral Nelson.

Nous étions fin 1797 et Napoléon avait été fait commandant en chef de l'armée d'Angleterre. Non, les Britanniques ne s'étaient pas encore mis à acheter les talents français ; il ne s'agissait pas d'une sorte de transfert de joueur de foot. En fait, les Français avaient constitué une armée en vue d'envahir la Grande-Bretagne mais, après avoir passé en revue les troupes sur la côte de la Manche, Napoléon avait conclu qu'une attaque était (du moins pour l'heure) trop risquée et il avait décidé de reporter son attention sur l'Égypte. Bien qu'il affirmât que le but était de prendre le contrôle des voies terrestres vers l'est et de menacer la présence de la Grande-Bretagne en Inde, certains esprits cyniques diraient qu'il avait, en réalité, attrapé le virus de l'art et voulait simplement ajouter quelques sarcophages à une collection en plein essor.

Déconcertant ses supérieurs, Napoléon décréta ne pas vouloir être seulement accompagné de soldats en Égypte mais aussi d'une petite armée de scientifiques afin d'étudier ce nouveau territoire français, ainsi que d'artistes et de poètes chargés de faire passer ses victoires à la postérité. N'était-il pas en train de devenir un brin mégalomane ? Ses officiers marquèrent clairement leur désapprobation et baptisèrent « pékinois » ces parasites civils car ils suivaient partout Napoléon comme des petits chiens.

La force d'invasion française quitta Toulon le 18 mai 1798 et il n'eut besoin de mener qu'une seule bataille pour conquérir l'Égypte, vérifiant par là la première des théories de Napoléon au sujet de la culture égyptienne – que les cimeterres ne font pas le poids face aux boulets de canon.

Napoléon s'empara de l'argent et des bijoux des dirigeants du pays, les mamelouks, mais se montra peu soucieux des valeurs d'égalité, de liberté et de fraternité en offrant ce butin à ses officiers plutôt que laisser l'ensemble de ses troupes profiter du pillage.

Tout bien considéré, l'expédition fut d'un grand profit. Napoléon ne se doutait toutefois pas que le marin de Norfolk allait bientôt gâcher la fête.

Depuis des mois, les Britanniques se demandaient ce que préparait Napoléon. Malin, le Français distillait de fausses rumeurs sur un projet d'invasion de l'Irlande. Comme ce projet ne prenait pas corps, la sonnette d'alarme retentit. Nelson sillonnait la Méditerranée en quête d'éventuels mouvements de la marine française, ayant recours pour cela à tous les instruments de recherche disponibles avant l'invention des satellites de reconnaissance – espions, conversations entendues dans les tavernes des ports, repérage de mâts à l'horizon, sans oublier son propre instinct quant à ce que pouvait manigancer ce Corse sournois. Or, en août 1798, Nelson mit dans le mille. Il tomba sur la flotte française en train de tranquillement s'amarrer dans la baie d'Aboukir, près d'Alexandrie.

Le vice-amiral de la flotte, François Paul Brueys d'Aigaïlliers, s'était préparé à la possibilité d'une attaque britannique et avait enchaîné les uns aux autres ses 13 vaisseaux de guerre proue à la poupe, près du rivage, leur puissance de feu dirigée vers le large. Il vit les 14 bateaux de guerre de Nelson approcher au coucher du soleil de ce 1er août et pensa qu'il avait tout le temps de se préparer à la bataille ou de prendre la fuite. Personne n'attaquerait dans l'obscurité pareille ligne de navires, surtout avec le risque de s'échouer.

Énorme erreur. Le Français ignorait qu'il avait à faire à un homme aussi téméraire et anticonformiste que l'était Napoléon et il n'en crut pas sa longue-vue quand les Britanniques, vent arrière, non seulement fondirent sur lui mais encore commencèrent à virer vers ses flancs sans défense.

La flotte de Nelson attaqua les Français à la fois de front et de côté, tandis que les vaisseaux non touchés demeuraient impuissants, enchaînés et incapables de prendre la mer avec le vent de face. *L'Orient*, vaisseau amiral de Brueys, prit feu et fut détruit par une énorme explosion, qui ébranla à ce point les deux flottes qu'elles cessèrent un moment le combat pour regarder le feu d'artifice. Nelson, de son côté, fut touché au front par un éclat d'obus et si gravement blessé qu'un morceau de chair pendait sur son visage. « Je suis mort », déclara-t-il à son équipage mais, pour une fois, il avait tort. Recousu, il put savourer le doux goût de la victoire. Sur 13 vaisseaux ennemis, seuls deux échappèrent à la destruction ou à la capture. La flotte française en Méditerranée n'existait plus.

En récompense, le vainqueur fut anobli et fait baron Nelson du Nil (un message transparent à l'attention de Napoléon, histoire de lui signifier que l'Égypte ne lui appartenait pas). Sa victoire fut d'autant plus exaspérante pour le pauvre Napoléon, de retour en Égypte, que la bataille avait une conséquence extrêmement embarrassante. La flotte française avait été jusqu'alors le seul moyen de communication avec la France ; parallèlement à ses dépêches officielles, le général avait également expédié du courrier personnel, ainsi que des lettres – des plus intimes – à Joséphine.

En l'absence de Napoléon, cette dernière s'était liée d'amitié avec un séduisant officier de la cavalerie qui, au lieu de lui donner des leçons sur l'art de la guerre ou de lui lire des extraits d'ouvrages sur la géographie des Alpes, préférait lui raconter des histoires drôles et chevaucher, dans tous les sens du terme, en sa compagnie.

Nelson était désormais capable d'intercepter facilement les communications françaises et l'un des trésors qu'il découvrit, fin 1798, était une lettre d'amour languissante de Napoléon concernant l'aventure de Joséphine (lettre qui contenait sans doute aussi quelques lignes sur la topographie du delta du Nil). Ignorant pour une fois la tradition d'honneur entre officiers, Nelson envoya la lettre en Angleterre pour qu'elle soit publiée dans les journaux de Londres. L'histoire fut bientôt reprise dans la presse parisienne et Napoléon vécut soudain le cauchemar de tout Français : être cocu.

Sans surprise, Napoléon partit immédiatement en balade à cheval autour du Caire en compagnie de la femme très blonde de l'un de ses officiers d'infanterie. Il devait montrer à Paris que si son mariage traversait une mauvaise passe, ce n'était pas par manque de virilité[1].

---

1. Le parallèle avec l'ex-président Sarkozy est remarquable. Ce dernier a souvent été comparé à Napoléon à cause de sa taille et de son besoin de tout contrôler. Lorsqu'on apprit que la seconde épouse de Sarko, Cécilia, avait une aventure, la nouvelle circula

Le gouvernement britannique persuada aussi la Turquie de déclarer la guerre à la France et, soudain, Napoléon se trouva confronté à un adversaire redoutable. Sa petite promenade de santé à travers le Moyen-Orient se transformait en un chemin de croix dans le désert, avec des mouches dans le vin, du sable dans le sandwich et les Turcs aux trousses, forts de la culture des furieuses croisades médiévales et d'une technologie militaire moderne (subventionnée par les Anglais). Finalement, en août 1799, jetant l'éponge, Napoléon rentra discrètement en France sur une petite frégate, laissant son armée se débrouiller toute seule.

Pierre qui roule

Ce départ ignominieux dut être rude, mais le pire était à venir.

Les Britanniques comprirent que Napoléon s'était véritablement intéressé à l'Égypte. Il y avait fait construire des moulins à vent et établir un grand hôpital. Il avait mis en place un programme de lutte contre la fièvre bubonique, qui atteignait encore des taux très élevés dans ce pays. Et, bien sûr, il avait entrepris une campagne d'étude de la civilisation de l'Égypte ancienne. L'une des découvertes les plus importantes de son équipe de scientifiques fut la pierre de Rosette. Ce fragment de stèle comportait un texte gravé vers 200 av. J.-C. en trois écritures : grec, démotique et hiéroglyphe.

La dalle de 760 kilos fut trouvée par des soldats

---

immédiatement qu'il fréquentait assidûment une belle journaliste française.

français alors qu'ils construisaient un fort pour se défendre contre les Britanniques dans le bassin du Nil. L'équipe de scientifiques comprit immédiatement son importance comme outil de traduction des hiéroglyphes. C'est pourquoi, lorsque les Britanniques envahirent l'Égypte et en expulsèrent les dernières troupes françaises, ils exigèrent que la pierre soit remise à son propriétaire légitime, le British Museum (à l'époque, il ne traversa l'esprit de personne que des reliques archéologiques puissent demeurer où elles avaient été trouvées). Les Français en furent si outrés qu'ils menacèrent de brûler tous les inestimables manuscrits de la bibliothèque d'Alexandrie, faisant planer quelque doute sur la dévotion qu'ils disaient porter aux civilisations anciennes. Selon un universitaire britannique, Edward Clarke, les Français étaient en train de tenter de faire sortir clandestinement la pierre quand lui et ses collègues les rattrapèrent dans une ruelle[1] du Caire et entrèrent en sa possession. L'énorme trophée fut rapporté à Londres sous escorte, où on badigeonna dessus deux inscriptions : « Saisi en Égypte par l'armée britannique, en 1801 » et « Offert par le Roi George III ». Désormais, personne ne pouvait plus douter que cette pierre était britannique.

Jour de brume à Paris

L'expédition de Napoléon en Égypte s'achevait par un échec et, à Paris, les choses ne s'annonçaient guère

---

1. Bien qu'il ne faille jamais croire ce qu'une personne portant le nom de Clarke vous dit sur ce qu'elle était en train de faire dans une ruelle.

mieux. En son absence, la situation était allée de mal en pis. La France était maintenant en guerre non seulement avec la Grande-Bretagne et la Turquie mais aussi avec la Russie, l'Autriche et le roi de Naples. Elle avait perdu tous les territoires conquis par Napoléon en Italie, ainsi que ses possessions en Hollande et en Suisse. Quant aux royalistes, ils avaient l'impudence d'annoncer l'arrivée prochaine, à Paris, du plus éminent des exilés français à Londres, le roi Louis XVIII.

De retour, le général Bonaparte n'entrevit qu'un seul recours face aux problèmes rencontrés par son pays : lui-même. En compagnie de deux illustres inconnus, Emmanuel Joseph Sieyès et Pierre Roger Ducros, qu'il écarta plus tard, Napoléon fomenta le coup d'État du 18-Brumaire, autrement dit le 9 novembre 1799 du calendrier révolutionnaire. La date était bien choisie car ce samedi-là était apparemment fort brumeux.

Napoléon se rendit d'abord à l'Orangerie du château de Saint-Cloud pour convaincre le Parlement de l'accepter comme Premier consul, mais les membres de l'Assemblée rabrouèrent bruyamment le jeune soldat. Après tout, il n'avait que trente ans, n'est-ce pas ? Alors, se souvenant sans doute de sa campagne la plus modeste en vue de prendre la tête de la branche corse de la Garde nationale, il joua sa carte maîtresse – une troupe de soldats armés de baïonnettes – et se réjouit de voir les hommes politiques sauter par les fenêtres de l'Orangerie et fuir à travers les jardins. Il venait de prendre le pouvoir.

Napoléon dessina rapidement son nouvel uniforme (une longue veste en velours rouge avec boutons et galons en or, recouvrant d'étroits pantalons blancs avec une broderie dorée tombant le long des cuisses en tourbillons), ainsi que l'habit de ses domestiques (bleu pâle avec des lacets d'argent). Puis, le 17 février 1800, il emménagea dans les anciens appartements de Louis XVI, au palais des Tuileries.

L'une de ses premières mesures fut d'ériger une galerie de sculptures où figuraient Alexandre le Grand, César, Hannibal, George Washington et – comme un mauvais présage, peut-être – le grand général britannique, le duc de Marlborough.

Comme tous les bons dictateurs militaires, Napoléon se fit élire dirigeant à vie et commença à se plaindre de l'extravagance de sa femme. Joséphine, qui avait laissé tomber l'officier de cavalerie au vu de la position sociale avantageuse occupée par son mari, était une vraie *fashion victim* et devint rapidement célèbre pour ses frais de toilette. Elle accepta toutefois de faire une concession. Son chéri étant maintenant au sommet du pouvoir, elle abandonna les robes à décolleté quasiment transparentes qu'elle et ses amies aimaient porter, au profit d'un style plus sobre et plus guindé. Elle délaissa également les fêtes pour le jardinage, et on ignore trop souvent qu'elle fut à l'origine d'une petite révolution dans l'horticulture. Jadis, la rose (le vrai nom de Joséphine, bien sûr) était une fleur de petite taille, peu appréciée et se fanant vite. Désireuse d'améliorer cette image, Joséphine commença à en créer des variétés hybrides et finit par croiser des roses de Provence et des roses de Chine. Cette rose fut encore améliorée par les Victoriens avec l'*hybride perpétuel*, rose que l'on trouve de nos jours dans la plupart des jardins. En résumé, la postérité de Joséphine dans le domaine du jardinage n'eut d'égale que celle de son mari dans le domaine du droit.

Napoléon s'attela à réformer son pays. Il voulait tout contrôler et passait ses journées (quand il n'était pas en train de se battre contre les Autrichiens, les Italiens, les Hollandais, les Polonais, les Britanniques, les Allemands et les Russes) à rédiger des lois sur chaque aspect de la vie en France. Entre 1800 et 1810, il supervisa la rédaction et la mise en œuvre du Code civil, du Code pénal et du Code du commerce, dont de nombreux articles s'appliquent encore aujourd'hui. Il mit en place un système d'éducation nationale – une université, des facultés de droit, ainsi que l'École normale supérieure, creuset des élites intellectuelles françaises. Et il introduisit un régime fiscal efficace et équitable qui allait rapidement rééquilibrer les comptes de la nation. Il fut aidé en cela par l'argent frais de la vente de ce qu'il considérait comme le bien le moins intéressant de son portefeuille foncier, la Louisiane – ce qui, comme nous l'avons vu, s'avérerait une énorme erreur.

L'esprit démocratique de Napoléon était enfant de la Révolution, mais il aida aussi les classes supérieures à prospérer, autorisant la bourgeoisie à s'enrichir en achetant des terres et en prétendant être des aristos. En fait, il créa une nouvelle noblesse forte de 1 000 barons, 400 comtes, 132 ducs et 3 princes, et accorda même une amnistie aux émigrés, leur permettant de réintégrer la société parisienne après leurs dures années d'exil en Angleterre et ailleurs comme professeurs de danse, gigolos ou vendeurs d'artisanat. Environ 40 000 familles rentrèrent en France.

Tout cela préludait fort logiquement à l'étape suivante : si le pays regorgeait désormais de nobles, anciens et nouveaux, et si Napoléon était leur dirigeant à vie, ne devrait-il pas alors posséder le titre chic entre tous ? C'est ainsi qu'en 1804, à l'âge mûr de trente-cinq ans, Napoléon se nomma empereur de France. Son nouvel uniforme ? De la soie blanche avec une courte cape pourpre brodée de l'emblème qu'il se choisit pour lui-même – l'abeille, symbole remontant à l'époque des rois mérovingiens.

Hormis les aristos les plus snobs, retour d'exil, personne ne sembla se soucier de cette autocélébration. Tout le monde en France aimait alors Napoléon, surtout les hommes, principaux bénéficiaires de son Code civil, plus égalitaire que les lois de l'Ancien Régime mais désastreux pour les femmes. Elles ne pouvaient signer de contrats ou voter, et l'enseignement au-delà de l'école primaire était réservé aux garçons – Napoléon pensait en effet que « les jeunes femmes sont mieux éduquées par leur mère ». Le Code civil stipulait également qu'une femme ne pouvait travailler sans la permission de son mari et que, si celui-ci la donnait, il devait percevoir le salaire de sa femme. Comme l'une des autres maximes sexistes de Napoléon le proclame : « Ce qui n'est pas français, c'est de donner l'autorité aux femmes. »

Les hommes, en revanche, ont besoin d'être libres, raison pour laquelle l'Empereur concocta quelques lois très inéquitables sur l'adultère. Il décréta qu'une épouse ne pouvait demander le divorce que si son mari entretenait une maîtresse dans un appartement qu'il louait pour elle – le fait de juste coucher avec une autre femme était tout à fait acceptable. L'épouse, elle, devait réserver ses faveurs à son petit mari, bien entendu, ou risquer d'être jetée dehors (même si la maison était la sienne au moment du mariage). Quant aux relations avec une prostituée, elles ne relevaient pas de l'adultère mais de la nature humaine. Napoléon pensait, à ce propos, que « les prostituées sont une nécessité. Sans elles, les hommes attaqueraient les femmes respectables dans la rue », raison pour laquelle il légalisa la prostitution. Les prostituées devaient être dûment enregistrées et subir un contrôle médical régulier ; si elles obéissaient à ces règles elles pouvaient prétendre travailler dans les maisons curieusement nommées « de tolérance ». De tels établissements pouvaient être créés dans n'importe quelle ville, la seule concession à la pudeur publique étant que les fenêtres fussent fermées de façon à ne pas choquer passants et voisins, d'où l'autre nom des bordels, les maisons closes.

Napoléon avait l'ambition d'en ouvrir à travers tout son empire qui, espérait-il, comprendrait bientôt la Grande-Bretagne. Lui-même n'était pas un client régulier des prostituées – même s'il avait perdu sa virginité avec l'une d'elles, avec qui il s'était « mis à parler en marchant dehors un soir » – mais son raisonnement était que, pour ses généraux, les maladies vénériennes étaient un vrai casse-tête (pour rester correct) ; la syphilis et autres MST pouvaient ravager une armée en campagne, d'autant plus si cette dernière se trouvait, comme c'était le cas de celle de Napoléon, habituellement suivie d'une horde de femmes, offrant leurs services à tout soldat ayant de l'argent, un butin ou un lit à partager pour la nuit. Faire enregistrer et suivre médicalement les prostituées était donc, pour Napoléon, un élément de sa stratégie militaire. Il n'y a pas que le ventre vide qu'une armée ne se bat pas.

England, me voici

Ce sont évidemment les Britanniques qui allaient mettre un terme à l'idylle impériale napoléonienne, prodigue en lois et mère du sexisme institutionnalisé. Mais comme si souvent dans l'histoire de France, la débâcle à venir fut entièrement due à la propre faute de la France.

En 1802, Napoléon avait convaincu les Britanniques qu'il souhaitait sincèrement la paix. À cet effet, il avait personnellement écrit au roi George III. Conscient que cette lettre n'avait pas été écrite par un arbre, le roi, encore sain d'esprit, traita toutefois l'Empereur de tyran corse et refusa de lui répondre. Mais après la démission du Premier ministre William Pitt, les militants pacifistes britanniques prirent le dessus et, la même année, la France et la Grande-Bretagne signèrent un traité, la paix d'Amiens, qui comprenait un échange de territoires et même – concession politique de première importance – un accord selon lequel George III raierait « Roi de France » de la longue liste des titres historiques détenus par le monarque britannique. Napoléon en fut si heureux qu'il posa sur sa coiffeuse un buste de son vieux persécuteur anglais, Nelson.

En réalité, chaque camp se comportait de façon quelque peu déloyale. Les Britanniques n'honorèrent pas certaines clauses du traité de paix, dont l'évacuation promise d'Alexandrie, et la presse attisa une campagne de propagande haineuse, hostile à Napoléon. Des caricatures le montraient en nain replet, des allégations racistes s'amusaient du teint foncé de sa peau, et les journaux de la diaspora française à Londres délectaient leurs lecteurs de rumeurs tant sur l'impuissance de Napoléon que sur son habitude de coucher avec la fille que Joséphine avait eue de son premier mariage.

C'est alors que Napoléon devint complètement obsédé par l'idée d'écraser la Grande-Bretagne et qu'il conçut une campagne en deux temps – qui allait échouer de manière spectaculaire sur toute la ligne.

Étape un : il allait organiser un projet d'invasion et prédisait qu'il serait reçu comme un nouveau Guillaume d'Orange, oubliant peut-être que Guillaume avait envahi l'Angleterre pour se débarrasser d'un roi profrançais, Jacques II.

Il s'enorgueillissait de faire de l'Angleterre une nouvelle île française, comme la Corse. Le sang de l'Empereur était en ébullition et sa première action concrète fut d'établir à Boulogne une immense base pour son armée d'invasion, juste en face des Falaises blanches de Douvres. Là, sous les yeux des Anglais (un jour de soleil, bien sûr) il amassa ses troupes jusqu'à disposer de 200 000 hommes se morfondant sur le front de mer, potassant leurs verbes anglais irréguliers et souhaitant savoir quand ils seraient enfin lâchés dans les pubs situés quelques kilomètres au nord. Pour les faire patienter et maintenir leur moral au beau fixe, Napoléon leur rendit de fréquentes visites, offrant des médailles avant même que la campagne s'engage et faisant ériger une colonne de la victoire pour le moins présomptueuse.

Dans le même temps, il tirait des plans futuristes sur la comète. L'ingénieur Albert Mathieu-Favier imagina un tunnel secret sous la Manche et un dessin d'époque montre des attelages en train de le traverser, respirant grâce à des cheminées émergeant à la surface – ce qui aurait mis la puce à l'oreille et suscité l'intérêt malvenu des navires de guerre anglais. Une bombe glissée dans la cheminée et la voiture de maître de Napoléon aurait été bien trempée, ce qui explique probablement le rejet du projet irréaliste de Mathieu-Favier. En outre, le croquis montre une mer de 4 mètres de profondeur, et Napoléon savait qu'il aurait fallu creuser un peu plus profond que ça.

Il n'était cependant pas contre de nouvelles méthodes de combat et nomma une femme, Sophie Blanchard, ministre en chef des vols en ballon. Il s'agissait de l'épouse de celui dont Napoléon avait coupé les attaches du temps de l'École militaire. Depuis, elle s'était fait un nom comme une sorte d'artiste des airs, faisant des démonstrations au cours desquelles elle jetait des feux d'artifice depuis le ciel, et des chiens aussi (équipés d'un parachute, cela va sans dire). Napoléon consulta Mme Blanchard sur la faisabilité de l'envoi de troupes par ballon au-dessus de la Manche mais elle lui répondit que les vents étaient trop capricieux pour les emmener de l'autre côté. Elle connaissait très bien les dangers d'une aviation qui était alors dans sa préhistoire et, à l'instar de son mari, perdrait d'ailleurs la vie dans un accident du ciel, après que des feux d'artifice eurent embrasé son ballon.

Une autre technologie nouvelle que Napoléon fut sans doute sage de rejeter était le sous-marin. Un Américain vivant à Paris, Robert Fulton, proposa en effet de construire un sous-marin pour contrer la toute-puissante flotte britannique, « une machine dont je me flatte avec beaucoup d'espoir qu'elle puisse annihiler leur marine », dit Fulton. Il existait un précédent à une telle entreprise. En 1776, un sous-marin à pédales américain, appelé la *Tortue*, avait essayé de percer la coque d'un navire de guerre anglais amarré dans le port de New York, et avait échoué de peu.

Fulton procéda à des tests avec son propre prototype, capable d'atteindre 7 mètres de profondeur et une vitesse sous l'eau de 4 nœuds. Mais chaque fois qu'il s'approchait d'un bateau britannique, il se faisait repérer et le bateau s'échappait. Le ministre de la Marine française aurait dit à Fulton : « Allez-vous-en, monsieur. Votre invention est parfaite pour les Algériens et les pirates mais nous n'avons pas encore abandonné la mer. »

Napoléon préféra finalement développer ses propres machines de guerre et initia une souscription publique pour l'aider à construire une flotte de barges d'invasion capables de transporter 100 soldats chacune – les précurseurs de celles qui traverseraient la Manche dans l'autre sens, en 1944. La campagne de levée de fonds, « votre nom sur la coque d'une barge pour seulement 20 000 francs », fut un vrai succès, les barges beaucoup moins. Lorsque Napoléon, contre l'avis de la marine, ordonna un test dans une mer agitée, plusieurs embarcations sombrèrent, faisant de nombreux morts et brisant tellement le moral des troupes que l'affaire dut être étouffée.

De l'autre côté de la Manche, les Britanniques prenaient la menace d'une invasion très au sérieux. Des fortifications furent érigées et la panique grandit. Un dessin anglais des plus fantasques représente ainsi un château français flottant, censé transporter 60 000 hommes et 600 canons. Tout le monde savait pourtant qu'aucun château flottant ou barge d'invasion ne s'approcherait de Douvres tant que la flotte britannique régnerait en maître sur les mers. Napoléon avait donc besoin d'une de ses ruses tactiques dont il avait le secret. Il décida d'envoyer sur l'Atlantique ses deux flottes basées à Brest et Toulon (cette dernière ayant le renfort de vaisseaux espagnols), pour faire croire aux Brits qu'il entendait entreprendre quelque chose du côté des Antilles – un festival du rhum géant, par exemple. Une fois que tous ses bateaux se seraient rassemblés là-bas, ils retraverseraient l'Atlantique à vive allure pour apporter leur soutien à la force d'invasion de la Manche et détruiraient tout navire anglais qui n'aurait pas mordu à l'appât des Caraïbes.

Cela ne pouvait échouer, n'est-ce pas ?

Rendez-vous à Trafalgar

En janvier 1805, le plan fut mis en œuvre et la flotte française du Sud quitta Toulon pour l'Océan. Elle était sous le commandement de l'amiral Pierre Charles Sylvestre de Villeneuve, aristocrate devenu prorévolutionnaire et doté d'une qualité parfaitement non napoléonienne – la prudence.

Nelson partit à sa poursuite mais, à cause d'une erreur de jugement qui le hanterait au cours des dix mois suivants, il perdit sa trace. Il chercha la flotte ennemie de Sardaigne en Égypte, de Naples à Cadix, malade de frustration de voir son instinct pris en défaut et de ne rencontrer personne ayant aperçu la moindre voile française.

Les lettres et dépêches qu'il écrivit au cours de sa poursuite offrent une image saisissante du héros national pataugeant à travers le monde, incapable de trouver qui que ce soit à combattre. « Oh ! Flotte française ! écrit-il, si je peux une seule fois me réveiller face à toi, je te ferai payer chèrement toute les souffrances que tu m'as fait endurer. » Il ne prit pas même le temps de faire ses réserves de produits frais. « Du bœuf salé et la flotte française sont de loin préférables à de la viande grillée et du champagne sans elle. » Puis il revint à Portsmouth, défait et furieux de ne pas avoir fait cracher ses canons.

En fait, il avait presque rattrapé Villeneuve. En plus de fouiller pratiquement toute la Méditerranée, Nelson était aussi allé voir du côté des Caraïbes. Il intimida le très prudent amiral français au point que celui-ci retourna à Cadix au lieu de se diriger vers la Manche comme Napoléon lui en avait donné l'ordre. En septembre, Nelson apprit que la flotte franco-espagnole était de retour à Cadix et repartit immédiatement à bord de son bateau au nom optimiste, le *Victory*. Il était comme une torpille lancée sur la marine de Napoléon.

Face à la certitude, enfin, d'une bataille aussi importante que massive, Nelson semble avoir été envahi d'une sérénité fataliste. Apprenant que les Français avaient finalement quitté Cadix en direction de la Manche et qu'il pouvait désormais les attaquer, l'amiral prépara chaque homme de sa flotte à une mort héroïque, les encourageant à écrire une dernière lettre à leur famille, et le faisant lui-même. « J'ai l'esprit calme, écrivit-il, et je n'ai qu'à penser à la destruction de notre ennemi invétéré. » Alors que la navette transportant les lettres du *Victory* était déjà partie, un marin se présenta sur le pont, l'air agité. Nelson demanda ce qui se passait. Quand on lui dit que l'homme n'avait pas déposé sa lettre à temps dans le sac postal, l'amiral donna l'ordre de rappeler la navette. « Qui sait s'il ne tombera pas demain au champ d'honneur. Sa lettre partira donc avec les autres. » Comme Napoléon, Nelson était un chef qui comprenait que les hommes se battent mieux s'ils se savent respectés.

Nelson esquissa son plan de bataille. Il se dirigerait droit sur la flotte franco-espagnole et la frapperait au centre pour la couper en deux. Sa tactique était aussi peu orthodoxe que celle qu'il avait utilisée sur le Nil et elle comportait de très grands risques pour Nelson – son bateau serait l'un des premiers à entrer en action et à portée de canon français bien avant que le *Victory* puisse faire feu.

Toutefois, ce 21 octobre 1805, alors qu'il naviguait au large du cap de Trafalgar, à environ 40 kilomètres de la côte de Cadix, Nelson conservait son calme imperturbable.

La bataille engagée, les choses devinrent tout de suite délicates pour le *Victory*. C'était le vaisseau le plus rapide de la flotte et il naviguait en tête, subissant pendant quarante minutes une véritable punition de la part du navire-amiral français, le *Bucentaure*, et ce, sans broncher. Comme le voulait la coutume, Nelson et ses officiers demeuraient simplement debout sur le pont, à regarder la fumée des canons et le métal brûlant voler autour d'eux. Faire quoi que ce soit d'autre eût été déshonorant. Le secrétaire de l'amiral fut tué, tout comme son remplaçant, mais le navire continua sa course malgré ses voiles déchirées, sa coque abîmée et ses marins trébuchants.

Mais bientôt ce fut l'équipage du *Bucentaure* qui se mit à paniquer en voyant le *Victory* se diriger droit sur sa poupe. Les Français savaient que, contrairement à leurs navires, dont la plupart des canons visaient haut pour abattre les mâts et neutraliser un ennemi à distance, Nelson aimait ajuster ses canons de manière à faire feu à bout portant directement dans la coque du bateau.

Et comme prévu, tandis que le *Victory* virait à la proue du *Bucentaure* – si près que ses vergues griffèrent le bâtiment français – Nelson donna l'ordre d'allumer la mèche. Le *Victory* lâchait enfin sa puissance de feu. Les canons avaient été chargés de boulets traditionnels, de salves enchaînées – deux boulets ou plus mis en chaîne – et de salves de mousquet. À une distance de quelques mètres seulement, cette collection de projectiles anglais éventra le pont armé du *Bucentaure*, causant d'effroyables dommages. Chaque salve enchaînée décapitait au passage des dizaines de canonniers français et de nombreux autres étaient tués par la seule onde de choc des boulets. On estime que 400 hommes furent tués par cette première bordée, soit près du quart des victimes franco-espagnoles de cette bataille.

Villeneuve ne pouvait entretenir aucune illusion quant à ce qui attendait sa flotte.

Nelson ne s'arrêta pas en si bon chemin. S'approchant d'un second vaisseau français, le *Redoutable*, il fit de nouveau feu à bout portant. Une infernale bataille bord à bord s'engagea entre les deux bateaux emboîtés et qui se tiraient mutuellement au canon dans la coque et sur les mâts, tandis que Nelson et son bras droit, le capitaine Sir Thomas Hardy, demeuraient sur le pont à discuter de stratégie, en dépit de la présence de mousquetaires français sur le gréement, quasiment au-dessus d'eux. Ils consentirent seulement quelques allers et retours de l'autre côté du bateau, histoire de se protéger quelque peu, ce qui ne les laissait jamais qu'à 15 ou 20 mètres du *Redoutable*.

Un tir de mousquet finit par atteindre Nelson à l'épaule. Le capitaine Hardy se rendit soudain compte qu'il soliloquait et se retourna pour voir Nelson tomber à genoux, puis s'effondrer au sol.

« Docteur, c'en est fini », dit l'amiral au chirurgien. Et cette fois-ci, il avait raison. La balle lui avait traversé le poumon et écrasé la moelle épinière.

Sur le pont, la bataille fit rage pendant quatre heures, tous les vaisseaux britanniques adoptant la même tactique destructrice. Nelson mourut juste avant la reddition de la flotte franco-espagnole. Comme chacun le sait, au moment d'expirer, il demanda au chauve et corpulent Sir Thomas de l'embrasser – ce que ce dernier fit, sur le front de Nelson couvert de cicatrices. Les tout derniers mots de l'amiral ne furent cependant pas « Embrassez-moi, Hardy », comme l'on dit souvent, mais sans doute plutôt « À boire, à boire, de l'air, de l'air, frottez, frottez », parce qu'il demandait à son médecin de lui masser la poitrine afin d'atténuer la douleur. Mais pour d'évidentes raisons historiques, ce qui sonne comme un caprice de pop star demandant à une groupie de lui faire des trucs obscènes a été remplacé par la phrase que Nelson ne cessait de répéter sur la table d'opération : « Dieu merci, j'ai accompli ma tâche. »

De cela, on est certain. 18 vaisseaux français et espagnols furent saisis et un détruit. Une fois encore, les plans de Napoléon en vue de la grande invasion avaient sombré en mer. Il était désormais hors de question que les barges françaises se risquent à traverser la Manche.

Pourtant, face à ce revers, Napoléon ne sembla réagir que par un haussement d'épaules bien français, car il commença aussitôt à concevoir un autre plan pour s'assurer le contrôle de la planète.

Et celui-là ne pouvait pas capoter...

15

Wellington botte les fesses de *Boney*

Napoléon était plutôt confiant. Nelson avait peut-être détruit ou saisi la plupart de ses bateaux mais, sur la terre ferme, ses armées dominaient. Or, la Grande-Bretagne ne disposait pas d'un Nelson terrestre, n'était-il pas ?

Certes non, mais (malheureusement pour Napoléon) elle en aurait bientôt un : un certain Arthur Wellesley, ancien parlementaire irlandais et ex-gouverneur de Mysore, en Inde. On aura reconnu le futur duc de Wellington. Revenu en Angleterre en 1805, après une étape sur l'île rocheuse de Sainte-Hélène où il avait logé dans une maison qui, par coïncidence, recevrait bientôt un hôte français fameux, il avait participé à la campagne anglo-austro-russe qui s'était achevée par le désastre d'Austerlitz (du point de vue anglais, au moins).

Fin 1805, la carrière de Wellesley était dans le creux de la vague ; mais le futur duc de Wellington allait bientôt se relever et donner à Londres un nom de gare que les Français n'oublieraient jamais – Waterloo.

Mauvais baisers de Russie

Il fallut attendre 1808 pour que Wellesley commence à donner des maux de tête à Napoléon.

L'Empereur venait d'installer son frère aîné Joseph sur le trône d'Espagne et Wellesley fut envoyé là-bas pour y semer la pagaille. Napoléon avait beau être accaparé par l'occupation de Berlin et de Varsovie, il fut contraint de se dérouter vers l'Espagne pour chasser ces Britanniques agaçants du royaume de son frère. L'armée française força les envahisseurs à rembarquer pour le Royaume-Uni, mais le perturbateur serait bientôt de retour.

En attendant de s'attaquer à son objectif ultime – châtier la Grande-Bretagne, coupable de s'immiscer dans ses affaires –, Napoléon s'offrit alors deux distractions. Tout d'abord, il décida qu'en tant qu'empereur il avait besoin d'une épouse royale. Il fit donc murer la porte entre sa chambre et celle de Joséphine et, comme si ce geste n'était pas assez explicite, il lui précisa qu'il s'accordait le divorce pour la raison que leurs statuts sociaux étaient par trop différents. Joséphine n'y pouvait mais ; elle n'avait plus qu'à se retirer dans sa maison de campagne (qu'elle reçut dans le cadre du divorce) et à tailler ses rosiers.

Par une curieuse ironie de l'histoire, les vues de Napoléon se portèrent sur Marie-Louise, fille de l'empereur autrichien François II et petite-nièce de Marie-Antoinette. Quinze ans après que la France eut guillotiné sa reine autrichienne, elle s'en donnait une nouvelle. Napoléon était si pressé de se marier avec Marie-Louise qu'il organisa une cérémonie par procuration puis, quand elle arriva à Paris en carrosse, il alla à sa rencontre et insista pour coucher avec elle immédiatement. La jeune fille de dix-huit ans sembla apprécier son empressement viril puisqu'elle lui aurait dit, après qu'il fut passé à l'acte : « Vous pouvez le refaire si vous voulez. » Les mauvais esprits objecteront qu'il s'agit là de la version de Napoléon. Comment savoir si elle ne s'est pas plutôt exclamée : « Eh alors, c'est tout ? » D'autres, plus cruels encore, souligneront que si elle a bel et bien dit : « Vous pouvez le refaire si vous voulez », c'est tout simplement parce que cette première fois lui avait paru bien courte. Mais ce sont là des bassesses typiquement anglaises et on pourrait conclure, de façon plus magnanime, que la nouvelle impératrice de France n'était assurément pas malheureuse de ce mariage avec un fringant général de quarante ans. Après tout, elle aurait pu finir avec un vieux fou comme le roi d'Angleterre George III. Une année plus tard, elle donna naissance à un fils, que Napoléon appela Napoléon (en toute logique – la France ne venait-elle pas d'avoir une série de Louis pour rois ?) Comme cadeau de baptême, le bébé reçut Rome. Pas une miniature ou une image, non, la ville elle-même, dont Napoléon Jr fut immédiatement couronné roi.

L'autre distraction de Napoléon, bien plus guerrière, était la Russie. Comme nous le savons aujourd'hui, cela allait s'avérer une grave erreur. Mais à l'époque, cela semblait une excellente idée. La Russie, après tout, était un vaste empire en soi, dirigé par un tsar possédant une armée aussi nombreuse que celle de Napoléon – une jolie mise pour un parieur comme l'Empereur. Et les Français ne furent pas seuls à faire le déplacement ; tout compris, l'armée d'invasion représentait plus d'un demi-million de soldats venus de tous les pays de l'empire de Napoléon, appuyée par un train de ravitaillement long de 10 kilomètres, qui renfermait 28 millions de bouteilles de vin et 2 millions de bouteilles de cognac. Cela allait être la plus grande fête de tous les temps.

Encore eût-il fallu que cette fête ait bel et bien lieu. Partout où arrivait Napoléon, les Russes avaient laissé derrière eux un paysage de désolation. Quel plaisir éprouver à conquérir de pareils terrains vagues, sans vodka à rapiner pour les troupes, ni icônes à envoyer au Louvre ? Et quand l'Empereur parvint à occuper Moscou, les Russes y mirent tout simplement le feu. Napoléon commit alors l'erreur d'essayer de regagner la France avant l'hiver et les hommes de sa Grande Armée se trouvèrent soudain transformés en bons-hommes de neige. Ses soldats naguère si glorieux en étaient réduits à éventrer leurs chevaux pour se réchauffer à leurs viscères fumants. Sur un demi-million d'hommes, 25 000 seulement revinrent en France. Tous les autres ne moururent pas – environ 100 000 avaient été faits prisonniers et les régiments allemands et autrichiens s'arrêtèrent en route, sur le chemin du retour. Mais cette défaite était une véritable déroute.

Étrangement, Napoléon accusa l'Angleterre. « Si les Anglais m'avaient laissé tranquille, confia-t-il alors qu'il voyageait en traîneau vers Varsovie, j'aurais vécu en paix. » Que la citation soit vraie ou non, le fait est qu'il n'allait plus goûter la paix que rarement. Et, en tout état de cause, il ne vivrait plus jamais en paix en France. Les Britanniques, eux, allaient se charger de lui permettre d'avoir la paix, mais ailleurs.

Wellington touche le gros lot

Tandis que les événements tournaient à la catastrophe à l'est, à l'ouest la Grande-Bretagne ne laissait pas de répit à Napoléon. En 1813, l'Espagne et le Portugal se retrouvèrent envahis d'hommes à la peau très blanche, comme ils le seraient cent cinquante ans plus tard, à l'ère du tourisme de masse. À leur tête, en lieu et place d'un agent de voyages, se trouvait le marquis de Wellington, anobli après avoir remporté, quelques mois plus tôt, une bataille près de Madrid.

De retour en Espagne, Wellington, tout comme Nelson, bouillait à l'idée de se venger des Français. Quant aux guérilleros espagnols, ils étaient encore plus exaltés ; excédés par leur roi français Joseph, ils faisaient subir toutes sortes d'avanies aux infortunés soldats ou représentants français qui leur tombaient sous la main.

Unies, les forces anglaises et espagnoles repoussaient inexorablement l'armée de Joseph vers la France ; le 21 juin 1813, Wellington contraignit ce dernier à une épreuve de force au Pays basque, près de Vitoria.

Alors que Joseph était accaparé par une de ses maîtresses, les hommes de Wellington donnèrent l'assaut et les troupes françaises, prises au dépourvu, décampèrent. Joseph lui-même se sauva de justesse – un cavalier britannique tira sur son carrosse mais fut ensuite distrait par l'énorme butin à saisir. Si quelques soldats déterminés pourchassèrent les Français, les autres firent main basse sur le train de ravitaillement de Joseph, s'emparant de son artillerie (151 canons) et de lots de consolation non négligeables : le trésor royal, les bijoux de Joseph, ainsi que des centaines de femmes, les « compagnes de campagne » des officiers français.

Bien que furieux que ses hommes n'aient pas achevé des Français à terre, Wellington n'avait pas d'inquiétude à avoir car, en dépit du poids de leur butin, ses hommes poursuivirent leur offensive et repoussèrent l'armée de Napoléon de l'autre côté de la frontière. Ils prirent Toulouse et Bordeaux, où Wellington fut accueilli en libérateur. On se serait cru revenu au temps d'Aliénor d'Aquitaine et d'Henri II. Le sud-ouest de la France était à présent aux mains des Britanniques ; nul doute que Napoléon, féru d'histoire, en ait eu le cœur brisé.

Monter sa tente sur les Champs-Élysées

Plus au nord, les choses ne se présentaient guère mieux pour l'Empereur. Les Prussiens marchaient sur la France, sous la conduite d'un homme au nom ronflant : Gebhard Leberecht Blücher, prince Blücher von Wahlstatt. L'humiliation était double pour Napoléon : d'une part le pays était attaqué par une armée étrangère, d'autre part la moitié de ces troupes appartenait à son beau-père, François II d'Autriche. On vérifie par là que les blagues sur les belles-mères sont plus drôles que celles sur les beaux-pères.

Pour ne rien arranger, Talleyrand, l'un des plus fidèles soutiens de Napoléon, celui aussi qui avait négocié la vente de la Louisiane, l'avait trahi et déclarait à qui voulait l'entendre, à Paris, que le soi-disant empereur allait « ramper sous son lit pour se cacher ».

C'était mal connaître Napoléon. Il partit, à la tête

d'une armée, à la rencontre de Blücher et, ironie de l'histoire, le trouva à Brienne, là même où il avait étudié. Peut-être inspirées par la symbolique des lieux, les troupes françaises contraignirent les Austro-Prussiens à battre en retraite et, malgré de lourdes pertes, prolongèrent le combat pendant un mois, avec Napoléon à leur tête, bravant la mort comme pour signifier qu'il préférait mourir auréolé de gloire plutôt que de se rendre docilement. À Arcis-sur-Aube (lieu de naissance de Danton), Napoléon se montra particulièrement intrépide. Il passa, au galop, sur un obus qui explosa à retardement, tuant sur le coup sa monture et l'envoyant, lui, au sol, brûlé et contusionné. Il remonta toutefois aussitôt sur un nouveau cheval et repartit à l'assaut. Des tirs de mousquet et de canon sifflèrent encore à ses oreilles et déchirèrent son uniforme (un simple pardessus gris – le temps des galons dorés était révolu).

La détermination et le courage héroïque ne suffirent malheureusement pas. Napoléon n'avait tout simplement plus assez de troupes à sa disposition pour continuer à résister plus longtemps. Bientôt, Paris se trouva à la merci des Prussiens, des Autrichiens et des Russes, tous d'humeur quelque peu vengeresse au vu des ravages causés dans leurs pays respectifs par l'armée française. Les Parisiens l'oublient souvent mais, en mars 1814, des cosaques campaient sur les Champs-Élysées, près du chantier où l'Arc de triomphe à la gloire de Napoléon était en train d'être érigé, lentement et pas très sûrement.

À porter au crédit de Napoléon : il ne s'enfuit pas en prenant la route de l'exil, mais préféra essayer de négocier sa sortie. Il tenta même d'attendrir le cœur de pierre de son beau-père en lui envoyant une gravure de son petit-fils, Napoléon Jr.

Tous ses ennemis d'Europe de l'Est n'étaient pas prêts à le déposer. Lorsque le tsar Alexandre de Russie, le roi Frédéric-Guillaume de Prusse et le représentant de l'empereur autrichien, le prince Schwarzenberg, arrivèrent à Paris à la fin du mois de mars 1814 (les Britanniques, eux, se trouvaient toujours dans le Sud-Ouest), ils étaient ouverts à la discussion. Ce qu'ils voulaient surtout, c'était la garantie que Napoléon ne reviendrait jamais plus leur rendre visite avec sa Grande Armée.

Mais le ver dans le fruit était – comme si souvent – un ver français. Talleyrand s'était autodésigné négociateur pour le compte de la France et continuait de distiller son poison antinapoléonien. Déjà à la solde des Prussiens, il faisait à présent de la retape auprès du tsar, lui affirmant que seuls l'abdication de Napoléon et le retour de la famille royale pourraient permettre une paix durable. Le tsar n'en était pourtant pas convaincu – en traversant la France, il n'avait jamais entendu qui que ce soit parler en bien de l'ancienne monarchie et il avait été le témoin que les soldats français criaient : « Vive l'Empereur ! » avant de rendre leur dernier souffle. Mais Talleyrand était un beau parleur, roué et sans scrupules (d'où la remarque de Napoléon, selon qui il était « de la merde dans un bas de soie ») et il sortit un atout majeur de sa manche – un document exigeant l'abdication de Bonaparte en faveur de Louis XVIII. Le tsar n'avait qu'à signer et la paix serait de retour. Le Russe était un homme accommodant et affable ; il saisit la plume qu'on lui tendait. Le sort de Napoléon était scellé.

Sauf, bien entendu, s'il refusait d'abdiquer. 60 000 hommes lui demeuraient loyaux, tous prêts à aller embrocher du Boche et du Russkof pour peu qu'il le leur demandât. Mais la voix de la sagesse, incarnée par ses généraux, avait toujours tempéré la mégalomanie de Napoléon. Or, désormais, ses fidèles les plus dévoués lui disaient que la cause était perdue. Ils avaient vu ce qui était arrivé à Moscou et ne souhaitaient pas que leur ville préférée subisse le même sort. C'était une chose de voir partir en flammes quelques églises orthodoxes russes, mais Notre-Dame ? Le Louvre ? Les maisons de tolérance ?

Finalement, après que l'un de ses maréchaux fut passé à l'ennemi autrichien avec 16 000 soldats, Napoléon abdiqua. La vérité oblige à dire que, davantage que la perte de son trône et de sa garde-robe d'uniformes, ce qui semblait le peiner le plus était la crainte que la monarchie revienne sur ses réformes. Il espérait vivement qu'ils ne fassent rien d'autre que de « changer les draps de [son] lit » (et il ne croyait pas si bien dire car, dès son retour, l'une des premières choses que le roi ordonna fut de coudre des fleurs de lys sur les abeilles des tapis du palais des Tuileries).

Le 6 avril 1814, Napoléon abdiquait. Il n'avait jamais été aussi mal – plus mal que lors de son arrestation à Nice comme traître en 1794, plus mal qu'après la Berezina russe de 1812, plus mal même que lorsque les journaux anglais avaient prétendu que Joséphine s'envoyait en l'air avec un hussard. C'était généralement le moment où, dans les films hollywoodiens, le héros, abandonné de tous et ayant tout perdu, se faisait soutirer la montre en or qu'il s'était offerte avec son premier million.

À Hollywood, bien sûr, il y a toujours un retournement de situation et, vingt minutes plus tard, le héros se rachète une montre encore plus belle, avant de coucher avec l'actrice principale. Mais pour Napoléon, la traversée du désert devait durer beaucoup plus longtemps. Un excès d'optimisme lui fit choisir un exil familial en Angleterre, où il s'imaginait une vie de *gentleman farmer* (avec une grande variété de costumes de tweed). Il n'avait sans doute pas lu toute la littérature hostile qui lui était consacrée. Sa demande fut rejetée et on fit évacuer Marie-Louise et Napoléon Jr pour qu'ils rejoignent le parâtre. Napoléon ne les reverrait jamais.

Il essaya de se suicider avec un poison frelaté et ne parvint qu'à se rendre malade. Puis il finit par se résigner à un destin moins glorieux : l'exil sur l'île d'Elbe, en Italie, tout près de la Corse. La vie ne serait pas si déplaisante. Il serait fait roi de l'île (il s'agissait peut-être d'une blague anglaise mais il la prit très au sérieux), bénéficierait d'une pension généreuse et serait escorté par 600 de ses soldats les plus fidèles. Avec le recul, cette dernière décision paraît avoir un peu manqué de sagesse.

À l'issue d'un émouvant discours aux troupes qu'il quittait, discours qui fit pleurer tout le monde, y compris les Prussiens, les Autrichiens et les Britanniques présents, Napoléon se saisit de l'étendard de la Vieille Garde, où la longue liste de ses victoires était inscrite, puis, après l'avoir embrassé, il lança à ses hommes : « Adieu, mes vieux compagnons ! Que ce dernier baiser passe dans vos cœurs ! », quand d'autres auraient lâché : « *Hasta la vista !* » Ses troupes n'auraient pas à attendre une année le retour triomphal de Napoléonator.

Bonaparte fait île à part

En mai 1814, un Louis XVIII gros et gras, serré dans un manteau de la marine anglaise et accablé par la goutte, s'affala sur le trône laissé vacant par son frère Louis XVI et entreprit de rendre à nouveau sa famille impopulaire partout en France. Il fit brûler la Constitution napoléonienne, ignora les demandes du Sénat pour qu'il adopte le drapeau tricolore révolutionnaire, restitua les propriétés confisquées aux aristocrates émigrés et renia rapidement sa promesse de baisser les taxes sur les menus plaisirs du peuple (le tabac et l'alcool).

Quelques festivités furent bien sûr organisées, mais les relations avec les bienfaiteurs du roi étaient tendues. Wellington fut nommé ambassadeur de Grande-Bretagne en France – un choix provocateur s'il en fut. Lors d'un dîner, alors que des courtisans français se détournaient sur son passage, le duc anglais lâcha : « Peu importe, ce n'est pas la première fois que je vois leur dos. » *Touché*.

Quant à Napoléon, il se plaisait bien dans son nouveau royaume. Comme dans la France de 1800, beaucoup de choses pouvaient être améliorées sur l'île d'Elbe. Pour commencer, il n'y avait pas de drapeau ; il en dessina donc un, ajoutant trois abeilles dorées sur le vieil étendard de la famille Médicis, une bande rouge en diagonale sur un fond argenté. L'île n'avait pratiquement pas d'agriculture et dépendait des importations (une idée que détestait Napoléon du fait de l'emprise britannique sur les mers). Il fit donc planter des légumes, des oliviers et des châtaigniers (si chers aux Corses). Il découvrit une source d'eau gazeuse et encouragea les habitants à l'exploiter. On labourerait désormais avec des bœufs et on pêcherait le thon à la lance. L'ancien chef de guerre envahit même l'îlot voisin de Pianosa et en revendiqua la souveraineté. Il dormait sur son vieux lit de camp dans une maison de la ville et semblait envisager les événements comme une nouvelle campagne militaire à l'étranger.

Quelques nuages assombrirent cependant le ciel de son île idyllique. En mai, Joséphine mourut de diphtérie et quand bien même il ne l'avait pas traitée de la meilleure des façons à l'occasion de leur divorce, il fut si affecté par la nouvelle qu'il s'isola pendant deux jours pour faire son deuil.

Ce qui le contrariait le plus, c'était l'omniprésence de l'Anglais Sir Neil Campbell, le commissaire britannique de l'île – en d'autres termes, le geôlier de Napoléon. Il observait et rapportait chacun des faits et gestes de l'ancien empereur, et Napoléon savait qu'il devait demeurer sur ses gardes car Talleyrand faisait toujours pression sur les dirigeants européens pour qu'il soit déporté plus loin, aux Açores.

Talleyrand aussi était sur ses gardes ; une campagne souterraine était menée en vue du retour de Napoléon en France, où il était clair pour tout le monde, à l'exception des aristos privilégiés, que la Restauration était une erreur considérable. Paris avait été rendu aux dandies fardés, et le plus poudré et dandy de tous était le roi. Une chanson populaire raillant Louis XVIII et faisant endosser la responsabilité de son rétablissement sur le trône aux seuls Britanniques, se terminait ainsi : « Je dois ma Couronne aux Anglais. »

Mais pour maintenir Napoléon à l'écart sur son île, Louis et Cie auraient dû se garder d'une erreur fatale. Ils omirent, en effet, de lui verser la pension promise, et peu de choses irritent plus un Français que le fait qu'on s'en prenne à sa retraite. Napoléon se mit à planifier son évasion.

En février 1815, l'occasion se présenta de mettre son projet à exécution. Sir Neil Campbell annonça qu'il devait se rendre à Florence consulter un docteur pour ses problèmes d'ouïe (officieusement, il se murmura qu'il voulait juste passer un peu de bon temps avec sa maîtresse) et qu'il serait absent pendant dix jours.

À peine l'Anglais avait-il pris la mer que Napoléon entra en action. Il fit peindre un bateau aux couleurs de l'Angleterre, l'équipa de canons et y fit charger tout son or. Sachant que l'île fourmillait d'espions à la solde de Talleyrand, il préféra envoyer son argenterie et son carrosse à Naples et, afin de laisser croire que rien d'anormal ne se tramait, demanda à ses soldats de s'adonner à des travaux de jardinage.

Son plan fut sur le point d'échouer quand un espion français apprit qu'il comptait vraiment regagner la France, mais la seule façon de délivrer le message aurait été d'en informer un navire anglais venu vérifier que tout se passait bien en l'absence de Campbell ; or, cet espion français ne voulut pas partager une telle nouvelle avec l'ennemi.

Le secret de Napoléon fut ainsi préservé et, le 26 février, il quitta l'île en bateau en compagnie de 600 membres de sa Vieille Garde, de 300 habitants d'Elbe et volontaires corses et de 108 cavaliers munis d'une selle mais sans cheval. Et le 1er mars dans l'après-midi, c'est une armée de libération peu nombreuse mais déterminée qui débarqua en terre française, près d'Antibes.

L'Empereur était de retour.

Les vieux habits de l'Empereur

Pour le coup, Napoléon ne conçut pas un nouvel uniforme, choisissant de jouer la carte de la nostalgie en conservant son vieux manteau gris, son gilet blanc et son chapeau noir. Il n'avait nul besoin d'un nouvel étendard guerrier et demanda à ses hommes de fabriquer un aigle en bois avec les restes d'un lit. Puis il mit le cap sur Paris, avec 25 hommes en moins toutefois, partis libérer Antibes et qui s'étaient retrouvés enfermés dans les remparts de la ville.

La nouvelle du retour de l'Empereur se répandit rapidement et il reçut un bon accueil, certains de ses anciens sujets lui offrant au passage des bouquets de violettes (sa fleur fétiche pour sa couleur rappelant la pourpre impériale), d'autres offrant – contre monnaie sonnante et trébuchante – chevaux et ânes à sa cavalerie sans monture. Sa progression était fulgurante et le 4 mars, sa petite armée avait déjà rallié Grenoble pour faire face à son premier obstacle : une force de 700 hommes envoyés à sa rencontre. Bien qu'en supériorité numérique, Napoléon n'entendait pas provoquer l'affrontement. La France n'avait-elle pas des soldats en nombre beaucoup plus important à lui opposer plus au nord ?

Il avança donc lentement à cheval vers les lignes adverses et, à quelques dizaines de mètres de leurs mousquets, descendit de cheval pour poursuivre à pied. D'un geste théâtral, il déboutonna son manteau gris, offrit aux troupes la cible de son gilet blanc et leur demanda s'ils voulaient tuer leur empereur. Un jeune capitaine ordonna de faire feu mais ses hommes ignorèrent l'ordre et crièrent : « Vive l'Empereur ! »

Des scènes du même genre se reproduisirent dans presque chaque garnison. À Lyon, Charles, frère du roi et comte d'Artois, se rendit en personne organiser la résistance, mais lorsqu'un général ordonna à ses troupes de crier : « Vive le Roi ! », sa voix ne rencontra aucun écho sur le champ de bataille. Le comte demanda poliment à l'un des soldats de donner l'exemple mais l'homme lui offrit pour toute réponse un silence plein de courage. À la vue de la manière dont les choses étaient en train de tourner, le comte s'enfuit directement en direction de Paris. Le 19 mars, au milieu de la nuit, son frère le roi le suivit et partit pour la Belgique.

Tout était bien qui finissait bien, n'est-ce pas ? Déroulé du générique, musique enlevée sur l'image de Napoléon en majesté devant l'Arc de triomphe cependant que son fils exilé vient à sa rencontre et lui prend timidement la main, l'Empereur se retourne et voit son épouse lui sourire, zoom arrière et, tandis que la famille réunie s'embrasse, traveling sur les rues de Paris où danseuses de cancan, joueurs d'accordéon et autres anachronismes évoquent l'humeur de fête des Français. Fin. *The End*. N'oubliez pas d'emporter votre boîte de pop-corn à moitié pleine avant de quitter la salle.

En fait, la fin du film est très différente.

Napo file aux waters

L'intérêt de Napoléon était de maintenir la paix. Ses troupes étaient évidemment prêtes à crier : « Vive l'Empereur ! » à quiconque voulait l'entendre mais elles n'étaient pas assez nombreuses pour s'emparer de toute l'Europe. Pour compliquer les choses, la Restauration avait écorné l'impression de toute-puissance que dégageait naguère l'Empereur ; on exigeait désormais plus de liberté – par exemple, la présence de jurés lors des procès et une plus grande liberté d'expression. Le Parlement voulait une constitution entièrement refondée. Il y avait beaucoup de pain sur la planche.

Mais cette vieille crapule de Talleyrand, qui avait tout de suite compris comment les choses étaient en train d'évoluer, avait eu le temps d'affûter ses arguments. Il assistait (comme par hasard) à un bal à Vienne en compagnie de Wellington, du tsar Alexandre et du ministre d'État de l'empereur d'Autriche, le prince de Metternich (au nom complet imprononçable de Clément Wenceslas Népomucène Lothaire, prince de Metternich-Winneburg-Beilstein) quand un messager déboula, porteur de la nouvelle : Napoléon avait débarqué en France. Talleyrand battit immédiatement le rappel des troupes pour organiser une riposte armée, obtenant la promesse des Britanniques, des Autrichiens, des Prussiens et des Russes de lui fournir 150 000 hommes chacun pour faire face à une armée française forte de seulement 200 000 hommes. Napoléon n'avait d'autre choix que de se préparer à la guerre.

Mi-juin, Wellington et Blücher se dirigèrent vers la Belgique, où ils comptaient que leurs troupes se rejoindraient avant d'envahir la France. Imperturbable, Napoléon quitta Paris dans son carrosse et déclara qu'il attendait impatiemment de relever ce nouveau défi. Étrangement, il n'avait jamais mené personnellement une armée contre les Britanniques dans une bataille rangée. Il allait toutefois d'abord attaquer les Prussiens – il savait comment ils opéraient ; il tenait là l'occasion de vérifier qu'il avait toujours, dans la manche de son fameux pardessus, un peu du génie de ce bon vieux *Boney*.

Il rejoignit ses troupes près de Charleroi, en Belgique, le 15 juin, et au cours des deux journées suivantes il prit le meilleur sur les Prussiens. Il manqua même de capturer Blücher quand celui-ci tomba de cheval. Dans le même temps, Napoléon demanda à son vieil ami le maréchal Ney de s'occuper des Britanniques jusqu'à ce qu'il fût en mesure d'attaquer ses deux ennemis ensemble et de les repousser hors de Belgique. Confiant, il prédit qu'il prendrait Bruxelles la nuit suivante et que la guerre serait finie d'ici un jour ou deux.

Mais Ney commit une erreur qui allait coûter le trône à Napoléon et retirer aux Français la possibilité de marquer le but en or décisif dans la guerre des noms de gares ferroviaires de Londres. Ney hésita et, au lieu d'attaquer, tergiversa assez pour que Wellington puisse rassembler ses troupes sur un plateau, près d'un village inconnu du nom de Waterloo.

Pour être juste envers Ney, il convient d'attribuer à Napoléon la part de responsabilité qui lui revient. Le matin du 18 juin 1815, la rumeur que Britanniques et Prussiens comptaient joindre leurs forces en vue d'une attaque combinée parvint jusqu'à lui. Contrairement à Nelson, qui prenait toujours en compte les services de renseignement, Napoléon, lui, préféra ignorer cette rumeur. Il était persuadé d'avoir déjà suffisamment amoché les Prussiens et que, de ce fait, ceux-ci continueraient de battre en retraite. Il avait tort.

Le problème est que Napoléon n'avait plus fréquenté les champs de bataille depuis un moment et qu'il n'était pas au courant des derniers développements tactiques. Wellington savait que la meilleure défense contre l'ouverture traditionnelle des hostilités par une armée napoléonienne – le bombardement par l'artillerie – était de se retirer à l'abri, derrière un exhaussement du terrain. Cette stratégie simple fit que de nombreux boulets de canon de Napoléon allèrent se ficher dans un sol belge détrempé par la pluie. Selon les Français, cette pluie si semblable à celle que connaissaient si bien les Anglais fut la clé de la victoire de Wellington ; même si l'artillerie de Napoléon avait visé un peu court, elle aurait dû pouvoir compter sur des ricochets meurtriers. Or, rien ne ricoche sur la boue humide.

Les Français offrent plusieurs explications pas très convaincantes de leur défaite à venir. Selon l'une de celles-ci, les vertus héroïques de Napoléon étaient fragilisées par ses hémorroïdes. Ces maux étaient généralement traités à l'aide de sangsues mais, apparemment, le 16 juin, entre deux batailles contre les Prussiens, les sangsues furent perdues ou s'échappèrent. Il était, dès lors, douloureux pour Napoléon de rester en selle et d'être mobile pendant la bataille de Waterloo. De plus, le laudanum qu'il aurait pris pour soulager sa douleur aurait émoussé ses capacités mentales. Pourtant, il semble bien qu'il s'agisse là d'un simple mythe. Nonobstant le fait que l'on vit Napoléon galoper furieusement sur le champ de bataille de Waterloo pour lancer sa cavalerie à l'assaut, même le plus alerte des commandants français n'aurait eu aucune chance de remporter la victoire une fois la jonction des troupes de Wellington et de Blücher opérée.

Comme tant d'autres avant elle, la bataille de Waterloo peut se résumer à des charges féroces de cavaliers et des charges, plus féroces encore, de fantassins avançant droit devant eux sous un déluge de feu. Pas de tenue de camouflage ici, ni d'armure, ni de chars, ni de soutien aérien ou de missiles guidés au laser. On fondait sur l'ennemi en espérant qu'il mourrait ou s'enfuirait avant de vous avoir tué. À cette époque, les généraux prenaient part à l'offensive au lieu de rester assis dans de confortables postes de commandement en transmettant leurs ordres par radio, une tasse de thé à la main. Comme nous l'avons vu, Napoléon et Nelson ne répugnaient pas à se faire tirer dessus et, à Waterloo, le maréchal Ney conduisit personnellement plusieurs charges de cavalerie, voyant plusieurs de ses montures s'effondrer sous lui[1].

Le 18 juin, on estime qu'environ 25 000 Français avaient été tués ou blessés, ainsi que 15 000 hommes de Wellington et 7 000 de Blücher. Pour une bataille qui avait duré dix heures, cela représentait 4 700 victimes par heure, plus d'un homme mort ou blessé par seconde. Étant donné l'état de la médecine de l'époque, les chances de survivre à une blessure de mousquet, à l'empoisonnement au plomb, ou à l'amputation sans anesthésie d'un membre mutilé étaient bien minces.

Si la bataille avait été un combat de boxe, à la fin

––––––––––
1. Cela ne lui fut guère profitable : six mois plus tard, Ney fut condamné par les royalistes pour trahison en raison de son ralliement à Napoléon et fut fusillé à Paris. Courageux jusqu'au bout, il refusa le port du bandeau et ordonna lui-même aux hommes de tirer.

du dernier round, les deux adversaires meurtris, le nez cassé, les yeux tuméfiés et aveuglés par le sang, se seraient affalés chacun dans son coin et la victoire serait revenue aux points au plus puissant des deux pour la seule raison qu'il avait réussi à porter davantage de coups. Mais au regard de l'histoire, appelons ça une victoire. Pas une victoire britannique, bien sûr – sans Blücher, Wellington ne l'aurait pas emporté. D'ailleurs, on entendit le duc prononcer une prière dans l'après-midi du 18 juin : « Apporte-moi la nuit ou apporte-moi Blücher. » En outre, l'armée de Wellington n'était pas à cent pour cent britannique. En réalité, moins de la moitié l'était ; le reste des soldats venaient de Hollande et de petits États germaniques – Hanovre, Brunswick et Nassau.

Mais comme à Azincourt, ce sont les Britanniques qui eurent le privilège de donner son nom à la bataille. On aurait pu l'appeler Mont-Saint-Jean, en référence à cette corniche d'où Wellington entama le combat, mais il voulait un nom qui sonnait plus anglais et choisit donc celui du village du coin.

Chez les Français, on se souvient de la bataille de Waterloo comme d'un horrible affrontement franco-britannique. Ce n'est sûrement pas une coïncidence si, en 1940, le général de Gaulle choisit de lancer son fameux appel à la résistance contre Hitler depuis Londres un 18 juin, effaçant ainsi du calendrier une honte nationale. Dans l'imaginaire français, Waterloo est encore considérée comme la défaite des défaites et fait partie intégrante de la culture populaire, comme j'ai pu le découvrir à mon arrivée en France. Je savais qu'un collègue entretenait des relations conflictuelles avec son patron et je lui demandai donc quelle était l'ambiance au bureau.

« Oh, c'est Waterloo ! s'était-il exclamé.

— Dans ce cas, très bien », avais-je répondu en souriant, présumant que tout s'était arrangé.

Il dut m'expliquer que non, il voulait dire par là que c'était la guerre à mort et que sa situation allait de mal en pis.

Eh oui, deux cents ans plus tard, Waterloo peut encore faire souffrir un Français.

Sainte où ?

Napoléon n'était pas encore au bout de ses peines. Il arriva à Paris pour entendre l'Assemblée déclarer qu'elle voulait qu'il abdiquât. Ce qu'il fit, en faveur de son fils, qui était (comme il le qualifiait) prisonnier à Vienne. Ainsi pourrait-il revoir son garçon et même jouer les régents. Mais Wellington vint saboter ses plans ; il avertit l'Assemblée qu'il était hors de question que la Grande-Bretagne et ses amis prussiens, qui allaient débarquer bientôt, laissent un Bonaparte à la tête de la France.

Napoléon considéra que la seule possibilité était de trouver asile en Amérique. Contrairement au début du XXIᵉ siècle, les leaders français y étaient très respectés et, fort des connaissances en labour et en pêche acquises à l'île d'Elbe, ainsi que des trucs de jardinage appris à l'école, il espérait y refaire sa vie.

Quand il arriva à Rochefort, le port était bloqué par le *Bellerophon*, vaisseau de guerre britannique ayant pris part aux batailles du Nil et de Trafalgar. Nelson revenait hanter Napoléon.

Après moult hésitations, le fugitif français décida de se rendre aux Britanniques, se souvenant peut-être de son rêve de passer ses vieux jours dans la campagne anglaise en évoquant avec d'anciens soldats le bon temps des bagarres de leur jeunesse. On le reçut à bord avec tous les honneurs dus à son rang et on lui attribua même la cabine du capitaine tandis que le bateau voguait vers l'Angleterre. Mais le gouvernement britannique avait déjà décidé qu'il enverrait son plus important prisonnier politique depuis Marie, la reine des Écossais, bien plus loin qu'un village anglais.

Si on cherche sur Google Maps comment aller de Paris à Sainte-Hélène, voici la réponse que l'on obtient, en anglais, bien sûr : « Nous ne pouvons trouver le parcours entre Paris (France) et l'île de Sainte-Hélène. »

En fait, encore aujourd'hui, on obtiendra quasiment la même réponse quel que soit le lieu de départ. En 1815, être envoyé en exil sur ce mamelon volcanique situé à 2 000 kilomètres du continent le plus proche, c'était comme être catapulté sur la Lune. Cela en disait long sur les intentions qui présidaient à cet exil, tout comme sont révélatrices les conditions de détention de Napoléon : isolé des autres habitants de l'île, gardé par 125 sentinelles. Qu'un bateau vînt à se montrer à l'horizon, et tous les canons de Sainte-Hélène étaient aussitôt pointés dans sa direction et un tir de semonce effectué. Napoléon n'était pas censé rentrer en Europe, sauf si les Britanniques venaient le chercher. Et encore moins rentrer en France pour déposséder un Louis XVIII nouvellement réinstallé.

Il ne pourrait pas non plus jouer au roi sur Sainte-

Hélène, ni transformer l'île en empire napoléonien miniature. Le climat était on ne peut plus éloigné de la douceur méditerranéenne de l'île d'Elbe. Il se caractérisait par les orages et les vents fouettant de l'Atlantique qui sévissaient aux alentours de sa nouvelle résidence de Longwood, une ferme infestée de rats, à quelque 500 mètres d'altitude, sur un plateau humide.

Napoléon parvint pourtant à apporter une touche de raffinement à certains aspects de sa vie là-bas. Il dessina un uniforme chic à son maître d'hôtel – un manteau vert brodé d'argent, des pantalons de soie noire et des bas de soie blanche – et, après le dîner, l'ancien empereur lisait au groupe d'amis autorisés à l'accompagner des scènes de Molière, de Racine ou de quelque autre grand dramaturge français.

Il passait le plus clair de son temps à dicter ses Mémoires mais se dépensait sans compter pour livrer bataille à ses geôliers anglais. Une guerre émaillée de chicaneries mesquines se déroulait jour après jour. Napoléon se cachait de façon à créer des ennuis à l'officier chargé deux fois par jour de s'assurer de la présence du prisonnier. De leur côté, les Britanniques confisquaient les cadeaux envoyés à Sainte-Hélène et allèrent même jusqu'à refuser d'autoriser Napoléon à commander une nouvelle paire de chaussures, à moins qu'il n'apportât sa vieille paire au gouverneur, Sir Hudson Lowe, un soldat britannique un tantinet sadique.

Petit à petit, la guerre d'usure épuisa Napoléon. Il cessa de faire des promenades à cheval car il ne voulait pas être suivi par des officiers britanniques. Il ne sortit plus de chez lui pendant deux mois afin de ne pas être vu par ses gardes. Sa santé se dégrada et il commença à souffrir de graves maux d'estomac.

Napoléon demanda à être vu par un spécialiste et sa requête fut expédiée vers la France. Les Français ajoutèrent leur propre dose de cruauté aux mauvais traitements britanniques puisque ce n'est que dix-huit mois plus tard qu'un certain François Carlo Antommarchi débarqua. Il possédait un diplôme de médecine mais exerçait jusqu'alors en tant que prosecteur, chargé de la préparation des dissections pour des cours d'anatomie à l'université de Florence. Pas tout à fait l'éminent médecin parisien qu'un Napoléon souffrant attendait.

La douleur à l'estomac empira. Diagnostiquée comme une hépatite, elle fut traitée par Antommarchi avec des laxatifs, ce qui ne fit qu'aggraver le mal. Le gouverneur Lowe, lui, était convaincu que Napoléon jouait la comédie et suggéra que quelqu'un fasse irruption par surprise dans sa chambre pour l'effrayer et le faire sortir de son lit.

En avril 1821, Napoléon était cloué au lit et son état déclinait rapidement. Il dicta ses dernières volontés, demandant que son corps soit enterré « sur les bords de la Seine ». Il eut aussi une pensée, bien que lugubre, pour sa seconde épouse, Marie-Louise, demandant que son cœur, conservé, lui soit envoyé comme cadeau de départ.

L'ancien empereur qui régnait naguère sur la plus grande partie de l'Europe mourut le 5 mai 1821, à 17 h 49 heure locale, et sa mort permit enfin à Antommarchi d'exercer le travail pour lequel il avait été formé. Conformément à la requête de Napoléon, il pratiqua une autopsie et découvrit un cancer généralisé de l'estomac. Napoléon l'avait redouté, car la même maladie avait emporté son père et il voulait en avoir la confirmation afin que son fils puisse à son tour être prévenu de ses antécédents familiaux. Un médecin britannique présent à l'autopsie ajouta sa touche au rapport d'Antommarchi, en notant que le pénis et les testicules de Napoléon étaient « très petits ». Les Brits n'avaient pu résister à s'en prendre à l'Empereur jusqu'au bout, y compris sur son lit de mort.

Si l'on porte crédit à certaines allégations, un coup plus cruel encore fut infligé à l'issue de l'autopsie. On prétend que, après le départ des témoins, Antommarchi avait disséqué le pénis de Napoléon et l'avait confié à Ange Paul Vignali, le prêtre qui lui avait administré les derniers sacrements et avait présidé au service funèbre. Le valet de Napoléon prétendit même, dans un article, que Vignali avait coupé lui-même la « baguette impériale » pour en faire un souvenir – un témoignage daté de 1852, longtemps avant la mode d'accuser les prêtres catholiques de perversion sexuelle. Quoi qu'il en soit, quand la famille Vignali vendit sa collection de souvenirs napoléoniens, en 1916, ceux-ci comprenaient une mèche de cheveux de l'Empereur, un masque mortuaire et un article décrit comme « un tendon momifié pris sur le corps de Napoléon au cours de l'autopsie », classé comme pièce « rare » dans le catalogue de vente (bien que, s'il s'agissait effectivement du pénis, il eût assurément été plus exact de la qualifier d'« unique »). Ces curiosités furent achetées par un collectionneur américain du nom de A. S. W. Rosenbach, qui exposa cet affreux bout de chair en 1927, au Musée d'art français à New York ; des experts certifièrent qu'il s'agissait bien là de l'organe impérial. Les visiteurs étonnés décrivirent la pièce exposée comme une anguille racornie, un lacet de chaussure, un hippocampe ou un raisin. Pas très flatteur.

Le « petit caporal » du Petit Caporal fut mis à nouveau aux enchères à Londres, en 1969, sans trouver preneur. À Paris, en 1977, quand derechef le coup de marteau tomba sur lui (mes excuses aux lecteurs masculins pour cette image), l'État français ne tenta pas de s'en porter acquéreur. Il fut finalement acheté par John Kingsley Lattimer, un urologue du New Jersey, en vue de compléter sa collection d'objets historiques macabres, dont le faux col taché de sang d'Abraham Lincoln, la capsule de cyanure vide d'Hermann Goering, et des échantillons du cuir de la limousine de JFK à Dallas. Lattimer refusa d'exposer l'attribut de Napoléon mais, selon une personne qui a pu le voir après la mort du collectionneur en 2007, on aurait dit « le doigt d'un bébé ». Si tel est le cas, il a, à l'évidence, grossi depuis 1927, quand il n'était encore qu'un lacet.

Au final, cette histoire dégage une forte odeur de malice anglo-saxonne et quand j'ai demandé son opinion à un membre de la famille de Napoléon, celui-ci m'a répondu : « Je n'ai jamais entendu parler de cette histoire et je ne peux vous aider. » Le fait que les bonapartistes modernes, et a fortiori les Français, ne se soucient guère de ce sujet invite à révoquer en doute l'authenticité de l'objet.

La « baguette » de l'Empereur n'est pas la seule partie de son corps source de controverse. Ses cheveux ont aussi donné lieu à bien des exégèses depuis sa mort. Certains, en majorité des Français, accusent les Britanniques de l'avoir empoisonné et pointent la présence d'arsenic dans ses cheveux. Un prélèvement de papier peint de la maison de Longwood fut effectué, qui contenait ledit poison. « CQFD ! » dénoncent les accusateurs : avant que Napoléon n'emménage, ses ravisseurs ont diaboliquement empoisonné son futur cadre de vie, certains que, au fil des ans, de petits bouts du décor s'écailleraient et finiraient fatalement par tomber dans la tasse de café impériale ou dans son verre de vin. D'ailleurs, n'est-il pas établi que les Français aiment à lécher les murs ?

L'explication de la présence du poison dans la maison de Longwood est nettement plus prosaïque. À cette époque, la teinture verte contenait couramment de l'arsenic et la même couleur et donc le même niveau de toxicité pouvaient se retrouver dans pratiquement chacune des maisons de l'île. Cela ne signifie pas pour autant que les lieux étaient sains, bien entendu. Personne ne voudrait d'un revêtement mural toxique. Mais il ne s'agissait pas, en tout cas, d'un complot britannique. La vérité est que le pauvre *Boney* est tout simplement mort d'un cancer héréditaire à l'âge précoce de cinquante et un ans.

Son corps ne fut pas enterré dans un mausolée en bord de Seine, évidemment, pas plus que son cœur ne fut exposé sur la cheminée de sa veuve. Le gouverneur Howe avait reçu ordre de ne pas le laisser quitter l'île, et ce n'est qu'en décembre 1840 que sa dépouille fut enfin remise à la France et conduite dans un carrosse sous l'Arc de triomphe, achevé à peine quatre ans plus tôt. Les cendres de Napoléon furent ensuite transférées aux Invalides, bien que la tombe en forme de châsse commandée par la France ne fût achevée qu'en 1861.

Il existe une chose intrigante et qu'on ignore souvent

à propos du tombeau de Napoléon aux Invalides. Un endroit y avait été réservé pour son fils, Napoléon Jr, qui mourut en 1832. Ses restes n'y furent pourtant transférés qu'en 1940 par un fervent admirateur autrichien de l'Empereur : Adolf Hitler.

Napoléon remporte le concours de l'Eurovision

Alors, quel héritage a, au final, laissé Napoléon ? Une inclination à lui comparer tout Français aux tendances autocratiques (et il en existe beaucoup). Un arsenal de lois, qui forgent, encore aujourd'hui, le système de pensée du pays. Enfin, « Waterloo », le tube d'Abba qui remporta le concours de l'Eurovision, en 1974, et qui se réfère d'emblée à Napoléon dès la première ligne sans jamais mentionner ni Wellington ni Blücher.

Mais à mes yeux, son legs véritable n'a rien à voir avec la guerre ou avec la politique.

Quand Napoléon partit envahir l'Égypte, il n'était pas obligé de s'entourer de scientifiques. Il aurait pu mener sa campagne militaire de façon traditionnelle, en emportant avec lui davantage de troupes, de canons et de poudre – c'est ce que ses propres soldats voulaient qu'il fasse. Mais il passa outre leurs souhaits et ce sont les archéologues de l'expédition qui mirent au jour cette pierre de Rosette qui, en 1822, quelques mois après la mort de Napoléon, permit à Champollion de faire l'une des découvertes majeures pour la connaissance de l'histoire ancienne : le déchiffrage des hiéroglyphes. Cela ne constitue-t-il pas, assurément, un plus grand cadeau à l'humanité que la réforme juridique, quelques écoles d'élite et quelques gares portant des noms de batailles ?

Pourtant, ici encore, ce succès ne doit pas tout à la France. De fait, les recherches de Champollion n'auraient jamais abouti sans l'aide du Britannique Thomas Young, qui traduisit le texte démotique de la pierre de Rosette, un récit célébrant le premier anniversaire du couronnement du pharaon Ptolémée V. Young s'attaqua ensuite aux hiéroglyphes mais il fit fausse route pour ne pas avoir compris que les hiéroglyphes paraphrasaient en fait les autres textes au lieu d'offrir une traduction littérale. En vérité, Champollion reprit et développa le travail de Young ; il dut d'ailleurs aussi corriger l'un de ses articles au sujet des transcriptions où Young avait décelé plusieurs erreurs grossières.

C'est ainsi que le legs le plus important de Napoléon a perduré grâce à un Anglais. Désolé, monsieur l'ex-Empereur, mais pensiez-vous vraiment jouir d'un moment de gloire posthume sans que les Britanniques exercent leur devoir d'ingérence ?

16

Rendre à Vienne ce qui est à Vienne

Le pire, avec les guerres, c'est qu'elles ne s'arrêtent même pas pour la pause déjeuner.

Je plaisante, évidemment. Qu'existe-t-il de pire que de permettre aux gens de s'entretuer légalement ? Les guerres bousculent toutefois aussi les habitudes alimentaires. Les soldats doivent manger des rations de combat dans des cantines à ciel ouvert, sans nappe ni verre propre (sauf pour les officiers, bien entendu). Et les civils doivent se débrouiller avec ce qui reste après les réquisitions gouvernementales et les rapines des troupes en maraude.

La paix, au contraire, peut libérer le palais. Dès que les combats cessent et que les pénuries de nourriture ont disparu, les frontières s'ouvrent à nouveau et les gens se remettent en mouvement, faisant circuler avec eux ingrédients et idées culinaires.

C'est exactement ce qu'il advint après les guerres napoléoniennes. Les nations victorieuses, notamment les Britanniques, les Prussiens et les Autrichiens, affluèrent vers la France, à la fois comme touristes et comme occupants, et ils commencèrent à se délecter de cette cuisine française mondialement célèbre.

C'est du moins ce que les Français voudraient nous faire croire. En fait, les visiteurs trouvèrent qu'il manquait en France certaines choses et décidèrent d'importer un peu de leur propre cuisine. Certains mets devinrent si populaires auprès des Français qu'ils les adoptèrent aussitôt et sont aujourd'hui convaincus de les avoir inventés. Mais comme nous l'avons vu avec le champagne, ces affirmations doivent vraiment être prises avec des pincettes (et un soupçon de sucre anglais). Deux aliments de la cuisine française sont, en fait, des importations étrangères.

Les Français glissent leur baguette dans leur pantalon

Toutes les cultures ont leurs mythes fondateurs et les Français ne font pas exception. Leur théorie sur la naissance de la baguette compte parmi les plus drôles qui soient.

Ainsi, ce seraient les soldats de Napoléon qui auraient cuit pour la première fois un long bâton de pain. Avant cela, nous explique-t-on, le pain avait toujours été rond – le mot « boulanger » ne vient-il pas de « boule » ? Mais Napoléon, qui veillait sur le moindre aspect de la vie de ses soldats, souhaitait un pain qui soit plus facile à transporter pour ses armées en marche, ce qui était souvent le cas. Il demanda donc à ses boulangers de faire un pain en forme de long bâton que les troupes pourraient glisser dans la poche de leurs pantalons. En quoi cela était-il plus pratique

que de placer une boule de pain dans son sac à dos ? Mystère. Peu importe, car il est presque certain qu'il s'agit là d'un mythe pur et simple ; comme la page en français de Wikipédia consacrée à la baguette le suggère d'ailleurs fort justement, « la baguette aurait gêné le soldat pendant sa journée de marche et elle aurait probablement été en mauvais état à l'arrivée ».

Les Français assurent pourtant que la baguette date bien de cette époque. L'entreprise de farine Retrodor indique sur son site Internet qu'elle fut inventée par les boulangers après la Révolution, quand ceux-ci ne furent plus contraints de produire le « pain du peuple » ordinaire et reçurent l'autorisation de cuire du pain blanc. À l'époque, selon cette entreprise, la levure de bière fut introduite dans le procédé de cuisson, permettant d'obtenir une pâte à pain plus légère, parfaite pour un bâton de pain plus mince. Cela signifierait donc que la baguette doit tout à la France.

Cependant, certains spécialistes de l'histoire culinaire un peu moins patriotiques s'accordent pour dire que la baguette n'est pas française du tout ou, au minimum, évitent d'aborder le sujet.

Ainsi, dans son livre *Histoire naturelle et morale de la nourriture*, l'historienne française Maguelonne Toussaint-Samat préfère éluder la question. Elle décrit l'évolution du pain dans la Grèce antique, en lien avec les civilisations juive et romaine, évoque Jeanne d'Arc trempant des « mouillettes » de pain dans du vin, localise avec précision l'endroit où était situé le four du boulanger dans les villes médiévales françaises (pas trop près du mur du voisin) – mais elle se garde bien de parler de l'origine de la baguette.

En réalité, le moule du pain français semble à

rechercher du côté de l'un de ces alliés venus occuper Paris en 1815, et cette texture légère et soufflée que les boulangers anglais appellent « pain de Vienne » nous révèle l'identité de l'allié en question.

Au milieu du XIXe siècle, les Autrichiens développèrent un type nouveau de four à gaz, équipé d'injecteurs à vapeur. Le four pouvait chauffer jusqu'à plus de 200 degrés et les jets de vapeur permettaient de faire gonfler la croûte avant que le pain ne fût cuit, ainsi que de produire une mie légère et aérée. Ce four très efficace équipa bientôt toutes les boulangeries de France.

Mieux encore, loin d'être une tradition française multiséculaire, la baguette ne devint vraiment à la mode que dans les années 1920, et ce pour deux raisons. La première est que, à la fin de la Première Guerre mondiale, beaucoup de boulangers et apprentis boulangers français se trouvaient enterrés sous la boue de la Somme et de bien d'autres champs de bataille. Il y avait donc une pénurie de main-d'œuvre, favorisant l'essor de ce pain façon viennoise facile à préparer. La seconde raison tient à une nouvelle loi française qui rendit illégal le travail des boulangers avant 4 heures du matin. Et la baguette était le seul pain dont ils étaient sûrs qu'il serait prêt pour le petit déjeuner.

La baguette avait encore un avantage pour les boulangers : elle ne reste vraiment fraîche qu'environ une demi-heure (allez, disons une heure tout au plus), après quoi elle refroidit, commence à sécher et la sensation croustillante est moins agréable. Si les clients veulent du pain frais, ils sont contraints de venir racheter une baguette fraîche. Une très bonne stratégie commerciale.

Dans les années 1920, donc, la baguette est adoptée

et ce pain autrichien devint le symbole de la France au même titre que son immense cousine de fer, la tour Eiffel.

Depuis, la réputation du bâton de pain français a quelque peu décliné. Ces dernières années, sa blancheur a conduit des Français soucieux de leur régime à se tourner vers des pains meilleurs pour la santé, faits à partir de farine complète, de céréales, de son et de seigle. La baguette a dû évoluer et presque toutes les boulangeries, aujourd'hui, vendent de la *baguette de tradition*, reconnaissable à sa croûte plus molle et à sa pâte plus foncée, qui contient moins de levure et est généralement un peu de traviole, de sorte qu'on dirait qu'elle a été faite par un boulanger du Moyen Âge à moitié aveugle. Mais son nom est trompeur car, en fait, c'est bien la baguette blanche et soufflée avec sa croûte dorée qui est *de tradition*. Et cette tradition vient de Vienne.

L'histoire tordue du croissant

Le croissant, incontournable du petit déjeuner français, n'est pas français lui non plus. Des gâteaux en forme de croissant ont en effet été fabriqués en Europe depuis des siècles. Le croissant est un symbole fort, associé à la fois à la lune et à l'Orient. La légende veut que les Autrichiens aient les premiers fait ce que nous appelons aujourd'hui des croissants, au moment du siège de Vienne, en 1683, après que les Turcs eurent commencé à creuser des tunnels sous les murs de la ville et que les boulangers qui travaillaient la nuit dans leurs caves les eurent entendus. Pour avoir alerté les autorités plutôt que d'essayer de vendre un petit déjeuner matinal aux envahisseurs, les boulangers auraient obtenu le droit de produire des pâtisseries rappelant le croissant du drapeau ottoman.

Il ne s'agit là que d'une théorie parmi de nombreuses. Une autre soutient que le croissant autrichien, ou *Kipfel*, existait depuis le XIIIᵉ siècle, ce qui n'est pas incompatible avec l'histoire du siège. Les boulangers qui sauvèrent Vienne s'amusèrent probablement du fait que leurs *Kipfeln* ressemblaient au croissant du drapeau ottoman.

Une chose paraît en tout cas acquise : le croissant sous sa forme moderne arriva en France depuis l'Autriche.

Les romantiques disent qu'il fut introduit par Marie-Antoinette, dont on connaît l'intérêt supposé pour le pain et les brioches. D'autres, plus pragmatiques, affirment qu'il fut importé par un soldat autrichien devenu commerçant, August Zang, qui ouvrit une boulangerie viennoise à Paris, en 1838 ou 1839. Sa Boulangerie Viennoise, sise 92, rue Richelieu, près de la Bibliothèque nationale, inaugura la mode du croissant et inspira le développement du pain au chocolat et du pain aux raisins, autres pâtisseries que les Français appellent, par extension, la viennoiserie.

On ne trouve aucune référence au croissant chez les écrivains français jusqu'en 1853, quand le chimiste Anselme Payen publie son très anti-gastronomique *Des substances alimentaires*, dans lequel il évoque croissants et muffins anglais dans un chapitre consacré aux « pains de luxe ou de fantaisie ».

À partir de 1875, les croissants semblent avoir fait leur entrée au menu – dans un livre appelé *Les*

Consommations de Paris, Armand Husson appelle d'ailleurs le café avec croissants un repas « ordinaire » et non plus « de luxe ».

Aujourd'hui, bien sûr, le croissant est la pièce maîtresse du petit déjeuner européen, et on le croit généralement aussi français que l'étrange engeance de serveurs qui vous l'apportent.

Mais son origine véritable, comme celle de la baguette, est une histoire que les Français ont du mal à digérer.

17

Comment les Anglais
ont achevé la famille royale de France

Au cours de la Révolution française, la Grande-Bretagne offrit son soutien, une terre d'asile et sans aucun doute des tasses de thé à volonté aux rescapés de la famille royale française. Depuis lors, les classes dirigeantes françaises étaient secrètement persuadées que, même si les deux pays s'étaient fait la guerre presque sans discontinuer depuis la conquête normande, elles trouveraient toujours un ami au palais de Buckingham (qui devint la résidence royale officielle en 1837, quand Victoria y emménagea).

Ainsi, au milieu du XIXe siècle, chaque fois que la France était victime de l'un de ses fréquents accès de fièvre politique dont elle a le secret, ses dirigeants déchus bondissaient de l'autre côté de la Manche pour y chercher refuge.

Mais ce passage à l'ennemi ne fut pas toujours la meilleure des idées, comme les familles de Louis XVI et de Napoléon Bonaparte n'allaient pas tarder à le découvrir.

Louis-Philippe, le rêve devenu réalité

Le roi Louis-Philippe, descendant de Louis XIV, appartenait à une branche des Bourbons pour qui le trône était toujours demeuré inaccessible. La famille de Louis-Philippe apporta même son soutien à la Révolution, espérant en tirer profit en vue de faire tomber la couronne dans son escarcelle.

Son rêve ne devint réalité qu'en 1830, après que le roi Charles X, qui avait succédé à son frère Louis XVIII, fut évincé du pouvoir pour une raison des plus classiques : avoir tenté de contrôler le Parlement au lieu de se comporter à l'anglaise, en endossant un rôle de représentation. Charles fut contraint de fuir en Angleterre, où il fut raillé par une foule brandissant des drapeaux tricolores et harcelé par les créanciers, à la suite de son premier exil pendant la Révolution.

Pendant ce temps, au lieu de proclamer une nouvelle République, le peuple de Paris et les représentants politiques offrirent le trône au modéré Louis-Philippe. Tous se souvenaient de son père, qui s'était lui-même nommé « Philippe Égalité » et avait servi fidèlement la Révolution jusqu'à son guillotinage pour trahison, en 1793. Peut-être, pensa le peuple, que le roi Louis-Philippe mettrait en place une monarchie plus démocratique.

Au début, Louis-Philippe ne le déçut pas. Il fit tout son possible pour changer l'image de la royauté. « Je n'aime ni les jeux ni la chasse, déclara-t-il, et je ne compte pas une seule maîtresse. » Victor Hugo l'admirait pour sa simplicité et le félicita d'être un homme « couchant avec sa femme, et ayant dans son palais des laquais chargés de faire voir le lit conjugal aux bourgeois ».

Louis-Philippe alla même plus loin : il chanta régulièrement *La Marseillaise* et se promena dans la rue en serrant la main aux passants (bien qu'il portât toujours un vieux gant en la circonstance).

Mais sa popularité ne dura pas très longtemps. Le caricaturiste Charles Philipon fut jeté en prison pour l'avoir croqué le visage joufflu, avec de larges mâchoires, en train de se métamorphoser en poire. Le mouvement fit tache d'huile quand Honoré Daumier publia à son tour une caricature du roi en Gargantua qui eut un grand retentissement à travers l'Europe, ce qui lui valut de subir également les foudres de la justice.

Bientôt, les radicaux accusèrent Louis-Philippe de se montrer trop amical envers les Britanniques. Quand, en 1843, la reine Victoria vint en visite officielle en Normandie, Louis-Philippe répondit à son geste par un discours où il utilisa pour la première fois l'expression « entente cordiale » (en parlant, pour être tout à fait exact, de « cordiale entente », qui sonnait plus anglais). En 1844, il rendit la politesse à la reine et, à sa grande surprise, fut acclamé par le peuple britannique. « Les Anglais sont reconnaissants car je les connais suffisamment bien pour ne pas les détester », confia-t-il à Victor Hugo. Mais dans son propre pays, ce rapprochement ne passa pas bien. On accusait la puissance industrielle britannique d'être cause du chômage en France et on voyait comme une menace directe pour le prestige de la nation le développement d'un empire britannique doté d'une flotte toujours aussi puissante et toujours aussi abhorrée.

Les anglophobes n'étaient pas les seuls à se plaindre. Louis-Philippe était peut-être le « roi du peuple » mais d'un peuple composé de riches amis, à qui il commença à offrir des contrats lucratifs pour la construction des tout nouveaux chemins de fer. Les pauvres étaient comme toujours laissés pour compte et leur survie indexée sur les variations du prix du pain, comme c'était le cas en 1789.

Certains conseillers supplièrent Louis-Philippe d'accepter de faire des concessions. Il dépensait par exemple des fortunes pour l'entretien des châteaux royaux. « Mais ma famille est si grande ! » Telle fut, dit-on, sa réponse.

Malheureusement pour lui, son plan de relogement familial fut brutalement interrompu en février 1848 quand une vague révolutionnaire européenne vint submerger Paris. La foule dressa des barricades, les soldats tirèrent sur les manifestants et la IIe République fut proclamée. Louis-Philippe s'éclipsa par la sortie de secours de son palais, comme l'avaient fait tous les monarques depuis Louis XVI. Et il se dirigea, naturellement, vers l'Angleterre, chez sa copine Victoria.

Les trompettes de la paix

Dans son livre *Histoire de la vie politique et privée de Louis-Philippe*, Alexandre Dumas offre un magnifique récit épique de cette fuite royale. Il décrit le roi, dépouillé de ses moustaches broussailleuses, caché derrière des lunettes vertes et une écharpe, parlant avec un accent américain pour qu'on le prenne pour un étranger en train de fuir les troubles.

Louis-Philippe, ou Bill Smith comme il se présentait aux gens (sérieusement, ce n'est pas une blague), essaya d'abord d'embarquer à Trouville. Là, il donna 5 000 francs à un capitaine, mais lorsque son bateau fut empêché d'appareiller à cause d'un orage, il demanda à être remboursé et le marin alla le dénoncer aux autorités.

Fuyant toujours le long de la côte juché sur une charrette, le roi croisa la route d'un bateau à vapeur anglais, l'*Express*, qui le prit à son bord et le conduisit de l'autre côté de la Manche, uniquement accompagné de sa femme et d'un domestique.

Enfin libres. Le problème est que cet empoté de roi avait oublié d'emporter de l'argent avec lui. Il se souvenait précisément avoir empaqueté des liasses de billets et les avoir posées sur son bureau mais elles avaient ensuite disparu.

Son vieil ami Victor Hugo dépeint la condition tragique du roi en exil. Dans une note du 3 mai 1848 apparaissant dans ses *Mémoires*, Hugo écrit que le roi et sa famille ne disposaient que de trois domestiques. Ils « vivent littéralement dans la pauvreté. Ils sont vingt-deux à table et ils boivent de l'eau » (l'absence de vin étant, bien sûr, considérée comme un indice de dénuement extrême pour un Français).

Le seul argent dont ils disposaient provenait de la famille italienne de la reine et des intérêts de l'argent de poche déposé et oublié dans une banque de Londres par ce roi distrait, au cours de sa visite à Victoria, en 1844.

En raison de sa pauvreté, peut-être, Louis-Philippe fut autorisé à demeurer gratuitement à la Maison de Claremont, dans le Surrey, un manoir appartenant à l'oncle de la reine Victoria, Léopold, roi de Belgique. Léopold était marié à Louise-Marie, fille de Louis-Philippe. Claremont était donc une maison de famille.

Il s'agissait d'une belle bâtisse neuve, dessinée par Capability Brown, agrémentée de superbes jardins paysagés qui sont aujourd'hui ouverts au public. Mais l'un des aménagements les plus modernes de cette résidence dernier cri était l'eau courante, avec des canalisations en plomb. La famille royale, comme l'indique Victor Hugo, buvait de l'eau au repas plutôt que du vin et ils tombèrent malades. Le roi commença à perdre beaucoup de poids et ses médecins l'envoyèrent prendre le frais dans la toute nouvelle et chic station balnéaire de Saint Leonards, près de Brighton. Lui recommandèrent-ils les bains de mer ? Cela n'est pas établi, mais le climat anglais semble avoir achevé le travail et, en août 1850, Louis-Philippe était si malade qu'il fut renvoyé chez lui à Claremont pour y mourir.

Quand les médecins l'informèrent qu'il allait bientôt rejoindre ses ancêtres, le vieil homme affable aurait répondu : « Ah ! ah ! Je comprends, vous venez m'avertir qu'il est temps de faire mes paquets. »

Le dernier roi de France fut enterré à Weybridge, dans le Surrey, et une foule bigarrée de Français expatriés et de campagnards anglais perplexes regardèrent passer le convoi funéraire. Dans son livre sur Louis-Philippe, Dumas décrit la scène ; il est si choqué par les nécrologies publiées dans les journaux anglais qu'il les cite abondamment.

L'auteur de celle du *Morning Chronicle* trompette :

« Nous ne pouvons pas dire qu'un homme grand et bon vient d'expirer. Il conquit sa Couronne par la duplicité et la conserva par l'oppression. » Le *Times* parle de « l'absence de facultés mentales » du roi. Et le *Daily News* assène qu'« au cours de ses dix-huit ans de règne, aucune idée grande ou généreuse n'émergea ».

Et ce pauvre Louis-Philippe qui croyait que les Britanniques l'aimaient ! Si la tuyauterie en plomb ne l'avait pas achevé, ce sont les notices nécrologiques qui s'en seraient chargées.

Napoléon III, empereur des boulevards

Napoléon III (Charles Louis Napoléon Bonaparte) était le fils de Louis, frère du premier Napoléon, et d'Hortense, la fameuse fille issue du premier mariage de Joséphine.

Après 1815, le petit Charles Louis Napoléon accompagna Hortense dans son exil en Suisse, laissant son mari en France. Marchant dans les pas de Joséphine, Hortense gagna une réputation de femme fatale, si bien que son mari n'était pas certain d'être le père de ses enfants.

En 1836, les gènes des Bonaparte (si c'en étaient) étaient revenus sur le devant de la scène. Charles Louis, etc., âgé de vingt-huit ans, de retour en France, avait tenté d'organiser un coup d'État. Mais cela n'intéressait alors personne et le roi Louis-Philippe avait fait embarquer le jeune rebelle sur un bateau en partance pour l'Amérique.

Ce dernier revint pourtant et retenta le coup en 1840, ralliant Boulogne depuis l'Angleterre en vue d'essayer de convaincre les troupes locales de le soutenir, avant d'être à nouveau arrêté.

Cette fois-ci, Louis-Philippe fit preuve de moins d'indulgence. Il fit enfermer Charles Louis, etc., qui se faisait maintenant appeler prince Louis Napoléon, dans la forteresse d'Ham, dans la Somme, lieu qui avait accueilli par le passé le marquis de Sade. Le prisonnier s'y divertit à la manière de Sade, faisant deux enfants à la lavandière avant de décider de s'évader. En 1846, il échangea ses habits avec un gardien et s'enfuit en Angleterre.

Il s'installa à côté de Liverpool, à Southport, station balnéaire alors huppée, fréquentée par les grandes familles industrielles du Nord. L'autoproclamé prince Louis Napoléon y vécut sur un large boulevard bordé d'arbres appelé « *Lord Street* ». On prétend que cette rue inspira le futur Napoléon III au moment où, devenu empereur, il concevrait un nouveau plan de Paris, le « Southport du Sud ».

Mais n'allons pas trop vite en besogne. Ce n'est qu'en 1848, après que les troubles de la Révolution se furent apaisés, que Louis Napoléon rentra en France pour participer à l'élection du président de la IIe République. Et, à la surprise générale, il remporta une victoire écrasante. Non content de cette victoire, il organisa un nouveau coup d'État, mais de l'intérieur cette fois-ci, et imposa la dictature en 1851. Il ne restait qu'un pas bonapartiste à franchir. L'année suivante, il se déclara « empereur Napoléon III ».

Les Français décidèrent, dans un premier temps, de profiter d'une période de paix relative et de croissance spectaculaire. Au lieu de se disputer entre eux et de changer de système de gouvernement pour la énième fois en soixante ans, ils prirent les choses avec philosophie et se mirent à prospérer. La Révolution industrielle gagna enfin la France, les voies de chemin de fer s'étendirent dans le pays comme de la vigne, le charbon fut extrait en abondance des nouvelles mines, le prix des actions explosa et Napoléon III fit raser les bas quartiers de Paris et dessiner les boulevards haussmanniens dans le style de Southport (même si cette nouvelle architecture urbaine avait avant tout pour but de créer de larges accès routiers pour les troupes en cas de nouveau soulèvement populaire : il est beaucoup plus difficile de dresser une barricade sur un boulevard que dans une ruelle médiévale).

Napoléon III croyait au libre échange et exporta les produits français à travers le monde. Une compagnie française mit finalement à exécution les plans de son oncle en Égypte et construisit le canal de Suez. Le nouvel empereur fit souffler le vent du changement au point de former une alliance avec l'ennemi, la Grande-Bretagne, au cours de la guerre de Crimée – l'unique friction naquit de ce que les Français considérèrent l'héroïque charge de la Brigade légère anglaise comme un absurde gaspillage d'hommes et de chevaux (ce qu'elle était).

Mais les Britanniques mirent à mal cette amitié en essayant de faire assassiner Napoléon en 1858. Ce n'était pas un complot d'État, bien sûr, juste une sorte d'initiative privée typiquement anglaise.

La Grande-Bretagne achève le travail des Italiens

L'un des grands projets de Napoléon III était d'envahir l'Italie (une autre idée empruntée à son oncle), ce qui n'avait pas l'heur de plaire à un groupe de nationalistes italiens en exil à Londres. Un ingénieur de Birmingham leur fabriqua quelques grenades à fragmentation, qui furent testées par leurs alliés anglais avant d'être acheminées jusqu'à Paris. Le 14 janvier 1858, trois Italiens menés par un certain Felice Orsini, dont le père avait servi en Russie dans la première Armée de Napoléon, dégoupillèrent leurs grenades anglaises et les lancèrent sur le passage de Napoléon III et sa femme Eugénie, en route pour l'Opéra. Ils ne visèrent pas très bien (un entraînement spécifique au lancer auprès d'une équipe anglaise de cricket leur aurait peut-être été profitable) et ne réussirent qu'à faire se cabrer quelques chevaux et à tuer huit passants. Leurs cibles, indemnes, gagnèrent en popularité en passant leur chemin comme si de rien n'était. Napoléon et Eugénie rejoignirent leur loge à l'Opéra et regardèrent *Guillaume Tell*, haussant sans doute le sourcil au moment de la scène du lancer de flèches.

Au cours du procès d'Orsini[1], les liens des conspirateurs avec l'Angleterre furent établis et provoquèrent une véritable tempête diplomatique, le gouvernement anglais étant finalement contraint de démissionner après avoir échoué à calmer à la fois les Français (qui étaient, au sens strict, des alliés) et les plus francophobes des Britanniques. Napoléon III désamorça

---

1. Orsini et l'un des deux autres conjurés furent guillotinés, leur complice Carlo di Rudio étant quant à lui déporté sur l'île du Diable, prison française tristement célèbre située en Guyane. Il s'en évada et combattit plus tard au côté du général Custer à Little Big Horn, où il réchappa à la mort.

lui-même la crise en invitant Victoria et Albert à l'inauguration de la base navale de Cherbourg.

Les deux pays firent à nouveau ami-ami et la Grande-Bretagne dut attendre une autre douzaine d'années avant d'avoir l'occasion d'éliminer l'empereur, en 1870, après que ses projets d'expansion continentale eurent transformé Napoléon III en apprenti sorcier. Histoire encore une fois de ressembler à son oncle, Napoléon III attaqua alors la Prusse, fut battu à Sedan par Bismarck et fait prisonnier de guerre. Le mauvais souvenir de Waterloo resurgit et Napoléon fut déposé. Après une courte période d'incarcération, il rejoignit en Angleterre Eugénie et leur fils adolescent, Napoléon Eugène Louis Jean Joseph, qui avaient déjà trouvé refuge auprès de Victoria.

L'empereur déchu et sa famille prirent résidence dans la maison de Camden Place, à Chislehurst, dans le Kent, à laquelle le propriétaire avait donné une petite touche française en acquérant le portail en fer forgé de l'entrée de l'Exposition universelle de 1867, à Paris. Le prix de la location des lieux était relativement modeste, 300 livres sterling par an, mais Napoléon n'entendait pas demeurer là éternellement. Il préparait déjà secrètement son retour au pouvoir.

C'est un médecin anglais qui y mit un coup d'arrêt.

Depuis le milieu des années 1850, Napoléon III souffrait d'infections de la prostate et de la vessie, de problèmes rénaux et de calculs urinaires. Dans le passé, il avait déjà fait appel à un spécialiste de Londres, le Dr Robert Ferguson, pour venir le soigner à Paris. Ferguson avait trahi le serment d'Hippocrate (qui ne devait sans doute pas s'appliquer aux étrangers à l'époque) et rapporté avec jubilation au gouvernement britannique que l'empereur souffrait d'un épuisement nerveux qui avait « un effet débilitant sur ses performances sexuelles ».

En 1873, l'empereur déchu souffrait à nouveau de calculs urinaires et se trouvait encore une fois à la merci des médecins anglais. L'éminent chirurgien Henri Thompson, expert en maladies sexuelles et auteur d'un traité au titre amusant, *La Santé et l'anatomie pathologique de la glande prostatique*, fut convoqué à Chislehurst. La spécialité de Thompson était la lithotripsie, méthode consistant à détruire les calculs urinaires et rénaux au moyen d'ondes acoustiques. Le procédé n'est pas intrusif mais peut être très douloureux car les ondes sonores font vibrer les os. Thompson décida donc d'assommer l'empereur avec du chloroforme et procéda à l'opération en deux temps. Au début, les choses se passèrent très bien, mais Napoléon mourut lors de la seconde intervention et Thompson et son anesthésiste, le Dr Joseph Clover (un pionnier dans ce domaine), signèrent rapidement l'acte de décès, en indiquant, pour cause de la mort, une insuffisance rénale.

Que ce diagnostic soit vrai ou que, comme l'affirment certains, Thompson ait raté l'opération, le fait est que le dernier empereur de France, neveu du grand Napoléon Bonaparte, est mort entre les mains de la médecine anglaise en 1873 et fut enterré à Chislehurst.

Mais attendez un peu, Napoléon III n'avait-il pas un successeur, son fils, le fringant Louis Napoléon ? Après tout, la France allait peut-être avoir un autre empereur ?

Eh bien non, en fait, car les Britanniques étaient sur le point de l'épingler – et dans des circonstances on ne peut plus burlesques.

Napoléon Trois et Demi

Napoléon Eugène Louis Jean Joseph (Louis pour les intimes) avait connu son baptême du feu dès l'âge de quatorze ans. Il avait trotté au côté de son père contre les Prussiens à Sarrebruck, en Allemagne, et s'était enfui en Angleterre quand le vent avait tourné dans le mauvais sens pour les Français.

Après un bref passage au King's College de Londres pour y étudier la physique, le jeune homme demanda à intégrer l'Académie militaire royale, à Woolwich. Il nourrissait de grandes ambitions, des rumeurs circulaient sur ses fiançailles avec la fille de Victoria, Béatrice, et il espérait que son pays l'appellerait un jour pour mettre fin au désordre.

Mais être appelé à diriger la France en tant que Napoléon IV ne semblait pas prêt d'arriver. À la mort de son père, les républicains français le surnommèrent « Napoléon Trois et Demi ». Il choisit donc de s'engager dans l'armée britannique, ce qui passerait le temps et pourrait aussi lui permettre de s'aguerrir en vue de conquérir le pouvoir en France.

Être français dans une école militaire anglaise a dû ressembler pour lui à ce que son grand-oncle Bonaparte avait ressenti en tant que Corse au milieu des aristocrates français de métropole. Le jeune Louis était bon cavalier et épéiste mais il n'était pas très bon en classe et fut même battu à l'examen de français par un élève officier anglais. Il obtint néanmoins son diplôme et fut incorporé dans l'Artillerie royale, un autre hommage à l'expert canonnier qu'était son grand-oncle.

L'empereur Napoléon III avec son fils, surnommé plus tard par les Français Napoléon Trois et Demi. Tous deux succombèrent dans des conditions étranges pendant leur exil chez les Brits.

En 1879, la Grande-Bretagne déclara la guerre à la nation zouloue, qui exigeait avec la plus grande impolitesse que les colons quittent leurs terres en Afrique du Sud. Le jeune « prince impérial », comme Louis aimait se présenter, pensa que c'était là un terrain de jeu où il pourrait prouver sa valeur en tant que soldat et en tant qu'homme.

Le Premier ministre britannique, Benjamin Disraeli, fut horrifié par les conséquences politiques que pourrait avoir l'envoi d'un empereur français potentiel au front d'une guerre anglaise. Il refusa. Mais Eugénie, la mère de Louis, supplia la reine Victoria de laisser le garçon aller s'amuser et, finalement, Disraeli accepta de l'envoyer comme observateur. Il serait autorisé à porter l'uniforme d'artilleur, mais ne devrait porter ni insigne ni grade, pour éviter d'attirer l'attention sur lui.

Les Français étaient furieux ; les républicains parce qu'un Français servait ainsi sous le drapeau de l'ennemi héréditaire, les impérialistes parce qu'ils craignaient que l'Afrique ne s'avérât un endroit dangereux pour faire parader leur « dernier espoir ». Louis lui-même dit à ses partisans de ne pas s'inquiéter – une petite excursion militaire fortement médiatisée pousserait la France à réclamer son retour.

Louis arriva en Afrique du Sud en mai 1879 et passa les semaines suivantes à enquiquiner ses commandants pour pouvoir assister à un peu d'action et à pourchasser tous les Zoulous qu'il voyait, en contravention avec les ordres établis.

Les Britanniques autorisèrent finalement Louis à entrer en pays zoulou mais l'assignèrent au génie civil plutôt que de l'intégrer dans une unité de combat. L'ordre était de ne pas laisser le prince s'approcher du front. Il ne devait se rendre nulle part sans une forte escorte armée.

Il est donc étrange que l'officier du Génie, le colonel Richard Harrison, ait laissé Louis partir en mission de repérage au cœur de la brousse.

Louis, lui, était ravi. Il allait enfin voir de l'action. Le 1er juin, impatient de partir, il harcela le chef de l'expédition, le lieutenant Carey, fils de pasteur élevé en France, pour qu'il le laisse sortir avec une escorte réduite. Et c'est un groupe de neuf hommes seulement qui partit à cheval le long de la rivière du Sang, un prince tout fier portant l'épée de son grand-oncle Napoléon à sa tête. On supposait qu'aucun Zoulou ne se trouvait dans la vallée, ce qui explique pourquoi le petit groupe de soldats avait déjà parcouru plusieurs kilomètres à travers la brousse, quand Louis aperçut un *kraal* déserté, un village zoulou, et proposa d'aller y faire une pause café.

On pouvait deviner sans peine que les lieux avaient été récemment occupés et l'herbe autour du *kraal* était si haute qu'il était impossible de distinguer si quelqu'un y était tapi. Mais Louis insista pour que les troupes se reposent et prennent le café.

Finalement, Carey commença à s'inquiéter et donna l'ordre au groupe de lever le camp. Louis défia sa hiérarchie (officiellement, Carey était son supérieur) et demanda à Carey de leur donner encore dix minutes. Ce temps supplémentaire finalement accordé était sur le point de se terminer quand une quarantaine de Zoulous armés fondirent sur eux, bondissant des hautes herbes en criant : « *uSuthu !* », ce qui signifiait : « Tuez-les ! » et non : « Quarante expressos s'il vous plaît. »

Effrayés par les coups de feu, les chevaux anglais s'emballèrent. Louis parvint à se raccrocher à l'étui de revolver de sa selle et fut entraîné par sa monture jusqu'à ce que l'attache en cuir lâchât. Misérables produits anglais, pensa-t-il sans doute en s'écrasant au sol et en se blessant au bras droit.

Il chercha son épée mais ne put la trouver. Tout en tirant avec son revolver de la main gauche, il courut tant qu'il put jusqu'au moment où il fut touché à la cuisse par une lance zouloue. Courageusement, il la retira et se retourna pour faire face à ses poursuivants, mais une autre sagaie le frappa à l'épaule et il s'écroula.

Carey et quatre soldats rescapés étaient parvenus à remonter à cheval et se regroupèrent 50 mètres plus loin. Mais au lieu d'aller porter secours au prince, Carey s'en retourna vers le camp de base sans tirer un seul coup de feu.

Quand une patrouille fut envoyée à sa recherche, elle trouva le corps de Louis criblé de 18 coups de sagaie. Il avait été éventré, pratique zouloue visant à s'assurer que l'adversaire était bien mort et que son esprit ne reviendrait pas venger sa mort.

Carey rédigea un rapport où il relatait la désobéissance de Louis et son refus de quitter le *kraal*, mais l'homme qu'il devait protéger était trop important. De nombreux doigts accusateurs pointèrent sur Carey, notamment ceux d'Eugénie et de Victoria. Pour ne rien arranger, les Zoulous prétendirent que si le jeune Louis avait porté les insignes royaux, ils ne l'auraient pas tué. Sans surprise, une cour martiale condamna Carey pour « mauvaise conduite devant l'ennemi ». Un bouc émissaire avait été trouvé et sacrifié[1].

---

1. En fait, la condamnation fut discrètement annulée quelques mois plus tard, notamment parce que l'armée britannique tenait le

Les Britanniques ramenèrent en bateau vers l'Angleterre les restes mal embaumés de Louis, et des représentants français eurent la mauvaise idée d'insister pour que le cercueil soit ouvert afin de procéder à l'identification du corps. L'un d'entre eux s'évanouit à la vue du cadavre putréfié et mutilé, uniquement identifiable grâce à la cicatrice d'un abcès à la hanche datant de l'enfance.

On fit à Louis des funérailles nationales, auxquelles assista la reine Victoria mais que boycotta l'ambassadeur de France. La mère du jeune prince, Eugénie, était également présente mais tellement accablée par la douleur qu'on dut lui signaler que le service était fini pour qu'elle se lève. À l'issue de la cérémonie, le cercueil fut conduit à Chislehurst et le corps inhumé à côté de celui de l'empereur Napoléon III.

Louis avait bien un successeur théorique en la personne de son cousin Victor Jérôme Frédéric Napoléon, qui choisit de devenir Napoléon V et retourna en France exiger la restauration d'un gouvernement impérial par voie de plébiscite. Mais son unique fait d'armes fut de se faire arrêter, confirmant que le jeune et sémillant soldat Louis Napoléon avait été la dernière réelle chance de sa famille de reconquérir le pouvoir en France.

Et c'est ainsi que les espoirs et les rêves dynastiques des Bourbon et des Bonaparte furent enterrés dans le sud-est de l'Angleterre. Les familles royale et impériale françaises étaient venues chercher refuge en Grande-

---

Français pour largement responsable d'avoir entraîné la patrouille vers une zone aussi dangereuse. Une fois le tapage passé, Carey fut autorisé à reprendre son poste.

Bretagne et n'y avaient guère reçu que des funérailles fastueuses. Rien de personnel là-dedans, bien entendu, juste la faute à un peu de plomb dans la plomberie, à une mésaventure médicale et à une rencontre avec des Zoulous un peu trop zélés. Cela aurait pu arriver à n'importe qui, en somme.

Le fait que ce furent les Britanniques, si remplis d'affection pour leur famille royale, qui garantirent à la France de devenir durablement une République était sans doute un malheureux accident, une étonnante coïncidence.

18

Pourquoi tout le vin français vient-il d'Amérique ?

Dans les années 1860, une épidémie faillit détruire toutes les vignes de France. Les vignerons regardaient, impuissants, leurs plants se dessécher et mourir. Une maladie mystérieuse mangeait par la racine la production viticole nationale et l'extinction du champagne, du chablis et du château-margaux était une réelle possibilité (ainsi que celle des vins du Beaujolais, du Bordelais et de Bourgogne, du sauternes, du sauvignon et du saint-émilion, et ainsi de suite pour toutes les autres lettres de l'alphabet). Seul un miracle pouvait les sauver.

Et ce miracle vint d'Amérique. Ce qui allait s'avérer plutôt ironique…

Une terrifiante acné verte

Les premiers signes inquiétants de la maladie furent observés en 1863 à Pujaut, près de Nîmes. Quelques pieds de vignes du village semblaient victimes d'une affreuse éruption d'acné : les tendres feuilles vertes se couvraient de petits bubons. Puis elles jaunissaient, séchaient et tombaient. Étrangement, ces boutons disparurent et les vignes produisirent du raisin mais, l'année suivante, les grappes furent moins abondantes et le vin avait un goût acide, sans bouquet. L'année d'après, les ceps s'étaient ratatinés et, quand on les arracha, leurs racines étaient noires, comme si la maladie les avait épuisés. Plus grave, ils avaient contaminé les ceps alentours, qui subirent la même dégénérescence en trois ans.

Rapidement, le même phénomène se reproduisit dans les villages voisins de Roquemaure et Villeneuve-lès-Avignon puis, en 1866, près de Bordeaux. Au fur et à mesure que le fléau s'étendait à toute la France, la panique gagna. Personne ne connaissait les causes de l'épidémie. Les agriculteurs pensaient à une sorte de tuberculose du vin, quand bien même la vigne n'a pas de poumon.

Ce n'est qu'en 1868 que trois scientifiques français de l'université de Montpellier en trouvèrent enfin l'origine.

Cette équipe était conduite par le directeur du département de botanique, Jules Émile Planchon, un homme de la région qui avait travaillé aux Jardins botaniques royaux de Kew, à Londres, l'un des lieux les plus réputés pour l'étude des plantes. Planchon déterra des vignes mortes ou mourantes et découvrit que les racines des plants malades étaient infestées d'un minuscule puceron jaune, quasiment invisible à l'œil nu. Il l'identifia comme étant un insecte nuisible déjà existant mais ayant récemment muté et, en homme ayant le sens des mots, donna à cette bestiole un nom qui sonne comme celui d'un méchant dans Astérix : *Phylloxera vastatrix* (qui signifie, grosso modo, « feuilles sèches dévastatrices »).

« Le phylloxéra, vrai gourmet, repère les meilleurs vignobles et élit domicile sur les meilleurs pieds de vigne. » Vue très peu française du ravageur puceron *phylloxera*, qui parasita et ruina quasiment l'industrie viticole au cours de la seconde moitié du XIXe siècle.

Si vous aimez les insectes, ces pucerons avaient de quoi séduire. Leur couleur, un très beau jaune safran qui n'aurait pas déparé dans un Van Gogh, ne devait toutefois pas faire oublier qu'ils se transformaient en cauchemar aussitôt qu'ils se mettaient à s'attaquer aux racines d'un cep de vigne. Planchon établit que le cycle de vie du puceron était particulièrement destructeur pour les vignes : la femelle déposait ses œufs sous la feuille pendant l'été (d'où les bubons) ; après l'éclosion, les pucerons convergeaient vers le pied du cep, où les larves femelles pondaient sournoisement à leur tour une seconde série d'œufs – jusqu'à 600 chacune – qui incubaient pendant l'hiver ; le printemps suivant, une masse de pucerons jaunes sans ailes étaient éclos et se ruaient vers la racine, plus voraces que des touristes anglais à un buffet froid. Une fois la plante à sec, les petits insectes repus repartaient en titubant, en quête d'une nouvelle victime. Le pire est que les femelles étaient capables de pondre par reproduction asexuée – elles n'y prenaient même pas de plaisir. Ce fléau était complètement froid et sans âme.

Comment l'endiguer ? D'autant que ces bestioles traversaient l'Europe avec la même combativité qu'une armée napoléonienne en campagne. En douze ans, elles avaient fait leur apparition dans tous les plus importants pays producteurs de vin d'Europe. Elles avaient même fait irruption en Australie (par le biais de vignes importées, bien sûr, pas en creusant à travers la Terre). Mais le pays le plus touché demeurait la France. Entre 1875 et 1889, sa production de vin chuta de 8,4 milliards de litres à 2,3 milliards. Environ 40 % du vignoble était détruit.

Plus de vingt-cinq ans après l'apparition des premiers symptômes, la maladie continuait de faire des ravages et la seule solution pour l'éradiquer semblait être de détruire l'ensemble des vignes encore existantes.

Les Américains libèrent la France

Certains producteurs et scientifiques français préféraient guérir plutôt que prévenir – soit en pulvérisant de puissants insecticides, soit en noyant provisoirement les vignes (on savait que ces pucerons n'aimaient pas beaucoup l'eau). Mais, selon Planchon, soigner des plants infectés, c'était perdre son temps. Il fallait mettre au point une sorte de vaccin.

Et c'est alors qu'arrivèrent les Américains.

Dès les années 1870, l'entomologiste Charles Valentine Riley, un Londonien vivant dans le Missouri, avait découvert que le phylloxéra était également présent aux États-Unis (où on lui avait donné un nom plus anglais, ou plutôt moins latin, le pou du raisin) mais qu'il ne semblait pas causer de dommages aux vignes. Pour une raison ou une autre, la vigne américaine était résistante à cette bestiole.

Riley envoya des ceps américains à Planchon, qui confirma que ces plants étaient immunisés contre le mal. Pourquoi ne pas replanter la vigne française avec des pieds américains, se demanda-t-il ? La réponse allait de soi : les Français étaient convaincus que leurs vignes produisaient du meilleur vin. Deux producteurs bordelais, Léo Laliman et Gaston Bazille, trouvèrent toutefois comment sortir de ce dilemme. Sur leur suggestion, Planchon se mit à greffer des branches de pieds de vigne français sur des ceps américains. Il se confirma rapidement que les plants greffés étaient résistants.

Cette découverte divisa la viticulture française, entre

partisans de la pulvérisation et partisans de la greffe, les antiaméricains qualifiant ceux qui soutenaient la méthode de Planchon de « marchands de bois ».

Tandis que la controverse s'éternisait, les producteurs français pointaient au chômage – beaucoup émigrèrent en Amérique et en Afrique du Nord – et les distributeurs importaient du vin de l'étranger. Même si la greffe mise au point par Planchon fonctionnait, il semblait qu'il fût trop tard pour sauver la profession.

Un scandale bien dans la manière française fit traîner encore un peu plus les choses. Le gouvernement avait, en effet, offert une récompense de 320 000 francs à la première personne qui trouverait un remède au phylloxéra. Le producteur bordelais Laliman revendiqua la prime, même s'il avait travaillé aux côtés de Planchon et Bazille, avant d'être écarté pour avoir été celui qui aurait, à l'origine, importé les pieds infectés.

Dans ce contexte de fureur exacerbée, il est presque miraculeux que la greffe et la replantation aient commencé à lentement produire leurs effets. Environ 2 500 hectares de nouvelles vignes avaient été plantés en 1880. En 1885, ce nombre s'élevait à 45 000 hectares. Une armée de libération franco-américaine était en marche à travers le pays.

On assure que si la vigne américaine n'avait pas été parachutée sur la France, les pucerons jaunes auraient décimé presque toute la viticulture européenne. Du fait de son isolement, Chypre fut épargnée mais, Chypre mise à part, à peu près tous les autres pays auraient perdu leurs vignes. Le seul raisin européen résistant aux attaques du phylloxéra est l'assyrtiko, qui pousse sur l'île grecque de Santorin.

Quoi qu'il en soit, la viticulture fut sauvée grâce

au sérieux des botanistes, à leur imagination, à une croyance darwinienne en la survie du plus fort – *De l'origine des espèces* avait été publié par Charles Darwin en 1859 – et grâce aux robustes plants américains. Un grand merci à leur égard s'imposait.

Vraiment ? D'aucuns prétendirent néanmoins, arguments darwinistes à l'appui, que les Américains avaient contribué à l'épidémie de phylloxéra.

Depuis la fin des années 1850, en effet, les producteurs de vin français (dont, disait-on, le Bordelais Léo Laliman) avaient expérimenté des moyens d'accroître leur productivité en damant le pion à dame Nature. Ils s'étaient ainsi mis à planter des pieds de vigne étrangers dans leurs vignobles, y compris des ceps en provenance des États-Unis. Et vu la conviction avec laquelle Laliman avait soutenu la théorie de la greffe, il expérimentait probablement déjà les greffes sur sa propriété.

Aujourd'hui, tout le monde s'accorde à penser que le fléau fut, à l'origine, importé du Nouveau Monde via un ou plusieurs lots de vignes commandés sur un catalogue de plants américains. Évidemment, il s'agissait d'un malheureux accident, mais infecter un pays avant de lui vendre le médicament pour le soigner correspond au genre de pratiques commerciales brutales qui, jusqu'à ce jour, ont toujours rendu les Français suspicieux vis-à-vis des Anglo-Saxons.

D'où que vienne la faute, une chose est sûre : si un vigneron lève son verre de bandol, de bordeaux, de bourgogne ou de l'un de ces très nombreux vins commençant par un *b*, ou par toute autre lettre de l'alphabet, et prétend qu'il est supérieur à n'importe quel vin du Nouveau Monde, il convient de lui répondre que le vin français *est*, en partie au moins, un produit du Nouveau Monde.

19

Édouard VII badine à Paris

Bertie le Cochon et l'Entente cordiale

Le roi Édouard VII était l'un des rares Anglais de son époque à savoir à quel point il était plaisant de *ne pas* être en guerre contre la France.

Albert Édouard, prince de Galles, fils aîné de la reine Victoria, « Bertie » pour les intimes et pour ces dames, fit de la France son terrain d'élection au cours des dernières décennies du XIXᵉ siècle. Quand il ne jouait pas aux « chambres musicales » dans des maisons de campagne anglaises, il « vadrouillait » (comme sa mère le disait) entre Paris et Cannes, trottinant d'un champ de courses aux Folies-Bergère, en passant par ses bordels préférés. C'était un tel habitué qu'il avait même sa propre chambre dans l'une des maisons closes les plus huppées de Paris, équipée de meubles érotiques construits sur mesure – mais nous y reviendrons bientôt.

Même quand les tensions s'accrurent entre la France et la Grande-Bretagne, Bertie s'assura que la politique ne constituerait pas un obstacle au plaisir. S'entendant aussi bien avec les royalistes français qu'avec les républicains, il souhaitait que tout le monde soit ami de façon à pouvoir continuer à s'amuser. On peut même défendre que ses exploits sexuels contraignirent la France, en dépit de ses ruades et de ses cris d'orfraie, à entrer dans l'Entente cordiale, l'accord qui, à partir de 1904, enterrerait une fois pour toutes la hache de guerre ancestrale entre Anglais et Français.

En somme, jamais on ne fut si redevable, dans l'histoire des conflits humains, à la libido de l'un d'entre eux.

Paris, ville résolument non victorienne

Bertie était tombé amoureux de Paris quand il avait treize ans. Il s'était rendu dans la capitale française à l'occasion d'une visite royale à la cour de Napoléon III et avait pris conscience que les palais ne devaient pas nécessairement être tous aussi ennuyeux que la maison de ses parents. La reine Victoria et le prince Albert croyaient en la vertu d'apprendre aux princes des matières aussi rébarbatives que le latin et l'histoire plutôt que de les laisser simplement être princes. Ils désiraient qu'il soit victorien, avec toutes les contraintes morales que cela supposait.

Mais à Paris, Bertie dansait pendant que d'élégantes dames le taquinaient au sujet de ce qu'il cachait sous le kilt que ses parents l'obligeaient à porter. L'impératrice Eugénie était une figure prestigieuse et emblématique de la mode. Elle prit Bertie sous son aile et nul doute qu'elle provoqua des frissons résolument non victoriens sous son *sporran*[1]. Napoléon III, un vrai mec, lui parlait en homme et le jeune prince comprit qu'il était ici dans une ville où l'on pouvait faire varier sa ligne de conduite et sa propre morale d'un jour à l'autre. En français, « avoir le moral » ne signifie-t-il pas se sentir bien, et une « bonne morale » toute chose qui vous rend heureux ?

Bertie dut attendre quelques années de plus avant d'avoir l'occasion de profiter pleinement de la France. Ses parents souhaitaient d'abord parfaire son instruction. Ils l'envoyèrent donc à Oxford et l'emmenèrent voir des pièces de théâtre intello à Londres. Mais il n'était pas fait pour ces choses-là. Une fois, il choqua les spectateurs en demandant à haute voix : « Est-ce que quelqu'un pourrait me dire de quoi parle cette satanée pièce ? »

Les années 1860 arrivant, il considéra que ses humanités étaient faites et que des écoles plus buissonnières l'attendaient. Accompagné le plus souvent par un seul écuyer, il commença à se rendre à Paris chaque année pour des orgies de plaisir. Son épouse se joignait parfois au voyage (il s'était marié, en 1863, à Alexandra, fille du prince du Danemark), mais comme elle aimait se coucher tôt, dès qu'il l'avait déposée à l'hôtel, Bertie pouvait sortir et s'octroyer la permission de minuit.

Il se rendait aux Folies-Bergère (enfin un théâtre où il comprenait tout !), buvait du champagne à la santé des danseuses et découvrait que la liberté parisienne corrigeait même son défaut de prononciation. Chez lui, il avait en effet du mal à rouler les *r*. Mais ici,

---

1. Le *sporran* est une sorte de bourse en cuir accrochée à la ceinture du kilt écossais et se portant traditionnellement sur le devant, au niveau de l'entrejambe. (*N.d.T.*)

sa langue ne fourchait pas au moment de formuler des mots d'esprit qui faisaient glousser ces dames.

Au théâtre, le prix à payer pour assister à une pièce sérieuse était racheté par le plaisir de fixer du regard la sublime Sarah Bernhardt. Il se trouva même une fois tout près d'elle après s'être débrouillé pour jouer le rôle d'un cadavre, étendu sur la scène tandis que « la divine Sarah » pleurait sur son prince mort.

Après le théâtre, il allait dîner au Café Anglais, où la célèbre Cora Pearl lui fut un jour servie au dessert, nue et couverte de crème (et dire que les Français prétendent que la cuisine anglaise est fade...).

Bertie ne se cachait pas. Il s'éclatait généralement en compagnie d'une bande d'amis du Jockey Club et il aimait que tout le monde sache qu'il était le prince de Galles. Les dames étaient alors infiniment plus attentives à lui et se trouvaient parfois disposées à le divertir à plusieurs.

Il ne fallut pas longtemps pour que la réputation sulfureuse du prince arrivât à Londres, où les journaux à scandales se délectaient des détails les plus croustillants de ses exploits. En 1868, une caricature présenta le prince abandonnant la Grande-Bretagne pour une catin française. Un autre article rapporta un grave manquement au respect des obligations liées à son rang. Selon le journaliste, le prince était sur le point de sortir quand on l'avait informé de la mort d'un parent éloigné. Ses amis lui avaient alors demandé ce qu'ils devaient faire. « Mettez des boutons de manchettes noirs et allons voir la pièce », avait répondu le prince. Pas sûr que la reine Victoria, réputée pour son manque d'humour, ait trouvé la réplique à son goût.

Bertie invite la République à déjeuner

En 1870, Bertie fut très inquiet que la fête prenne fin. La guerre franco-prussienne avait éclaté et la famille de Victoria était allemande. Les Français n'en viendraient-ils pas à soupçonner la Grande-Bretagne d'être secrètement favorable à la Prusse ? Plus grave encore, les patriotiques danseuses françaises de cancan refuseraient-elles désormais d'exhiber leurs bas devant lui ?

Bertie affirma à sa mère que l'heure était venue d'organiser une visite diplomatique à Paris pour arrondir les angles entre les deux nations. Victoria n'était pas dupe mais les responsables politiques trouvèrent l'idée bonne. Bertie se rendit donc à Paris, usant de ses ruses habituelles pour prouver aux Français que les Britanniques les aimaient toujours (de préférence dans des parties à trois).

Il fit également la tournée des hommes politiques, apaisant et irritant dans le même temps tout le monde à Paris en autorisant les royalistes français à lever leur verre de champagne à sa santé mais en refusant de prononcer la moindre parole antirépublicaine. « Ces républicains sont peut-être impétueux, sermonna-t-il un duc, mais ils ont un cœur généreux. »

Nul doute que les relations franco-anglaises finirent par en sortir renforcées, tant et si bien que Bertie fut invité par le gouvernement républicain nouvellement élu à aider à l'organisation de l'Exposition universelle de Paris, en 1878. Ce qu'il accepta, bien entendu, en prêtant au pavillon britannique sa collection personnelle de trésors indiens. Il accepta même d'envoyer la collection en dépit du refus des assureurs de la couvrir. Lorsque l'Exposition s'ouvrit, quelques députés républicains essayèrent de provoquer le prince en s'exclamant : « Vive la République ! » Mais il prit tout simplement le parti d'en rire. Il n'allait pas laisser la politique gâcher la fête.

Au même moment, une autre crise politique se déclarait. Les Turcs avaient cédé Chypre à la Grande-Bretagne et les Français étaient furieux car cela donnait à la Marine royale honnie une place forte de plus en Méditerranée et menaçait de mettre en péril l'équilibre fragile des puissances dans la région.

Pas de souci à avoir. Bertie invita aussitôt à déjeuner l'homme politique français le plus influent (et le plus républicain), Léon Gambetta.

Souhaitant garder ce rendez-vous secret, le prince envoya un carrosse quérir Gambetta. La conversation fut d'abord guindée et porta sur des généralités. Bertie fut choqué par l'apparence petite-bourgeoise de Gambetta, qui portait de vulgaires bottes en cuir verni et une redingote mal assortie ; ses manières à table étaient déplorables. De son côté, Gambetta s'attendait à un snob dédaigneux, une sorte d'aristo français avec un accent anglais.

Les premiers mots du prince le confirmèrent dans ses préjugés : Bertie demanda pourquoi la France ne laissait pas sa noblesse prendre une part active à la vie du pays. Pourquoi ne pas faire comme les Anglais et anoblir des industriels et des scientifiques, histoire de secouer l'aristocratie ? Gambetta répondit que cela ne fonctionnerait pas car un baron héréditaire français estimerait ne rien avoir à partager avec un *duc de l'industri*e. Sportivement, le prince acquiesça et dit qu'il comprenait désormais le républicanisme français.

Gambetta, à son propre étonnement, confia plus tard

avoir passé un excellent déjeuner et que le prince avait même témoigné d'une certaine « bonhomie républicaine ». Bref, grâce à Bertie, il était désormais très compliqué de se mettre en colère contre les Britanniques à propos de la Méditerranée, ou de toute autre chose. À l'issue de l'entretien, Gambetta avait concédé à contrecœur que la France ne pouvait, de toute façon, rien sur la question de Chypre. Bertie avait séduit le principal responsable politique français à peu près aussi totalement que ces dames de Paris.

Ceci est une chaise

La bonne humeur quasi permanente du prince avait une explication. Une nouvelle attraction venait de voir le jour dans le quartier des théâtres, qui exauçait les rêves les plus fous de Bertie.

Le Chabanais était un bordel de luxe financé par certains des hommes d'affaires les plus riches du pays et géré par une tenancière irlandaise. Sa vertueuse devanture cachait un monde de plaisirs insoupçonnables. Toutes les filles avaient de l'allure, choisies qu'elles étaient en fonction de leur ressemblance avec les actrices les plus célèbres du moment, et les clients étaient eux aussi triés sur le volet. Les hommes ne venaient pas seulement pour une partie de jambes en l'air, ils venaient pour boire du champagne, être flattés et adulés par des beautés à moitié nues, entendre rire à leurs bons mots avant de s'éclipser à l'étage avec leur « conquête » dans l'une des chambres somptueusement décorées.

Tout cela était légal, grâce à Napoléon Bonaparte qui

avait créé les maisons de tolérance au début du siècle. Les filles qui y travaillaient devaient être soumises à des contrôles sanitaires réguliers, ce qui rendait la prostitution non seulement légale mais sûre. Pas de risque que la syphilis ou toute autre maladie sexuellement transmissible dévoile le pot aux roses aux épouses. Vraiment ? En réalité, les médecins étaient souvent corrompus et une infection n'était diagnostiquée que si une tenancière souhaitait se débarrasser de quelqu'un. Derrière le luxe de ses salons, Le Chabanais ne disposait pas même de douches pour ses filles.

Le sordide envers du décor était masqué aux clients, et pour Bertie ce fut le coup de foudre. Il s'attribua une chambre dont il choisit lui-même le décor. Il désirait une baignoire en cuivre qu'il pourrait remplir de champagne et il fit dessiner son fameux « siège à fellation », dont deux ou trois personnes – y compris un Anglais corpulent – pouvaient profiter en même temps.

Cette chaise recouverte de laque dorée et de velours était un miracle d'ingéniosité. Victoria aurait même pu être fière que son fils déployât un tel art dans la science du sexe. À « l'étage » du dessus se trouvait un tabouret avec poignées et étriers de façon que la personne « A » puisse s'y asseoir, les jambes tournées vers l'extérieur. Sous celui-ci, des repose-pieds permettaient à la personne « B » de se tenir debout où accroupie devant l'occupant de l'étage supérieur. Au rez-de-chaussée se trouvait un grand divan ou la personne « C » pouvait s'allonger, le visage exactement à hauteur des parties génitales de la personne « B ». Il avait sans doute fallu beaucoup de soirées arrosées au champagne pour parvenir à concevoir cette chaise et encore davantage pour arriver à des positions si parfaites.

Le roi Édouard VII pensait que l'*entente* avec ces dames françaises devait être beaucoup plus que *cordiale*. Le voici en train de se livrer à un exercice de conjugaison avec les filles de sa maison close parisienne préférée, Le Chabanais.

Il est à noter que cette chaise de l'amour contribua plus tard presque autant aux relations internationales que Bertie lui-même de son vivant. Au cours de la Seconde Guerre mondiale, quand les bordels de luxe parisiens étaient réservés aux officiers nazis, les troupes occupantes décidèrent en effet de laisser les armoiries du prince sur la chaise « parce qu'il avait une mère allemande ».

Mais revenons à 1878. Bertie retourna à Londres ravi et raconta son succès auprès de Gambetta. Le ministère des Affaires étrangères lui en fut très reconnaissant et demanda au prince s'il serait d'accord pour jouer désormais un rôle diplomatique permanent. On lui proposait l'emploi de ses rêves.

La carrière internationale de Bertie

Tout au long des années 1880, le prince continua de mener une vie de luxe et de luxure et commença à irriter une catégorie de la population française peu nombreuse mais importante : la police secrète, chargée de garder un œil sur lui au cas où il échangerait des messages séditieux avec des femmes royalistes (quand bien même les conversations auraient été malaisées sur le siège à fellation). Des agents devaient le suivre et procéder à des vérifications auprès de toutes ses maîtresses – une tâche ô combien ardue. La police fut donc probablement soulagée quand, non content d'emmener avec lui à Paris des maîtresses anglaises, il prit goût à voyager en compagnie d'héritières américaines qui étaient, quant à elles, ressortissantes d'une république.

Le prince ne limita jamais ses attentions à une seule

et heureuse élue. Au seuil des années 1890, Montmartre était plus olé olé que jamais. Les Parisiennes coquettes avaient beau se couvrir de plusieurs épaisseurs de jupes et de jupons, contrairement à leurs homologues victoriennes, ceux-ci ne servaient pas de bouclier moral. Comme l'un des biographes du prince l'écrit : « L'habillement était comme une fortification – chaque rempart devait être pris d'assaut et la reddition finale avait d'autant plus de valeur qu'un siège l'avait précédée. »

Bertie repartit de plus belle au combat. Il eut une aventure avec la Belle Otero, l'étoile espagnole des Folies-Bergère, dont les seins prodigieux inspirèrent les dômes jumeaux de l'hôtel Carlton, à Cannes (bien qu'il soit difficile de croire qu'ils eussent été aussi gros, gris et pointus).

Il se rendit au Moulin-Rouge pour assister au spectacle de la danseuse de can-can la Goulue (appelée ainsi car elle avait l'habitude de finir les verres des hommes pendant qu'elle dansait). Levant bien haut la jambe, ses jupons fouettant pratiquement le visage des spectateurs, elle révélait un cœur cousu sur sa culotte. Son truc était de faire voler les chapeaux des hommes assis au premier rang, ce qui donne une idée du point de vue que ces derniers pouvaient avoir sur ses cuisses affriolantes. Un soir, elle remarqua le prince et s'écria : « Hé, Galles ! Tu paies l'champagne ! C'est toi qui régales ou c'est ta mère qui invite ? » Le prince rit, bien qu'il trouvât sans doute ce tutoiement fort *shocking*.

L'Entente cordiale en pleine jouissance

La reine Victoria mourut en 1901 et sa dernière parole fut : « Bertie. » Son ultime volonté aurait été que le prince conserve ses deux premiers prénoms en hommage à son cher époux Albert. Mais Bertie décida de se faire simplement appeler le roi Édouard. Avoir deux prénoms faisait trop français, prétexta-t-il.

En raison des funérailles puis de l'organisation de son couronnement, le nouveau roi n'eut pas l'occasion de retourner à Paris avant mai 1903. En tant que chef d'État, il aurait été assez difficile pour lui de filer avec son écuyer au Chabanais. La visite, cette fois-ci, revêtait un caractère officiel, avec une caution politique qui la rendait tout à fait acceptable. La France demeurait contrariée par la guerre coloniale des Britanniques contre les Boers en Afrique du Sud et inquiète, par ailleurs, que les Anglais songeassent à resserrer leurs liens avec l'Allemagne (la mort de Victoria avait rapproché le nouveau roi d'Angleterre de son cousin, le Kaiser).

Bertie se proposa donc d'aller en France « faire un peu de diplomatie ». Le ministère des Affaires étrangères était contre, tout comme l'étaient les Allemands, trop heureux de voir deux puissances européennes de premier plan en bisbille. Mais l'appel de Paris était trop fort et Bertie emporta la décision.

Son arrivée à Paris fut pourtant placée sous de mauvais auspices. Il défila sur les Champs-Élysées aux cris de : « Vive les Boers ! » Le seul Britannique qui recueillit des applaudissements était un officier de l'armée qui avait été confondu avec un Boer en raison de son uniforme kaki. Un membre de l'ambassade remarqua : « Les Français ne nous aiment pas. » « Pourquoi nous aimeraient-ils ? » répliqua Bertie, convaincu qu'il convenait de donner à ce voyage le tour d'une offensive de charme.

Aussi, ce soir-là, devant la Chambre de commerce britannique, prononça-t-il un discours aux accents inédits dans la bouche d'un monarque anglais :

« La Divine Providence a décidé que la France devait être notre plus proche voisine et, je l'espère, toujours notre plus chère amie. Il y a pu avoir des malentendus et des sources de désaccord dans le passé [un doux euphémisme] mais toutes ces différences sont, je crois, heureusement levées et oubliées, et j'espère que de l'amitié et l'admiration que nous portons tous pour la nation française et ses glorieuses traditions [il devait sans doute penser ici aux Folies-Bergère et au Chabanais plutôt qu'à la Révolution et à Napoléon] pourra naître dans un avenir proche le sentiment d'un profond attachement et d'une grande affection entre les peuples de ces deux pays. »

À Londres, la terre devait trembler sous l'abbaye de Westminster pendant qu'Édouard III, Henri V, Élisabeth Iʳᵉ, Guillaume d'Orange et moult autres monarques des temps jadis se retournaient dans leurs tombes.

Mais ces belles paroles ne suffirent pas à amadouer les Parisiens. De manière assez peu diplomatique, on emmena Bertie assister à une pièce de théâtre ouvertement prorépublicaine et il dut, pour la première fois de sa vie, se retenir d'applaudir les actrices. Pire : il avait intrigué pour que la Belle Otero soit présente, or les responsables du théâtre l'avaient refoulée à l'entrée. L'outrage politique se doublait d'un affront personnel.

Heureusement, en flânant dans le foyer au cours

de l'entracte, il aperçut une actrice française de sa connaissance (et il en comptait beaucoup). Il s'avança vers elle et lui dit se rappeler avoir applaudi à son spectacle (hum) à Londres et qu'elle représentait « toute la grâce et tout l'esprit de la France ». Il prononça ces mots en français, bien entendu, et ce commentaire fort diplomatique fit le tour de la haute société parisienne.

Le lendemain, il poursuivit son numéro de charme à l'Hôtel de Ville, affirmant aux invités : « Je n'oublierai jamais la visite à votre charmante cité, et je puis vous assurer que c'est avec le plus grand plaisir que je reviens chaque fois à Paris, où je suis traité exactement comme si j'étais chez moi. » Ni sa mère ni son épouse ne l'avaient pourtant jamais laissé installer une chaise à fellation dans sa chambre à coucher.

Pour finir, grâce à la seule force bonhomme de Bertie (et peut-être aussi un peu grâce au soutien moral des Parisiennes), l'atmosphère changea. Le discours de la veille devant la Chambre de commerce reçut les éloges de la presse française et quand Bertie quitta Paris, ce fut sous des « Vive le Roi ! » À lui seul, il avait inversé le cours de la situation diplomatique. Comme si toutes ses années de dîners au champagne et de fêtes dans les bordels portaient enfin leurs fruits. Il avait écarté les différends politiques comme les jupons d'une fille de joie de Montmartre. En faisant, à force de flagornerie, des Français ses amants, il les avait réunis autour de lui sur sa chaise à fellations diplomatique.

Sur le papier, l'Entente cordiale, signée moins d'un an plus tard, le 8 avril 1904, par le ministre des Affaires étrangères britannique, Lord Lansdowne, et l'ambassadeur de France en Grande-Bretagne, Paul Cambon, était un simple accord qui avait uniquement pour vocation de formaliser la non-ingérence dans les sales histoires de chacun au Maroc et en Égypte, une clause particulière limitant par ailleurs les droits de pêche de la France au Canada. Cette *entente* – une compréhension mutuelle plutôt qu'une alliance – était *cordiale* – c'est-à-dire polie mais en aucun cas *amicale*. C'était comme si deux voisins avaient fini par se mettre d'accord pour ne plus balancer leurs feuilles mortes de l'autre côté de la haie. Cela ne signifiait pas pour autant qu'ils s'invitaient pour le barbecue.

Pourtant, aux yeux des peuples français et britannique, il s'agissait de bien davantage. C'était une avancée décisive, la promesse d'une amitié à venir. Tout cela grâce au roi Édouard VII, plus connu autrefois sous le surnom de *Dirty Bertie* – « Bertie le Cochon ».

À bien y réfléchir, l'Entente cordiale, cet accord qui allait servir de socle aux relations franco-britanniques pour le siècle à venir (au moins), était née dans la chambre d'un élégant bordel parisien. Et il n'est pas abusif de dire que cette entente n'était au fond qu'une métaphore politique des accouplements raffinés qui s'opéraient jadis dans la baignoire en cuivre de Bertie et sur ses meubles érotiques conçus sur mesure.

Sans hésiter : vive le Roi !

20

Quand de vieux ennemis combattent
(pour une fois) côte à côte

Août 1914 : la sensation dut être des plus étranges pour les Français. Une force d'invasion anglaise était en train de traverser la Manche sans avoir l'intention (pour une fois) de venir violer et piller. Ils ne pointaient même pas leurs armes en direction des Français. Enfin, pas de manière intentionnelle en tout cas. L'armée britannique venait défendre la France après avoir passé dix siècles à ne pas manquer une occasion de l'attaquer.

La sensation dut aussi paraître étrange aux Britanniques. Certes, ils avaient combattu aux côtés des Français quelques décennies plus tôt en Crimée, mais cela ne représentait guère plus qu'une expédition coloniale. Cette fois-ci, il s'agissait d'une campagne militaire sur tous les vieux champs de bataille du nord de la France et des Flandres. Une fois de plus, les soldats s'affrontaient dans la vallée de la Somme, près de Crécy et d'Azincourt, mais cette fois Anglais et Français luttaient côte à côte. Tout cela était très suspect. Un peu comme si le duc de Wellington était passé dans le camp adverse au beau milieu de la bataille de Waterloo et s'était retourné contre les Prussiens. Nombreux étaient ceux qui se demandaient combien de temps cette association tiendrait le coup...

Un Anglais qui s'appelle French

Le gouvernement britannique savait que voir 100 000 soldats anglophones naviguer en direction de la France pourrait traumatiser les populations locales. Il décida donc de les faire débarquer bien gentiment. En août 1914, les premières troupes à arriver provenaient des Highlands, en souvenir d'une bonne vieille alliance et de la Britannique préférée des Français, Marie, la reine des Écossais. Les soldats défilèrent en kilt dans les rues de Boulogne, jouant *La Marseillaise* à la cornemuse. Les foules qui les accueillaient devaient penser que cette guerre promettait d'être assez surréaliste.

Cette diplomatie, du meilleur goût, conduisit également à la nomination du maréchal Sir John French à la tête de la Force expéditionnaire britannique (ou BEF). Non seulement il possédait le patronyme idoine pour pareille mission mais il était aussi un grand admirateur de Napoléon et un collectionneur passionné de reliques impériales.

La tactique fonctionna (du moins au début). Les Français se montrèrent ivres de reconnaissance de voir les Britanniques venir à leur rescousse. Un officier d'artillerie anglais se rappela plus tard que, lorsque son unité s'était enfoncée dans l'intérieur des terres, il avait vu « des fleurs tout le long du trajet », lancées par la foule qui applaudissait. « Les voitures, dit-il, ressemblaient à des carrosses de carnaval. Ils nous bombardaient de fruits, de cigarettes, de chocolat et de pain. » Et lorsqu'il s'était arrêté pour acheter des lunettes de protection contre la poussière, le commerçant avait refusé qu'il paye. Quelqu'un lui avait même offert le déjeuner.

Hélas, la période des déjeuners gratuits ne dura pas longtemps. Très vite, les Brits cessèrent d'être les coqueluches. Les Allemands ne recevaient peut-être pas autant de bouquets que les BEF mais ils avançaient rapidement à travers la Belgique et gagnaient du terrain en France. Les ordres du Kaiser étaient d'ignorer les Français, d'« exterminer les traîtres anglais et d'écraser la petite armée méprisable de Sir John French ».

Ils y furent aidés par Sir John lui-même. Bien qu'il eût assurément possédé quelques livres de Napoléon, il est impossible qu'il en ait lu un seul. En tant que tacticien, il était nul. Son premier mouvement fut de conduire ses troupes vers la Belgique en dépit de l'avertissement qu'il avait reçu et du risque de se retrouver isolé et vulnérable. Les Allemands le repoussèrent comme prévu, contraignant les BEF à abandonner ces camions que les Français venaient de couvrir de fleurs.

Dans leur retraite, les Britanniques eurent recours à leurs vieilles tactiques de pillage, dépouillant les cerisaies, se servant en poulets, œufs et lait, volant le charbon et démantelant des fermes entières pour en faire du bois de chauffe. On en était revenu à l'époque de la guerre de Cent Ans.

Plus grave, la méfiance entre Anglais et Français s'installa presque immédiatement après ce repli. Les Français pensaient que Sir John abandonnait le combat. Le maréchal, lui, se défendait en affirmant qu'il avait été contraint de se replier car des retraits soudains et impromptus des Français avaient laissé ses troupes à découvert. Finalement, il fallut la force de persuasion combinée des dirigeants français et du secrétaire d'État à la Guerre britannique, Lord Kitchener, pour convaincre Sir John de ne pas retourner directement à Boulogne.

Tandis que les deux alliés se chamaillaient, les Allemands martelaient le sol de France. Début septembre, alors que la Première Guerre mondiale venait de commencer, ils ne se trouvaient plus qu'à une cinquantaine de kilomètres de Paris, à la merci d'un siège qui donnait froid dans le dos aux habitants de la capitale.

Paris, ville sans lumière

Quarante-trois ans plus tôt à peine, pendant l'automne et l'hiver 1870-1871, Paris avait subi un siège prussien de quatre mois. De septembre à janvier, l'armée de Bismarck avait campé dans ses faubourgs et pilonné la ville. Des Parisiens affamés en avaient été réduits à manger des chiens, des chats, des rats et tous les animaux du zoo. Au quatre-vingt-quinzième jour du siège, le menu de Noël 1870 d'un célèbre restaurant proposait une tête d'âne farcie, une terrine d'antilope, un consommé d'éléphant et du chameau rôti *à l'anglaise* (les Français s'imaginaient-ils donc que les Anglais mangeaient du chameau ?) Le siège s'était achevé par une défaite française et par l'occupation provisoire de Paris par les Prussiens, avec une cérémonie de la victoire au château de Versailles – et tout cela était encore, en cet été 1914, vivace dans la mémoire de beaucoup de Parisiens.

Les jours (et les nuits) étincelants du Paris enjoué d'Édouard VII étaient bien loin. De fait, la simple perspective de la guerre avait suffi à ternir la célèbre gaieté de la ville, alors que pas même un coup de feu n'avait encore été tiré. L'envie d'en découdre qui avait accompagné la déclaration de guerre s'était tue et Paris entrait en hibernation. La loi martiale était instaurée, les terrasses des cafés étaient désertées, la vente d'absinthe interdite (la nation avait besoin d'hommes sobres) et les cafés-concerts n'avaient plus le droit de jouer de musique. Les danseuses de cabaret raccrochèrent leurs jupes à fanfreluches et le business des filles de joie de Montmartre devint des plus tristes quand la plupart de leurs jeunes clients disparurent au moment de leur appel sous les drapeaux. Tout d'un coup, les seuls mâles dans la rue étaient des gamins ou de vieux messieurs, quelques touristes américains ahuris et des policiers en patrouille ; Paris était saisi par la peur d'avoir déjà été infiltré par des espions allemands préparant le siège.

Heureusement pour la ville, les envahisseurs furent stoppés sur la Marne et les combattants demeurèrent dans la campagne, s'enterrant pour quelques années de guerre de tranchées.

Pour creuser, ils creusèrent : à la fin 1914, on relevait 700 kilomètres de tranchées depuis la côte belge jusqu'à la frontière suisse. La Première Guerre mondiale telle que nous la connaissons venait de commencer – à chaque nouvelle offensive, l'artillerie alliée ou allemande ouvrirait le feu, oblitérant les tranchées adverses ainsi que toute ville ou village belge ou français aux alentours ; puis les soldats se lanceraient à travers ce qui était naguère des prés et des cerisaies, criblant le terrain de balles, d'éclats d'obus et de cadavres. Les rescapés s'enterreraient alors à nouveau et toute cette mascarade recommencerait, encore et encore. La France était défendue mais elle était aussi détruite.

La paralysie provoquée par la guerre des tranchées modifia définitivement le regard des Français sur leurs invités britanniques. Ils s'étaient réjouis de couvrir ces *tommies* de fleurs, de chocolat et de lunettes antipoussière à l'heure où ils croyaient qu'ils n'allaient pas rester au-delà du déjeuner. Même Noël n'avait pas semblé trop loin. Mais il fut bientôt évident que les *tommies* étaient là pour beaucoup, beaucoup plus longtemps, aux côtés des Australiens, des Néo-Zélandais, des contingents des colonies et, plus tard, des Américains. À la fin de la guerre, on comptait plus de 2 millions de soldats alliés en France, dont la quasi-totalité étaient logés pendant une partie de leur séjour « chez l'habitant ».

Même au début de la guerre, quand l'opinion des Français sur les Alliés était la meilleure qui fût, cette cohabitation n'alla pas toujours sans heurt. Le problème était que de nombreux soldats britanniques avaient servi dans les colonies et qu'ils traitaient leurs hôtes aussi mal que s'il s'était agi d'Indiens ou d'Africains, envers lesquels ils n'avaient pas vraiment fait preuve de beaucoup de respect. En bref, pour toute une catégorie de soldats britanniques, les villageois français ne valaient guère mieux que des sauvages primitifs.

En bonne logique, les Français, de leur côté, réagirent en profiteurs. Sachant qu'ils pouvaient à tout moment se faire bombarder ou être expulsés de leurs maisons par l'avancée allemande, ils agirent au mieux de leurs intérêts pour leur survie. Mais cette façon de faire rendit furieux les *tommies* et leurs camarades alliés.

Arthur Guy Empey, un Américain qui s'engagea en 1915 pour servir en France aux côtés des *tommies*, écrivit dans son livre *Over the Top* un glossaire grinçant à ce sujet :

« *Allumettes* : terme français pour désigner les *allume-cigarettes* qu'ils vendent aux *tommies*, et dont les émanations de soufre sont connues pour gazer toute une section.
Estaminet : établissement ou bar public où de l'eau boueuse est vendue pour de la bière.
Vin rouge : vin français fait à partir de vinaigre et d'encre rouge. Le *tommy* paie cher pour ça.
Vin blanc : vin français fait à partir de vinaigre. Ils ont oublié l'encre rouge. »

Voulez-vous coucher avec moi ce soir ?

Certaines formes d'exploitation dérangeaient cependant moins les soldats.

Lorsque la première vague de troupes anglaises arriva à Boulogne, elle apportait avec elle une lettre signée du secrétaire d'État à la Guerre, Lord Kitchener, leur demandant d'être « courageux, aimables, courtois (mais pas davantage) avec les femmes ». Kitchener était de la génération d'Édouard VII et connaissait bien les demoiselles françaises. Il avait aussi supervisé l'armée britannique pendant la guerre contre les Boers et savait également tout des actes d'incivilité dont ses troupes étaient capables quand elles occupaient un pays (notamment parce qu'il leur en donnait l'ordre).

Les *tommies* recevaient ainsi quelques conseils concrets sur la façon de se comporter avec les femmes françaises. Un rapport du Conseil national des femmes françaises dénonça ainsi une brochure britannique appelée *Five Minutes' Conversation with Young Ladies* (« Conversation de cinq minutes avec de jeunes dames ») qui enseignait aux soldats comment mettre en pratique la courtoisie façon Kitchener. Cette publication « dégoûtante », explique le rapport, encourageait les étrangers au vice, apprenant aux soldats des phrases telles que « Voulez-vous accepter l'apéritif ? », « Permettez-moi de vous baiser la main », « Notre bonheur sera de courte durée » et « Où habitez-vous ? ». Comment passer de « Bonjour » à « Allons chez toi » en cinq minutes – il s'agissait là d'une affaire rondement menée, même selon des critères français.

Un rapport de police critiquait aussi les troupes américaines basées à Paris et qui « s'adressent assez grossièrement aux femmes dans la rue, sans se soucier de savoir à qui ils parlent ». Non que les Parisiennes aient été réticentes – le rapport se disait scandalisé que « des jeunes filles délaissent leurs cours et se laissent facilement approcher au prétexte qu'elles savent parler anglais ».

Parmi les phrases en anglais que ces filles devaient connaître figuraient sans doute celles relatives à la négociation d'un tarif. Pendant toute la Première Guerre mondiale, la prostitution occasionnelle était monnaie courante en France. On comprend qu'elle ait causé une profonde anxiété au sein des troupes françaises, où l'on s'inquiétait qu'épouses et fiancées ne témoignent d'une hospitalité excessive à l'égard des soldats étrangers. Pour de nombreuses veuves, en revanche, il s'agissait plutôt d'une question de survie, une façon d'équilibrer les comptes après que le chef du foyer eut été réduit en charpie quelque part dans une tranchée. Il y avait bien assez de mâles étrangers disposés à aider une propriétaire ou une servante entreprenante à arrondir ses fins de mois.

Finalement, dans cette guerre des sexes, Kitchener dut accepter sa défaite et appliqua les idées de Bonaparte. Les Britanniques tirèrent profit de la loi napoléonienne légalisant les bordels pour créer leurs propres maisons de tolérance françaises, avec des lumières bleues au fronton pour les officiers et rouges pour les simples soldats. On estime qu'une armée de 50 000 sommiers français soutenait ainsi l'effort de guerre britannique.

Dans ses mémoires de guerre, *Goodbye to All That* – « Adieu à tout ça » –, Robert Graves offre une description bien peu romantique de l'un de ces bordels : « Une queue de cent cinquante hommes attendait devant la porte pour se faire chacun débraguetter par l'une des trois femmes de la maison, [...] le tarif était de dix francs par personne [soit environ deux semaines de paye pour un soldat de base]. Chaque femme s'occupait de quasiment un bataillon par semaine, jusqu'à ce qu'elle n'en puisse plus. Selon l'assistant du prévôt, la limite autorisée était habituellement de trois semaines, "après quoi elle se retirait avec ses gains, blafarde mais fière". »

En réalité, Graves (ou l'assistant prévôt) pèche ici par romantisme car un bataillon pouvait compter jusqu'à 1 000 hommes, soit environ 50 clients par jour et par femme. Aucune femme ne peut rester « fière » après un tel bombardement – notamment de la part d'hommes qui, à leur corps défendant, souffraient d'une hygiène plus que douteuse.

Les soldats alliés immortalisèrent la gent féminine française dans la chanson « Parley-vous ». Personne ne sait exactement qui l'a écrite (certains prétendent qu'elle est française et date des années 1830) et cette chansonnette semble avoir continué de mener une existence parallèle car d'innombrables strophes furent ajoutées au cours de la guerre, improvisées par des soldats anonymes. En voici un extrait qui montre la grande estime que portaient les troupes alliées pour leurs hôtesses.

> Mademoiselle d'Armentières, parley-vous,
> Mademoiselle d'Armentières, parley-vous,
> Elle est la plus bosseuse dans le coin
> C'est en s'couchant qu'elle gagne son pain
> Tralalalala, parley-vous ?

> Mademoiselle d'Armentières, parley-vous,
> Mademoiselle d'Armentières, parley-vous,
> Elle dira oui pour un verre de rhum,
> Et parfois pour un chewing-gum,
> Tralalalala, parley-vous ?

Nous avons gagné la guerre,
maintenant ça va saigner

Les armes se turent à 11 heures du matin, le 11 novembre 1918, ce qui dut paraître terriblement cruel aux hommes tués plus tôt dans la matinée. En tout état de cause, la fin de la guerre arrivait trop tard pour environ 8,5 millions de morts et 21 millions de blessés.

La paix fit pratiquement autant de dégâts que le combat lui-même. Le seul dirigeant allié qui s'en sortit avec les honneurs était américain : le président Woodrow Wilson. Il était manifestement effaré par pareille boucherie et stupéfait que des civilisations européennes prétendument avancées eussent été capables de plonger le monde dans une telle barbarie. Il insista pour que chacun procède au désarmement, se joigne à la Société des Nations et garantisse l'autodétermination aux plus petits pays du continent qui avaient été avalés par les grandes puissances.

David Lloyd George, Premier ministre de la Grande-Bretagne, pensait quant à lui que les Alliés devaient se montrer moins cléments envers les Allemands. Il voulait les punir tout en maintenant leur pays suffisamment en bonne santé pour servir de rempart contre la nouvelle Russie communiste, à l'est.

Les Français, eux, n'en démordaient pas : ils voulaient mettre l'Allemagne à genoux. Avec le souvenir de la guerre franco-prussienne à l'esprit, le Premier ministre Georges Clemenceau, âgé de soixante-dix-sept ans, était résolu à tout mettre en œuvre pour que les Allemands ne fussent jamais plus en capacité d'envahir à nouveau la France – aussi contribua-t-il à imposer un traité de paix tellement draconien qu'il conduirait les Allemands à revenir vingt ans plus tard en criant vengeance.

Clemenceau déclara que le pacifiste Wilson et l'antirusse Lloyd George lui faisaient perdre son temps avec leurs ronflantes théories politiques. Il avait, raillait-il, l'impression d'être assis « entre Jésus-Christ et Napoléon Bonaparte ». Et il ne s'agissait pas d'un compliment dans sa bouche : Clemenceau était un antibonapartiste patenté qui avait été emprisonné dans sa jeunesse en raison de son opposition à Napoléon III. Pendant toute la guerre, il s'était également opposé à toute forme de compromis avec l'Allemagne et avait fait arrêter un ancien Premier ministre, Joseph Caillaux, pour avoir préconisé une reddition.

Clemenceau souhaitait davantage que la paix : des réparations. L'Allemagne, dit-il, devait payer pour chaque maison, chaque grange et chaque navet détruit pendant le conflit. Selon le traité de Versailles, des dommages et intérêts devaient être versés « aux civils atteints dans leur personne ou dans leur vie et aux survivants qui étaient à la charge de ces civils par tous actes de guerre, y compris les bombardements ou autres attaques par terre, par mer ou par la voie des airs, et toutes leurs conséquences directes ou de toutes opérations de guerre des deux groupes de belligérants, en quelque endroit que ce soit ».

Ce qui supposait que l'Allemagne devait aussi payer des réparations pour les Français tués par des obus *alliés*.

Afin de donner aux gens le temps de calculer combien de parents, de bâtiments et de navets ils avaient perdus, Clemenceau exigea que le traité ne fixe pas de somme. Les Allemands devaient signer un chèque en blanc et promettre de payer tout ce que les Alliés exigeraient plus tard. Et quand on leur présenta enfin l'addition, elle fut astronomique : 226 milliards de marks, une amende d'un montant à ce point ahurissant que dès 1922, l'Allemagne fut incapable de la rembourser.

Clemenceau souhaitait aussi paralyser le commerce allemand. Le traité stipulait donc que l'Allemagne devait accepter toute importation depuis les pays alliés. Il était furieux, en particulier, que des canifs vendus en France et sur lesquels était gravé « La Victoire », aient été fabriqués en Allemagne. Les exportations, dit-il, devaient désormais affluer en sens inverse[1].

En bref, Clemenceau exigeait que l'humiliation soit totale. Les Allemands étaient si outrés qu'ils envisagèrent sérieusement de retourner dans leurs tranchées et de reprendre le combat. Le chancelier allemand démissionna et le ministre des Affaires étrangères qui signa le traité de Versailles, le 28 juin 1919, Herman Müller, fut considéré comme un traître. Même les Américains décidèrent de ne pas ratifier le traité.

Mais pour les Français, voir l'Allemagne signer son propre avis de banqueroute était une victoire. Clemenceau sortit de la cérémonie de ratification avec un large sourire.

Il ne se rendait pas compte qu'il venait de déclencher un ouragan qui allait s'abattre sur la France à peine vingt ans plus tard et ferait bien plus de dégâts qu'une simple bourrasque.

---

1. De plus, comme nous l'avions mentionné au chapitre 7, les Français avaient glissé dans le traité une clause protégeant le champagne français de ses imitations étrangères.

Jeanne d'Arc renaît de ses cendres

À peine les négociations du traité de Versailles achevées, la France saisissait l'occasion d'énerver l'un de
ses nouveaux amis supposés – la Grande-Bretagne – en
ressuscitant Jeanne d'Arc.

La mémoire de celle-ci avait été réhabilitée par
Napoléon, au début du XIXe siècle, puis à nouveau
dans les années 1870 quand les Prussiens s'étaient
emparés de l'Alsace et de la Lorraine, région natale
de Jeanne. Mais les guerres napoléoniennes comme
les guerres franco-prussiennes s'étaient achevées en
défaites françaises. L'invocation de ses mânes s'était
donc avérée provisoirement inefficace.

Ce n'est qu'au tournant du siècle que le nom de
Jeanne fut sérieusement proposé à la canonisation,
lorsqu'une organisation du nom de l'Action française
(un groupe de royalistes catholiques de droite) tenta
de faire tomber le gouvernement socialiste en France.
Le pape Pie X, qui voulait témoigner son soutien à
l'Action française, accepta la requête de faire de la
« sorcière d'Orléans » une sainte.

Une audience se tint au Vatican, au cours de laquelle
de graves objections à sa béatification furent soule-
vées. Tout d'abord, fut-il souligné, Jeanne ne *voulait*
pas vraiment mourir pour sa foi ; elle n'était donc
pas une vraie martyre. Elle avait également tué pas
mal de gens au combat – était-ce là si chrétien ? Les
cardinaux furent aussi troublés par le fait que, dans
plusieurs récits de la vie de Jeanne, des témoins masculins formulaient des commentaires sur ses seins, qu'ils
avaient aperçus quand elle avait été forcée de troquer

ses habits d'homme contre des vêtements de femme. Pouvait-elle réellement être une sainte si elle avait laissé des hommes reluquer ses lolos ?

Pourtant, dans la mesure où la canonisation de Jeanne représentait un impératif politique de premier ordre pour le pape et pour l'Action française, toutes ces objections furent écartées. On dénicha fort à propos les trois miracles requis pour que la sanctification puisse être reconnue – un opportun trio de nonnes qui jurèrent avoir été guéries en priant Jeanne – et on l'aurait béatifiée dès 1914 si la Première Guerre mondiale n'avait pas éclaté et interrompu la procédure papale.

Aussi, dès que les armes se furent tues, la France, en quête désespérée d'une héroïne pouvant symboliser sa victoire et épurer de sa mémoire l'affreuse boucherie des tranchées, fit à nouveau pression sur le Vatican. C'est ainsi qu'en mai 1920 sainte Jeanne d'Arc fut annoncée.

Oui, à peine dix-huit mois après que la Grande-Bretagne eut sacrifié une génération entière de jeunes hommes pour défendre la patrie de Jeanne d'Arc contre l'invasion, les Français se donnaient une sainte patronne anglophobe. Merci beaucoup, les amis.

Mieux encore, elle devenait non seulement sainte de France, mais aussi – de façon quelque peu contradictoire – protectrice des soldats, des prisonniers, des entrepreneurs de pompes funèbres et… des anglophobes.

Et l'un de ses plus fervents adorateurs était un soldat français avec un grand nez qui allait bientôt suivre l'exemple de Jeanne et irriter autant d'Anglo-Saxons que possible…

Seconde Guerre mondiale, première partie

Ne parlons pas de Dunkerque

Le récit subliminal de la Seconde Guerre mondiale par les Français est à peu près le suivant :

En 1940, les Allemands trichèrent en contournant en douce la ligne Maginot. À Dunkerque, ils repoussèrent vers la mer de faibles Anglais, avant d'occuper provisoirement la France (seulement la moitié). Pendant ce temps, le général de Gaulle se trouvait à Londres en train d'expliquer à Churchill comment une guerre devait être menée. C'était peine perdue avec ce vieux et gros rosbif mais, heureusement, l'Amérique entra bientôt en guerre aux côtés de la France et fut d'accord que le plus important était d'envahir la Normandie et de faire la jonction avec la Résistance, qui avait au préalable dégagé la route vers Paris en faisant sauter tous les ponts sur les voies de chemin de fer. Bon, c'est un peu contradictoire mais peu importe car la capitale française était déjà en train d'être libérée par le général Leclerc et ses chars, après quoi la guerre était finie, à part un peu de travail de nettoyage sans importance en Allemagne (où les Russes et les Américains eurent tout faux – ils ne réussirent même pas à attraper Hitler vivant). Ah oui, et puis il y eut des choses pas belles à Hiroshima qui mirent fin au conflit en Asie, mais ce n'était pas très important de toute façon car c'était très loin de la France.

C'est une façon un peu exagérée de présenter les choses, bien sûr, mais pas tant que ça. Si vous parlez de la Seconde Guerre mondiale à des Français, il apparaît instantanément que nous ne conservons pas du tout le même souvenir de ce qui s'est passé. Et le plus drôle est que ces contradictions et ces équivoques existaient déjà entre 1939 et 1945. Voici quelques citations d'époque qui montrent combien les relations entre la France, la Grande-Bretagne et les États-Unis étaient compliquées :

Churchill à propos du général de Gaulle : « Il est comme une femelle lama surprise dans son bain. »

De Gaulle au sujet des Brits : « Notre plus grand ennemi héréditaire, ce n'était pas l'Allemagne, c'était l'Angleterre. »

Le surnom donné par le président Roosevelt à de Gaulle : « La Prima Donna ».

De Gaulle à propos des tentatives britannique et américaine de libérer les colonies françaises occupées par les nazis : « Nous devons prévenir le peuple français et le monde entier des plans impérialistes anglo-saxons. »

Et nous qui pensions être des alliés…

Faites la fête comme en 1939

Dans l'entre-deux-guerres, Britanniques et Américains avaient pourtant fait tout leur possible pour ne pas agacer les Français.

L'héritière américaine Peggy Guggenheim finança pratiquement à elle seule tout le mouvement artistique d'avant-garde en France.

La danseuse noire américaine Joséphine Baker sortit les Folies-Bergère du marasme et restaura Paris dans son statut de capitale mondiale du sexe d'avant 1914. Sa danse à moitié nue avec des bananes pendant à sa taille ne serait pas considérée aujourd'hui comme politiquement correcte mais, au milieu des années 1920, l'insolente artiste du Missouri devint une énorme star à Paris et incarna l'absence de préjugés raciaux en France. Une foule de musiciens noirs arrivèrent à sa suite, suscitant dans le pays un amour du jazz qui ne s'est jamais démenti depuis.

De nombreux écrivains anglophones arrivèrent également. Henry Miller écrivit *Tropique du Cancer* et donna de Paris l'image de la capitale du sexe *et* de l'alcool. James Joyce et Samuel Beckett débarquèrent et Paris devint le nouvel épicentre de la littérature irlandaise. Puis Ernest Hemingway s'ingénia à y rendre le machisme respectable (George Orwell séjourna aussi à Paris où il fit la plonge dans quelques pauvres restaurants parisiens mais cela ne marqua guère l'histoire artistique française).

En 1940, la France était la capitale de la culture occidentale contemporaine. Quel dommage que des nazis philistins aient brutalement fait irruption pour mettre à mal cette idylle culturelle.

La dernière ligne de défense

Les artistes s'étaient sans doute beaucoup amusés entre les deux guerres mais, en matière politique, les rires et le badinage n'avaient guère été d'actualité, surtout en ce qui concerne les relations franco-anglaises.

La France voyait dans la montée d'Hitler un défi lancé au pays remettant en cause les termes du traité de Versailles. Déterminés à se dresser contre lui, elle érigea lentement mais sûrement[1] une ligne de fortifications qui nous ramenait à la Première Guerre mondiale – une sorte de tranchée fortifiée visant à empêcher l'Allemagne d'envahir le pays par l'Alsace et la Lorraine. La France la baptisa la ligne Maginot, du nom du ministre de la Guerre, André Maginot. Oui, même en temps de paix, les Français avaient conservé un ministre de la Guerre.

De leur côté, les Britanniques restèrent à l'écart de l'agitation continentale, qu'ils regardaient avec l'espoir naïf que les choses finiraient par s'apaiser et que tout rentrerait dans l'ordre autour d'une bonne tasse de thé. Leur réaction initiale face à la montée du nazisme fut de suggérer avec courtoisie à *Herr* Hitler de limiter quelque peu le réarmement – proposition qui rendit les Français fous de rage étant donné que, d'après le traité de Versailles, l'Allemagne n'était pas censée réarmer du tout.

En mars 1936, Hitler chercha à tester des relations franco-anglaises troublées en occupant la Rhénanie,

---

1. Les travaux sur la ligne Maginot avaient débuté en 1928 mais ils ne furent achevés qu'en mai 1940.

région frontalière qui devait en principe demeurer démilitarisée. Il y envoya une modeste force de 3 000 hommes pour voir quel effet cela produirait. La France eut beau fulminer en retour, elle ne voulut pas envahir l'Allemagne et risquer de déclencher une nouvelle guerre. Churchill, qui n'était pas encore Premier ministre, y alla de son commentaire flegmatique : « J'espère que les Français s'assureront de leur sécurité et que nous aurons la possibilité de vivre notre vie sur notre île. » Le message était clair : défendre à nouveau la France, non merci.

Le dilemme était posé : résister ou non à Hitler. Le problème était que tant la Grande-Bretagne que la France étaient dirigées par de hauts responsables politiques et militaires qui avaient servi au cours de la Première Guerre mondiale. La boucherie des tranchées datait de vingt ans à peine. Les camarades d'école des dirigeants avaient été tués au front, des mutilés mendiaient encore au coin des rues et les veuves de guerre mariaient leurs enfants qui n'avaient jamais connu leur père.

Pourtant, Grande-Bretagne et France eurent des réactions très différentes. La Grande-Bretagne était troublée par l'esprit belliqueux et antiallemand de la France et se sentait assez gênée par le caractère revanchard du traité de Versailles. La France, elle, paraissait atterrée que l'Angleterre eût apparemment la mémoire si courte. Quant à l'Amérique, elle avait décidé de sagement se tenir à l'écart de ces postures européennes d'un autre âge. Elle se remettait à peine de la Grande Dépression et n'avait pas besoin d'une guerre pour la replacer en situation de faillite.

Tout cela explique la mascarade que fut la conférence de Munich, entre la France, la Grande-Bretagne, l'Italie et l'Allemagne.

Le sommet avait été convoqué suite à la demande d'Hitler de pouvoir « reprendre possession » des Sudètes, région principalement germanophone intégrée à la Tchécoslovaquie au lendemain de la Première Guerre mondiale. Édouard Daladier, Premier ministre français, entendait opposer son veto et avertit son homologue britannique, Neville Chamberlain, que « si les puissances occidentales capitulent, elles ne feront qu'accélérer la guerre qu'elles souhaitent éviter ». Daladier alla jusqu'à prédire qu'Hitler visait une « domination du continent en comparaison de laquelle les ambitions de Napoléon paraîtront modérées ». Pas rien, venant d'un Français.

Mais Chamberlain désirait ardemment croire Hitler lorsque celui-ci assurait qu'une fois les Sudètes récupérés par l'Allemagne, la paix reviendrait. L'Anglais, un homme de la vieille école âgé de soixante-neuf ans, s'était déjà rendu (prenant à cette occasion l'avion pour la première fois de sa vie) dans la résidence alpine d'Hitler, à Berchtesgaden. Il en était revenu en annonçant qu'ils avaient eu ensemble une conversation « amicale ». Il parvint à convaincre Daladier de la sincérité d'Hitler et de ne pas s'opposer à cette « dernière [demande d']invasion » du Führer.

La conférence elle-même, qui se tint le 29 septembre 1938, fut donc une pure formalité. Les délégations britannique et française ne s'étaient pas même rencontrées au préalable pour arrêter une stratégie commune. Les photos prises juste avant la signature de l'accord montrent un Chamberlain ressemblant au croisement improbable entre un mannequin dans une vitrine et un poulet effarouché, un Daladier aux aguets, comme si quelqu'un allait lui tirer dessus (ce qui était politiquement fondé), un Mussolini hésitant entre le rot et la moue, et un Hitler parfaitement serein. Cela ressemblait à un mariage forcé avec la France et la Grande-Bretagne dans le rôle des mariées et Hitler dans celui du futur époux, un accord en poche pour un enterrement de vie de garçon à Las Vegas avec son témoin, Mussolini (dans des chambres séparées, bien sûr).

Plus grave encore, pour les Français, Chamberlain eut, le lendemain matin, une réunion secrète avec Hitler qui fut conclue par un pacte de non-agression signé au nez et à la barbe des Français.

Chamberlain rentra ensuite chez lui et atterrit sur l'aérodrome d'Heston, près de Londres (qui serait plus tard utilisé comme base pour les avions de chasse et bombardiers anglais), où il brandit sa fameuse lettre annonçant que la paix était sauve : le bout de papier signé par Hitler ce matin-là. Laissant ostensiblement ses prétendus alliés français de côté, Chamberlain s'adressa à la foule en ces termes : « Nous considérons l'accord signé hier soir […] comme un symbole du désir de nos deux peuples de ne jamais plus se faire la guerre. » Britanniques et Allemands, promettait-il, allaient travailler ensemble « à assurer la paix en Europe ». Plus tard ce jour-là, il fit un autre discours dans lequel il affirma que tout le monde pouvait désormais dormir tranquille. Moins d'un an plus tard, on dormirait beaucoup moins tranquillement, dans des abris antiaériens.

Avec le recul, il est évidemment très facile de porter un regard sévère sur ce passé. Les archives audiovisuelles donnent de Chamberlain l'image d'un bon vieux monsieur qui souhaite que tout le monde soit ami. Mais à mieux y regarder, tandis qu'il prononce son discours optimiste à Heston, on peut apercevoir un homme plus jeune à l'arrière-plan, un journaliste ou un policier en civil peut-être, au regard sceptique et qui ne se joint à aucun moment aux applaudissements. Bientôt, celui-là fera partie de ceux qui partiront au combat.

De l'autre côté de la Manche, Daladier fut accueilli chez lui comme Chamberlain, en héros. Mais sa réaction fut moins euphorique. Regardant la foule réjouie venue l'accueillir, il aurait confié à l'un de ses assistants : « Ah, les cons. »

Moins d'un an plus tard, quand Hitler envahit la Pologne et quand Chamberlain annonça que la Grande-Bretagne et l'Allemagne n'auraient plus, dorénavant et pour un bout de temps, de discussions amicales, on entendit de nombreux hommes politiques français s'écrier de concert : « On vous l'avait bien dit. » Daladier, lui, n'eut pas le loisir de se moquer. En 1940, le régime français pronazi l'arrêta avant de l'envoyer plus tard au camp de concentration de Buchenwald. Il fut l'un des rares prisonniers à en sortir vivant.

Brève excursion en France

La Grande-Bretagne et la France n'étaient pas précisément les meilleures alliées du monde quand elles entrèrent dans le conflit, et la guerre s'ouvrit exactement comme en 1914 – par une catastrophe conjointe.

L'armée britannique envoyée de l'autre côté de la

Manche pour empêcher Hitler d'envahir la France avait été baptisée la Force expéditionnaire (comme la petite bande de soldats envoyée se faire rosser à l'automne 1914). Son karma n'aurait pu être plus mauvais si elle s'était appelée la Garde royale des vaincus.

Comptant un peu moins de 400 000 hommes, dont la majorité équipés d'armes datant de la Première Guerre mondiale et pourvus de moins de munitions que le chasseur moyen à l'affût d'un lièvre, cette force arriva fin 1939 pour jouer son rôle dans le maître plan imaginé par l'armée française en vue de défendre ses frontières orientales, en venant boucher le trou entre la ligne Maginot et la côte de la Manche.

Le stratagème français fonctionna plus ou moins. Quand les Allemands déclenchèrent, le 10 mai 1940, leur *Blitzkrieg* vers l'ouest, la ligne Maginot ne fut pas enfoncée. Les nazis ne s'en formalisèrent pas et entrèrent en France par une porte dérobée. Les chars Panzer filèrent à travers les collines des Ardennes (que les Français avaient déclarées imprenables) et encerclèrent les troupes britanniques et françaises qui s'attendaient à une attaque par le nord.

Les Français entendirent bien sûr creuser des tranchées pour défendre Paris mais les Britanniques prirent très vite conscience de la façon dont les choses évoluaient. Winston Churchill, qui avait pris les rênes du gouvernement de guerre le jour même où les nazis avaient lancé leur attaque, décida qu'une armée britannique coincée au beau milieu d'un camp de prisonniers de guerre n'aiderait personne. L'heure était venue pour les Français « de s'assurer de leur sécurité », comme il l'aurait dit.

Ainsi, le 26 mai, après seulement deux semaines de

campagne militaire, Churchill ordonna à ses hommes de rentrer à la maison. Mais il négligea d'en informer ses hôtes. Les Français continuèrent donc à se battre en pensant qu'ils couvraient une retraite stratégique des Britanniques en vue de défendre la côte. On comprend que les Français aient été furieux lorsqu'ils découvrirent ce qui se passait vraiment, d'autant que les Anglais avaient verrouillé les voies d'accès afin que personne, ami ou ennemi, ne puisse les suivre.

L'évacuation de Dunkerque commença le 27 mai ; seuls 7 000 hommes purent embarquer ce jour-là sur les navires en attente. Conscient que cela ne suffirait pas, le ministère de la Guerre britannique envoya une demande aux propriétaires de bateaux privés pour qu'ils se joignent à la flotte. Le lendemain, des embarcations civiles se mirent à grouiller sur la Manche. Pendant neuf jours d'enfer, les soldats marchèrent vers les plages et les digues, devant souvent faire la queue pendant des heures avec de l'eau jusqu'aux épaules et sous les bombes. En plus de quelque 200 navires de guerre, plus de 700 petits bateaux, dont des yachts privés, des chalutiers et des bateaux de plaisance naviguant habituellement sur la Tamise, traversèrent la Manche, et beaucoup effectuèrent plusieurs voyages. En tout, 200 embarcations coulèrent au cours de cette opération de sauvetage.

Les Français considèrent Dunkerque comme une trahison. Mais ce n'est pas tout à fait juste. Dès que l'essentiel des forces britanniques eut été rapatrié, les bateaux commencèrent à embarquer les Français. Presque 140 000 furent ainsi finalement à l'abri. De plus, des milliers de Britanniques demeurèrent en France pour mener un combat d'arrière-garde désespéré, protégeant la fuite des Britanniques comme des Français et ne se rendant que lorsqu'ils se retrouvaient à cours de munitions ou que leurs commandants français hissaient le drapeau blanc. Ces Britanniques passèrent le reste du conflit comme prisonniers de guerre et leur sacrifice ne fut pas même mentionné dans les reportages alliés de l'époque car il aurait été mauvais pour le moral des troupes.

Churchill préféra prononcer un discours combatif sur Dunkerque, le 4 juin devant la Chambre des communes, démontrant à cette occasion qu'en dépit de son zézaiement, il était davantage l'homme de la situation que le bon et tendre Chamberlain. Et bien que ce discours agaçât les Français pour la raison que nous allons voir, il s'agit d'un des plus grands morceaux de rhétorique politique jamais prononcés. On peut toujours l'écouter sur Internet et l'inébranlable voix provoque la même émotion, soixante-dix ans plus tard.

Churchill admet que Dunkerque « est un désastre militaire colossal […]. Nous devons faire très attention à ne pas donner à cette délivrance les attributs de la victoire. Les guerres ne sont pas gagnées par des évacuations ». Mais, ajoute-t-il, « il existe une victoire dans cette délivrance ». La RAF avait gagné la bataille du ciel, protégeant les plages et la fuite de la flotte d'attaques aériennes potentiellement dramatiques. Churchill prédit que le succès de la défense britannique contre l'invasion dépendra de cette arme tactique nouvelle : l'avion. Le premier grand combat de la guerre venait à peine d'avoir lieu et il avait déjà tout compris.

Le point culminant du discours est la liste souvent

citée des lieux où les nazis devront s'attendre à rencontrer la résistance britannique :

« Nous nous battrons sur les mers et les océans, nous nous battrons avec toujours plus de confiance et avec toujours plus de force dans le ciel, nous défendrons notre île, quel qu'en soit le coût, nous nous battrons sur les plages, nous nous battrons sur terre, nous nous battrons dans les champs et dans les rues, nous nous battrons sur les collines, nous ne nous rendrons jamais. »

Il était bien loin, le bon temps d'avant-guerre… Ce qu'il y avait de plus formidable dans ce discours, en dehors de son caractère on ne peut plus stimulant pour le moral, c'est qu'il confirmait tout ce qu'Allemands et Français pensaient de la Grande-Bretagne.

Les nazis craignaient vraiment de poser le pied en Grande-Bretagne et de déclencher le type de résistance féroce, maison par maison, qu'ils n'avaient pas rencontrée lors de leur percée à travers la France. Dunkerque avait montré ce dont les civils britanniques étaient capables et Churchill avait mis des mots sur cette force de caractère.

Les Français, eux, songeaient : ces Anglais ne se soucient que de leur petite île – comme d'habitude. S'ils avaient attentivement écouté, ils auraient entendu Churchill dire que la France et la Grande Bretagne allaient s'entraider « comme de bons camarades » et que « nous nous battrons en France », mais ils ne l'auraient sans doute pas cru. Personne ne croyait au voyage retour de l'armée britannique à travers la Manche – c'est peut-être la seule fausse note de tout le discours.

S'ils n'avaient pas eu d'autres soucis en tête, les historiens militaires français auraient également pu s'attacher les services d'avocats spécialistes des droits d'auteur après avoir reconnu le thème du discours. Churchill, en historien de la guerre avisé, l'avait emprunté à l'ancien dirigeant français, Georges Clemenceau, qui avait motivé ses troupes lors de la Première Guerre mondiale en leur promettant : « Les Allemands peuvent prendre Paris, nous nous battrons sur la Loire, puis sur la Garonne, et s'il le faut dans les Pyrénées. » Mais même le plus patriote des soldats français devait admettre que Churchill avait transformé ce qui sonnait aussi enthousiasmant que la lecture d'un manuel de géographie en déchirant appel au soulèvement des masses.

Pendant ce temps-là, quelque part en France, tout en essayant de rallier l'Angleterre avec sa famille, un Français de très grande taille suffoquait d'indignation et répétait à qui voulait l'entendre : « Mais c'était mon idée ! »

Dans les années 1920 et 1930, le général de Gaulle avait été l'un des partisans les plus précoces de la guerre mécanisée. Il s'était opposé à la construction de la ligne Maginot, qu'il qualifiait de concept obsolète, et on l'avait ignoré. Il appelait depuis longtemps la France à investir dans les chars et dans les avions ; les nazis lui avaient piqué son idée et l'avait retournée contre lui. Les faits lui avaient donné cruellement raison et, à présent, Churchill s'attribuait tout le mérite de son analyse sur l'évolution de la guerre. Ce n'est pas tout : cet Anglais suggérait que déserter la France était une victoire. On aurait presque dit un complot fomenté conjointement par les Allemands et la perfide Albion.

De Gaulle était un homme amer et en colère – et il était en route pour Londres.

Le plus français des Français

Charles André Joseph Marie de Gaulle était né le 22 novembre 1890. Son nom, si français, allait lui être très utile. « Charles de Gaulle » sonne comme le nom d'un roi des temps immémoriaux de la résistance aux envahisseurs romains (résistance qui échoua mais qu'on commémore malgré tout pour son caractère héroïque, comme on le fait pour tant d'autres échecs français). Si ce nom n'avait pas existé, on aurait pu l'inventer pour figurer un personnage d'*Astérix*.

Le petit Charles avait reçu une éducation catholique des plus strictes et étudié à Saint-Cyr, l'école militaire fondée par Napoléon. Pendant la Première Guerre mondiale, il servit comme officier sous le commandement du maréchal Pétain et fut blessé cinq fois avant d'être fait prisonnier à Verdun, en 1916. Après la guerre, sur les conseils de Pétain, il écrivit une histoire militaire, *La France et son Armée*, où il ne parle jamais de Waterloo.

En somme, on pouvait difficilement trouver un Français plus français.

De Gaulle n'en avait pas encore pris conscience. Quand il arriva à Londres en tant que réfugié, le 16 juin 1940, il dut être surpris de constater qu'il devenait soudain le premier des Français de la ville. Une dizaine de jours plus tôt, il avait été nommé membre du gouvernement de crise au moment où la France s'était rendue à l'évidence que ses théories sur la guerre moderne pourraient finalement être utiles. Mais les autres membres les plus importants du cabinet étaient restés chez eux dans l'attente de la capitulation.

La plupart des responsables politiques français préféraient déclarer que la bataille était terminée, que Paris s'offrait comme « ville ouverte », c'est-à-dire qu'elle se rendait aux nazis sans lutter de façon à préserver intacts ses monuments historiques.

Le 17 juin, Pétain fit une déclaration à la radio diamétralement opposée au discours revigorant de Churchill. « C'est le cœur serré que je vous dis aujourd'hui qu'il faut cesser le combat, annonça-t-il à ses troupes. Je me suis adressé cette nuit à l'adversaire pour lui demander s'il est prêt à rechercher avec moi, entre soldats, après la lutte et dans l'honneur, les moyens de mettre un terme aux hostilités. »

Aucun armistice n'avait été accordé par les nazis, aucune condition fixée, mais Pétain se rendait.

Les troupes françaises commencèrent aussitôt à déposer les armes et près d'un million de soldats se livrèrent aux nazis en tant que prisonniers de guerre. Environ 100 000 hommes, évacués de Dunkerque, étaient rentrés en France après un court séjour en Angleterre.

La reddition fut un moment clé dans les relations franco-anglaises. Churchill avait déclaré que les Britanniques voulaient continuer à se battre (à l'abri depuis leur île, il est vrai, et après avoir laissé les Français dans la merde) et, maintenant, cet anglophobe invétéré de Pétain disait non merci.

La France confirmait aussi que Paris était le centre de son univers. Des plans avaient été conçus pour regrouper les forces alliées à l'ouest et utiliser les ports de Brest et Bordeaux comme bases d'une contre-offensive soutenue par la Grande-Bretagne. De Gaulle lui-même avait suggéré d'évacuer les troupes françaises vers les territoires d'Afrique et du Moyen-Orient pour préparer une invasion de la France. Il se trouvait déjà là-bas des centaines de milliers de soldats appartenant aux troupes françaises et coloniales qui n'avaient pas été conquises et étaient prêtes à combattre.

Mais non. Contrairement à ce qui s'était passé en 1914, quand on avait mobilisé personnes âgées et taxis pour repousser les Allemands aux portes de Paris, il avait été décidé cette fois-ci que c'en était bel et bien fini. Hitler allait s'emparer de Notre-Dame, des Champs-Élysées et de tous les cafés du boulevard Saint-Germain. Plus rien ne valait donc la peine de se battre.

La France n'épousera pas un cadavre

Heureusement, de Gaulle n'était pas parisien (il était originaire de Lille) et il désapprouva ses collègues défaitistes. Il mit même temporairement de côté son anglophobie congénitale pour embrasser une idée qui, de nos jours, ferait frissonner d'horreur les populations de France et de Grande-Bretagne.

L'ambassadeur de France à Londres, André Corbin, et un haut diplomate britannique, Sir Robert Vansittart, avaient en effet imaginé le plan loufoque d'unifier leurs deux pays au sein d'une seule nation.

Il est vrai que de tels projets avaient été mis à l'étude par bon nombre de monarques britanniques mais leurs plans avaient habituellement consisté à conquérir la France et à en prendre le contrôle. Napoléon avait conçu un plan comparable, rêvant quant à lui de faire de la Grande-Bretagne un territoire français, comme la Lombardie ou la Syrie, qui adopterait ses lois et ses maisons de tolérance.

Jusqu'ici, chaque pays avait en gros souhaité violer et posséder son voisin. Le projet de 1940, lui, était fondé sur une union consentie, une fusion. Chacun aurait la double nationalité, les gouvernements dirigeaient ensemble les deux pays et leurs empires sur le modèle d'une alliance politique entre deux partis. Les deux nations n'en feraient plus qu'une.

Il ne s'agissait guère plus, bien entendu, que d'une opération de propagande, les ennemis d'Hitler entendant signifier à ce dernier que la France n'avait pas été conquise puisqu'une partie de son territoire, depuis la base de Londres, était toujours libre. Mais de Gaulle adopta immédiatement le projet et s'envola pour aller le présenter en France à ses collègues défaitistes.

La réponse était prévisible. Pétain déclara que la Grande-Bretagne était fichue – que c'était comme « un mariage avec un cadavre ». En outre, il se préparait déjà à se marier avec l'ennemi (bien vivant, lui).

Avec sagesse, de Gaulle retourna sans tarder à Londres, où Churchill – contre l'avis de son ministère des Affaires étrangères – lui avait réservé un temps de parole sur la BBC, l'encourageant à s'en servir pour promouvoir son propre discours guerrier.

De Gaulle parle et le monde dit : « Pardon ? »

C'est un 18 juin, jour du cent vingt-cinquième anniversaire de Waterloo, que le Général s'exprima à la radio et lança son appel du 18 juin. Contrairement à ce qu'on pourrait croire, il ne s'agissait pas d'un appel humanitaire. Il appelait la France à résister à l'occupation nazie dans une version française du discours de Churchill, pétrie de questions rhétoriques, de répétitions et d'exclamations.

« L'espérance doit-elle disparaître ? » interrogeait de Gaulle. « La défaite est-elle définitive ? Non ! […] Car la France n'est pas seule ! La France n'est pas seule […]. Elle a un vaste Empire derrière elle. Elle peut faire bloc avec l'Empire britannique qui tient la mer et continue la lutte. » Ce devait bien être la première fois dans l'histoire qu'un Français était heureux de proclamer la supériorité navale des Anglais.

Plutôt bon joueur, il reconnut qu'il s'agissait d'une guerre mondiale, qui n'était pas limitée à la France, avant de s'envoler dans un final poignant où il promettait que « quoi qu'il arrive, la flamme de la résistance française ne doit pas s'éteindre et ne s'éteindra pas ». La fin du discours était bonne, même s'il la gâcha en précisant qu'il parlerait à nouveau le lendemain, ce qu'il ne fit pas.

De Gaulle venait néanmoins de prononcer le discours le plus fameux de l'histoire de France. L'appel du 18 juin, son nom au moins, est aujourd'hui connu de tous les écoliers français. Le seul problème est que, à l'époque, pratiquement aucun Français ne l'entendit. Il était passé sur une radio anglaise sans avoir été préalablement annoncé et avait été prononcé par un homme quasiment inconnu en France. De plus, malheureusement, la BBC estima ce discours si peu important qu'elle ne prit même pas la peine de l'enregistrer.

Cela peut expliquer le silence qui suivit cet appel. De Gaulle avait invité tous les Français résidant au

Royaume-Uni, soldats comme civils, à se joindre à lui. Mais très peu le firent. Sur les 10 000 immigrés français en Grande-Bretagne, seuls 300 se portèrent volontaires et sur les quelque 100 000 soldats se trouvant provisoirement sur le sol anglais, seuls 7 000 y demeurèrent avec de Gaulle. Les autres rentrèrent pour être rapidement faits prisonniers de guerre.

Pour ne rien arranger, en dépit d'une référence flatteuse dans le discours à « l'immense industrie des États-Unis », le président Roosevelt refusa de reconnaître de Gaulle comme le représentant de la France. Jusqu'en 1940, les Américains gardèrent l'espoir de travailler avec Pétain et les défaitistes et de les retourner contre Hitler.

Seul Churchill apporta son soutien à de Gaulle et fit une déclaration officielle où « le gouvernement de Sa Majesté reconnaît le général de Gaulle comme le chef de tous les Français libres, où qu'ils soient ».

Dans les années qui suivirent, de Gaulle oublierait souvent ce geste de solidarité.

Ananas ou banane ?

Entre de Gaulle, Roosevelt et Churchill, les insultes et les coups de poignard dans le dos furent aussi nombreux que dans la loge d'un *boys band*.

Bien que l'Amérique n'entrât pas en guerre avant 1941, Churchill s'efforça constamment de prouver à Roosevelt que la cause des Alliés méritait d'être soutenue. Dès le début, il garda un œil sur les nazis et un autre sur les énormes réserves en hommes et en machines de guerre de l'Amérique.

Mais de Gaulle était si obsédé par les intérêts français et par sa future place de chef du pays qu'il perdait souvent de vue le problème d'ensemble. Il ne voyait que la France et la nécessité de discréditer et de déstabiliser le gouvernement de Pétain. Cette étroitesse de vue poussa chacun des Britanniques et des Américains ayant eu affaire à lui à déverser un torrent d'injures à propos de son arrogance, de son ingratitude, de son manque de fiabilité et – assez cruellement – de son apparence physique. Voici quelques-unes des citations les plus fameuses sur le Général.

Hugh Dalton, ministre du Commerce sous Churchill, déclara que de Gaulle avait « la tête d'une banane et les hanches d'une femme ». Alexander Cadogan, du ministère des Affaires étrangères, dit en substance la même chose sauf qu'il remplaça la banane par un (plus crédible) ananas.

La romancière Sylvia Townsend Warner compara le dirigeant français à « une morue prise au filet. J'aurais aimé qu'il puisse être capturé et mis tranquillement au frais dans un réfrigérateur. »

Et il fit l'effet à H. G. Wells d'un « sincère et ingénu mégalomane ».

Même Churchill, francophile romantique qui avait combattu dans les tranchées et aimait la France un peu comme Édouard VII l'avait aimée, comprit vite qu'il ne pouvait pas faire confiance à de Gaulle.

Ce dernier, pourtant, avait parfois de bonnes raisons de ruer dans les brancards, car la Grande-Bretagne commit quelques gestes très déplaisants envers la France...

La Grande-Bretagne coule les espoirs français

Mers el-Kébir ne dit presque rien à la plupart des anglophones mais prononcer ce mot devant de Gaulle après le 3 juillet 1940 aurait provoqué le même effet que de dire : « Jeanne d'Arc » en préparant un barbecue.

Ce jour-là, Churchill décida qu'on ne pouvait pas se fier à la marine française pour conserver ses vaisseaux hors de portée des nazis et il ordonna d'arraisonner tous les bâtiments français amarrés dans les ports tenus par les Britanniques à travers le monde. 200 furent ainsi effectivement saisis.

La principale flotte française se trouvait en Algérie, basée à Mers el-Kébir, près d'Oran. Quelques navires britanniques invitèrent son commandant, l'amiral Marcel Gensoul, à se joindre à eux (et au général de Gaulle, bien sûr) dans la résistance aux nazis. Un certain capitaine Holland remit cette invitation en personne et demanda, en français, à l'amiral d'appareiller pour l'Angleterre, l'Amérique ou les Caraïbes, avec des équipages réduits de manière à ce que ses bateaux ne puissent pas se mettre en ordre de bataille. Autrement, il pouvait choisir de saborder sa flotte. L'ultimatum était à peine voilé, et expirait à 18 heures.

Mais l'amiral, vexé que l'ultimatum fût présenté par un simple capitaine, décida de considérer cela comme du bluff.

Ce fut une grave erreur. Churchill était résolu à montrer que la guerre c'est la guerre et, à 18 heures précises, n'ayant obtenu aucune réponse, les canons britanniques firent feu pendant neuf minutes, neutralisant deux navires de guerre français, en faisant sauter un troisième et tuant plus de 1 250 marins français.

Sans surprise, de Gaulle fut horrifié. Son appel avait été largement cité dans la presse de la France (encore) libre mais les recrues n'arrivaient qu'au compte-gouttes. Or, ses alliés supposés venaient apparemment de déclarer la guerre à la France.

Pire encore, quand un Churchill, profondément troublé, annonça la nouvelle à la Chambre des communes, les parlementaires de tous bords l'acclamèrent. Roosevelt aussi fit rapidement parvenir un message d'approbation. Aux yeux des Britanniques et des Américains, il était parfaitement légitime de bombarder des Français.

Il fallut presque une semaine à de Gaulle pour accepter que la victoire contre les nazis était plus importante que l'orgueil des Français. Il prononça alors un discours dans lequel il reconnut que, si les bateaux n'avaient pas été coulés, Pétain aurait presque certainement autorisé Hitler à mettre la main dessus.

Pétain était définitivement devenu l'ennemi mortel du Général. Le 10 juillet, le gouvernement de Paris remit la France entre les mains des nazis par un armistice qui divisait le pays en deux. Hitler aurait droit à la moitié nord, dont tous les ports de la Manche et la plupart des ressources industrielles, tandis que Pétain emmènerait son gouvernement fantoche s'installer dans la ville thermale de Vichy, juste de l'autre côté de la ligne de démarcation entre la France occupée et la « zone libre », comme on l'appelait. L'une des premières actions de Pétain fut de condamner à mort de Gaulle par contumace. Le Général répliqua à cette provocation en promettant de libérer la France (bien qu'il eût disposé, à l'époque, de 2 200 hommes seulement et d'une force navale encore plus réduite) et en adoptant la croix de Lorraine, l'étendard anti-anglais de Jeanne d'Arc, comme drapeau de la résistance. Churchill dut apprécier le symbole et, pour le prouver, ordonna bientôt une nouvelle attaque contre une colonie française.

En septembre 1940, les Britanniques choisirent de s'emparer de Dakar, au Sénégal. Cette ville était aux mains des vichystes et constituait, pour les sous-marins nazis, une base potentielle qui inquiétait les Américains car elle se trouvait à portée de croisière sous-marine de leurs propres bases arrière des Caraïbes.

Cette fois-ci, de Gaulle décida de partir à l'aventure pour essayer d'empêcher les Britanniques de bombarder des bateaux et des soldats français. Il était convaincu que sa seule présence suffirait à convaincre la garnison pétainiste de rallier son camp. Il savait aussi que les réserves d'or de la Banque de France avaient été envoyées à Dakar et qu'elles lui permettraient d'acheter suffisamment d'armes pour se libérer d'une trop grande dépendance vis-à-vis des Anglais. Autre avantage : ce succès lui permettrait de se faire connaître des Américains.

Le Général se rendit diligemment chez un tailleur de Londres pour se faire préparer un habit tropical adéquat et, papotant gaiement avec le vendeur du magasin, lui dit où il se rendait. De leur côté, les troupes françaises basées à Liverpool s'épanchèrent de la même manière. En peu de temps, la sécurité de sa mission était réduite à néant et une flotte rescapée de bateaux vichystes traversa la Méditerranée pour aller défendre le Sénégal.

Un Churchill au désespoir voulut renoncer à toute l'opération mais de Gaulle menaça de rejoindre le

Sénégal à pied avec ses hommes. Tranchant alors qu'il serait certes amusant mais guère constructif au regard du conflit mondial en cours de laisser ces Français qui ne savaient pas tenir leur langue mourir de soif au milieu du Sahara, les Britanniques finirent par accepter le maintien de l'opération.

Comme d'habitude, l'affaire se transforma en farce aussitôt que la flotte britannique jeta l'ancre au large de Dakar.

Deux avions de la France libre décollèrent du porte-avions *Ark Royal* pour apporter de la part du général de Gaulle un message au gouverneur vichyste. Mais au lieu d'y prêter une quelconque attention, le gouverneur décida tout bonnement de mettre les deux messagers en prison.

Une petite embarcation comptant à son bord trois émissaires s'approcha du port et fut accueillie par des tirs avant de se sauver. Des troupes de la France libre débarquèrent sur la côte, s'attendant à être reçues en libérateurs. Elles aussi furent repoussées par la garnison pro-Vichy.

De Gaulle, découragé, conclut que l'heure était venue de se retirer mais, le lendemain, les navires britanniques reçurent l'ordre de Churchill lui-même de bombarder le port. Ils endommagèrent un sous-marin et un destroyer avant de subir à leur tour l'épreuve du feu et de décider de rebrousser chemin. En repré-sailles, des avions de la France de Vichy bombardèrent la base britannique de Gibraltar. C'était une guerre franco-anglaise classique, chaque pays frappant à son tour les colonies de l'autre, exactement le genre de prise de bec qu'adoraient Napoléon et Nelson. Nous étions de nouveau revenus en 1805 et il était presque dommage que les nazis fussent là pour compliquer les choses.

L'opération de Dakar avait été un désastre pour Churchill, mais le plus grand perdant était de Gaulle. Roosevelt conclut qu'il ne représentait rien ni personne et il ouvrit un consulat américain à Dakar pour négocier directement avec le gouvernement de Vichy au sujet de la menace potentielle des U-Boot. L'Amérique reconnaissait de fait la légitimité du régime de Pétain – le pire des cauchemars pour de Gaulle. Cela ne signifiait pas que Roosevelt était pro-Hitler ; au contraire, il était parfaitement antinazi et soutenait publiquement la Grande-Bretagne, ayant annoncé qu'il l'alimenterait en armes et serait « l'arsenal de la démocratie ». Mais cela indiquait clairement ce que Roosevelt pensait des Français : ils n'étaient bons qu'à se disputer entre eux et à détourner l'attention face aux vrais enjeux de la guerre.

Ces préjugés trouvèrent confirmation en France occupée où les communistes, qu'on aurait pu penser antinazis, déclarèrent leur soutien à Hitler par le pacte de non-agression germano-soviétique. Plus tard, les communistes joueraient un rôle clé dans la résistance armée, mais en attendant, en juillet 1940, leur journal *L'Humanité* publiait un article félicitant les travailleurs parisiens de « se montrer amicaux à l'égard des soldats allemands ».

La première grande victoire française contre la tyrannie nazie

En décembre 1941, de Gaulle ourdit un complot qui apporta à Churchill et à Roosevelt (qui venait d'entrer en guerre après l'attaque contre Pearl Harbor) la preuve définitive que le Général était une véritable calamité ; il convenait surtout de ne pas le consulter sur quoi que ce soit.

L'amiral Émile Muselier était l'un des fidèles du général de Gaulle. Le 23 décembre 1941, il mouillait au large de la côte canadienne, à Halifax, en Nouvelle-Écosse, avec trois vaisseaux et un sous-marin français. De Gaulle lui donna l'ordre de se diriger vers les îles de Saint-Pierre et Miquelon – 242 kilomètres carrés de rochers battus par les vents mais français – et de les libérer de leur gouverneur pro-Vichy, « sans le dire aux étrangers » (autrement dit les Britanniques et les Américains).

La veille de Noël, à l'aube, les quatre bâtiments français mirent le cap sur le port de Saint-Pierre et les hommes de Muselier prirent le contrôle de l'île. L'affaire était assez simple et consistait pour l'essentiel à s'emparer du seul émetteur radio, au bureau de télégraphie de la Western Union, et à arrêter le gouverneur. Une fois ces objectifs atteints, l'amiral envoya un câble à Churchill, qui se trouvait à la Maison-Blanche en train de conférer avec Roosevelt, pour l'informer de cet événement mondial majeur : quelques petites îles canadiennes venaient d'être libérées de l'occupant nazi. Enfin le vent de la guerre tournait !

Roosevelt laissa éclater sa fureur. C'était, de fait, un coup d'État. Aux Amériques, personne ne renversait un régime sans lui demander au préalable la permission. Il décréta donc que, pendant toute la durée de la guerre, les îles seraient gérées conjointement par les Britanniques, les Canadiens et les Américains, avant d'être remises au régime, quel qu'il soit, qui gouvernerait alors la France.

Mais de Gaulle n'entendait laisser personne le dépouiller de sa première invasion réussie et il annonça que ses hommes ouvriraient le feu si les Alliés essayaient d'envoyer leurs troupes. Et il dut ressentir une énorme satisfaction quand, à la surprise générale, Roosevelt fit marche arrière. La France venait de tenir tête au géant américain et en était sortie vainqueur.

Évidemment, le président avait agi ainsi uniquement parce que, à un moment aussi critique, alors que le conflit faisait rage à la fois sur les terrains européen et asiatique, il n'avait pas de temps à perdre avec quelques Français égarés dans un bureau de la Western Union, quelque part au nord de la côte canadienne. De plus, Muselier était maintenant vexé car de Gaulle avait ruiné les bonnes relations qu'il entretenait avec les Américains, et il menaçait de se rebeller contre le Général et de partir avec la flotte.

Une nouvelle fois, les Français se chamaillaient entre eux et n'avaient besoin d'aucune intervention extérieure pour tout gâcher.

Pour Roosevelt et Churchill, cette histoire fut la goutte d'eau qui fit déborder le vase. Si de Gaulle voulait se comporter comme un adolescent rebelle, décrétèrent-ils, alors on l'assignerait à résidence. À Londres, le Général était entièrement dépendant des Britanniques pour se rendre où que ce soit, si ce n'est au resto français du coin – eh bien, on lui interdirait de bouger.

Pendant ce temps-là, Churchill était en train d'ourdir un plan bien dans sa manière qui allait faire baver de rage le Français…

Madagascar rend gaga

En mai 1942, les forces britanniques envahirent Madagascar, au large de la côte orientale de l'Afrique. Les Alliés craignaient que l'île soit utilisée comme base japonaise pour torpiller les ravitaillements par bateau dans l'océan Indien et au large du cap de Bonne-Espérance. La récente reddition de la colonie du Viêt-nam par Vichy avait convaincu Churchill que la même chose pouvait bien advenir à Madagascar. Il envoya donc rapidement, depuis l'Afrique du Sud, une force d'invasion et attaqua la garnison française de Diégo-Suarez, le plus grand port de l'île.

Or, de Gaulle n'apprit l'invasion que lorsqu'un journaliste lui téléphona pour lui demander sa réaction. Sa fureur était double. D'abord, les Anglais essayaient de voler une île à la France. Ensuite, ils le faisaient dans son dos[1].

Le Français sombra dans une paranoïa galopante et envoya un câble à ses hommes en Afrique et au Moyen-Orient : « Nous devons prévenir le peuple français et le monde entier [...] au sujet des plans impérialistes anglo-saxons. » Il ajoutait : « en aucune circonstance nous ne devons avoir des relations avec les Anglo-Saxons » et se plaignait d'être captif des Anglais à Londres.

---

1. La principale raison pour laquelle Churchill garda le secret devait sans nul doute être que, si de Gaulle l'avait appris, il se serait immédiatement rendu chez le pharmacien du coin pour se renseigner sur les antipaludiques les plus indiqués en vue d'un voyage à Madagascar.

Bien qu'encrypté avec un code français, le code fut facilement décrypté par les Britanniques et, sans nul doute, également par des nazis enchantés.

Le père Fouettard arrive à Madagascar

Les Alliés savaient que s'ils voulaient contrôler la Méditerranée et maintenir de précieuses réserves de pétrole hors d'atteinte des nazis, il leur était nécessaire de libérer toutes les colonies françaises[1] d'Afrique du Nord. En plus de l'occupant nazi, plus de 100 000 soldats vichystes, potentiellement dangereux, s'y trouvaient stationnés en 1942.

Churchill et Roosevelt gardèrent à nouveau de Gaulle à l'écart de ces manœuvres – avec sagesse car lorsque le Français eut vent d'un débarquement de forces britanniques et américaines près d'Alger, il confia à l'un de ses hommes : « J'espère que les gens de Vichy les repousseront à la mer. » Comme si elles répondaient à ses ordres, les troupes françaises commencèrent par tirer sur les Américains venus libérer Casablanca.

Il n'est donc guère surprenant que, en janvier 1943, quand les dirigeants alliés préparèrent la conférence de Casablanca sur le devenir de l'Europe et de l'Afrique, ils se montrèrent réticents à inviter de Gaulle – « Jeanne d'Arc », comme ils l'appelaient désormais en rigolant.

---

1. J'utilise à dessin le mot « colonie » au sens large puisque le Maroc et la Tunisie étaient des protectorats, tandis que l'Algérie était considérée comme partie intégrante de la France et que tous les Algériens étaient (juridiquement parlant) des citoyens français. Mais aux yeux des autochtones de ces trois pays en tout cas, les Français étaient des colons.

Churchill adressa finalement un télégramme à de Gaulle pour l'inviter à se joindre aux discussions mais sans lui dire exactement à quel endroit. En théorie, le Général était toujours interdit de déplacement et recevait les informations au compte-gouttes. La réponse fut abrupte. De Gaulle refusait de discuter du sort de la France et de ses colonies avec des nations étrangères. Très bien, répondirent Churchill et Roosevelt, dans ce cas nous discuterons avec Henri Giraud, vétéran plus malléable de la Première Guerre mondiale et l'un des plus farouches adversaires du général de Gaulle dans le débat d'avant-guerre sur la modernisation de l'armée française.

La menace eut l'effet escompté. Le Général changea rapidement d'avis.

Mais lorsqu'il arriva à Casablanca, il affichait son habituelle humeur grincheuse. Il snoba ostensiblement Giraud – les photographies officielles sont souvent recadrées pour faire disparaître Giraud et montrer un de Gaulle assis seul entre Churchill et Roosevelt – et exprima son indignation devant l'omniprésence des troupes américaines (oui, lui rappela-t-on, ils sont là pour empêcher une invasion nazie et les hommes de Vichy de vous tirer dessus).

La conférence se poursuivit sous les mêmes auspices. Le Général refusa toute discussion sur un partage du pouvoir en Afrique et exigea de repartir en Europe en avion. Avec un manque stupéfiant de tact, il refusa de monter dans un avion américain au prétexte que le pilote, tout récemment arrivé en Europe, le ferait sans doute atterrir par erreur en France occupée.

Pour prix de son singulier manque de camaraderie, de Gaulle reçut une autre de ces punitions réservées aux cancres. Non seulement l'interdiction de voyager fut maintenue mais ses bureaux furent mis sous écoute par les services secrets britanniques, qui avaient conclu que le Général n'était pas intéressé par l'effort de guerre dû par tous mais uniquement par sa propre mainmise politique sur la France et son empire. Churchill alla jusqu'à décrire de Gaulle comme « fascisant, opportuniste, sans scrupules, ambitieux jusqu'au bout des ongles [...]. Son arrivée au pouvoir en France entraînerait une brouille considérable entre la France et les démocraties occidentales ».

Il ignorait que sa prédiction se réaliserait bien avant la fin de la guerre.

22

Seconde Guerre mondiale, deuxième partie

La Résistance doit être protégée… des Français

Depuis la débâcle de Dakar, les Britanniques avaient averti de Gaulle de manquements aux règles de sécurité les plus élémentaires, mais ses lieutenants à Londres refusaient que leurs codes secrets puissent être partagés avec d'autres. C'est la raison pour laquelle, pratiquement dès le début du conflit, les services de sécurité alliés décidèrent de ne pas transmettre d'informations sensibles à la France libre, même quand celles-ci concernaient la France. Ainsi cachait-on aux Français les actions alliées en cours sur leur propre territoire, une situation qui aurait irrité n'importe qui.

Dès 1941, le Special Operations Executive (SOE) britannique avait commencé à installer des réseaux de résistance en France en ayant recours à des agents français. Mais le SOE avait refusé de dire à de Gaulle où ils étaient établis et qui les animait. De Gaulle proposa une idée typiquement française : placer la direction des réseaux de résistance sous l'égide d'une organisation unique, le Conseil national de la Résistance, qui les chapeauterait et les contrôlerait. Cette conception avait toutefois pour inconvénient majeur de mettre en péril l'ensemble de la Résistance pour peu qu'un seul de ses membres importants vînt à être capturé. Du coup, le SOE décida d'ignorer la proposition du général de Gaulle et continua d'entretenir des petites cellules indépendantes qui ne connaissaient même pas l'existence des autres. Au cours des premières années de la guerre, résister consistait moins à faire sauter des voies de chemin de fer et à tuer des Allemands – actions qui pouvaient entraîner l'exécution d'otages innocents en représailles – qu'à aider à l'évacuation de pilotes alliés. La prédiction de Churchill sur le rôle prépondérant de la guerre aérienne s'était rapidement révélée exacte et il était vital que les équipages des bombardiers et des avions de combat qui tombaient du mauvais côté de la Manche puissent rentrer chez eux sains et saufs.

La résistance active commença donc avec quelques Français courageux qui risquèrent leur vie en cachant ces hommes jusqu'à ce qu'on puisse les exfiltrer. Plus que de combattants clandestins, il s'agissait de passeurs et de propriétaires acquis à la cause, dont les adresses étaient communiquées oralement aux pilotes avant qu'ils partent en mission pour servir de points de chute éventuels. Au total, en cachant des soldats alliés dans leurs greniers, leurs caves ou leurs granges, ces citoyens ordinaires permirent à presque 6 000 aviateurs, prisonniers de guerre évadés et autres de quitter la France sains et saufs pendant la guerre.

Il est bien triste de constater que le plus grand danger pour ces fugitifs et pour leurs sauveteurs n'était pas de se trouver à la merci du décryptage de leurs codes secrets mais à celle d'autres citoyens français ordinaires. Car Pétain et ses amis n'étaient pas les seuls collaborateurs.

Il existe un moyen infaillible d'exaspérer un Français : parler de la collaboration. Soit il s'exclamera : « Oui, oui, tout cela a déjà été dit », soit il répondra qu'il aurait été intéressant de voir comment auraient réagi la Grande-Bretagne et les États-Unis dans la même situation. Mais nul ne peut ignorer l'ampleur de la collaboration de la population française avec l'occupant allemand au quotidien.

Il est difficile pour la France de s'avouer que, sous l'occupation nazie, des Françaises et des Français ordinaires dénonçaient leurs concitoyens qui cachaient des membres des forces alliées, des résistants, des Juifs, ceux qui écoutaient la BBC ou qui, tout simplement, critiquaient Pétain. Les premiers à venir enquêter sur ces « crimes » étaient d'ailleurs soit la police française, soit la milice paramilitaire plus ouvertement pronazie.

Bien sûr, il y eut quelques gendarmes pour refuser de travailler avec les nazis – au cours de la guerre, 338 furent exécutés et 800 déportés. Mais beaucoup d'autres gardèrent les camps de transit destinés aux prisonniers en route vers l'extermination et livrèrent aux nazis des membres de la Résistance et des militaires alliés en fuite, les condamnant à la torture et à l'exécution.

Héros à la rame

Un événement illustre bien la relation complexe entre toutes ces factions. Il s'agit du raid britannique connu sous le nom de code « opération Frankton » et rendu célèbre, en 1955, par le livre *Opération Coque de noix*.

Le 7 décembre 1942, six kayaks avec, à bord de chacun d'eux, deux hommes furent mis à l'eau par le sous-marin britannique HMS *Tuna* à une quinzaine de kilomètres de la côte occidentale française. Le commando de douze hommes était mené par un major âgé de vingt-huit ans, Herbie Hasler, décoré de la croix de guerre française pour son action courageuse aux côtés de la Légion étrangère lors d'une mission en Norvège. Hasler avait lui-même planifié cette opération kamikaze. L'idée était de remonter l'estuaire de la Gironde en kayak (performance difficile à réaliser en été et quasiment impossible au moment des marées d'hiver, surtout à l'aide de kayaks si petits qu'on les surnommait « coques de noix ») afin de saboter des navires nazis amarrés à Bordeaux et en instance d'appareillage pour le Japon avec, à leur bord, des équipements radars qui seraient échangés sur place contre des matières premières. Leur destruction bloquerait également le port et le rendrait inutilisable.

Il était prévu que le sous-marin n'attendrait pas le retour des douze hommes. Il leur faudrait donc pagayer plus de 100 kilomètres et aucun d'entre eux ne pensait revenir vivant de cette opération, leur seule échappatoire étant l'Espagne, qu'ils pouvaient espérer rallier par la terre ferme. On avait recommandé à ces hommes de se rendre à Ruffec, à 160 kilomètres au nord-est de Bordeaux, où ils pourraient obtenir de l'aide. Pour des questions de sécurité, aucun nom ni adresse ne leur avait été communiqué, ce qui signifiait que les rescapés devaient tenter leur chance au petit bonheur. Pour corser encore un peu les choses, Hitler avait récemment ordonné d'exécuter tous les commandos britanniques aussitôt après leur interrogatoire. Il était trop dangereux de les garder en vie.

En résumé, les douze hommes s'étaient portés volontaires pour se sacrifier en vue de détruire un port stratégique.

L'opération démarra de façon catastrophique. L'un des kayaks fut endommagé dès sa mise à l'eau et son équipage ne put prendre part à la mission. Deux autres chavirèrent dans les remous, à l'embouchure de la Gironde, et deux hommes (George Sheard et David Moffat) se noyèrent tandis que les deux autres (Samuel Wallace et Robert Ewart) étaient capturés par les nazis en regagnant la rive. Le commando était déjà réduit de moitié alors qu'il n'avait parcouru qu'un dixième du trajet.

Remontant le fleuve à la rame, au jugé, il était pratiquement inévitable que les trois kayaks restants se perdent de vue. Dans la nuit du 10 au 11 décembre, l'une des embarcations, à la traîne, heurta un obstacle. Son équipage, John MacKinnon et James Conway, rejoignit la berge et décida de gagner directement l'Espagne plutôt que de se rendre au nord vers Ruffec. Les deux hommes marchèrent 40 kilomètres jusqu'au village de Cessac, où un couple de Français courageux, les Jaubert, les cachèrent pendant trois jours. Les Jaubert leur expliquèrent que le plus sûr moyen de rallier l'Espagne était de prendre le train à partir de La Réole, à une vingtaine de kilomètres. Les deux hommes parvinrent bien à La Réole mais ils y furent arrêtés par des gendarmes français et remis à la Gestapo.

Pendant ce temps, deux kayaks continuaient de remonter le fleuve, protégés car les quatre autres fusiliers marins n'avaient rien révélé de leur mission au cours de leurs interrogatoires. C'est ainsi que, dans la nuit du 11 au 12 décembre, les deux équipages restants parvinrent à poser leurs mines-ventouses sur 5 navires et enclenchèrent les dispositifs de mise à feu avant de s'enfuir à la rame.

Une fois à terre, ces hommes devaient dissimuler leurs kayaks et traverser 160 kilomètres d'un pays occupé jusqu'à Ruffec. Les choses se compliquèrent quand, juste avant l'aube, les mines explosèrent, les nazis se rendant alors compte que les hommes qu'ils avaient capturés ne voyageaient pas seuls. Wallace et Ewart furent exécutés sommairement.

Deux des saboteurs, Bert Laver et Bill Mills, parvinrent à environ 60 kilomètres de là, à Montlieu-la-Garde, avant que des habitants les dénoncent aux gendarmes, qui firent également leur devoir patriotique en les livrant aux nazis. Eux aussi furent interrogés et envoyés à Paris avec MacKinnon et Conway, avant d'être exécutés en mars 1943.

Sans savoir qu'ils demeuraient les seuls encore en fuite, Herbie Hasler et son corameur Bill Sparks continuèrent de marcher. Ils durent quémander à manger et on leur refusa parfois de l'aide mais ils ne furent jamais dénoncés. Le 18 décembre, ils arrivèrent enfin à Ruffec où, ne sachant qui contacter, ils tentèrent leur chance au restaurant *La Toque Blanche*. Le hasard fit bien les choses : le propriétaire, René Mandinaud, les accueillit à bras ouverts et les mit en contact avec les réseaux de la Résistance.

Arrivé à ce stade de l'opération, un site gouvernemental français consacré à la Résistance, où cette histoire est rapportée, fourmille de détails. Tous ceux qui aidèrent Hasler et Sparks sont nommés – et c'est très bien ainsi. On nous révèle la profession de chacun, on nous dit combien de temps ils abritèrent les fugitifs et à qui ils confièrent les deux hommes. Nous apprenons ainsi, par exemple, le nom de l'enseignant (M. Paille) qui assura qu'ils n'étaient pas des espions britanniques, ainsi que celui de la femme (Marthe Rullier) qui alerta la Résistance, ou celui de René Flaud (qui conduisit les deux hommes en zone libre dans son camion de boulanger) et de la famille Dubreuille (qui les cacha pendant quarante et un jours dans sa ferme).

Le dernier maillon de la chaîne ayant permis la fuite des héros de l'opération Coque de noix fut une expatriée anglaise, Marie Lindell, qui avait épousé un comte français et s'était installée dans le sud-ouest du pays. À l'arrivée des nazis, elle était repartie en Angleterre mais elle était revenue en France en 1942 en tant que chef de la Résistance lyonnaise, sous le pseudonyme de Marie-Claire. C'est son fils de dix-huit ans, Maurice, qui avait emmené Hasler et Sparks à Lyon, où Marie-Claire les avait pris en charge.

Son premier conseil fut de demander à Hasler de raser sa moustache – le marin blond avait l'air aussi français qu'un pudding de Noël. Elle l'avertit aussi de garder ses distances avec les demoiselles. L'expérience lui enseignait que le plus grand danger pour des militaires en cavale était leur amour des femmes qui leur faisait oublier les règles les plus élémentaires de sécurité. Elle avait raison de se montrer prudente : quelques mois plus tard, elle fut blessée au cours d'une opération et déportée à Ravensbrück. Si elle survécut, l'un de ses fils y périt.

Grâce au réseau de refuges sûrs de Marie Lindell, Hasler et Sparks rejoignirent la frontière espagnole, puis le consulat britannique à Barcelone. Finalement, tous deux regagnèrent la Grande-Bretagne sains et saufs, via Gibraltar.

Sur les dix rameurs morts, deux se noyèrent, deux furent capturés par les nazis et quatre furent dénoncés. Pour des hommes dont la mission était de sauver la France de l'occupant nazi, le simple fait d'être vu par un civil français – et surtout par un gendarme – était donc potentiellement deux fois plus dangereux que de ramer en kayak sur des eaux glacées au cœur d'une nuit d'hiver. Un froid constat arithmétique que les Français préféreraient oublier.

Que faisiez-vous pendant la guerre, Jean-Paul ?

Les dilemmes moraux en France occupée fournissaient une riche matière aux écrivains français et ceux qui avaient une conscience politique prirent immédiatement leur plume contre les nazis. Certains d'entre eux créèrent Les Éditions de Minuit, qui commencèrent à distribuer leurs livres sous le manteau pour contourner la censure. Des grands noms de la littérature comme Aragon, Éluard et Mauriac entrèrent dans la clandestinité et renoncèrent à la gloire et aux droits d'auteur pour ne plus être lus que par quelques-uns dont on pouvait être sûr qu'ils placeraient leurs livres entre des mains amies plutôt qu'entre celles des gendarmes.

Les Éditions de Minuit publièrent, par exemple, *Chroniques interdites* et *L'Honneur des poètes*, deux textes dont les titres parlent d'eux-mêmes. Pour des raisons évidentes, les tirages étaient limités et, bien que cette maison d'édition survécût après la guerre, elle fut pendant des années au bord de la faillite car elle n'avait jamais profité de financements nazis ou vichystes.

À l'autre bout du spectre se trouvent des écrivains français qui se déclarèrent ouvertement pronazis. Céline se révéla un antisémite délirant, s'exprimant en faveur de la déportation et de l'exécution de quiconque avait un grand-parent juif. Jean Cocteau se prétendait, quant à lui, apolitique mais comptait des amis influents au sein du régime nazi garantissant qu'il ne rencontrerait aucun problème.

D'autres ménagèrent la chèvre et le chou, ne collaborant pas ouvertement mais gardant un silence ambigu. Ainsi de Jean-Paul Sartre et de Simone de Beauvoir.

Sartre et Beauvoir sont considérés, au regard de l'histoire de France contemporaine, comme des intellectuels vénérés et intouchables – Sartre pour son engagement au cours de la révolte estudiantine de Mai 1968 et Beauvoir à cause de son œuvre féministe majeure, *Le Deuxième Sexe*. Jamais vous n'entendrez un mot désagréable sur leur compte sauf que, pendant l'essentiel de l'Occupation, le couple fit l'autruche, voire prospéra.

Sartre et Beauvoir n'étaient ni naïfs ni stupides ; ils savaient que nombre d'éditeurs français avaient signé avec les nazis un accord d'autocensure garantissant qu'aucune littérature séditieuse ne pourrait voir le jour sous l'Occupation. Un auteur considéré comme « dangereux » ne serait tout simplement plus publié par les canaux traditionnels ; de même la distribution de textes officieux antinazis constituait un crime sévèrement puni.

Sartre avait commencé la guerre dans l'armée française mais il avait été fait prisonnier lors de l'offensive nazie, en 1940. Envoyé dans un camp, dans l'ouest de l'Allemagne, il avait été rapidement rapatrié au prétexte que sa mauvaise vue pourrait altérer son équilibre. On pourrait, bien sûr, voir là une ruse pour duper l'ennemi mais, plus tard, au sein de la Résistance, on ne manqua pas de trouver hautement suspecte cette libération précoce.

À nouveau libre, Sartre traversa rapidement la Manche pour se joindre aux troupes de la France libre en vue de libérer son pays. Euh, non… En fait, il accepta un poste d'enseignant dans un lycée parisien, laissé vacant par un collègue renvoyé en raison de ses origines juives – un épisode gênant et qui fut passé sous silence jusqu'à sa révélation par un magazine français, en 1997.

Les pièces les plus célèbres de Sartre, *Les Mouches* et *Huis clos*, furent publiées et jouées pour la première fois pendant l'occupation nazie. La première des *Mouches* eut lieu en 1943 dans un théâtre qui s'appelait le Sarah-Bernhardt jusqu'à ce que les nazis le rebaptisent pour faire oublier son nom juif. La pièce reçut une critique élogieuse dans le journal nazi *Pariser Zeitung*, ce qui montre combien elle était politiquement inoffensive.

L'attitude de Beauvoir fut tout aussi ambiguë. Elle

fut certes licenciée du lycée où elle enseignait, mais non en raison d'activités antinazies : la mère d'une de ses élèves s'était plainte que Beauvoir avait couché avec sa fille.

Beauvoir travailla ensuite pour la radio nationale de Vichy, radio importante pour les nazis car elle offrait aux Français une alternative à la BBC. Pour se donner un air de respectabilité, cette station diffusait des émissions au caractère apolitique en même temps qu'elle faisait ouvertement de la propagande. Beauvoir y présentait une émission historique qui n'était pas en soi pronazie mais qui constituait un instrument efficace en vue d'attirer les auditeurs vers la radio collabo. Pour exercer cet emploi, elle dut signer un formulaire attestant qu'elle n'était pas juive, acceptant ainsi, plus encore que Sartre avec son poste d'enseignant, la nature raciste du régime.

Parallèlement, Beauvoir écrivait, et son premier roman, *L'Invitée*, fut publié en 1943. Elle fut émue par les louanges qu'elle reçut de Ramon Fernandez, écrivain et collaborationniste notoire, et dit son espoir de remporter le prix littéraire français le plus prestigieux, le prix Goncourt, même s'il était de notoriété publique que les membres du comité étaient des collaborateurs patentés.

Il n'est donc guère surprenant que l'essentiel des écrits de Sartre et de Beauvoir d'après-guerre aient été consacrés à réinventer des codes moraux...

Quelques peintres eurent également des comportements discutables. André Derain et Maurice de Vlaminck se rendirent en Allemagne dans le cadre d'une visite d'artistes à laquelle la machine de propagande nazie ne manqua pas de donner un grand écho. Au même moment, les Allemands spoliaient des collectionneurs juifs assassinés dont les tableaux, en particulier des toiles expressionnistes, seraient soit détruits en tant qu'« art dégénéré », soit vendus pour financer l'effort de guerre d'Hitler.

L'image d'autres célébrités françaises sortit écornée de la guerre. Maurice Chevalier, star hollywoodienne dans les années 1930, demeura à Paris pendant toute l'Occupation et poursuivit une brillante carrière, bien qu'il refusât de chanter sur les ondes de la radio de Vichy.

Édith Piaf resta également à Paris, chantant à l'occasion pour des officiers nazis et les invitant même à partager un verre chez elle.

Bien sûr, on peut argumenter que ces chanteurs offraient à un public français opprimé un réconfort moral bienvenu, mais les troupes occupantes de la Wehrmacht furent sans doute tout autant revigorées par leurs chansons et retournaient probablement au front en sifflotant : « *Nichts*, je ne regrette *nichts*. »

Parmi les célébrités les plus inexcusables figure Coco Chanel. Aujourd'hui, la marque Chanel est aussi irréprochable que le dessin impeccable des jupes de Coco et ce nom évoque la quintessence française : une élégance naturelle, une classe simple, le parfum du luxe.

Mais quand la guerre éclata en 1939, Chanel ferma sa maison de couture et congédia ses 4 000 couturières via un licenciement collectif que les syndicats français rendraient aujourd'hui nul et non avenu. Elle était suffisamment âgée (cinquante-six ans) pour se souvenir de la grave pénurie de tissu qui avait sévi au cours de la Première Guerre mondiale et elle déclara qu'elle consacrerait toute son énergie à son célèbre parfum Chanel N° 5.

Pour être tout à fait exact, il ne s'agissait pas de *son* parfum. Elle l'avait créé, certes, en 1921, mais elle en avait vendu l'essentiel des droits à deux hommes d'affaires, Pierre et Paul Wertheimer. Juifs, ceux-ci s'étaient exilés aux États-Unis dès que la France avait été occupée, non sans avoir créé au préalable une holding – appelée, avec humour, Bourjois – de façon à empêcher les nazis de s'emparer de leurs avoirs.

Chanel était au courant de la manœuvre et informa les nazis de la véritable identité de Bourjois, espérant récupérer les droits de ses parfums. Elle était bien placée pour servir d'informateur puisque son amant était un haut responsable de la SS, un officier appelé Hans Günther von Dincklage. Elle vivait également au Ritz, l'un des quartiers généraux des nazis à Paris. Chanel ne faisait pas que coucher avec l'ennemi, elle passait aussi ses journées avec lui.

En 1943, Coco fut impliquée dans une étrange tentative d'accord de paix entre la Grande-Bretagne et l'Allemagne. Il s'agissait apparemment du fruit des réflexions d'un autre SS, Walther Schellenberg, un proche assistant d'Himmler, en charge de dresser la liste des Britanniques dangereux devant être arrêtés dès que la victoire serait acquise – pas le genre d'homme à qui confier une mission de paix.

Coco devait passer un message à Winston Churchill, qu'elle avait rencontré une fois ou deux durant sa liaison avec un duc anglais dans les années 1920. Pour ce faire, elle prit contact avec une vieille amie de la haute société anglaise, Vera Bate Lombardi, cousine du duc de Windsor (le roi Édouard VIII, qui avait abdiqué). Avant la guerre, Vera avait présenté les modèles de Coco aux Anglais les plus fortunés et les nazis ne doutaient pas qu'elle aurait accès à Churchill.

Sur l'ordre de Schellenberg, Coco tenta d'attirer Vera à Paris, pour soi-disant rejoindre la nouvelle équipe Chanel. Mais Vera, qui vivait à Rome, refusa d'avoir quoi que ce soit à faire avec elle. Les nazis firent alors arrêter Vera comme espionne anglaise.

Churchill aida pourtant bel et bien Chanel. Lorsque celle-ci fut arrêtée à la Libération et accusée de collaboration avec les nazis, on dit que Winston Churchill intervint personnellement en sa faveur. Elle fut autorisée à un exil doré en Suisse avec son compagnon nazi, Hans Günther.

Les Wertheimer rentrèrent, eux, en France et, afin d'éviter une sordide bataille juridique, acceptèrent de verser à Coco 400 000 dollars en liquide, 2 % des droits sur tous les produits Chanel, ainsi qu'un salaire mensuel à titre de compensation. Aucun risque donc que Coco souffrît du rationnement d'après-guerre.

« Crimes » sexuels

Si certains collaborateurs fameux réussirent à s'en sortir sans dommage, tel ne fut pas le cas des femmes reconnues coupables de « collaboration horizontale ». Dès qu'une ville était libérée, les représailles commençaient et toute femme ayant eu ouvertement des relations sexuelles avec un nazi, que ce soit pour se nourrir ou pour toute autre raison, était tondue et souvent passée à tabac.

Enfin, *presque* toutes ces femmes connurent ce sort

car, comme toujours, l'establishment français serra les rangs pour passer sous silence certains détails embarrassants.

Les bordels de Napoléon avaient accueilli l'ennemi sans être menacés, ou presque. À Paris, 31 bordels étaient réservés à la Wehrmacht et 5 000 prostituées avaient pour consigne de ne s'occuper que des nazis. Les autres restaient libres de choisir leurs clients sans demander de détails sur leur nationalité ou leurs opinions politiques. En 1941, une nouvelle loi de Vichy qualifia les bordels de « divertissements de troisième catégorie », comme les courses de chevaux ou de bicyclettes. En 1942, le système fut encore amélioré, intégrant les bordels à l'industrie hôtelière afin, peut-être, que les filles n'aient pas à chronométrer les performances de leurs clients.

À l'issue de la guerre, tandis que les « collaboratrices horizontales » étaient humiliées quotidiennement devant les caméras, les prostituées changèrent simplement de clientèle. En 1945, un policier français nota que certaines autorités locales avaient « refusé de condamner les prostituées car leur conduite était professionnelle, pas politique ». Si l'on veut bien lire entre les lignes, les raisons d'une telle clémence sont évidentes : les nazis n'étaient pas les seuls à fréquenter les bordels, les notables en étaient également des clients réguliers et ils ne désiraient pas que le secret de leurs « amours » en temps de guerre fût révélé, notamment quand celles-ci avaient été consommées dans des établissements protégés et fréquentés par les nazis.

Les représailles ne vinrent que plus tard, en 1946, quand une loi interdisant les bordels fut promulguée.

L'ironie de l'histoire est que cette loi porta le nom d'une ancienne prostituée, Marthe Richard, qui avait organisé des fêtes pendant toute la guerre pour des dignitaires nazis et qui essayait de se refaire une virginité en qualité de mère la vertu, une fois la fête terminée.

Notons que c'est cette loi, ainsi que la lutte pour le pouvoir dans la France d'après-guerre, qui inspira Ian Fleming pour son premier James Bond, *Casino Royale*. Loin de moi de suggérer que Fleming ait eu une quelconque nostalgie pour les bordels, évidemment.

Why not pardonner et oublier ?

Cela peut sembler malveillant de remuer tous ces vieux souvenirs de la collaboration. Après tout, c'est un peu facile, comme de rappeler à un supporter de football la défaite humiliante de son équipe en finale de la Coupe. Il y eut, bien entendu, de grands héros de la Résistance : Jean Moulin, par exemple, arrêté à Lyon (au cours d'une réunion visant, malheureusement, à organiser le Conseil national de la Résistance cher à de Gaulle) et mort sous la torture nazie, ou Pierre Brossolette, agent du SOE qui, bien que menotté, préféra se défenestrer plutôt que d'avouer quoi que ce fût à la Gestapo, ou Guy Môquet, fusillé par les Allemands à l'âge de dix-sept ans et dont la lettre d'adieu à sa famille est aussi sobre que déchirante.

Mais les placards étaient remplis de cadavres – Guy Môquet, par exemple, fut arrêté par des policiers *français* pour distribution illégale de tracts – et, après la guerre, la France voulut en garder bon nombre sous clé.

Il y eut beaucoup de procès spectacles et de têtes rasées mais cela toucha surtout ceux qui étaient trop ouvertement pronazis pour y échapper ou ceux qui n'avaient tout simplement pas les appuis pour les éviter.

Après 1945, le ver était trop profondément enkysté dans l'establishment français pour être retiré sans compromettre l'ensemble du tissu social national. François Mitterrand en est un exemple parfait. Après un séjour dans un camp de prisonniers en Allemagne, il revint en France en 1941 et travailla pour le gouvernement de Vichy. S'il prit une part indiscutable à la Résistance, surtout à la fin de la guerre, il était également un serviteur du régime de Pétain suffisamment zélé pour être décoré de l'ordre de la Francisque, l'ordre du mérite sous Vichy. Certains de ses contemporains le soupçonnèrent d'avoir joué double jeu en attendant de voir qui l'emporterait. En 1992, on apprit qu'il avait secrètement pris des dispositions pour que la tombe de Pétain fût fleurie, et ce depuis la mort du collaborateur en chef, en 1951.

La riposte habituelle des Français, à propos du débat sur la collaboration, est que les Anglo-Saxons « l'ont échappé belle ». Britanniques et Américains n'eurent jamais à faire face aux dilemmes moraux de l'Occupation. Est-ce qu'un policier londonien aurait dénoncé de Gaulle à la Gestapo ? Nous ne le saurons jamais.

Mais l'argument n'est peut-être pas entièrement recevable car une petite partie de la Grande-Bretagne *fut* occupée par les nazis.

La vie avec nos « visiteurs » nazis

Tandis que, en 1940, la France courait droit à la reddition, les Britanniques décidèrent que les îles de la Manche ne valaient pas la peine d'être défendues. Ils annoncèrent être prêts à évacuer tous ceux qui le voulaient, avant de les abandonner aux nazis. Pourquoi donc alors l'Angleterre s'y était-elle tant accrochée depuis des siècles ? était-on en droit de se demander. La réponse est bien sûr évidente : juste pour agacer les Français.

Cette annonce ne laissa que très peu de temps aux habitants des îles pour se décider. Devaient-ils abandonner leurs maisons aux nazis ? Ou rester en espérant que tout se passerait bien ?

La plupart des hommes en âge de combattre et qui n'étaient pas encore sous les drapeaux regagnèrent l'Angleterre pour s'engager. En tout, environ 30 000 personnes, soit un tiers de la population des îles, choisit de partir. Les autres préférèrent attendre l'inévitable et les îles se rendirent l'une après l'autre, début juillet 1940.

Comment ces habitants se comportèrent-ils donc au cours des cinq années d'occupation ? Dans son livre *The British Channel Islands under German Occupation, 1940-1945* (« *Les Îles Britanniques de la Manche pendant l'occupation allemande, 1940-1945* »), Paul Sanders offre un compte rendu incroyablement détaillé de la vie durant la période nazie à Jersey, Guernesey, Aurigny et Sercq. Le tableau qu'il brosse est moralement complexe, souvent sordide, mais parfois réconfortant.

Il y eut des collaborateurs (horizontaux et verticaux), des informateurs appointés, du marché noir et des sympathisants. Le gouverneur de Jersey, Alexander Coutanche, fut accusé par certains d'être un traître dans le genre de Pétain pour avoir accepté de servir sous les nazis.

Mais on observe des différences subtiles avec ce qui s'est passé en France métropolitaine. Le plus important de tout fut que, contrairement au régime de Vichy, aucun gouvernement pronazi servile ne fut mis en place. L'île était bel et bien administrée, mais absolument pas par des gens qui se réjouissaient secrètement de la présence des nazis ou souhaitaient appliquer certaines idées de leur programme.

Il est vrai que les lois antijuives d'Hitler furent introduites sur les îles. Les Juifs devaient se faire enregistrer et on leur interdit de posséder une entreprise. Mais ces lois ne furent pas appliquées avec le même zèle qu'en France et le gouverneur Coutanche refusa de contraindre quiconque à porter l'étoile jaune.

Trois Juifs de Guernesey furent tragiquement déportés à Auschwitz. Il semble qu'ils furent choisis par les nazis car il s'agissait de réfugiés venus d'Autriche. Auguste Spitz, Marianne Grunfeld et Thérèse Steiner ne revinrent jamais des camps. La police de Guernesey participa effectivement à leur déportation en les informant de l'ordre allemand selon lequel ils devaient faire leurs valises et se rendre dès le lendemain auprès des nazis. Cela ne change rien, à l'évidence, au sort de ces personnes et aucune bonne âme n'est intervenue pour les sauver, cependant aucune ne fut arrêtée chez elle par la police locale pour être remise aux nazis, comme cela arriva souvent en France.

La plupart des autres Juifs des îles furent envoyés dans des camps d'internement (et non d'extermination), en 1942 et 1943, en compagnie d'un groupe de 1 300 déportés qui comprenait les personnes qui n'étaient pas native des îles Anglo-Normandes, ainsi que tous les hommes ayant servi comme officiers au cours de la Première Guerre mondiale. Tous furent jugés d'une « influence indésirable » par les nazis et envoyés en Allemagne en représailles du raid d'un commando britannique sur Sercq. La plupart survécurent.

Il y eut peu ou pas de mouvement de résistance sur les îles. La plupart des habitants demeurèrent passifs et se contentèrent de barbouiller des « V » de la victoire sur les murs et d'écouter la BBC, un crime courant qui entraîna, en 1942, la saisie de tous les postes de radio des îles. Pas de quoi perturber l'ordre des choses, dira-t-on, mais il aurait été difficile d'organiser une armée clandestine alors que les îles comptaient un soldat nazi pour deux résidents et que pratiquement tous les occupants logeaient chez l'habitant.

Cette cohabitation entraîna logiquement une fraternisation, notamment pour obtenir de quoi se nourrir. Il était interdit de sortir les bateaux de pêche et la majorité des gens n'avaient pour survivre que de l'avoine, des patates et du lait alors que les Allemands disposaient de rations abondantes qu'ils étaient prêts à vendre ou à échanger. Inévitablement, le commerce concernait souvent autre chose que des coquillages sculptés ou de l'artisanat local. De nombreuses femmes choisirent la « collaboration horizontale » et furent nommées les *Jerry-bags*[1] par les insulaires. Mais ce phénomène fut, semble-t-il, beaucoup moins répandu qu'en France métropolitaine, d'une part parce que la communauté

---

1. Littéralement « sacs à Boches ». (*N.d.T.*)

était si petite qu'il était impossible de garder le secret sur ses activités, et d'autre part parce que les îles se trouvaient sur la ligne de front et que la garnison n'avait guère le loisir de faire la fête – même si un bordel bien géré et contrôlé sur le plan sanitaire était disponible, entièrement réservé aux troupes. Il était dirigé par une Française et employait des prostituées françaises. Eh oui, les nazis importaient des « collaboratrices horizontales ».

Les artistes font une drôle de lèche aux nazis

À l'instar de leurs collègues à Paris, les Allemands occupant les îles Anglo-Normandes n'étaient pas privés de divertissements. On pouvait assister à des représentations théâtrales, à des concerts (certains mêlant des musiciens locaux et allemands) et à des expositions d'art, où les autochtones fréquentaient les nazis. Mais la vie culturelle sur les îles était aussi caractérisée par des actes de résistance artistique excentriques.

Claude Cahun et Marcel Moore étaient deux artistes françaises qui s'étaient établies à Jersey avant la guerre. À l'arrivée des nazis, le duo accepta les invitations à participer à des fêtes avec l'occupant. Mais il ne le fit pas seulement pour boire du champagne et jouer les pique-assiettes et, étant donné leur sexualité, il est improbable que les deux femmes aient cherché à coucher avec l'ennemi. En fait, elles se faisaient inviter à ces sauteries et en profitaient pour glisser des tracts antinazis dans les poches des soldats allemands. Il ne s'agissait pas de simples libelles de propagande mais de véritables œuvres d'art, poèmes antifascistes ou textes dressant la liste des atrocités commises par les nazis.

Sans surprise, Cahun et Moore furent arrêtées en 1944 et condamnées à mort mais leur exécution n'eut jamais lieu et elles finirent la guerre en prison. Si elles avaient fait la même chose en France, il leur serait arrivé bien pis, d'autant que Cahun appartenait à une famille d'intellectuels juifs.

Edmund Blampied était un artiste beaucoup plus conventionnel de Jersey. Quand la guerre éclata, il avait cinquante-trois ans et, illustrateur jouissant d'une renommée internationale, faisait partie des figures artistiques de l'île. En 1940, il choisit de ne pas quitter l'île, bien que son épouse fût juive. Ni lui ni sa femme ne furent maltraités par les occupants ; il aurait même pu être accusé de collaboration car il accepta de dessiner la nouvelle monnaie et les nouveaux timbres. Un sympathisant nazi, peut-être ?

Pas vraiment. Blampied prit des risques considérables en intégrant les lettres « GR », pour *George Rex*, autrement dit le roi George VI, sur ses timbres. Ainsi, pendant toute l'Occupation, chaque fois qu'un habitant de l'île léchait un timbre, il tirait par la même occasion la langue aux nazis.

Une dissimulation britannique ?

Après la guerre, les Britanniques enquêtèrent sur les allégations de collaboration dans les îles Anglo-Normandes. Les doutes sur le gouverneur de Jersey, Alexander Coutanche, furent levés ; on peut donc accuser l'establishment britannique d'être tout aussi auto-

534

protecteur que les autorités françaises. Il semble bien pourtant que, à l'instar des autres hommes politiques des îles, Coutanche ait maintenu des relations de travail avec les nazis afin de s'assurer que les résidents ne souffrent pas trop. Et pas seulement les natifs des îles – il alla se plaindre auprès du commandant nazi des mauvais traitements infligés aux forçats russes employés pour construire des fortifications. Les habitants offraient en effet régulièrement de la nourriture à ces hommes, ce qui rendait les nazis tellement furieux qu'ils placardèrent des affiches signalant qu'il n'était pas nécessaire de nourrir les prisonniers car ces squelettes vivants recevaient déjà assez à manger.

En réalité, Coutanche résista à sa manière, en chicanant sans cesse l'occupant, refusant souvent de signer des ordonnances ou d'appliquer de nouveaux règlements. Des photos de lui en 1945 montrent un homme nettement plus maigre qu'en 1940. À moins qu'il se fût volontairement astreint à peu se nourrir pour mieux tromper l'ennemi, il semble avoir été soumis au même régime draconien que les autres habitants des îles.

Au lendemain de la guerre, on confisqua les biens de ceux qui s'étaient enrichis grâce au marché noir et on recensa quelques agressions contre des *Jerry-bags*. 40 habitants furent bannis et 12 poursuivis, dont des informateurs à la solde de l'occupant, mais toutes les charges furent finalement abandonnées. Il semble donc que les îles Anglo-Normandes aient préféré, comme la France, mettre ce passé entre parenthèses.

Tout ne fut donc pas tout blanc et des Britanniques collaborèrent effectivement. Mais il y eut une grande différence entre Paris et Jersey ou Guernesey : presque tous les hommes habitant ces îles de la Manche et en âge de combattre étaient partis se jeter dans la bataille plutôt que de demeurer assis à la terrasse des cafés à débattre du sens véritable de la liberté morale.

Les Français « libérés par eux-mêmes »

Les larmes de joie et de soulagement qui accueillirent les troupes alliées alors qu'elles avançaient à travers la Normandie en juin 1944 font partie des images d'Épinal de l'histoire de la Libération. Mais un homme n'était pas là pour les voir : Charles de Gaulle.

Pour des raisons de sécurité, on ne le mit pas au courant des préparatifs du jour J jusqu'à l'avant-veille de l'invasion. Après tout ce qui s'était passé, Churchill craignait que si les Français l'apprenaient à l'avance, les nazis découvriraient aussitôt ce qui se tramait. Pas à cause d'une traîtrise intentionnelle, bien entendu, mais simplement parce que l'un des assistants du général de Gaulle risquait de se rendre chez un libraire de Londres pour lui commander 500 cartes de la Normandie.

Si vous demandez aujourd'hui à un Français quelles étaient les troupes présentes sur les plages de Normandie le 6 juin 1944, il vous répondra sans doute : « Surtout des Américains. » Les Britanniques étaient là eux aussi, admettra-t-il, mais peu nombreux. Et il oubliera probablement complètement la présence des Canadiens.

En réalité, sur les 156 000 hommes qui débarquèrent en Normandie le jour J, 73 000 étaient américains et 83 000 appartenaient à l'armée britannique, même si seulement 61 700 étaient réellement des Britanniques. Les autres étaient essentiellement canadiens.

Des Français étaient également présents – des commandos de la marine à qui on avait transmis le plan de leurs cibles quelques jours avant l'opération.

Ces troupes françaises étaient menées par Philippe Kieffer, qui avait rallié la cause alliée dès le début de la guerre, et ils se battirent avec courage, subissant des pertes très élevées au cours de la bataille de Normandie – un cinquième de leur unité fut tué. Le plus incroyable, cependant, est que, au jour J, la force d'invasion française n'ait compté que 177 hommes. Pas 177 brigades ou bataillons. 177 soldats, représentant à peine plus de 0,1 % de l'ensemble de l'armée d'invasion.

Pourquoi si peu ? Eh bien, hormis le fait que l'essentiel de l'armée française se trouvait dans des camps de prisonniers en Allemagne ou rendu à la vie civile en France, les Alliés avaient eu d'énormes difficultés à obtenir le soutien du général de Gaulle pour une invasion de la France. Le Général s'était offusqué d'avoir été informé si tard de ces projets et avait traité avec mépris l'insistance de Churchill à discuter, avant que le débarquement ne débute, de la façon dont la France serait gouvernée par la suite. De Gaulle avait réaffirmé qu'il n'avait pas à « demander aux Américains » l'autorisation de diriger son propre pays. Il refusa même de laisser 200 de ses officiers traverser la Manche au sein d'unités alliées pour éviter que les Français se compromettent politiquement. Il était inquiet que les Alliés installassent dans les zones libérées un régime provisoire qu'il ne pourrait contrôler. Le général américain George C. Marshall fut si furieux du refus de la France libre d'envoyer du soutien qu'il déclara avec véhémence : « Aucun fils de l'Iowa ne se battra pour ériger des statues à de Gaulle en France. »

Le Général s'accrocha à sa position jusqu'au dernier moment, Churchill allant même jusqu'à l'accuser d'être « dévoré par l'ambition comme une ballerine » (à l'évidence, Churchill savait des choses sur les ballerines que la plupart d'entre nous ignorent).

Au final, de Gaulle se rallia – comme d'habitude il avait poussé le bouchon le plus loin possible, testant la résistance des Alliés et marquant son territoire – et prononça un discours brillant de soutien au débarquement sur les ondes du service français de la BBC.

« La bataille suprême est engagée, déclara-t-il. Après tant de combats, de fureur, de douleurs, voici venu le choc décisif. Bien entendu, c'est la bataille de France et c'est la bataille de la France ! » (Cette répétition n'est pas due à une erreur d'imprimerie. Quand je dis qu'il prononça un discours brillant, je veux dire au regard des critères de la rhétorique française.) Puis il poursuivit : « D'immenses moyens d'attaque, c'est-à-dire, pour nous, de secours, ont commencé à déferler à partir des rivages de la vieille Angleterre. Devant ce dernier bastion de l'Europe à l'ouest, fut arrêtée, naguère, la marée de l'oppression allemande. Il est aujourd'hui la base de l'offensive de la liberté. La France, submergée depuis quatre ans mais non point réduite ni vaincue, la France est debout pour y prendre part. Cette bataille, la France va la mener avec fureur. Elle va la mener en bon ordre. C'est ainsi que nous avons, depuis quinze cents ans, gagné chacune de nos victoires. »

En remontant si loin dans l'histoire, de Gaulle semble faire référence à l'invasion d'Attila le Hun, que la France repoussa effectivement bien que, selon une légende française, elle le fît davantage en priant sainte Geneviève qu'en se battant.

De Gaulle appelait les Français à résister contre l'oppresseur « soit par les armes, soit par les destructions, soit par le renseignement » et conclut par une envolée lyrique : « La bataille de France a commencé. Il n'y a plus, dans la nation, dans l'empire, dans les armées, qu'une seule et même volonté, qu'une seule et même espérance. Derrière le nuage si lourd de notre sang et de nos larmes, voici que reparaît le soleil de notre grandeur ! »

On aurait pu croire que 177 000 Français, et non 177, étaient en train de traverser la Manche. De Gaulle lui-même ne gonfla pas ce chiffre avant le 14 juin, une semaine après que l'offensive eut été déclenchée. Mais à peine reposa-t-il le pied sur le sol natal qu'il fut clair qu'il avait remporté sa guerre personnelle. Partout où il se rendait, les Français libérés acclamèrent le retour du héros et l'acceptèrent comme leur nouveau chef. Sa détermination à ne pas partager le pouvoir et à ne pas laisser les Alliés se mêler du gouvernement de la France d'après-guerre avait payé. Selon Simon Berthon, auteur d'*Allies at War* (« Les Alliés dans la guerre »), qui décrit dans le détail la relation tumultueuse entre de Gaulle, Churchill et Roosevelt, le retour du Général était aussi très pratique pour les Français car il était l'incarnation vivante du mythe selon lequel la France n'avait jamais été défaite. Il donnait l'impression que la Libération était juste le fruit de sa présence à Londres et que, contrairement aux apparences, la France n'avait jamais cessé de résister à l'ennemi.

Qui a libéré Paris ? Moi !

Les Français croient que Paris fut libéré à la fin du mois d'août 1944 par le légendaire général Leclerc, qui fit la jonction avec la Résistance pour obliger les nazis à se rendre. Ils croient que Leclerc était accompagné par quelques Américains venus pour l'aventure et qu'il n'y avait aucun Britannique.

En fait, c'est presque vrai, mais pas pour les raisons que l'on avance habituellement.

Churchill avait fait en sorte qu'une force française plus importante, placée sous le commandement de Leclerc, arrive en Normandie au début du mois d'août. La 2e division blindée de Leclerc comptait à peine plus de 14 000 hommes, dont 3 600 Nord-Africains et 3 200 républicains espagnols, et se trouvait officiellement sous le commandement du général américain Patton, bien qu'il apparût assez rapidement que son vrai chef était de Gaulle.

L'offensive des Alliés en direction de l'Allemagne passait, pour des raisons géographiques évidentes, nettement au nord de Paris[1]. Si les Alliés pouvaient faire une percée de l'autre côté de la Seine en remontant vers la frontière belge, pensait-on, ils pourraient couper les arrières de l'armée d'occupation d'Hitler et remporter la course vers Berlin contre Staline et les communistes (la Guerre froide ne s'appelait pas encore ainsi mais avait bel et bien déjà commencé).

Mais cela ne convenait pas du tout à de Gaulle. Il savait que s'il voulait gouverner l'ensemble de la France, il devait rejoindre Paris le plus rapidement possible après le jour J. Les choses commençaient à chauffer dans la capitale, une grève générale avait

---

1. Les Alliés ne se laissèrent pas distraire par les îles Anglo-Normandes, qui ne furent pas libérées avant mai 1945, alors que les habitants y mouraient de faim et que même la garnison nazie en était réduite à s'infiltrer en France pour y voler de quoi manger.

débuté le 15 août, suivie quatre jours plus tard par le soulèvement des Forces françaises de l'intérieur, les FFI, une armée disparate de civils menés par le communiste Henri Rol-Tanguy, alias colonel Rol.

La dernière chose que de Gaulle souhaitait était que Rol en retire le bénéfice et prenne la ville. La reconnaissance de quelques Normands agitant des drapeaux ne valait rien si Paris était libéré par les communistes. Et une fois encore, la stratégie globale des Alliés passa au second plan, après les intérêts du général de Gaulle et (affirmait-il) ceux de la France.

Le général Eisenhower avait, lui, déjà fort à faire avec la féroce résistance nazie que ses hommes rencontraient dans le nord de la France. De Gaulle menaça donc d'envoyer sur Paris la seule petite armée de Leclerc à moins que les Alliés n'acceptent de se dérouter pour libérer la capitale. Ce plan audacieux mais malavisé du général de Gaulle aurait bien pu signifier la destruction des précieux chars de Leclerc (qui étaient d'ailleurs américains). Eisenhower accepta donc de soutenir les Français grâce à une importante force d'infanterie américaine et, très sportivement, de laisser Leclerc entrer le premier dans la ville.

La course contre la montre avait commencé. De Gaulle ordonna à ses hommes de progresser aussi rapidement que possible à travers Paris pour briser la dynamique communiste. Par conséquent, Leclerc attaqua de manière prématurée au sud de la ville, choisissant par mégarde l'endroit où les Allemands avaient organisé leur défense la plus solide. Il se retrouva donc bloqué et, dans le même temps, mit la puce à l'oreille des Allemands qu'une attaque de plus grande envergure se préparait.

Les Français se retirèrent et tentèrent d'emprunter

une autre route, mais ils furent à nouveau ralentis quand les habitants en liesse de la banlieue ouest sortirent à leur rencontre et se mirent à couvrir les chars de fleurs. Perdant patience, les troupes américaines annoncèrent qu'elles allaient enfoncer les Allemands sur le flanc sud pour prendre la ville d'assaut et tant pis si les Français ne se trouvaient pas à la tête des libérateurs. L'ultimatum arriva à expiration dans la soirée du 24 août.

Ne voulant pas abandonner de Gaulle, Leclerc demanda au capitaine Raymond Dronne de partir à la tête d'un détachement de trois véhicules blindés et trois tanks et de profiter de leur connaissance des lieux pour avancer en zigzagant à travers les ruelles des faubourgs du sud-ouest. Ils devaient, leur ordonnat-il, arriver jusqu'au centre de Paris cette nuit même.

Ils y parvinrent finalement, même si la familiarité avec les lieux n'y fut pas pour grand-chose : Dronne n'était pas parisien et la plupart de ses hommes étaient espagnols. Juste avant minuit, ils rallièrent sans encombre l'Hôtel de Ville et aussitôt les cloches de Notre-Dame se mirent à sonner en signe de bienvenue. Tout le monde comprit ce que cela signifiait, y compris les Allemands qui défendaient la périphérie de la ville. Ils battirent en retraite au cours de la nuit, permettant aux chars de Leclerc de faire leur entrée triomphale.

Dietrich von Choltitz[1], gouverneur nazi de Paris, se

---

1. Certains prétendent que von Choltitz a sauvé Paris en refusant d'obéir à l'ordre d'Hitler de détruire la ville. Mais il avait, en réalité, fait poser des explosifs sous de nombreux bâtiments de la ville et, dans les jours ayant précédé la capitulation, il avait fait incendier le Grand Palais, détruire les réserves de céréales de la capitale et exécuter en masse des combattants de la Résistance. Ce n'était pas saint Choltitz.

rendit au colonel Rol et au général Leclerc le 25 août, à la gare Montparnasse, et ordonna à ses hommes de cesser le combat.

C'est un de Gaulle victorieux qui arriva le 26 et se déclara chef du gouvernement provisoire de la République française. Le Général ne voulut pas que le nom du colonel Rol apparaisse sur le document officiel de la reddition allemande. Il reprit possession de ses anciens bureaux au ministère de la Guerre, puis marcha sur l'Hôtel de Ville, où il prit formellement le contrôle militaire de Paris. On l'invita à se présenter au balcon pour proclamer le retour de la République mais il refusa, déclarant qu'il avait été le chef des Français depuis quatre ans et qu'il n'avait donc pas besoin de proclamer quoi que ce soit.

C'est néanmoins à l'Hôtel de Ville qu'il prononça l'un de ses discours les plus fameux, ce « Paris libéré ! » dans lequel, oubliant que Churchill, Roosevelt et tous leurs hommes qui continuaient de se battre pour libérer des régions françaises stratégiques, il déclara que Paris avait été libéré « par son peuple avec le concours des armées de la France, avec l'appui et le concours de la France tout entière, c'est-à-dire de la France qui se bat, c'est-à-dire de la seule France, de la vraie France, de la France éternelle ».

Le Général alla plus loin encore. Quand il croisa des membres du SOE britannique, ces hommes qui avaient coordonné tant d'activités de la Résistance, il les pria de quitter Paris. Autrement dit, au revoir et merci pour le thé.

Le lendemain, de Gaulle se retrouva à la tête d'un cortège sur les Champs-Élysées, suivi par Leclerc et un groupe de compagnons de la Résistance. On laissa les chars de Leclerc de côté – de Gaulle ne voulait pas d'un véritable défilé militaire – et on les gara près de l'Arc de triomphe. En fait, ils n'auraient dû se trouver nulle part aux alentours car Eisenhower avait ordonné qu'ils rejoignent le reste des forces alliées immédiatement après l'accomplissement de leur mission à Paris. De Gaulle dit à Leclerc d'ignorer cet ordre et décréta également que les Américains ne pouvaient pas se joindre au défilé de la victoire.

C'était le grand jour du général de Gaulle, et il fit en sorte qu'il restât à jamais gravé dans la mémoire collective quand les tirs de snipers résonnèrent alors qu'il traversait la place de la Concorde puis, plus tard, alors qu'il se dirigeait vers la cathédrale Notre-Dame. Chaque fois, pratiquement tout le monde, soldats ou civils, chercha à se mettre à couvert, sauf de Gaulle. Quelques mauvais esprits ont suggéré que ces tirs étaient arrangés à l'avance mais il est beaucoup plus probable que de Gaulle se soit tout simplement senti parfaitement invulnérable. C'était le moment qu'il attendait depuis ce jour de juin 1940 où Winston Churchill l'avait poussé devant le micro de la BBC, et aucun vil tireur embusqué n'aurait pu le lui enlever.

Paris vaut bien une gifle

Paris libéré, de Gaulle s'attela à resserrer sa mainmise sur le pouvoir. Il reforma une Ire armée jadis dissoute et l'envoya se joindre aux Alliés qui étaient en train de libérer le reste du pays. Soutenue comme d'habitude par les Américains, elle opéra une percée vengeresse sur l'autre rive du Rhin et du Danube jusqu'au cœur de l'Allemagne.

De Gaulle envoya également des troupes rétablir le contrôle de la France sur ses colonies en Asie et en Afrique, entraînant malencontreusement le pays dans une série d'affreuses guerres coloniales dans les années 1950 et 1960 mais s'assurant pour l'heure que les Anglo-Saxons ne poseraient pas les pattes sur l'empire français.

Et voilà, c'en était fini, la guerre était terminée et la France l'avait gagnée.

De Gaulle reçut pourtant deux dernières gifles. Or, aussi surprenant que cela soit, aucune ne vint des Britanniques ou des Américains.

Les Français sont singulièrement absents sur les photos de la conférence de Yalta, en février 1945. La rencontre des « trois grands », et non des « quatre grands », pour débattre du gouvernement de l'Allemagne après la guerre réunissait Staline, Churchill et Roosevelt. Roosevelt avait mis son veto à la présence du général de Gaulle, déclarant que ce serait un « facteur indésirable ». Staline fut plus direct, disant qu'il ne voyait pas ce que les Français avaient accompli qui puisse justifier leur place à la table de la conférence. C'est donc en grande partie grâce à Churchill que la France fut invitée à se joindre aux discussions sur l'organisation de l'Allemagne en secteurs gérés par les Alliés.

La gifle n'était cependant pas trop douloureuse car, nonobstant le fait d'être absent de la photo historique, le résultat était acceptable pour de Gaulle : après mai 1945, la France retrouvait ses frontières de 1918 et pouvait même faire circuler ses chars sur une partie du territoire allemand. Son honneur avait été lavé.

(« Ah ! mon cher Général ! Où étiez-vous donc
passé pendant tout ce temps ? »)
Churchill, Roosevelt et Staline avaient gardé une
chaise de libre pour le dirigeant en exil de la France
en guerre. Le Français apparaît suspicieux ; il se
demande sans doute si ses « Alliés » n'ont pas scié
les pieds de sa chaise.

Le second affront fut beaucoup plus cuisant car il vint de l'intérieur. À l'instar de Churchill, que le peuple britannique épuisé par la guerre ne reconduisit pas au pouvoir en 1945, de Gaulle ne parvint pas à conserver le sien. Son peuple nouvellement libéré décida qu'il ne voulait pas du Général pour chef suprême et de Gaulle, fatigué d'essayer de gouverner aux côtés des communistes et des socialistes, se retira du gouvernement de coalition, jetant sur son pays un sort à la Macbeth en le laissant livré à lui-même : « Vous regretterez la voie que vous avez choisie. »

Avec le recul, il est difficile de croire que, après avoir mené campagne pendant la guerre de façon quasi permanente pour sceller sa gloire et celle de la France, de Gaulle ait pu ainsi quitter ses fonctions. Mais c'est se méprendre sur le personnage. Il n'était pas simplement vieux chef de guerre. Dans sa tête, de Gaulle était le nouveau Napoléon.

Tout colle : la rage chaque fois que les Anglais s'approchaient un tant soit peu de l'empire français ; le sentiment d'horreur à l'idée que les Anglo-Saxons étaient en train d'envahir la France (même en libérateurs) ; le retour victorieux à l'Arc de triomphe ; les déclarations du style « la France, c'est moi » ; et même la manière dont il s'était élevé au premier plan comme l'homme providentiel. Il *était* le nouveau Bonaparte. Et comme Bonaparte (du moins jusqu'à son exil final), de Gaulle savait que son pays le rejetait aujourd'hui mais qu'il le regretterait bientôt et qu'il réclamerait son retour à cor et à cri.

Et ce jour-là, les Britanniques et les Américains allaient voir ce qu'ils allaient voir.

23

L'heure de la revanche

La Grande-Bretagne, les États-Unis et la France sortirent marqués de la Seconde Guerre mondiale, mais au fond renforcés. Malgré le coût humain et économique énorme du conflit, ils avaient tous remporté, chacun à sa façon, de grandes victoires morales et militaires. Les dictateurs avaient été renversés, les envahisseurs repoussés et leurs idéaux pervers combattus. Enfin presque, car Staline s'avérait une nouvelle source de complication d'autant que, grâce à Churchill et Roosevelt, il contrôlait à présent une partie assez importante de l'Europe. Mais les Alliés pouvaient s'asseoir autour d'une table et réfléchir ensemble à l'avenir de ce nouvel Occident libre et courageux, n'est-ce pas ?

Sans façon, répondit la France, de manière encore plus forte et répétée après le retour de Charles de Gaulle au pouvoir. Comme ce dernier en avait fait la démonstration pendant la guerre, la France avait ses propres priorités. Sur cette base, elle créa même une nouvelle philosophie : l'*exception française*, avec pour axiome principal : « Nous en avons assez de l'ingérence des Anglo-Saxons. »

Pourquoi une attitude aussi négative ? Eh bien, comme le naufragé sauvé par son pire ennemi, la France d'après-guerre portait avec ressentiment le fardeau douloureux de la Libération. De 1940 à 1944, non seulement le vieil ennemi avait sauvé les Français mais encore il leur avait offert un toit, des habits et un repas chaud, avant de les raccompagner chez eux dans une limousine avec chauffeur. La dette morale qui en découlait était insupportable et, après 1945, la France était résolue à montrer qu'elle n'avait pas du tout besoin de cette aide paternaliste. Elle tenait aussi à prendre sa revanche.

Enfin une bonne blague française

La France était convaincue que l'OTAN était son idée. Elle souhaitait la création d'une organisation internationale pour protéger l'Europe contre une nouvelle agression de l'Allemagne. Mais en 1948, avec les vrais débuts de la Guerre froide, les États-Unis et la Grande-Bretagne s'assurèrent que la nouvelle OTAN eût en premier lieu une vocation antisoviétique. Et pour signifier encore plus clairement que les souhaits de la France leur importaient peu, les Anglo-Saxons permirent à l'Allemagne d'intégrer l'alliance militaire et dotèrent le quartier général militaire de l'OTAN d'un délicieux acronyme anglais, SHAPE[1] (pour Supreme Headquarters Allied Powers in Europe – « Quartier

1. *Shape* signifie « forme » en anglais. (*N.d.T.*)

général des puissances alliées en Europe »). Une véritable provocation !

Mais au jeu de « rira bien qui rira le dernier », c'est finalement la France qui l'emporta. Avec générosité, elle offrit d'accueillir SHAPE et installa ses bureaux à Rocquencourt, une petite ville située à 20 kilomètres de Paris dont il était pratiquement impossible, pour un Anglo-Saxon, d'épeler ou de prononcer correctement le nom.

Les Britanniques et les Américains auraient pu s'interroger sur les raisons pour lesquelles les Français tenaient tant à ce site de la banlieue parisienne. Était-ce parce que la proximité de Versailles offrait aux soldats de l'OTAN un lieu de loisir les jours fériés ?

Non, une explication plus probable était que Rocquencourt était le lieu de la dernière bataille de Napoléon.

Les Anglo-Saxons croient peut-être que la défaite à Waterloo, le 18 juin 1815, fut le chant du cygne de l'Empereur mais, en fait, deux semaines plus tard, son armée combattit une dernière fois et remporta une grande victoire.

Le 1er juillet 1815, les envahisseurs prussiens étaient sur le point d'entrer dans Paris quand l'armée française les attira dans une embuscade à Rocquencourt, leur infligeant une raclée au sabre et faisant 400 prisonniers. Les Prussiens dépêchèrent alors des renforts sur place, chassèrent ce qui restait des forces armées de Napoléon et s'emparèrent de Paris, mais aux yeux de la France cela ne compte pas. Ce qui importe vraiment, c'est qu'elle remporta cette dernière bataille et que Napoléon fut, au bout du compte, vainqueur et non, comme les Anglais essaient toujours de l'insinuer, vaincu.

Personne ou presque n'a jamais entendu parler de la bataille de Rocquencourt, et les Français durent rire sous cape en voyant pour la première fois les Anglo-Saxons débarquer au quartier général militaire de l'OTAN. Il s'agissait sans doute là d'un des meilleurs canulars militaires jamais imaginés.

L'Empire contre-attaque

Pendant ce temps, le vieil ordre mondial était en train de partir en lambeaux. L'Empire britannique se désintégrait, en s'épargnant dans une large mesure d'atroces guerres coloniales. Au contraire, quand le communiste Hô Chi Minh sonna la révolte en Indochine, les Français se mirent quant à eux à creuser des tranchées et envoyèrent là-bas leurs meilleurs officiers (à l'exception du Général) pour mater la rébellion vietnamienne. Mais même des hommes comme Leclerc ne pouvaient rien contre Hô Chi Minh, qui avait conquis son bâton de maréchal en combattant l'occupant japonais. Et cela s'acheva en désastre quand, en 1954, les Français décidèrent de s'établir dans la cuvette de Diên Biên Phu.

Pensant que de simples guérilleros asiatiques ne seraient pas capables de l'emporter dans une bataille rangée, les Français creusèrent des tranchées comme au cours de la Première Guerre mondiale et furent horrifiés quand un Viêt-minh parfaitement organisé commença à les bombarder avec une précision meurtrière depuis les collines avoisinantes. C'était comme si les insurgés avaient bachoté en douce les manuels de guerre de Napoléon. Le commandant de l'artillerie française fut à ce point désespéré de se voir surpassé tant sur le plan tactique que militaire qu'il se réfugia dans un bunker où il se fit exploser avec une grenade.

À l'issue de deux mois de combat acharné, le Viêt-minh l'emporta, faisant plus de 11 000 prisonniers français. Les pourparlers en vue de l'indépendance s'ouvrirent à Genève le 8 mai 1954, neuf ans jour pour jour après l'armistice et se déroulèrent sur fond de commentaires peu amènes des Britanniques et des Américains, du style « On vous l'avait bien dit ».

Les Français arrachèrent une victoire à la Pyrrhus en obtenant qu'Hô Chi Minh, grand favori du scrutin à venir, ne puisse organiser des élections que dans la partie nord du territoire, le sud étant dirigé par un homme de paille profrançais. Les graines de la guerre du Viêt-nam, qui traumatiserait les Américains une décennie plus tard, étaient semées.

Malheureusement pour la France, Hô Chi Minh avait donné quelques idées à d'autres et des révoltes explosèrent ou s'intensifièrent dans les territoires français du Cameroun, de Tunisie, du Maroc et – la plus sanglante de toutes – d'Algérie. Les Britanniques provoquèrent le courroux des Français en refusant de leur vendre des hélicoptères destinés à intervenir en Algérie, illustrant encore une fois cette prédisposition tellement anglaise à se poser en défenseurs de la morale. On aurait dit que les deux pays n'avaient jamais été alliés. En fait, le point d'orgue des relations franco-anglaises durant cette période fut, pour l'histoire des deux pays, une tribulation du plus haut comique…

La Grande-Bretagne débranche le canal de Suez

En 1956, le président égyptien, le colonel Nasser, décréta la nationalisation du canal de Suez, point de passage stratégique entre l'Est et l'Ouest et haut lieu de la présence européenne au Proche-Orient. Les Français avaient construit le canal et une société française, la Compagnie universelle du canal maritime de Suez, en assurait la gestion depuis son achèvement en 1869. Mais le 26 juillet 1956, Nasser fit voter une loi nationalisant le canal et annonça que les parts de la société seraient rachetées par l'Égypte au prix fixé à la clôture des marchés ce jour-là. Cette décision, quoique parfaitement légale, sapait évidemment la puissance et le prestige de la Grande-Bretagne et de la France dans la région.

Les Français cherchaient depuis un moment un prétexte pour frapper Nasser. L'Égyptien fournissait en effet des armes (dont certaines lui avaient été vendues par la Grande-Bretagne) et des conseillers militaires aux rebelles algériens. La France proposa donc une invasion franco-britannique visant à prendre le contrôle du canal. Elle offrit même de laisser les Anglais prendre le commandement de l'opération (s'assurant ainsi de compromettre ces derniers dans une nouvelle guerre coloniale) et promit d'en garantir le succès en y impliquant ses nouveaux amis israéliens, qui se réjouissaient à l'avance de remettre à sa place le belliqueux Nasser.

Anthony Eden, Premier ministre britannique francophile qui avait servi d'intermédiaire entre de Gaulle et Churchill pendant la guerre, hésita mais donna le feu vert pour que des discussions secrètes s'engagent entre négociateurs français, israéliens et britanniques. Tous devaient se retrouver dans un lieu ultrasecret – une résidence de la très chic Sèvres, en banlieue parisienne – en vue de mettre au point une stratégie conjointe. Israël envahirait l'Égypte pour renverser Nasser, les Britanniques et les Français intervenant alors en qualité de pacificateurs, ce qui leur permettrait en réalité, de reprendre pied en Égypte. Un plan rusé.

En tant que vétéran du Londres des années 1940-1944, Eden aurait toutefois dû douter du caractère « ultrasecret » de la négociation dès lors que les relations franco-britanniques étaient en jeu, et il n'aurait pas dû être le moins du monde surpris de voir ses hommes rentrer à Londres avec le plan d'invasion en poche alors que les instructions stipulaient qu'absolument aucun engagement ne serait pris par écrit. Il semblait bien que les Français avaient essayé de le piéger.

Ils cherchaient en réalité à duper Eden dont l'allié, le président Eisenhower, était opposé à une intervention militaire. Et quand l'attaque franco-anglo-israélienne débuta, en octobre 1956, on vit bien à qui allait la loyauté des Britanniques. En effet, l'invasion et les doutes qu'elle suscita sur le rôle de la Grande-Bretagne au Proche-Orient affectèrent si durement la livre sterling sur les marchés qu'Eden fut contraint de soutenir la monnaie en empruntant des dollars américains ; ce prêt ne lui fut consenti qu'à la condition qu'il se rallie à la position d'Eisenhower et se retire d'Égypte.

La France insista pour qu'il ne cède pas aux pressions américaines, en tout cas pas avant que Nasser eût été irrémédiablement affaibli, mais Eden avoua piteusement qu'il avait déjà donné sa parole à Eisen-hower. L'opération de Suez était terminée.

Aux yeux de la France, c'était le coup de grâce, un nouveau Dunkerque. On ne pouvait jamais compter sur des Britanniques d'autant plus méprisables qu'ils se mettaient toujours à disposition de leurs maîtres américains.

La France décida qu'elle gagnerait seule ses guerres coloniales mais elle s'enfonça si profondément dans le bourbier algérien que son armée finit par se mutiner. Une unité d'élite de parachutistes français basée en Corse devait servir de tête de pont aux mutins pour préparer une invasion de la métropole en vue de la prise du pouvoir.

De Gaulle, quant à lui, observait les événements depuis sa tour de guet de Colombey-les-Deux-Églises, contemplant la France en train de se couvrir de ridicule. Il ressemblait à un joueur de base-ball buriné dans un film américain, au supplice devant les dégâts infligés à son équipe par des novices bêcheurs et certain par avance, au fond de lui-même, que le jour viendrait où on l'implorerait de venir aider les siens à gagner le match crucial.

Cet appel survint le 28 mai 1958. Alors que les Parisiens se préparaient à passer à table pour dîner en se demandant quand les paras rebelles apparaîtraient dans le ciel de la capitale, le président René Coty invita de Gaulle, et le pays avec lui, à prendre ses responsa-bilités. Lorsque les opposants au Général regimbèrent, il répliqua : « Pourquoi voulez-vous qu'à soixante-sept ans je commence une carrière de dictateur ? »

De Gaulle était de retour au pouvoir et très content de lui. Même Napoléon n'avait pas réussi son retour après douze années de retraite politique. Désormais, on allait voir ce qu'un Français pouvait *vraiment* réaliser sur la scène mondiale.

Les Français veulent tuer leur Général

Il fallut presque quatre ans à de Gaulle pour rétablir la situation intérieure, car une partie influente de l'establishment français ne voulait absolument pas lâcher l'Algérie. Un groupe issu de l'armée, l'Organisation armée secrète, mena toute une série d'actions terroristes en France métropolitaine ; à l'issue d'une manifestation à Paris, la police massacra environ 200 immigrés algériens et de Gaulle lui-même échappa à plus de 30 tentatives d'assassinat, conduites non par des combattants de l'indépendance algérienne mais par des Français. La plus grave fut une attaque à la mitrailleuse contre sa voiture, au cours de laquelle les balles manquèrent de peu le Général et sa femme. Mais ce n'était pas la première fois que de Gaulle se faisait tirer dessus et il demeura imperturbable. Il négocia l'indépendance de l'Algérie puis reporta toute son attention sur les Anglo-Saxons.

En 1957, la France avait établi un marché commun avec la Belgique, le Luxembourg, la Hollande, l'Italie et l'Allemagne de l'Ouest. Devant le risque d'être empêché de commercer avec ces six pays, les Britanniques se dirent, en 1958, qu'ils pourraient se joindre à eux histoire de s'amuser un peu.

Il existait toutefois un volet de l'accord sur le Marché commun, le traité de Rome, que les Britanniques refusaient d'entériner : il y a cinquante ans déjà, la politique agricole commune paraissait aux plus sceptiques avoir été inventée pour venir en aide aux seuls paysans français. Par conséquent, la Grande-Bretagne adhérerait au Marché commun pour toutes les marchandises à l'exception des produits agricoles.

Les Français soupirèrent, exaspérés devant ce besoin perpétuel qu'avaient les Britanniques de tordre les règles en leur faveur (la France pensait peut-être que le monopole devait lui en revenir), et de Gaulle quitta la table des négociations. Son opposition fut encore plus évidente quand il fit campagne pour la création d'une politique agricole commune à part entière, qui serait mise en œuvre à partir de 1962 et qui placerait les paysans français sur un piédestal où ils se trouvent encore aujourd'hui, pour leur plus grande fierté.

Harold Macmillan, le Premier ministre britannique, était convaincu que de Gaulle rejetait les Britanniques car il voyait en eux des valets des Américains ainsi que des rivaux pour la domination de l'Europe. Les Français ne pardonneraient jamais la Libération aux Anglo-Saxons, disait-il. Et il avait parfaitement raison. De Gaulle savait qu'il faisait la pluie et le beau temps dans cette nouvelle Europe et il n'était pas prêt à partager son pouvoir.

Pourtant, Macmillan était résolu à persuader de Gaulle d'assouplir sa position et il l'invita à une partie de chasse dans sa maison de campagne, à Birch Grove, dans le Sussex. Le Premier ministre était un vrai gentilhomme à l'ancienne et n'aimait rien tant que baguenauder dans la nature pour tirer au fusil, habillé en costume de tweed. De Gaulle accepta l'invitation, mais ce ne fut pas le petit week-end sportif et chaleureux que Macmillan avait envisagé. Préoccupé par l'idée que l'on cherchât à attenter à ses jours, le Français ne voyageait jamais sans une réserve de sang au cas où il aurait besoin d'une transfusion. Or, Mme Macmillan, qui était quelque peu excentrique (elle avait l'habitude de jardiner la nuit, un casque de mineur vissé sur la tête), refusa tout net que pareille chose puisse entrer dans sa maison. Les Français durent faire installer un réfrigérateur spécial dans un bâtiment attenant. Pire encore, l'escorte du général de Gaulle sabota la chasse en vaquant bruyamment dans les bois et en détournant de ce fait l'attention des faisans. Ces gens n'étaient définitivement pas très fair-play.

Lorsque Macmillan rendit à son tour visite à de Gaulle en forêt de Rambouillet, en 1962, les choses ne se passèrent guère mieux. De Gaulle s'y trouvait en terrain connu : c'est à Rambouillet qu'il avait écrit, en 1944, son discours sur « Paris libéré ». Le Général se sentait tellement à son aise que lorsqu'il accompagna Macmillan à la chasse il demeura juste un peu en retrait, à faire de bruyants commentaires chaque fois que le Premier ministre ratait sa cible.

De Gaulle fit également clairement comprendre qu'il ne voyait pas l'utilité d'une discussion sur l'entrée de la Grande-Bretagne dans le Marché commun. Il déclara tout de go à Macmillan que, en l'état, la France pouvait mettre son veto à tout ce qu'elle voulait en Europe et traiter l'Allemagne de haut, alors que si la Grande-Bretagne venait à adhérer au Marché commun, les choses seraient beaucoup moins évidentes. Il insista pour que la discussion eût lieu sans interprète et, bien que Macmillan parlât un excellent français, la conversation fut inévitablement biaisée. De Gaulle décrivit plus tard Macmillan comme « ce pauvre homme à qui je n'avais rien à offrir », qui semblait si abattu que « je voulais mettre ma main sur son épaule pour lui dire "Ne pleurez pas, Milord" », en référence à la chanson d'Édith Piaf.

De Gaulle ne s'arrêta pas là. Il fit de stupéfiantes déclarations qui donnèrent le coup de grâce à la demande de la Grande-Bretagne d'entrer dans la Communauté européenne. La Grande-Bretagne avait essayé d'exister aux côtés de l'Europe sans vraiment se joindre à elle depuis huit cents ans, déclara-t-il (il aurait pu ajouter deux siècles de plus). Il descendit en flammes les Britanniques pour avoir accepté les missiles américains Polaris, preuve supplémentaire, s'il en était encore besoin, que la Grande-Bretagne était à la solde des États-Unis et n'était donc pas un allié européen fiable. Et lorsqu'un des ministres du général de Gaulle le critiqua pour avoir oublié l'Entente cordiale, il lui rappela simplement Azincourt et Waterloo. Pour de Gaulle, torpiller les négociations sur le Marché commun relevait de la pure vengeance historique.

Goodbye, les Américains

Après la guerre, de Gaulle poursuivit sans relâche sa croisade antiyankee, déclarant notamment que le Viêtnam était « une guerre détestable menant une grande nation à en ravager une petite », et oubliant de manière fort opportune les exploits de la France dans ce même pays.

Et, en 1966, l'occasion se présenta de défier en même temps l'Amérique et la Grande-Bretagne.

Dès son retour au pouvoir en 1958, de Gaulle avait commencé à semer la zizanie à l'OTAN, maugréant contre la Grande-Bretagne et les États-Unis qui complotaient pour s'assurer le contrôle politique de l'organisation. En 1959, il avait banni du sol français toutes les armes nucléaires étrangères, contraignant les Américains à implanter les leurs en Grande-Bretagne et en Allemagne. Puis, en 1962, il retira sa flotte du commandement de l'OTAN. En 1966, en toute logique, ses velléités d'indépendance atteignirent leur paroxysme quand il ordonna le retrait de toutes les troupes étrangères de France, indiquant qu'en cas de guerre il ne laisserait aucun des soldats français sous commandement américain comme ceux-ci y avaient été contraints au cours de la Seconde Guerre mondiale.

La manière dont de Gaulle annonça cette nouvelle ligne politique est entrée dans l'histoire.

Le Général aurait téléphoné au président américain, Lyndon Johnson, pour lui annoncer que la France se retirait de l'OTAN et que, par conséquent, l'ensemble du personnel militaire américain devait quitter le sol français.

Johnson aurait alors demandé au secrétaire d'État Dean Rusk, qui participait à la conférence téléphonique, de lui rétorquer : « Cela inclut-il ceux qui y sont enterrés ? »

1968, les étudiants parisiens découvrent le sexe

Deux ans plus tard, l'histoire rattrapa de Gaulle quand, en mai 1968, les étudiants érigèrent des barricades. Aujourd'hui, en France, on se souvient de cette révolte comme d'une version moderne de 1789, le soulèvement d'une jeunesse idéaliste contre un pouvoir tyrannique. Mais en réalité, tout a démarré par une protestation sexuelle.

En mars, les étudiants de la nouvelle université de Nanterre se mirent en grève pour protester contre leurs conditions de vie. Le campus était un chantier à peine achevé ; on y retrouvait à la fois le caractère impersonnel des « villes nouvelles » françaises, de la boue qu'on aurait dit extraite des tranchées de la Somme, ainsi qu'une cantine ridiculement sous-dimensionnée. Mais le pire de tout était que les bâtiments des internes, garçons et filles, étaient séparés – en d'autres termes, découcher était interdit. En guise de protestation, les étudiants sevrés de sexe décidèrent d'occuper les bâtiments de l'administration.

Mis au courant des raisons de l'occupation, François Missoffe, le ministre de la Jeunesse et des Sports du président de Gaulle aggrava la situation en conseillant aux étudiants, et en particulier au petit ami de sa fille, Daniel Cohn-Bendit, d'aller calmer leurs ardeurs dans la nouvelle piscine de l'université. Il ordonna aussi la fermeture temporaire du campus de Nanterre, de sorte que les étudiants ainsi que leurs doléances migrèrent vers la Sorbonne, au centre de Paris. Ainsi réussit-il à transformer une grogne à propos de dortoirs non mixtes en un appel à une révolution nationale.

Le recteur de la Sorbonne, paniqué, fit appel à la police antiémeute, qui évacua les lieux non sans fracturer quelques crânes au passage. Une marche de protestation contre cette réaction disproportionnée provoqua une riposte qui l'était davantage encore, d'autant plus que la violence policière était filmée et photographiée comme aucune manifestation française ne l'avait été auparavant. Rapidement, les événements dégénérèrent pour échapper à tout contrôle ; dans un style bien français, les étudiants furent rejoints dans la rue par les travailleurs, et bientôt par le pays tout entier.

À la mi-mai, 10 millions de travailleurs étaient en grève et la cause des étudiants avait été récupérée par les syndicats. L'appel à la révolution s'était mué en appel à une augmentation des salaires.

De Gaulle eut pourtant très peur. Pendant les manifestations, il trouva refuge sur une base de l'armée en Allemagne, où il discuta de l'éventualité d'une intervention militaire et ne réapparut qu'une fois les esprits calmés. Ironiquement, le calme revint grâce aux syndicats qui entendaient prouver qu'eux seuls, et non des étudiants petits-bourgeois, étaient capables d'en appeler à la révolution si et quand elle serait nécessaire.

Malgré ces événements tumultueux, les gaullistes remportèrent une victoire spectaculaire lors des élections législatives de juin 1968, raflant plus de deux tiers des sièges. La prétendue révolution avait finalement poussé la nation à renforcer le *statu quo ante*.

Cependant, l'apparente invulnérabilité de Charles de Gaulle avait été démentie et il fut contraint de démissionner l'année suivante, au lendemain de l'échec d'un référendum sur la réforme des pouvoirs locaux et du Sénat. Dans un accès d'imprudence, il avait promis de quitter le pouvoir si le camp du « non » l'emportait – une erreur inexcusable pour tout dirigeant ayant passé dix ans au pouvoir (sauf, bien entendu, à décider lui-même de la couleur du vote).

Le Général – qui fut le plus grand rival français de la Grande-Bretagne et des Anglo-Saxons depuis Napoléon et qui connut un succès plus grand que ce dernier sur le plan politique – mourut peu de temps après, le 9 novembre 1970, d'une rupture d'anévrisme. Il avait soixante-dix-neuf ans.

Par la plus grande des coïncidences, quelques jours seulement avant sa mort, la Grande-Bretagne avait annoncé la découverte de champs de pétrole en mer du Nord, qui allaient bientôt grandement contribuer à la fluidification de l'économie britannique. La tension du Général a-t-elle pu atteindre un seuil fatal à cause de cette intervention divine en faveur des Anglais ? Ce serait assurément quelque peu exagéré de l'affirmer. Ce qui est sûr, en revanche, c'est que s'il existe une vie après la mort et si de Gaulle s'est alors retrouvé au même endroit que Churchill, le vieux bouledogue britannique a dû glousser de satisfaction en voyant le Général renfrogné prendre place sur son nuage. Et un peu plus encore quand de Gaulle a commencé à débattre avec Napoléon pour décider à qui devait revenir le privilège d'occuper le nuage le plus élevé dans la « section française » de l'au-delà.

Hitchcock et les Beatles révèlent les psychoses des Français

Dans le même temps, loin de la scène politique, les Anglo-Saxons se comportaient de façon généralement irritante en polluant la culture française avec leur musique et leurs films barbares.

À la fin des années 1950, les films français avaient un étonnant retentissement international, grâce aux réalisateurs de la Nouvelle Vague comme François Truffaut, Jean-Luc Godard et Claude Chabrol et leurs films d'auteur à petit budget. Le style de ces films et les thèmes philosophiques qu'ils abordent sont souvent donnés en exemple pour montrer comment la France peut insuffler un peu d'intelligence dans la culture populaire et en élever le niveau. C'est un fait : avec sa science du montage, sa façon bien à elle de raconter une histoire et l'importance accordée à l'improvisation, la Nouvelle Vague éleva le niveau intellectuel du septième art tout en évitant (en général) de barber les spectateurs.

Ces films ne rapportaient pas beaucoup d'argent et dépendaient largement d'une nouvelle institution publique française, l'avance sur recettes, une sorte de prêt fondé sur les résultats escomptés qui n'était remboursé que si le film avait effectivement atteint les objectifs attendus. Peu de films de la Nouvelle Vague remboursèrent au final l'avance sur recettes, mais les réalisateurs qui appartenaient au mouvement portèrent leur pauvreté en étendard comme une Légion d'honneur. Comme le dit un jour Jean-Luc Godard : « Je plains le cinéma français car il n'a pas d'argent. Je plains le cinéma américain car il n'a pas d'idées. »

Il n'en demeure pas moins, cependant, et les cinéastes français étaient les premiers à l'admettre, qu'ils avaient été largement inspirés par des auteurs anglo-américains comme Alfred Hitchcock, Charlie Chaplin et Orson Welles. En réalité, la Nouvelle Vague française n'aurait pas existé sans Hollywood.

Reste que, même si les films américains grand public rapportèrent davantage au box-office que les films français, le système de l'avance sur recettes trouva une nouvelle génération de réalisateurs prêts à la dépenser à bon escient.

C'est dans le domaine de la musique que les choses se gâtèrent.

Au début, la France s'était intelligemment accaparée la révolution née du rock'n'roll en traduisant tout bonnement les succès en français et en mettant en avant des chanteurs du cru pour les interpréter. Un vrai coup de génie : vous preniez un morceau qui avait déjà fait fortune aux États-Unis ou en Grande-Bretagne, vous trouviez un gamin du coin pour en interpréter la version française et vous en faisiez aussitôt une pop star locale tout en ramassant les droits d'auteur pour les paroles françaises. C'était aussi rémunérateur qu'un délit d'initié.

Quand Johnny Hallyday fit sa première apparition à la télévision en 1960, il fut présenté comme un chanteur « d'origine américaine ». Son véritable nom était Jean-Philippe Smet et il l'avait américanisé en adoptant le nom de scène du mari de sa cousine, un chanteur appelé Lee Halliday. Johnny devint célèbre en contrefaisant les pas de danse d'Elvis et en chantant un curieux mélange de rock'n'roll et de chanson d'amour. Parmi ses premiers tubes, on trouve notamment « Souvenirs, souvenirs », remake d'un tube américain, et « Be-Bop-A-Lula », reprise du morceau éponyme de Gene Vincent. Son premier album, *Hello Johnny*, fourmillait de versions françaises de chansons anglophones[1].

---

1. Le système pouvait aussi fonctionner dans l'autre sens, l'exemple le plus fameux étant « My Way », adaptation en anglais de la chanson française « Comme d'habitude ». Si on écoute attentivement la version anglaise, on se rend bien compte qu'il s'agit là d'une chanson française : la mélodie consiste en une variation sur

Johnny et tous ceux qui ont suivi son sillage incarnaient le visage acceptable de la « musique anglo-saxonne ». Ils offraient au public français l'excitation du rock'n'roll américain en évitant soigneusement toute pollution linguistique. C'était un peu comme pour les croissants et la baguette – des produits importés et régénérés en leur conférant une essence française.

Nettement moins acceptables étaient les groupes et chanteurs qui débarquèrent en France un peu plus tard, dans les années 1960, pour s'imposer en version originale non sous-titrée – par exemple les Beatles et les Rolling Stones, avec leur arrogance anglo-saxonne et leurs morceaux si facilement chantables que c'en était énervant (« She lurv you, yé yé yé », « Can get no satiss-fax-yon », etc.).

Pour être juste, les chanteurs français accueillirent chaleureusement les musiciens anglais – ils les promurent même. Johnny Hallyday offrit ainsi d'inviter l'inconnu Jimi Hendrix à jouer en première partie d'un de ses concerts à Paris, en 1966. Puis le chanteur Hugues Aufray fit beaucoup pour populariser Bob Dylan en traduisant ses chansons.

Mais l'establishment culturel français se montrait très préoccupé. Prenons l'exemple des Beatles. Les Français pensaient que les Anglais étaient tous des gentlemen portant chapeau melon. Et voilà que ces garçons issus des classes populaires donnaient le tempo de la mode et offraient d'une ville provinciale comme Liverpool une image plus branchée que Paris.

---

un thème unique et le rythme du morceau fait qu'il est parfaitement indansable.

Or, les Anglais semblaient se soucier comme d'une guigne de cette remise en cause des valeurs établies. Ils traitaient ces prétendus musiciens avec plus de respect que leur famille royale. Il s'agissait là d'une véritable révolution, plus profonde que tout ce que la France avait traversé jusqu'alors. L'élite culturelle était désormais incarnée par des jeunes sans éducation, issus des faubourgs et des classes populaires, aussi éloignés des milieux intellectuels et culturels français que le *fish and chips* du foie gras.

Il est vrai que des stars françaises comme Édith Piaf et Johnny Hallyday étaient elles aussi issues des classes populaires mais, pour l'establishment artistique, ils n'étaient rien d'autre que des « artistes populaires ». En revanche, partout dans le monde, on débattait de la musique et des paroles des Beatles avec autant de sérieux que s'il s'était agi de Sartre ou de Camus.

Ajouté à la « pollution » linguistique, cela avait de quoi agacer et agace encore aujourd'hui les tenants les plus conservateurs de la culture telle qu'on la conçoit en France. Ces derniers n'arrivent pas à accepter que la culture populaire puisse être élevée au rang d'art au même titre que la culture classique. En France, même les musiciens de pop music doivent avoir étudié la musique au conservatoire pour être vraiment pris au sérieux, ce qui explique pourquoi les Français sont si mauvais en la matière. Alors qu'un(e) Britannique ou un(e) Américain(e) gratte la guitare en écoutant ses disques et écrit des chansons avec ses amis, le gamin français est coincé devant sa partition, s'échinant à suivre un cours de solfège avec un prof qui ne le laisse pas s'approcher d'un instrument tant qu'il ne maîtrise pas la théorie. Une preuve de plus que les émeutes étudiantes de 1968 n'ont rien changé du tout. Elles ont poussé certains à remettre en cause le système mais le carcan culturel n'en fut pas ébranlé pour autant – il est toujours aussi rigide et peu enclin au trémoussement.

La France tente de faire son James Bond

La plus récente déclaration de guerre des Français aux Anglo-Saxons fut lancée en juillet 1985, du point de la planète le plus éloigné qu'il soit possible d'imaginer de Waterloo. Le lieu de cette bataille navale (assez unilatérale) de dix minutes fut le port d'Auckland, en Nouvelle-Zélande.

Peter Willcox, militant écologiste américain, menaçait de conduire le bateau de Greenpeace, le *Rainbow Warrior* – un chalutier britannique réaménagé – vers l'atoll polynésien de Mururoa afin d'y perturber les essais nucléaires français. L'ONG Greenpeace n'était pas spécialement francophobe ; le *Rainbow Warrior* venait d'accomplir une mission d'évacuation de populations insulaires irradiées par les essais américains sur l'atoll de Bikini et avait récemment lancé une campagne contre la chasse à la baleine par les Russes. Mais cette fois-ci, le bateau s'apprêtait à prendre la tête d'une flottille en direction de Mururoa et la France ne l'entendait pas de cette oreille.

Ce n'était pas la première fois que les Français essayaient de torpiller des manifestations antinucléaires. En 1966 déjà, des agents français avaient été accusés d'avoir versé du sucre dans le réservoir du *Trident*, un yacht en route vers Mururoa depuis Sidney. Le *Tri-*

dent avait malgré tout réussi à naviguer mais l'un des membres de l'équipage était tombé malade sur les îles Cook et la France avait fait pression sur les habitants de cette île pour que l'ensemble de l'équipage fût mis en quarantaine jusqu'à ce qu'une nouvelle série d'essais nucléaires eût été menée à bien. De nombreuses rumeurs circulaient sur d'autres tentatives de sabotage contre des bateaux de militants prenant la forme de mystérieuses intoxications alimentaires ou de soudaines pannes mécaniques. Mais avec le *Rainbow Warrior*, la France décida de frapper un grand coup.

Le problème semble avoir été que, ne souhaitant laisser aucune trace de leur implication, le président Mitterrand et son ministre de la Défense, Charles Hernu, donnèrent de si vagues instructions à leurs services secrets, la Direction générale de la sécurité extérieure (DGSE), que la planification de l'opération fut laissée au seul chef du service Action de la DGSE, un officier parachutiste du nom de Jean-Claude Lesquer.

La subtilité n'est pas le fort des parachutistes français et le plan de Lesquer, dont le nom de code était « opération Satanique », était donc des plus raffinés. Deux mines-ventouses seraient posées sur le *Rainbow Warrior* alors à l'ancre, une faible charge visant à faire peur à l'équipage du bateau, suivie dix minutes plus tard par une seconde explosion visant à couler l'embarcation.

Les préparatifs de l'opération témoignèrent d'une tout aussi grande délicatesse. Tout d'abord, la branche néo-zélandaise de Greenpeace fut infiltrée par une nouvelle recrue française, une certaine Frédérique Bonlieu (militaire française dont le vrai nom était Christine Cabon), tandis que, sous le commandement de l'agent

Louis-Pierre Dillais, deux agents secrets clandestins se faisant passer pour des touristes suisses, Alain Mafart et Dominique Prieur, se mirent à fureter ostensiblement dans le port d'Auckland.

Une fois le *Rainbow Warrior* localisé, une équipe de quatre personnes apporta les bombes depuis la Nouvelle-Calédonie voisine à bord d'un yacht de tourisme, l'*Ouvéa*. Les convoyeurs étaient trois agents des services secrets, Roland Verge, Gérald Andries et Jean-Michel Barcelo, accompagnés par un médecin de la marine, Xavier Christian Jean Maniguet.

Après s'être amarrés un peu au nord d'Auckland, les hommes du yacht livrèrent les explosifs à deux nageurs dont les identités n'ont jamais été parfaitement établies et, le soir du 10 juillet 1985, tandis que le *Rainbow Warrior* résonnait d'une fête d'anniversaire en l'honneur de l'un de ses membres, le mystérieux duo de plongeurs put se glisser sous le bateau et y fixer les mines. À minuit moins dix, la première bombe explosa, entraînant l'évacuation du bateau (et provoquant, au demeurant, suffisamment de dommages pour le rendre inutilisable).

Malheureusement, et de façon tragique, l'équipage ne réagit pas comme l'avaient prédit les Français. Au lieu de demeurer sur la terre ferme et d'alerter la police, ils retournèrent sur le bateau, histoire de s'assurer que personne n'était resté à bord et d'inspecter les dégâts. Quelques minutes plus tard, quand la seconde explosion ouvrit dans la coque une brèche aussi large qu'une porte de garage, plusieurs personnes se trouvaient encore sur le pont et une à l'intérieur : Fernando Pereira, un photographe portugais de trente-cinq ans qui était retourné récupérer ses précieux outils de travail. On pense qu'il fut sonné par la seconde explosion et qu'il se noya quand l'eau pénétra à l'intérieur du bateau. Son corps fut retrouvé le lendemain matin par un plongeur de la police, la sangle de son appareil photo enroulée autour des chevilles.

La police d'Auckland commença son enquête et entendit rapidement revenir un petit refrain concernant l'implication de Français dans des événements survenus au cours des jours précédents. Un couple « suisse » francophone avait loué un camping-car et avait été vu en train de rôder près du *Rainbow Warrior*. L'équipage d'un yacht avec quatre Français à son bord avait présenté des passeports flambant neufs aux douaniers et, bien que l'un d'entre eux se déclarât photographe, aucun appareil photo n'avait été trouvé à bord.

Un avis de recherche fut aussitôt lancé et, le 12 juillet, le couple « suisse » ramena le camping-car à l'agence de location plus tôt que prévu en demandant le remboursement de la caution. Tandis qu'ils attendaient leur argent, la police fut jointe sans délai et le couple interpellé. Une rapide vérification révéla que « M. et Mme Turenge » étaient en réalité les agents français Mafart et Prieur, de la DGSE.

Quelques jours plus tard, l'équipage suspect de l'*Ouvéa* fut arrêté par la police australienne. Celle-ci n'ayant aucune compétence juridique pour le garder en détention, l'équipage fut récupéré par un sous-marin français, qui saborda l'*Ouvéa*, envoyant par le fond toute trace matérielle concernant la présence éventuelle d'explosifs à bord.

En dépit de preuves accablantes, le gouvernement français s'obstina à nier les faits, suscitant même une rumeur selon laquelle l'opération aurait été due au service du renseignement extérieur britannique, le MI6. Après avoir nié l'évidence pendant deux mois, le Premier ministre Laurent Fabius fut finalement contraint d'avouer que oui, la France était bien coupable et que des têtes allaient tomber. Le ministre de la Défense, Charles Hernu, démissionna et Pierre Lacoste, le chef de la DGSE, fut limogé.

En Nouvelle-Zélande, accusés d'homicide involontaire, Mafart et Prieur plaidèrent coupables et furent condamnés à dix ans de prison ; mais la France les tira rapidement d'affaire. Menaçant d'interdire les exportations néo-zélandaises à destination de l'Union européenne, la France put rapatrier ses deux condamnés sur un atoll français, où Prieur fut bientôt rejointe par son mari. Tombant opportunément malade, Mafart fut renvoyé en France. De son côté, Prieur tomba enceinte et le rejoignit peu de temps après. En mai 1988, moins de trois ans après l'attentat, les deux agents avaient retrouvé la liberté.

Ironiquement, pourtant, la destruction du *Rainbow Warrior* aboutit exactement à ce que la France voulait éviter. Greenpeace avait souhaité que l'attention du monde entier se porte sur les essais nucléaires français et, désormais, la question figurait dans tous les journaux. La France dut même verser des dommages et intérêts à Greenpeace d'un montant de plus de 8 millions de dollars. Observant jusqu'alors une neutralité bienveillante, la Nouvelle-Zélande se mua en opposante farouche aux essais nucléaires et se rallia aux petites nations du Pacifique, contribuant efficacement à fédérer un ensemble de petits mouvements de protestation inaudibles au sein d'une force unique et unifiée. Enfin, les essais cessèrent à Mururoa. À part une série d'explosions en 1995, l'atoll a retrouvé depuis lors le silence.

Les Français réussirent à sauver quelque peu la face. Ni le chef de la mission Dillais ni la supposée volontaire de Greenpeace Christine Cabon ne furent poursuivis et les hommes ayant posé les explosifs ne furent jamais formellement identifiés.

Affaire classée, espéraient les Français.

Que nenni ! Car le chef de la DGSE démis de ses fonctions, Pierre Lacoste, avait laissé derrière lui une bombe à retardement. En 2005, le journal *Le Monde* révéla que, juste après l'attentat, il avait écrit un compte rendu de l'affaire où il décrivait avoir reçu, pour cette opération, le feu vert personnel du président Mitterrand, lequel avait apparemment été horrifié en apprenant le fiasco de l'opération et les tentatives grotesques pour le dissimuler. Le responsable ultime était enfin pointé du doigt.

Puis, en 2006, alors que Ségolène Royal menait campagne contre Nicolas Sarkozy, la rumeur enfla que le frère aîné de la candidate, Gérard, était l'un des deux plongeurs ayant posé les mines, une allégation qu'il réfuta. L'embarras grandit encore lorsque l'on s'aperçut que la rumeur avait été alimentée par l'autre frère de la candidate, Antoine.

En bref, vingt ans après les faits, les deux explosions ayant coulé le *Rainbow Warrior* résonnaient encore puissamment dans les coulisses du pouvoir en France.

La maladie que les Français
ne pouvaient pas attraper

À l'occasion, il plaît à la Grande-Bretagne de se
souvenir qu'elle est membre de l'Union européenne,
surtout quand elle peut s'en servir comme d'une arme
contre les Français. Cela ne fut jamais plus vrai que
durant la crise de la vache folle, qui s'ouvrit du temps
où Margaret Thatcher était en fonction et culmina dans
les années 1990, peu de temps après qu'elle eut été
remerciée.

Tout commença en décembre 1984, quand la vache
n° 133 de la ferme Pitsham, dans le Sussex, se mit à
se comporter bizarrement. Aucun test de santé mentale
fiable n'a jamais été mis au point pour le bétail, pour
la bonne et simple raison que ces bêtes ne peuvent pas
s'allonger sur un divan et sont nulles aux tests d'association de mots (« Qu'est-ce que le mot "mère" évoque
pour vous ? – Meuuuhh ! – Et "père" ? – Meuuuhh ! »)
Mais il ne faisait aucun doute que la vache 133 ne
s'appartenait plus tout à fait. Elle titubait, bavait, se
cabrait au lieu de passer le plus clair de son temps à
mâcher et ruminer, à l'instar de ses congénères. Les
vétérinaires ne savaient pas trop ce qui clochait avec
la pauvre bête et, quand elle mourut six semaines plus
tard, la maladie fut imputée à un poison.

Las, de plus en plus de bêtes, vaches à lait comme
bœufs de boucherie, commencèrent à montrer les
mêmes symptômes et le ministère de l'Agriculture
comprit qu'il était confronté à un problème de première
importance. Pourtant, ô combien conscient que l'exportation de viande rapportait gros au pays (la Grande-

Bretagne était, par exemple, le plus gros exportateur de viande vers la France), le gouvernement conclut qu'il convenait de ne pas céder à la panique. Des tests furent pratiqués, parfois par des laboratoires qui ne communiquaient pas entre eux, et ce n'est que deux ans plus tard, en novembre 1986, qu'on donna un nom à la démarche titubante qui affectait l'infortuné bétail. Il s'agissait d'un nouvel état appelé l'encéphalopathie spongiforme bovine, ou ESB.

Le problème, comme nous le savons aujourd'hui, venait de ce que les méthodes d'élevage modernes avaient transformé les herbivores en carnivores, voire en cannibales. La nourriture et les compléments en protéines qu'on leur donnait contenaient souvent des farines de viande et d'os non comestibles pour l'homme, y compris de la cervelle de moutons souffrant de leur propre forme d'ESB, la tremblante. Ce mélange appétissant, appelé farine animale (ou *MBM* en anglais, pour *Meat and Bone Meal* – la crise de la vache folle entraîna également l'apparition d'une épidémie de sigles), était apparemment la cause d'une nouvelle maladie se développant dans le cerveau déjà passablement mou des bovins.

Depuis qu'une vache anglaise avait conduit Washington à évincer les Français d'Amérique[1], jamais animal n'avait joué un rôle aussi déterminant dans les relations franco-anglaises. À l'instar de 1754, tout était prêt, des deux côtés de la Manche, pour un nouvel affrontement et, sans surprise, il se déroula sur le mode du « un prêté pour un rendu » caractéristique de l'antagonisme franco-anglais.

---

1. Voir le chapitre 9.

Le lapin (ou la vache) était sorti du chapeau porteur de l'ESB, et les Britanniques réagirent promptement, interdisant l'usage des farines animales pour nourrir le bétail, abattant tous les bovins de moins de trente mois et obligeant les abattoirs à éliminer tout ce qui, dans la carcasse, pouvait être contaminé par la maladie (colonne vertébrale, intestins, cervelle et moelle osseuse). Ils continuèrent cependant (prétend-on) d'exporter leurs stocks potentiellement contaminés vers la France.

L'UE se montra relativement clémente à l'égard de la Grande-Bretagne ; en 1989, elle interdit uniquement l'exportation des farines animales, des animaux âgés de moins d'un an et de toute bête soupçonnée d'être atteinte de l'ESB. Ainsi, bien que la réputation de la viande britannique en eût pris un sacré coup, la situation était, théoriquement, en voie de normalisation.

Les Français, en revanche, ne firent preuve d'aucune clémence. De tout temps, ils avaient jugé la nourriture anglaise infecte. Désormais, elle était infectée. En outre, ils considéraient la cervelle et la moelle comme savoureuses. Un Français peut difficilement être plus heureux que lorsqu'il racle la gelée dans un os à moelle. Il était exclu qu'un Français mange de la viande britannique si certaines de ses parties les plus nobles étaient malades. Ils prirent donc une décision logique : ils la prohibèrent.

En 1990, lorsque l'Union européenne décida de lever l'embargo sur le bœuf britannique, le bétail du pays semblait avoir surmonté la crise, comme un troupeau de Winston Churchill à cornes. Pour la première fois peut-être, les Anglais trouvaient une loi européenne merveilleuse.

Mais la France n'allait pas laisser l'Europe la gaver de force de bouffe anglaise. Ainsi, non seulement elle maintint son interdiction mais elle redit quel était son point de vue : « Moi, malade ? Jamais ! » Le gouvernement français refusa de reconnaître que son bétail pouvait également souffrir de l'ESB – il s'agissait d'« un poison anglais », comme un magazine l'écrivit. Et un nouveau label fut créé : VBF, pour « viande bovine française » laissant supposer que le bœuf français était à la fois plus sain et plus sûr.

La découverte, en 1995, d'une forme humaine de l'ESB, la maladie de Creutzfeldt-Jakob, entraîna une nouvelle interdiction par l'UE de la viande britannique, interdiction que les Français accueillirent avec chaleur comme la confirmation que seules les vaches au sang couleur de l'Union Jack pouvaient être contaminées. Et quand cette nouvelle interdiction fut levée, la France refusa de l'accepter.

Mais les Britanniques étaient si sûrs de leur fait qu'ils adoptèrent à leur tour la tactique française. En 1999, les paysans bloquèrent les ports, les supermarchés annoncèrent qu'ils ne commercialiseraient plus ni pommes, ni poires, ni brie français ; l'un d'entre eux alla même jusqu'à annuler une commande de gui venu de France.

Les responsables politiques français continuèrent d'affirmer qu'ils ne pouvaient avoir confiance qu'en leur cheptel mais cette politique de déni commençait à donner des signes de faiblesse.

En 1999, on eut la confirmation que certains producteurs de vin utilisaient des agents filtrants contenant du sang de bœuf séché. Dans la région d'Avignon, à l'occasion de contrôles dans 14 établissements vini-

577

coles, 100 000 bouteilles furent saisies. On eut beau affirmer que seuls les vins de moindre qualité étaient affectés et qu'il n'y avait aucun problème avec les vins d'appellation contrôlée et les vins de table habituellement exportés, la preuve était bien là – le « poison anglais » s'était infiltré dans l'âme même du pays. Un amoureux du vin américain osa même demander : « Y a-t-il une chance que j'attrape la vache folle en buvant mon château-mouton-rothschild 1991 ? »

En 2000, le magazine britannique *Nature* mit vraiment les pieds dans le plat. Il est très probable, écrivait le journal scientifique, que plus de 7 000 animaux malades fassent partie du cheptel français et que le « bœuf français » soit loin d'être sain. Le battage médiatique qui s'ensuivit provoqua une peur panique en France et un supermarché fut obligé de rappeler d'importants stocks de bœuf français après qu'un animal eut été trouvé malade dans un grand abattoir. Désormais, c'était au tour des journalistes français de traquer chaque cas de vache du terroir qui ne marchait pas droit.

Les Britanniques pouvaient commencer à goûter une douce vengeance. En 2001, l'interdiction française à l'encontre du bœuf britannique fut déclarée illégale par l'Europe et quand la France accepta enfin de laisser à nouveau les magasins commercialiser du bœuf anglais, en octobre 2002, le retournement de situation était total.

La France n'allait pas laisser l'« ennemi » profiter de sa victoire, bien entendu. Elle interdit les dons de sang venant de personnes qui avaient passé six mois ou plus au Royaume-Uni entre 1980 et 1996, même si le bœuf français était probablement le plus dangereux lors des dernières années de cette période. Aujourd'hui encore, la confiance absolue dans la noblesse du paysan français conjuguée à une défiance traditionnelle envers la nourriture britannique fait que l'ESB continue d'être perçue comme anglaise par essence. Cela fut confirmé au plus haut niveau, en 2005, quand le président Jacques Chirac déclara ironiquement : « La seule chose qu'ils [les Anglais] ont apportée à l'agriculture européenne, c'est la vache folle. »

Chirac ne savait pas encore que les blagues sur la nourriture des Anglais (et des autres nations) coûteraient bientôt très cher à son pays…

24

Quand le rêve de Napoléon devient réalité

Depuis la fin de la Seconde Guerre mondiale et jusqu'aux années 1990, la Grande-Bretagne et la France n'avaient cessé de se chamailler comme un vieux couple, médisant l'une sur l'autre tout en continuant de mener le train-train quotidien. Aussi loin qu'elles s'en souvenaient, France et Grande-Bretagne avaient fait chambre à part – un lit de chaque côté de la Manche.

L'ouverture du tunnel sous la Manche, en 1994, constitua donc un véritable séisme. Cela revenait à demander sans ménagement au vieux couple de réintégrer sur-le-champ le lit matrimonial après que, des années durant, chacun avait pu prendre ses aises sur son matelas à une place. Allait-on se donner des coups de genou et de coude ou choisirait-on de se pelotonner l'un contre l'autre ? Et qui s'accaparerait la couette ?

Retour à Waterloo

La première tentative sérieuse en vue de creuser un tunnel sous la Manche date de 1875, quand la Grande-

Bretagne et la France votèrent simultanément des lois autorisant la Channel Tunnel Company à sonder le sol à Douvres et à Sangatte, près de Calais.

Les machines utilisées étaient britanniques. Un homme originaire de Dartford, dans le Kent (où se trouve aujourd'hui l'un des tunnels sous la Tamise les plus connus), portant le nom le plus patriotique qui fût – capitaine Thomas English – inventa une machine capable de forer environ 800 mètres de roche en un mois. Ce qui permit aux Britanniques d'assurer qu'ils parviendraient à mi-parcours en 1886. Ils déposèrent donc une demande de financement public en vue de la réalisation de ce projet, mais le gouvernement britannique hésitait à abandonner sa ligne de conduite traditionnelle, qui consistait à défendre la nation contre ces imprévisibles continentaux. Il fit donc voter une loi très raisonnable qui interdisait les voies ferrées dans des tunnels au-dessous du niveau de la mer, et enterra le projet.

Plus de 2 kilomètres avaient alors déjà été creusés depuis Douvres ; à l'entrée du tunnel, un des mineurs, un Gallois qui avait dû quitter l'école bien avant de maîtriser l'orthographe anglaise, avait gravé : *This tunnel was begubnugn in 1880 William Sharp.* Décidés à ne pas abandonner, les mineurs obstinés continuèrent de creuser une fois les inspecteurs publics partis, espérant peut-être qu'on penserait qu'ils étaient seulement en train de chercher des fossiles.

Mais les inspecteurs revinrent pour rendre effective l'interdiction et les machines cessèrent définitivement de creuser. Malgré tout, la Channel Tunnel Company ne fut jamais mise en liquidation et, en 1964, les Britanniques et les Français affirmèrent conjointement leur volonté de reprendre le forage. Le directeur de la compagnie, l'aristocrate anglais d'origine germano-américaine Leo d'Erlanger, déclara que le chantier durerait cinq ans. Le problème était que, de chaque côté de la mer, personne ne pouvait dire quand les travaux commenceraient véritablement – bien que ce silence n'eût rien d'étonnant étant donné que le président français était encore à cette époque de Gaulle, qui n'était pas le plus chaud partisan de la coopération transmanche.

En 1967, un projet sérieux vit enfin le jour ; en 1971, une proposition, financée par les deux États et orchestrée d'un côté par la Channel Tunnel Company et de l'autre par la Société française du tunnel sous la Manche, obtint le feu vert. À considérer le refus de confier à une agence de communication le soin de trouver des noms un peu plus originaux pour ces deux compagnies en échange de quelques millions, il apparut clairement que la volonté des deux gouvernements était d'en avoir pour leur argent.

Les travaux reprirent en 1973 et allaient bon train lorsque, en 1975, les Britanniques décidèrent de jeter l'éponge, sous prétexte de dépassements exorbitants au regard du budget initial. Le rêve de Napoléon tombait encore une fois à l'eau (ou plutôt au fond de l'eau).

Il refit surface grâce à une alliée inattendue, Margaret Thatcher, qui, en 1981, concéda élégamment qu'elle ne s'opposerait pas au tunnel sous la Manche à la condition qu'il ne coûte pas un sou à l'État. En d'autres termes, allez-y mais ne comptez pas sur moi, le cas échéant, pour vous sortir du bourbier.

L'appel aux entreprises privées eut l'effet escompté. L'un des projets les plus loufoques parmi ceux présentés consistait à suspendre un tube au-dessus de la Manche, raccordé par des pylônes de 340 mètres de haut. Les ingénieurs à l'origine de ce projet n'avaient manifestement pas bien compris la signification du mot clé du cahier des charges : « tunnel ».

Le projet le moins cher fut porté par un conglomérat de compagnies de ferries. Personne, bien entendu, ne les soupçonna d'essayer de couper l'herbe sous le pied à la concurrence qui remettait en cause leur monopole sur le transport transmanche en obtenant le contrat de la construction d'un tunnel vouée, dans peu de temps, à l'échec.

En fin de compte, c'est le projet, également peu coûteux, d'Eurotunnel qui fut retenu. Et personne ne soupçonna, ici encore, que pareille offre n'ait pu être établie qu'en vue d'obtenir le contrat, avant de demander ultérieurement des aides publiques, une fois le coût réel du projet revu à la hausse. Quoi qu'il en soit, Thatcher et Mitterrand étaient suffisamment sûrs d'eux pour signer le contrat donnant le feu vert à Eurotunnel, en janvier 1986.

Les travaux reprirent près de Folkestone, en 1987, et à Sangatte en 1988. Et par un miracle de coopération franco-anglaise, les deux équipes se rejoignirent effectivement au milieu de la Manche, le 1er décembre 1990, lorsque le Britannique Graham Fagg perça les derniers 50 centimètres de rocher qui séparaient encore l'Angleterre de la France depuis plus de 8 000 ans. Fagg tendit son bras à travers le trou et serra la main de son collègue français, Philippe Cozette. Bien entendu, cette « percée » était organisée pour les médias, un trou presque invisible entre les deux sections du tunnel ayant été pratiqué plusieurs semaines à l'avance.

Après ce moment d'euphorie, les travaux traînèrent en longueur et prirent un an de retard par rapport aux échéances initiales ; le budget aussi avait doublé pour atteindre 12 milliards de livres sterling. La coutumière malveillance britannique au sujet des intentions françaises s'avérait justifiée lorsque l'on se rendit compte que, contrairement au règlement, l'État français avait subventionné le projet en sous-main via des banques partiellement nationalisées (on se demande d'ailleurs comment les mots de Banque *nationale* de Paris n'avaient pas mis la puce à l'oreille).

Le 6 mai 1994, après deux cents ans de projets et de négociations, le tunnel était enfin achevé. La reine fut la première à être autorisée à envahir la France en voyageant sous la Manche pour une cérémonie d'inauguration à Calais. Le président Mitterrand retourna ensuite avec elle à Folkestone pour inaugurer l'autre côté du tunnel. Depuis lors, environ 200 millions de passagers ont accompli le même voyage.

Entre-temps, il y eut de nombreux problèmes financiers, bien sûr, ainsi que quelques grèves et accidents qui en grippèrent le fonctionnement, mais le tunnel fut accueilli quasiment par tous comme une innovation miraculeuse. Les temps étaient révolus où, au milieu de la nuit, on se retrouvait à moitié endormi à marcher contre le vent dans l'un des ports de la Manche avant d'essayer de trouver un siège à bord d'un train brinquebalant qui mettrait encore plusieurs heures pour atteindre Londres ou Paris. Les ferries se mirent à leur tour au goût du jour et sont aujourd'hui devenus des bateaux de croisière en comparaison des rafiots du temps du monopole.

Mais le poids de l'histoire entre la France et la Grande-Bretagne pesant sur le toit du tunnel montrait que les coups de couteau dans le dos entre les deux pays ne cesseraient pas du jour au lendemain parce que quelques ingénieurs étaient parvenus à creuser un trou.

Ce fut d'abord aux Français de s'étonner que les Britanniques ne puissent obtenir l'autorisation que le train roule à grande vitesse de leur côté de la Manche. Au lieu de passer outre pour tracer une voie à travers champs comme dans le nord de la France, les ingénieurs anglais durent demander la permission à pratiquement chaque propriétaire de jardin du Kent, qui tous refusèrent. Lors de sa première visite, Mitterrand eut beau jeu d'ironiser sur le fait que les touristes français auraient tout le temps d'admirer la fameuse campagne anglaise tandis qu'ils se traîneraient à 20 kilomètres à l'heure sur la vieille voie ferrée reliant Folkestone à Londres.

Cela n'était rien, cependant, en comparaison de l'affront historique que constituait l'arrivée à Londres en gare de Waterloo, station portant le nom de la défaite française qui provoqua la chute de Napoléon, le premier homme à avoir rêvé du tunnel. De Gaulle vivant, il aurait sans doute expédié quelques missiles sous la Manche plutôt que d'accepter pareille humiliation.

La seule objection à ce propos mit du temps à être soulevée. Ce n'est qu'en 1998 qu'un conseiller de droite du Ier arrondissement de la capitale, Florent Longuépée (le nom de l'arrière-arrière-grand-père de Guillaume le Conquérant), écrivit à Tony Blair pour exiger que la gare change de nom. Sinon, menaça Longuépée, il ferait campagne pour obtenir que la gare du Nord devienne la gare de Fontenoy. Cela ne disait absolument rien aux Britanniques et pas beaucoup plus aux Français ; il s'agissait en fait d'une bataille datant de 1745, en Belgique, au cours de laquelle les troupes françaises avaient mis en déroute une armée anglo-austro-germano-néerlandaise. On ne se souvient de cette bataille (au mieux) que parce que la Garde française, de façon chevaleresque, y avait offert à l'infanterie anglaise de tirer la première. Ce geste fut toujours mis en avant pour exalter le courage français, ce qui est faux pour deux raisons. La première est que cette stratégie était sournoise : une ligne de soldats armés de mousquets qui venaient de tirer mettaient plusieurs minutes à recharger leurs armes, offrant ainsi à leurs adversaires le temps de fondre sur eux et de leur tirer dessus de beaucoup plus près. La seconde raison est à rechercher du côté de Voltaire qui livre une tout autre version de l'histoire dans laquelle les Anglais firent en premier cette offre ; les Français, malins, devinèrent le piège et leur rendirent la politesse.

Peu importe, voici en tout cas encore un exemple qui prouve que Français et Britanniques ne peuvent jamais se mettre d'accord sur quoi que ce soit. Comme nous le savons, ni la gare de Waterloo ni celle du Nord ne changèrent de nom ; au demeurant, les Britanniques ont transféré le terminus de l'Eurostar à St-Pancras, lieu qui est politiquement beaucoup moins explosif (encore que… voir plus loin).

Aujourd'hui, le tunnel est un symbole de la synergie franco-anglaise et l'Eurostar (construit par une entreprise française, bien entendu) est un endroit où l'on peut parler aussi bien anglais que français (et parfois flamand), et sourire chacun à son tour du délicieux accent du personnel de bord faisant les annonces. Napoléon et Joséphine l'auraient pris tous les week-ends.

Une loi contre les Anglais

À peine quelques mois après l'ouverture du tunnel sous la Manche, les Français érigèrent un barrage. Pas pour se protéger contre les effets du réchauffement climatique, mais pour tenir à bonne distance la marée anglaise qui (selon eux) menaçait de rayer la France de la carte linguistique.

Comme nous l'avons vu dans le chapitre précédent, la France fut longtemps suspicieuse à l'égard du rock'n'roll, aussi, en août 1994, le ministre de la Culture et de la Langue française fit-il voter une loi visant à stopper une bonne fois pour toutes cette invasion anglo-américaine.

Jacques Toubon, diplômé de la prestigieuse École nationale d'administration, fut le bras droit de Jacques Chirac dans différents ministères. Il était aussi bien qualifié pour être ministre de la Culture que pour gérer des chemins de fer, diriger une administration fiscale ou la campagne électorale de Jacques Chirac.

Lors de son discours de prise de fonctions, en 1993, il déclara vouloir promouvoir « une culture qui fait de l'homme un citoyen responsable ». Du charabia pour la plupart d'entre nous, mais pas pour les élèves formés à l'ENA. Au même moment, d'autres ministres prononçaient exactement le même discours en remplaçant le mot « culture » par le mot « armée », « puissance nucléaire » ou « fromage ».

La première décision de Jacques Toubon fut, comme c'était l'habitude, de réorganiser de grandes institutions culturelles comme le Louvre, l'Opéra national et la Bibliothèque nationale, en promouvant aux postes de responsabilité des « associés », dans la plus pure tradition de l'ENA.

Mais Jacques Toubon surprit son monde quand il imposa sa « loi 94-665 relative à l'emploi de la langue française », qui ne cherchait rien d'autre qu'à imposer le français aux Français. Son article 2 décrétait que « dans la désignation, l'offre, la présentation, le mode d'emploi ou d'utilisation[1], la description de l'étendue ou des conditions de garantie d'un bien, d'un produit ou d'un service, ainsi que dans les factures et quittances, l'emploi de la langue française est obligatoire ».

De surcroît, toute publicité – écrite, audio ou visuelle – devait être en français ; la création d'une marque au nom étranger était prohibée si un équivalent français existait ; les sociétés basées en France n'avaient pas le droit d'inciter leurs employés à parler l'anglais ; et l'enseignement devait être dispensé en français si une école souhaitait recevoir des fonds publics.

Nonobstant le fait que les Français détestent obéir aux lois nouvelles, c'était un peu l'histoire du petit garçon hollandais qui mettait le doigt dans un trou de la digue pour empêcher le pays d'être inondé. La langue anglaise faisait d'ores et déjà partie intégrante de la culture populaire française et des stars comme Gainsbourg et Johnny Hallyday avaient chanté des chansons aux paroles anglaises. La riposte ne se fit donc pas attendre. Les Français aimant jouer avec les mots, ils ne tardèrent pas à appeler Jacques Toubon *Jack Allgood*. Et de nombreux Français virent dans cette loi une vaste blague.

Certaines demandes de mise en conformité paraissent être purement formelles. Les slogans publicitaires doivent être traduits en français même lorsque cela s'avère parfaitement inutile. Si, par exemple, une société agroalimentaire française souhaite faire la publicité de son nouveau biscuit américain et met en avant le slogan

---

1. Afin, manifestement, de signifier la richesse du français, la loi a recours à « emploi » et à « utilisation », quoique le Français moyen soit bien en peine d'expliquer la différence.

« *It's all good* », n'importe quel Français voyant le panneau comprendra ce qu'il lit mais la phrase sera systématiquement suivie d'un astérisque renvoyant à une traduction, en bas de l'affiche – « C'est tout bon ».

Par mégarde (ou non), dans le métro parisien, cette traduction est souvent cachée par les sièges qui se trouvent devant le panneau.

La situation peut très vite tourner à l'absurde. Le français étant une langue moins crue que l'anglais et les lois sur le respect de la décence ne s'appliquant qu'aux mots français, si un rappeur français sortait un album sous le titre *Fuck You, Motherfuckers !* (ce qui est une possibilité), les affiches publicitaires renverraient vraisemblablement à la traduction suivante : « J'ai des relations sexuelles avec vous, vous qui avez des relations sexuelles avec votre mère ! »

On tient cependant de moins en moins compte de cette loi, d'autant plus qu'un nombre croissant de chaînes de magasin internationales débarquent en France. Personne, par exemple, n'a contraint Gap à fournir une traduction de sa marque et à ajouter le mot (légèrement obscène) « trou » sur les devantures de ses magasins.

Il arrive néanmoins que les défenseurs de la langue française rappellent tout le monde à l'ordre.

En 2006, une société américaine, GE Healthcare, fut poursuivie en justice pour ne pas avoir traduit en français certains documents internes, opérant ainsi une discrimination à l'encontre de ses employés non anglophones. La société eut beau arguer que ces documents étaient généralement adressés à ses employés anglophones, plusieurs organisations syndicales portèrent plainte contre GE Healthcare et le tribunal ordonna à la compagnie de traduire en français son logiciel interne, ses manuels de formation et toutes ses instructions de sécurité, et la condamna à verser aux plaignants 580 000 euros, plus 20 000 euros par jour en cas de non-respect de la décision.

La morale de cette histoire est que si vous voulez gagner facilement quelques euros, il vous suffit de vous promener dans n'importe quelle grande ville de France, de regarder autour de vous et de vous rapprocher d'un avocat pour porter plainte au prétexte que vous souffrez de crises de panique car vous ne comprenez aucun des noms de marques internationales établies dans la rue principale. « Qu'est-ce que c'est, un Starbucks ? »

Vous pouvez vous mettre vos frites où je pense

Quand l'exception française – le droit de la France à voir le monde autrement qu'il n'est – prévaut au plan national, cela perturbe rarement le monde anglophone. Mais lorsque l'exception française s'appliqua à l'Irak, en 2003, elle déclencha une véritable coulée de lave francophobe.

En refusant d'envoyer ses troupes détruire les légendaires mythiques armes de destruction massive de Saddam Hussein, la France s'exposa à une attaque médiatique plus virulente que toutes celles que les Britanniques avaient réussi à déclencher depuis Napoléon. Cette fois-ci, ce sont les conservateurs américains qui en furent les principaux responsables et qui instrumentalisèrent le patriotisme que l'administration Bush avait réussi à attiser pour soutenir son invasion ; le dégoût qu'elle parvint à susciter fut si puissant que la France fut réellement perçue comme un ennemi aussi diabolique que Saddam. On vit même fleurir des autocollants du genre : « L'Irak d'abord, la France ensuite ! »

Faire des blagues antifrançaises devint le passe-temps favori des Américains – « Levez la main droite si vous aimez les Français […]. Si vous *êtes* français, levez les deux mains » – et le ressentiment était tel que dans certains médias il devenait vraiment viscéral. En 2005, je me suis rendu aux États-Unis pour la promotion de mon roman *God save la France* et, encore à cette époque, un présentateur radiophonique m'affirma que mon livre n'était pas suffisamment anti-français[1] et que « ces Froggies non civilisés vivent à l'âge de pierre, pas vrai ? » Tandis que j'exprimai mon désaccord, l'entretien fut interrompu.

Et ce n'était pas que la frange la plus extrémiste des médias qui s'adonnait au langage de la haine. Une francophobie grotesque bouillonnait dans certains cercles politiques américains prétendument sérieux. Le général Norman Schwarzkopf, héros de la première guerre du Golfe, déclara que « partir à la guerre sans la France, c'est comme aller à la chasse au cerf sans son accordéon ». Et trois cafétérias de la Chambre des représentants rebaptisèrent les *french fries* en *freedom fries* sur leurs menus, provoquant une véritable épidémie et donnant naissance aux toasts de la liberté, aux crêpes de la liberté, voire au baiser de la liberté, *freedom kissing*.

Quelles qu'aient été les raisons de la France de ne pas s'engager en Irak – sa volonté de ne pas perdre

---

1. Il avait tort – il n'est *pas du tout* antifrançais, si vous le lisez avec attention.

des contrats pétroliers, ou sa crainte que l'invasion ne conduise les pays arabes à se retourner contre l'Occident –, il semble que la suite des événements lui ait donné raison. D'autant que la France remporta également quelques victoires cruciales.

Quand l'ambassade de France à Washington fut informée de l'apparition des « frites de la liberté », sa porte-parole, Nathalie Loiseau, répliqua : « Nous sommes face à un moment très grave, face à des questions très graves et nous ne prêtons pas attention à la façon dont vous appelez vos pommes de terre. » Une pique digne de Woody Allen.

De plus, les militaires américains ne le savaient peut-être pas mais beaucoup d'entre eux mangeaient des frites françaises. La Sodexo, qui a loyalement nourri les marines américains depuis des années, est en effet une société de restauration française.

L'industrie française dirige le monde

L'exemple de la Sodexo est typique de la façon dont discrètement la France, en dépit de ses déclarations sur la prise de contrôle du monde par les Anglo-Saxons, est précisément en train de faire main basse sur bon nombre de domaines. Où que vous viviez, il est très probable que la raffinerie de pétrole la plus proche, la centrale nucléaire dont vous dépendez, l'arrêt de bus, le panneau publicitaire du coin de la rue ou le train à grande vitesse que vous utilisez soient français.

Ce sont des compagnies françaises qui gèrent les services de bus et les trains régionaux dans beaucoup de grandes villes américaines, et la distribution de l'eau, de l'électricité et du gaz dans de vastes régions de la Grande-Bretagne. Pour donner seulement un exemple : EDF, qui a investi le marché britannique de l'énergie depuis 2002 seulement, est déjà le plus important producteur et distributeur d'électricité du pays. Son nom complet est, bien sûr, Électricité de France, mais la plupart des Anglais ne le savent même pas. Pour comprendre pourquoi, allez sur le site Internet anglais de l'entreprise, www.edfenergy.com, et voyez combien de clics sont nécessaires avant de trouver le nom dans son entier.

En réalité, les Français sont parmi les meilleurs « mondialistes » de la planète, mais si vous demandez au Français moyen de vous donner des exemples de mondialisation, il citera certainement McDonald's, Coca-Cola, Gap et Starbucks et accusera les Anglo-Saxons de vouloir contrôler l'économie mondiale. Ce même Français se montrera surpris si vous commencez à lui parler de Carrefour, Perrier, Chanel, Danone, L'Oréal, Louis Vuitton, L'Occitane et Renault, par exemple, ou si vous citez le nom de marques de champagne, d'eau minérale, de vêtements et de parfums français. Beaucoup de Français ne mesurent tout simplement pas à quel point leur pays réussit.

Cette mondialisation n'est pas importante seulement pour des raisons économiques ; elle l'est aussi pour l'équilibre psychologique des milieux d'affaires français.

Les activités auxquelles une entreprise française peut s'adonner à l'étranger peuvent apparaître parfois comme aussi débridées qu'un enterrement de vie de garçon à Las Vegas. Elle peut joyeusement se livrer à tous les coups bas qu'un pays libéral autorise mais que la France interdit. L'entreprise française peut, par exemple, appliquer une augmentation des prix qui serait considérée comme illégale sur son territoire, ou imposer des conditions de travail qui provoqueraient une grève chez elle.

Cette mondialisation à la française profite aussi à un niveau plus individuel. Les patrons français sont généralement formés dans des écoles de commerce qui privilégient une approche théorique avant d'être envoyés dans des entreprises où toute créativité est bridée par une hiérarchie rigide et la nécessité de respecter les droits des travailleurs. Pour éviter qu'ils ne s'étiolent, la solution pour une entreprise française est d'envoyer ses cadres supérieurs dans une succursale à l'étranger. Là, ils peuvent se décharger d'une frustration trop longtemps contenue, en licenciant des employés jugés inefficaces et en fermant des usines insuffisamment rentables (actions quasi impossibles en France), avant de rentrer au pays tels des croisés après une razzia en terre païenne. Ils auront assouvi leur soif de sang et pourront désormais accepter le mode de gestion plus retenu que leur imposent les syndicats français. En somme, les travailleurs étrangers reçoivent la punition que les patrons français adoreraient infliger à leurs compatriotes. Vive la mondialisation !

Comment dit-on « faux pas » en anglais ?

En 2004, la France et la Grande-Bretagne reconduisirent leur éternel pas de deux à travers ce champ de mines qu'est leur histoire et célébrèrent le centenaire de l'Entente cordiale.

En mars, la reine se rendit à Paris, où le président Chirac provoqua un scandale en enroulant de son bras la taille royale. Ce geste parfaitement anodin pour un Français fut bien sûr interprété dans la presse britannique comme une énorme gaffe gauloise – le *latin lover* tentant sa chance auprès de la reine – et l'indignation fut unanime : la France ne comprenait pas que la royauté était intouchable. Ce geste ne rappelait pas 1904 mais 1789.

En juin 2004 fut célébré le soixantième anniversaire du jour J. La reine fut invitée en Normandie, au côté de George W. Bush, qui qualifia dans un discours la France d'« allié éternel » de l'Amérique, à peine un an après que son gouvernement eut laissé les médias américains traiter les Français de tous les noms de la terre.

En juillet, les Britanniques eurent l'insigne honneur de voir leurs soldats invités à ouvrir le défilé militaire du 14 Juillet. Parmi les régiments envoyés à Paris se trouvaient les Gardes grenadiers, qui portent des chapeaux en peau d'ours depuis le jour où ils les ont piqués à la Garde impériale à Waterloo (il faut dire aussi que trouver un régiment qui n'ait jamais combattu autrefois contre les Français aurait pratiquement été mission impossible).

Puis, en août de la même année, Paris célébra sa libération par une série de festivités baptisées « Paris se libère », en référence au fameux « Paris libéré » du discours de Charles de Gaulle. *Le Monde* publia un supplément spécial de 48 pages qui ne dit rien avant la page 18 sur le fait que des troupes étrangères avaient peut-être participé à la libération de la ville. Merci, les amis !

Bref, l'année 2004 était censée être une année à part mais elle fut, en réalité, l'illustration que la même vieille histoire continuait de se répéter.

En juillet 2005 eut lieu un nouveau face-à-face, quand Paris et Londres se retrouvèrent en compétition pour accueillir les Jeux olympiques de 2012 (que la Grande-Bretagne remporta, comme nous le savons, et qui a tout de suite commencé à pâtir des conséquences financières de cette victoire).

Les campagnes respectives des deux villes furent le symbole des différences entre la Grande-Bretagne et la France.

Les Britanniques réalisèrent un film montrant des jeunes inspirés par les Jeux et aspirant à devenir eux-mêmes des athlètes – le vrai rêve olympique. Les Français, eux, avaient commandé une vidéo prétendument artistique qui représentait, en gros, une publicité pour les hauts lieux de Paris, comme si la tour Eiffel elle-même allait être en compétition pour le saut en hauteur.

La veille du vote du Comité olympique, le Premier ministre Tony Blair et sa femme, Cherie, passèrent pratiquement toute la nuit à tchatcher avec les délégués dans leur hôtel de Singapour. Jacques Chirac fit quant à lui une courte apparition avant d'aller se coucher, refusant de s'abaisser à quémander leurs votes aux membres du Comité. Il coûta aussi à la France (dit-on) le vote crucial de deux délégués finnois pour un entretien accordé à la presse où il déclarait, à propos des Britanniques : « Comment peut-on faire confiance à des gens qui ont une cuisine si mauvaise ? Après la Finlande, c'est le pays qui a la plus mauvaise cuisine du monde. »

En somme, Paris était tellement sûr de lui qu'il

vit les Jeux olympiques lui passer sous le nez. Au lieu de jouer le jeu anglo-saxon consistant à montrer combien on désire quelque chose et à tout mettre en œuvre pour l'obtenir, les Français firent leurs difficiles. Mais ils furent outrés de perdre. Invité d'une chaîne de télévision pour suivre en direct l'annonce des résultats, j'étais assis entre un ancien ministre des Sports et un journaliste de la presse écrite ; tous deux explosèrent de colère quand le choix de la « mauvaise » ville fut annoncé. Ils étaient si mauvais perdants que je leur ai dit qu'ils oubliaient l'esprit olympique. « Paris n'a pas perdu, dis-je, il a juste obtenu la médaille d'argent. » L'homme politique s'est alors tourné vers moi et m'a répondu en direct : « Vous les Anglais, vous vous croyez drôles mais vous ne l'êtes pas. » Pas très sportif, le ministre.

Les Brits montrent à Sarko
leur arrière-train londonien

Faire subir aux Français des humiliations fut encore d'actualité lors de la visite à Londres, en mars 2008, du président Nicolas Sarkozy et de sa ravissante épouse, Carla Bruni. Ceux qui avaient écrit les discours étaient parfaitement dans la note, M. Sarkozy et le Premier ministre Gordon Brown en appelant chacun à une refondation de l'Entente cordiale – Sarko suggérant une « Entente amicale » tandis que Brown allait plus loin et proposait une « Entente formidable ».

Pour le reste, le séjour londonien du président français abonda en faux pas diplomatiques.

Quand Sarko fit son discours devant le Parlement,

il fut conduit dans la Galerie royale où on lui montra deux des œuvres les plus précieuses : d'immenses tableaux décrivant les défaites françaises à Trafalgar et à Waterloo.

De même, quand le couple présidentiel arriva à Windsor pour y rendre visite à la reine, il fut accueilli par deux carrosses royaux – la reine et M. Sarkozy devaient monter dans le premier, le prince Philippe et Carla dans le second. En route, le cortège fut escorté par la Cavalerie de la Garde royale, dont les plastrons sont des copies de ceux pris sur les cavaliers morts à Waterloo. Étaient également présents des hommes du régiment de cavalerie Blues and Royals, dont l'uniforme présente un aigle doré qui célèbre la capture du drapeau français lors de la même bataille[1]. Et pour couronner le tout, le premier cheval du défilé s'appelait Agincourt, et le dernier Zut Alors. La visite des Français au château des Windsor était placée sous les auspices d'un déluge de boulets de canon historiques.

Le banquet royal au château fut lui aussi truffé de gaffes. Pour atteindre le hall du banquet, les invités durent passer par une antichambre appelée la salle Waterloo, aux murs de laquelle étaient accrochés deux magnifiques portraits des deux vainqueurs de la bataille, Wellington et Blücher. Sarko dut se sentir soulagé de ne pas être en plus convié à regarder une vidéo sur le tourisme à Sainte-Hélène.

Il souriait poliment en marchant vers la grande table

---

1. Ajoutons que, lors du mariage de son frère, en avril 2011, la belle veste bleue portée par le prince Harry était également celle des Blues and Royals. En quelque sorte, même ce mariage célébrait Waterloo.

du hall Saint-George, où étaient dressés 160 couverts. Sur la table trônait un service en porcelaine de Sèvres qui, selon un expert français du protocole avec qui je participais à une émission le lendemain du banquet, avait été acquis par la famille britannique royale pendant la Révolution française, au moment où les biens du château de Versailles avaient été pillés et revendus au rabais. Aux yeux des Français, cela signifiait que le président avait été invité à Windsor pour manger dans ses propres plats.

Sarko eut alors une réaction bien dans sa manière. Au lieu de dire, dans son discours au banquet : « C'est comme un rêve de demeurer au château de Windsor », il déclina l'offre de passer une seconde nuit en Bed and Breakfast chez la reine. Il rentra chez lui. Apparemment, une seule journée d'humiliation historique suffisait.

Serait-ce aller trop loin que de penser que ne pas avoir invité la reine au soixante-cinquième anniversaire du jour J, en juin 2009, constitua la réponse française aux piques historiques lancées au cours de la visite d'État de l'année précédente ? Il est vrai que toute l'attention des Français se concentrait sur Barack Obama, la nouvelle superstar politique, mais comment auraient-ils pu oublier la fille du roi qui avait autorisé Charles de Gaulle à établir son régime de la France libre à Londres pendant quatre ans ? Le faux pas fut expliqué un peu plus tard : la France croyait que les Britanniques choisiraient eux-mêmes le nom de ceux qui figureraient sur leur liste d'invitation. Mais cette excuse était aussi peu convaincante qu'une déclaration d'amitié franco-britannique du général de Gaulle pendant la Seconde Guerre mondiale.

Obama pouvait toutefois se considérer heureux

d'être la coqueluche du moment car, en ce mois de juin 2009, la France portait encore les stigmates de deux récents coups bas américains. Premièrement, lançant un dernier coup de griffe avant de démissionner, le gouvernement Bush parut vouloir se venger de la position de la France à propos de l'Irak en choisissant d'imposer au Roquefort une taxe d'importation inexplicable de 300 %, l'éliminant de fait du marché américain. Dans la mesure où il s'agissait là, littéralement, de la toute dernière mesure commerciale prise par cette administration, le hasard n'avait certainement rien à voir là-dedans.

L'autre gaffe vint du président nouvellement élu, Obama lui-même, qui adressa une lettre à l'ancien président Chirac pour lui dire : « Je suis certain que nous pourrons travailler ensemble dans les quatre années qui viennent, dans un esprit de paix et d'amitié afin de construire un monde plus sûr. » Les conseillers d'Obama n'avaient-ils pas noté le changement de président en mai 2007 ? Choquant, sans doute, mais cela ne devait pas être pris comme une insulte personnelle. On pourrait même avancer que la confusion entre Sarkozy et Chirac est un symptôme de la façon dont l'Amérique voit le monde : une superpuissance au sommet (peut-être deux), la Grande-Bretagne à ses pieds, quelques ennemis essentiels faisant des bonds pour attirer l'attention sur eux, et un troupeau anonyme de pays moins importants qui s'agitent en dessous. Qu'on le veuille ou non, aux yeux d'au moins un conseiller au sein de l'équipe du nouveau président américain, à ce moment-là, la France se situait au même niveau que Taiwan, le Mozambique et la Lituanie – et qui connaît le nom de leurs dirigeants ?

Plus ça change, plus c'est la même chose

D'aucuns disent que nous devrions enterrer la hache de guerre et simplement oublier toutes nos prétendues différences. Nous sommes des adultes maintenant et nous devrions nous entendre comme des associés dans ce monde moderne. L'histoire, semblent-ils dire, c'est du passé. Mais comme William Faulkner l'écrivit un jour : « Le passé n'est jamais mort – en fait, il n'est pas même passé. »

Autrement dit, l'histoire se construit jour après jour, et ignorer le passé reviendrait à nier la théorie de l'évolution. La Grande-Bretagne et la France, et plus récemment l'Amérique du Nord, sont devenues ce qu'elles sont aujourd'hui à la suite d'une bataille quasi permanente au cours des siècles. Nos sphères d'influence respectives dans le monde remontent à des siècles. Comme nous l'avons vu tout au long de ce livre, nombre d'institutions politiques britanniques et françaises sont nées en réaction directe à ce que « l'ennemi » faisait. Les hommes politiques, les militaires et les hauts fonctionnaires français d'aujourd'hui sont pour la plupart issus d'écoles créées par Napoléon et sont souvent animés de la méfiance, teintée d'envie, qu'avait Bonaparte pour l'Anglo-Saxon.

C'est la raison pour laquelle le moindre échange politique un peu vif prend aussitôt une tournure dramatique. La réaction n'est jamais simplement : « Tiens, mais pourquoi font-ils cela ? », mais : « Évidemment, c'est toujours pareil ! Comme en 1415, 1688, 1789, 1815, 1914, 1940, 2003 », etc. Nous avons beau essayer de réinventer notre relation, elle demeure fondamentalement la même. C'est dans nos gènes.

Cela ne signifie pas que les Français et les Anglais ne peuvent pas s'entendre, bien entendu. Nous avons en commun une histoire si riche que nous sommes comme une famille. Nous nous trouvons côte à côte ou face à face dans tous les albums de photos historiques et, quand les choses se passent bien, nous pouvons rire ensemble avec nostalgie des incessantes batailles qui ont émaillé notre passé. Car notre album familial présente vraiment cela : une histoire de bagarreurs.

Nous parvenons aussi à solder certains conflits de manière définitive. Prenez le problème des Eurostar arrivant à Londres en gare de Waterloo. En novembre 2007, la reine Élisabeth II mit officiellement fin à toute suspicion de sentiments antifrançais en inaugurant un nouveau terminus à St-Pancras. L'incident diplomatique était donc bien clos.

Eh bien, en fait, non. Car saint Pancras, chrétien de Rome exécuté en 303 de notre ère pour avoir refusé d'offrir un sacrifice aux dieux romains, est le saint patron des enfants et celui de l'île où sa dépouille est censée reposer – la Corse. Oui, la Corse, qui n'est pas seulement le lieu de naissance de Napoléon, mais aussi une île où des militants nationalistes cagoulés prennent régulièrement pour cible des symboles de l'État français et font sauter les résidences de vacances des continentaux.

Mais ma foi, après mille ans passés à agacer les Français, à quoi vous attendiez-vous de la part des Anglais ?

Annexes

Citations

Ce qui suit ne se veut pas un florilège savant de citations. Il s'agit d'une collection de paroles savoureuses et malicieuses au sujet des Français (et des Anglo-Saxons) sur lesquelles je suis tombé au cours de mes recherches pour ce livre et que je n'ai pas utilisées. Une sorte de feu d'artifice de citations à propos (et certaines formulées par) des Français.

Jeanne d'Arc (1412-1431), soldate et sainte française :
« De l'amour ou de la haine que Dieu a pour les Anglais, je n'en sais rien, mais je sais bien qu'ils seront tous boutés hors de France, excepté ceux qui y périront. »

Sir Philippe Sidney (1554-1586), soldat et poète anglais :
« Ce doux ennemi qu'est la France. »

William Shakespeare (1564-1616), dramaturge, poète et à l'occasion propagandiste anglais :

« Gloucester : […]. Parce que je ne sais pas flatter, dire de belles paroles, sourire aux gens, cajoler, feindre, tromper, saluer d'un coup de tête à la française, et avec des singeries de politesse, il faudra qu'on m'accuse de rancune et d'inimitié ! » (*Richard III*, acte I, scène III.)

Louis Charles Fougeret de Montbron (1706-1761), écrivain français anglophile :

« Nous sommes la seule nation de l'univers que les Anglais ne méprisent pas. En revanche, ils nous font l'honneur de nous haïr avec toute la cordialité possible. »

« Une chose qui doit nous flatter, c'est que tout étranger à Londres est toujours un *French dog.* »

Samuel Johnson (1709-1784), lexicographe anglais :

« Un Français doit toujours dire quelque chose, qu'il sache quoi que ce soit sur le sujet ou non ; un Anglais est heureux de ne rien dire quand il n'a rien à dire. »

Louis XV (1710-1774), roi de France :

« Les Anglais ont corrompu les esprits dans mon royaume. Nous ne devons pas exposer une génération supplémentaire au risque d'être pervertis par leur langue. »

Laurence Sterne (1713-1768), écrivain irlandais.

« Les Français croient que parler d'amour, c'est le faire. » (*Vie et opinions de Tristram Shandy, gentilhomme.*)

Horace Walpole (1717-1797), écrivain britannique et cousin de l'amiral Nelson :

« Je n'aime pas les Français non du fait d'une vulgaire antipathie entre nations voisines, mais à cause de leur air de supériorité insolent et sans fondement. »

Pierre Augustin Caron de Beaumarchais (1732-1799), écrivain et homme d'affaires français :

« Les Anglais, à la vérité, ajoutent par-ci, par-là quelques autres mots en conversant ; mais il est bien aisé de voir que *God-dam* est le fond de la langue. » (*Le Mariage de Figaro*.)

Louis Sébastien Mercier (1740-1814), écrivain français, après une visite à Londres :

« Les Londoniens pensent que, à Paris, nous sommes couverts de galons mais que nous mourons de faim ou ne mangeons que des grenouilles. »

Antoine de Rivarol (1753-1801), écrivain français :

« Ce qui n'est pas clair n'est pas français » (*De l'universalité de la langue française*) – le roman français moderne n'avait pas encore été inventé.

Horatio Nelson (1758-1805), amiral britannique, donnant ses instructions à une jeune recrue :

« Premièrement, tu dois toujours implicitement obéir aux ordres, sans essayer de te forger une opinion propre sur leur justesse. Deuxièmement, tu dois considérer tout homme qui dit du mal de ton roi comme ton ennemi. Et troisièmement, tu dois haïr le Français comme tu hais le diable. »

Napoléon Bonaparte (1769-1821), empereur de France :

« Il est dans le caractère français d'exagérer, de se plaindre et de tout défigurer dès qu'on est mécontent. »

« La bonne politique est de faire croire aux peuples qu'ils sont libres. »

Samuel Taylor Coleridge (1772-1834), poète anglais :

« Les Français sont comme la poudre à canon, pris séparément ils sont grossiers et méprisables, mais mettez-les ensemble et ils sont effectivement affreux ! »

Victor Hugo (1802-1885), romancier et poète français :

« Ne soyons plus anglais ni français ni allemands. Soyons européens. Ne soyons plus européens, soyons hommes. Soyons l'humanité. Il nous reste à abdiquer un dernier égoïsme : la patrie. » (*Choses vues.*)

Douglas William Jerrold (1803-1857), écrivain britannique :

« La meilleure chose que je connaisse entre la France et l'Angleterre, c'est la mer. »

Flora Tristan (1804-1844), femme de lettres française, de retour d'un voyage en Angleterre :

« En France, l'être de la création le plus honoré, c'est la femme ; en Angleterre, c'est le cheval. »

Paul Gavarni (1804-1866), artiste français :

« Lorsqu'une Anglaise est habillée, ce n'est plus

une femme, c'est une cathédrale. Il ne s'agit pas de la séduire, mais de la démolir. »

Gustave Flaubert (1821-1880), écrivain français :
« Anglais : Tous riches.
Anglaises : S'étonner de ce qu'elles ont de jolis enfants.
Français : Le premier peuple de l'univers.
John Bull : Quand on ne sait pas le nom d'un Anglais, on l'appelle John Bull.
Monarchie : La monarchie constitutionnelle est la meilleure des républiques.
Stuart (Marie) : S'apitoyer sur son sort. »
(*Dictionnaire des idées reçues*.)

Mark Twain (1835-1910), écrivain américain :
« À Paris, ils me regardaient fixement quand je leur parlais en français. Je n'ai jamais vraiment réussi à faire comprendre leur propre langue à ces idiots. »

Georges Clemenceau (1841-1929), homme politique français :
« L'anglais ? Ce n'est jamais que du français mal prononcé. »

Paul Claudel (1868-1955), écrivain français :
« C'est au bras de la noblesse de France que la démocratie américaine a fait son entrée dans le monde. »

André Gide (1869-1951), écrivain français et Prix Nobel de littérature :
« Il sont rares, de nos jours, ceux qui atteignent

la quarantaine sans vérole et sans décoration. »
(*Les Faux-Monnayeurs*.)

Harry Graham (1874-1936), écrivain anglais :
« Ne pleure pas pour la petite Léonie,
Enlevée par un français marquis,
Si le déshonneur fut un déchirement,
Pense combien elle améliora son français seulement. »

P. G. Wodehouse (1881-1975), écrivain anglais, naturalisé américain :
« Sur le visage du jeune homme assis à la terrasse de l'Hôtel Magnifique, à Cannes, s'était glissé un léger voile de honte, le fuyant regard de chien battu qui annonce qu'un Anglais est sur le point de parler en français. » (*The Luck of the Bodkins*.)

Franz Kafka (1883-1924), écrivain tchèque, au sujet d'un voyage à Paris, en septembre 1911 :
« On ne pouvait jamais dire s'ils [les Parisiens] étaient contents de nous entendre commettre des erreurs quand nous parlions en français, ou s'ils trouvaient juste ces erreurs intéressantes à écouter. » (*Journal intime.*)

George S. Patton (1885-1945), général américain :
« Je préfère avoir une division allemande en face de moi qu'un Français derrière. »

Charles de Gaulle (1890-1970), président français :
« J'ai essayé de sortir la France de la boue. Mais elle retournera à ses erreurs et à ses vomissements. Je ne peux empêcher les Français d'être français. »

« Quand je veux savoir ce que la France pense, je me le demande à moi-même. »

Richmal Crompton (1890-1969), écrivain britannique, créateur du héros de livres pour enfants William Brown qui, dans le roman *Guillaume le Conquérant*, dit :
« Je ne veux parler à aucune personne française, et si elle veut me parler elle n'a qu'à apprendre l'anglais. L'anglais est facile à parler. C'est idiot d'avoir d'autres langues. Je ne vois pas pourquoi tous les autres pays n'apprendraient pas l'anglais au lieu que ce soit nous qui apprenions d'autres langues qui n'ont pas de sens. L'anglais, lui, a du sens. »

Evelyn Waugh (1903-1966), écrivain britannique :
« Nous sommes tous américains à la puberté. Et nous mourons français. »

Joséphine Baker (1906-1975), chanteuse et danseuse américaine :
« J'aime beaucoup les Français car même quand ils vous insultent ils le font si gentiment. »

Billy Wilder (1906-2002), cinéaste américain :
« La France est un pays où l'argent vous file entre les doigts mais où on n'arrive pas à déchirer le papier toilette. »
(C'était avant que l'euro ne soit créé et ne devienne plus fort que le dollar.)

Georges Elgozy (1909-1989), économiste français :
« Il faut à un Français un an pour comprendre la

monnaie des Anglais ; dix ans, leur tempérament ; cinquante ans, leur manque de tempérament ; l'éternité, leurs femmes. »

Pierre-Jean Vaillard (1918-1988), acteur français :
« Je sais maintenant pourquoi les Anglais préfèrent le thé : je viens de goûter leur café. »

Boris Vian (1920-1959), écrivain français et musicien de jazz :
« Pour faire du commerce, il faut, de nos jours, être américain ; mais si on se contente d'être intelligent, on peut aussi bien être français. »
« Le ridicule ne tue nulle part mais, aux USA, il enrichit drôlement. »

Claude Gagnière (1928-2003), écrivain français :
« Un homme qui parle trois langues est trilingue. Un homme qui parle deux langues est bilingue. Un homme qui ne parle qu'une langue est anglais. »

William Safire (1929-2009), journaliste américain :
« La différence entre une conciliation française et une conciliation américaine est que la France paie la rançon en liquide et récupère ses otages tandis que les États-Unis paient la rançon en armes et hérite de nouveaux otages. »

Édith Cresson (née en 1934), Premier ministre française, irritée que les hommes ne se retournent pas sur son passage au cours d'une visite à Londres :
« Un Anglais sur quatre est homosexuel. »
« Les Anglo-Saxons ne sont pas intéressés par les

femmes en tant que femmes – c'est un problème d'éducation –, je pense que c'est une sorte de maladie. »

Jean-Jacques Annaud (né en 1943), cinéaste français :
« Quand les Américains font des films, ils visent le monde entier. Quand des Français font des films, ils visent Paris. »

Un Français anonyme :
« La cuisine anglaise : si c'est froid, c'est de la soupe ; si c'est chaud, c'est de la bière. »

Bibliographie sélective

Les bibliographies dans les livres d'histoire sont parfois si longues qu'on se demande comment l'auteur a bien pu trouver le temps de manger, de dormir et d'aller aux toilettes pendant qu'il menait ses recherches. Et la plupart des titres cités ne contiennent que quelques lignes pertinentes concernant le sujet traité.

Je ne cite donc que les livres que j'ai lus en entier ou en grande partie et souhaite recommander.

Je dois avouer, pourtant, que je n'ai pas toujours feuilleté moi-même leurs pages jaunies. Heureusement, de nos jours, beaucoup de bibliothèques numérisent leurs vieux livres ; ainsi, les sources concernant l'histoire franco-anglaise ne sont-elles plus réservées aux seuls chercheurs ayant accès à ces documents rares et fragiles. Il est désormais relativement aisé pour toute personne possédant un ordinateur et le goût de la chasse aux catalogues de livres en ligne de lire des chroniques médiévales, des autobiographies du

XVIIe siècle et des carnets de voyage du XVIIIe, et de découvrir ce que les gens disaient de certains événements au moment où ceux-ci se déroulaient.

Si de nombreux livres cités ci-dessous sont épuisés, ils demeurent néanmoins accessibles sur des sites Internet comme Gutenberg.org, archive.org, Google Books ou (pour les textes français) gallica.bnf.fr. Vous devrez les lire en ligne mais cela peut s'avérer tout de même plus pratique que de se rendre à la Bibliothèque de la colonisation prénapoléonienne dans l'est de la Louisiane.

Avoir accès à une chronique médiévale ne veut pas toujours dire qu'on va la comprendre, bien sûr, mais ce qui est agréable avec le français est qu'il n'a pas trop changé au cours des siècles et qu'on a juste besoin d'un cours accéléré de grammaire et de vocabulaire médiévaux pour être capable de comprendre dans le texte des écrits datant du XIVe siècle. En comparaison, l'anglais de Shakespeare est incompréhensible.

Histoire générale

Halliday, F. E., *A Concise History of England*, 1964.
Henri, Natacha, *Ces femmes qui ont fait la France*, 2009.
Horne, Alistair, *Friend or Foe*, 2004.
Hume, David, *The History of England*, 1810.
McCrum, Robert, Cran, William, MacNeil, Robert, *The Story of English*, 2002.
Tombs, Robert et Isabelle, *That Sweet Enemy*, 2006.
Trevelyan, G. M., *English Social History*, 1942.
Williamson, J. A., *The English Channel*, 1959.
Woodward, E. L., *A History of England*, 1947.

Thèmes particuliers

Guillaume le Conquérant
Auteur anonyme, *The Anglo-Saxon Chronicle*, IXe-XIIe siècles.
Auteur anonyme, *The Bayeux Tapestry*, vers 1080.
Bridgeford, Andrew, *1066 : The Hidden History of the Bayeux Tapestry*, 2004.
Zumthor, Paul, *Guillaume le Conquérant*, 1978.

La guerre de Cent Ans
Auteur anonyme, *Journal d'un bourgeois de Paris, 1405-1449*, 1881.
Froissart, Jean, *Chroniques*, XIVe siècle.
Mollat du Jourdin, Michel, *La guerre de Cent Ans vue par ceux qui l'ont vécue*, 1975.
Seward, Desmond, *The Hundred Years War*, 1978.
Shakespeare, William, *The Cronicle History of Henry the fift* [alias Henri V], 1600.
Wagner, John A., *Encyclopaedia of the Hundred Years War*, 2006.

Marie, reine des Écossais
Elton, Geoffrey Rudolph, *England under the Tudors*, 1991.
Fraser, Antonia, *Mary Queen of Scots*, 1969.
Goodall, Walter, *An Examination of the Letters Said to Be Written by Mary Queen of Scots*, 1754.
Melville of Halhill, Sir James, *Memoirs of His Own Life*, 1683.

Louis XIV et Marlborough

Bucke, Charles, *The Life of John, Duke of Marlborough*, 1839.

Ogg, David, *Louis XIV*, 1933.

Les colonies françaises au Canada et en Amérique du Nord

Acadian-cajun.com.

Blet, Henri, *Histoire de la colonisation française*, 1946.

Cyberacadie.com.

Kurlansky, Mark, *Cod*, 1997.

Parkman, Francis, *Pioneers of France in the New World*, 1865.

Les explorateurs du XVIIIe siècle

Bougainville, Louis Antoine de, *Voyage autour du monde par la frégate du roi La Boudeuse et la flûte L'Étoile*, 1771.

Cook, James, *The Journals of Captain Cook*, 1955, 1961 et 1967.

La South Sea Bubble

Ainsworth, William Harrison, *John Law : The Projector*, 1864.

Mackay, Charles, *Memoirs of Extraordinary Popular Delusions*, 1841.

La France du XVIIIe siècle et la Révolution

Burke, Edmund, *Reflections on the Revolution in France*, 1790.

Forneron, Henri, *Histoire générale des émigrés pendant la Révolution française*, 1884.

Voltaire, *Lettres philosophiques* [publiées initialement sous le titre *Lettres écrites de Londres sur les Anglois et autres sujets*], 1734.

Napoléon
Cronin, Vincent, *Napoléon*, 1971.
Mahan, A. T., *The Life of Nelson*, 1898.
Napoléon Bonaparte *et al.*, *Code civil*, 1804.

Louis-Philippe
Dumas, Alexandre, *Histoire de la vie politique et privée de Louis-Philippe*, 1852.

La mort d'Eugène Louis Napoléon
Morris, Donald R., *The Washing of the Spears*, 1959.

Edward VII
Cowls, Virginia, *Gay Monarch : The Life and Pleasures of Edward VII*, 1956.
Wortham, H. E., *Edward VII, Man and King*, 1931.

Première Guerre mondiale
Empey, Arthur Guy, *Over the Top*, 1917.
Graves, Robert, *Goodbye to All That*, 1929.
Kilpatrick, James A., *Tommy Atkins at War*, 1914.
Maurois, André, *Les Silences du colonel Bramble*, 1921.
Patch, Harry, et Van Emden, Richard, *The Last Fighting Tommy : The Life of Harry Patch*, 2007.

Seconde Guerre mondiale
Berthon, Simon, *Allies at War*, 2001.
Henry, Natacha, *Marthe Richard : L'aventurière des maisons closes*, 2006.

Sanders, Paul, *The British Channel Islands under German Occupation, 1940-1945*, 2005.

L'après-guerre
Clarke, Stephen, *Français, je vous haime*, 2006.
Daninos, Pierre, *Les Carnets du major W. Marmaduke Thompson*, 1954.
Loi n° 94-665 du 4 août 1994 relative à l'emploi de la langue française, 1994.

Index

Aufray, Hugues : 566

Austerlitz, bataille d' : 390

Autriche : 233

Azincourt : 17, 85, 124-125, 129, 131, 136

Babington, Anthony : 182

Bacon, Jeanne : 99

Baker, Joséphine : 484, 611

Bannockburn, bataille de : 82-83

Banque royale : 257, 259

Barbanera (Barbe Noire) : 96-98

Barbinais, Le Gentil de La : 297

Baré, Jean(ne) : 300-302

Barings Bank : 293

Barons, anglais, et la *Magna Carta* (*La Grande Charte*) : 61, 64, 80

Barras, Paul : 366-367

Basile, Pierre : 77-78

Basques, pêcheurs (à propos de la découverte de Terre-Neuve) : 192

Bastille : 320, 322-326, 330

Bataille, abbaye de : 49

Baudricourt, Robert de : 138-139

Bayeux, tapisserie de : 29, 31, 35-36, 38-42, 44, 55-57

Bazille, Gaston : 449-450

Beatles, The : 566-567

Beauharnais, Joséphine (Rose) de : 366-367, 372, 376, 381, 391, 401

Beaujeu, Tanguy Le Gallois de : 249

Beaumarchais, Pierre-Augustin Caron de : 282-283, 607

Beauvoir, Simone de : 521-523

Becket, Thomas : 61, 70-72

Beckett, Samuel : 484

Bedford, John de Lancaster, duc de, régent d'Henri VI : 145-146

Béhuchet, Nicolas : 97-98

Belle-Île-en-Mer : 190, 205-206

Bellérophon : 410

Bernard le Danois : 24

Berthon, Simon : 539

Bertrand, Guillaume : 99

Billori, Martin, inquisiteur de France : 145

Biloxi, Fort de : 258

Bismarck, Otto von : 436, 470

Blair, Tony et Cherie : 596

Blampied, Edmund : 534

Blanchard, Jean-Pierre : 359

Blenheim, bataille de : 235

Blenheim, palais de : 239

Blet, Henri : 192-193, 274

Blücher, Gebhard Leberecht von : 395-396, 405-406, 408-409

Boers, guerre des : 463, 474

Catherine, sainte : 137-138

Cauchon, Pierre, évêque de Beauvais : 145-146

Céline, Louis-Ferdinand : 521

Chabanais, Le : 458-459

Chabrol, Claude : 563

Chamberlain, Neville : 487-489, 492

Chambre de commerce britannique : 464-465

Champagne : 208-209, 214

Champollion, Jean-François : 417-418

Chanel, Coco : 524-526

Chaplin, Charlie : 564

Charles II, roi d'Angleterre : 223-224, 231-233

Charles IV, roi de France : 289

Charles VI, roi de France : 119, 136-137

Charles VII, roi de France : 137, 139-144, 148, 152

Charles IX, roi de France : 181

Charles X, roi de France : 427

Château Chalus : 77-78

Chateaubriand, François-René de : 331

Cherokee, peuple : 265, 274-275

Chevalier, Maurice : 524

Chevauchées, équipées à cheval meurtrières sous Édouard III : 95, 100, 103, 118

Chickasaw, peuple : 265

Chinon, château de : 74

Chirac, Jacques : 579, 587, 595-596, 600

Chislehurst : 436-437, 443

Choltitz, Dietrich von : 542

Chronique anglo-saxonne : 54, 67

Churchill, John, *voir* Marlborough

Churchill, Sir Winston, père du duc de Marlborough : 230

Churchill, Sir Winston, Premier ministre : 230, 482-483, 486, 490-494, 496, 498-512, 514, 525-526, 536-540, 545-547

Chypre : 457-458

Claremont House : 431

Clarke, Edward : 374

Claudel, Paul : 609

Clemenceau, Georges : 477-479, 494, 609

Clifford, Rosamund : 72

Cocteau, Jean : 521

Coleridge, Samuel Taylor : 330, 608

Colomb, Christophe : 191-193

Commerson, Philibert : 300-302

Compagnie d'Occident : 257

Compagnie des Indes orientales : 257-259

Concorde : 341, 544

Convention nationale : 347

Crédits des illustrations

Pages : 19, 60, 243, cartes © Ruth Murray

Page : 30, Tapisserie de Bayeux, fac-similé, détail, 1067 © World History Archive / Alamy

Page : 108, La Bataille de Crécy en 1346, enluminure extraite du manuscrit des Chroniques de Froissart © Roger-Viollet

Page : 150, Jeanne d'Arc sur le bûcher, enluminure extraite de *Les vigiles de Charles VII* de Martial d'Auvergne, 1484 © BNF, Paris / The Bridgeman Art Library

Page : 188, Exécution de la Reine Mary d'Écosse © Bettmann/Corbis

Page : 210, Exploding Champagne bottle, from Facts about Champagne… 1879

Page : 218, Ballet « La Nuit », Louis XIV en Apollon, Anonyme, XVIIᵉ siècle, © RMN / Agence Bulloz

Page : 311, La Guillotine, École française, XVIIIᵉ siècle, Collection privée, © The Bridgeman Art Library

Page : 343, Un petit souper à la Parisienne 1792, © The Warden and Scholars of New College, Oxford / The Bridgeman Art Library

Page : 355, Plan français d'évasion de l'Angleterre, gravure anonyme, 1801 © Lordprice Collection / Alamy

Page : 439, Photographie, London, c. 1872 © Interfoto / Alamy

Composé par Nord Compo
à Villeneuve-d'Ascq (Nord)

Imprimé en Espagne par
Liberdúplex
à Sant Llorenç d'Hortons (Barcelone)
en décembre 2013

POCKET – 12, avenue d'Italie – 75627 Paris cedex 13

Dépôt légal : janvier 2014
S24131/01